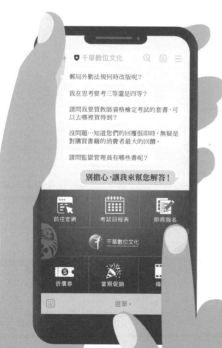

公務人員
「普通考試」應試類科及科目表

高普考專業輔考小組◎整理

完整考試資訊

http://goo.gl/7X4ebR

✪ 普通科目
　1.國文◎（作文80%、測驗20%）
　2.法學知識與英文※（中華民國憲法30%、法學緒論30%、英文40%）

✪ 專業科目

類科	科目	
一般行政	一、行政法概要※ 三、政治學概要◎	二、行政學概要※
一般民政	一、行政法概要※ 三、地方自治概要◎	二、行政學概要※
教育行政	一、行政法概要※ 三、教育行政學概要	二、教育概要
社會行政	一、行政法概要※ 三、社會政策與社會立法概要◎	二、社會工作概要◎
人事行政	一、行政法概要※ 三、公共人力資源管理	二、行政學概要※
戶　政	一、行政法概要※ 二、國籍與戶政法規概要◎（包括國籍法、戶籍法、姓名條例及涉外民事法律適用法） 三、民法總則、親屬與繼承編概要	
財稅行政	一、財政學概要◎ 三、民法概要◎	二、稅務法規概要◎
會　計	一、會計學概要◎ 三、政府會計概要◎	二、會計法規概要◎
交通行政	一、運輸經濟學概要 三、交通政策與行政概要	二、運輸學概要
土木工程	一、材料力學概要 三、土木施工學概要 四、結構學概要與鋼筋混凝土學概要	二、測量學概要

水利工程	一、水文學概要 三、水利工程概要	二、流體力學概要
水土保持工程	一、水土保持（包括植生工法）概要 二、集水區經營與水文學概要 三、坡地保育（包括沖蝕原理）概要	
文化行政	一、本國文學概要 三、藝術概要	二、文化行政概要
機械工程	一、機械力學概要 三、機械製造學概要	二、機械設計概要
法律廉政	一、行政法概要※ 二、公務員法概要（包括任用、服務、保障、考績、懲戒、交代、行政中立、利益衝突迴避與財產申報） 三、刑法與刑事訴訟法概要	
財經廉政	一、行政法概要※ 二、公務員法概要（包括任用、服務、保障、考績、懲戒、交代、行政中立、利益衝突迴避與財產申報） 三、財政學與經濟學概要	

註：應試科目後加註◎者採申論式與測驗式之混合式試題(占分比重各占50%)，應
試科目後加註※者採測驗式試題，其餘採申論式試題。

各項考試資訊，以考選部正式公告為準。

千華數位文化股份有限公司

新北市中和區中山路三段136巷10弄17號

TEL: 02-22289070　FAX: 02-22289076

目次

第一篇　靜力學

✿ Chapter 01 | 基本觀念

✿ Chapter 02 | 平面力系與平衡

✿ Chapter 03 | 結構分析

第三篇　材料力學

⚙ Chapter 01 | 應力與應變

⚙ Chapter 02 | 桿構件軸向負載分析

⚙ Chapter 03 | 扭轉

⚙ Chapter 04 | 樑之應力與變形

⚙ Chapter 05 | 應力元素應用

第四篇　最新試題及解析

本書特色

「機械力學」於機械類的各類考試中，占有一定的重要性，考科包含靜力學、動力學及材料力學三門學科，一張考卷只有短短的五題來測驗考生解決問題的能力，因此收集各類國考的考古題，掌握各個單元在機械力學中所扮演的角色，才能更有效率的掌握重點，了解出題的趨勢。本書的特點在於**收集近幾年所有機械土木類國營事業考試、機械類普考、關務及地方四等特考試題**，搭配詳細的解答與分析，與先前筆者所著之「工程力學」相較，筆者刪除了較艱深且出題機率較小之試題，並增加了符合四等及國營事業招考之新的試題約200題，內容**依國考出題方向及重點分配章節編輯成冊**，一方面讓讀者能了解各單元出題的比重，另一方面節省了讀者收集考題的時間，並能了解出題的方向，掌握重點，能更有效率的達到高分的效果，可適**用於所有國家考試之機械力學（應用力學＋材料力學）科目**。

本書之編輯與校對多在下班、假日之餘，雖經再三校對，然因學識疏淺，疏失之處在所難免，尚祈各位先進不另指正，感激不盡。

機械力學權威　祝裕

第一篇 靜力學

Chapter 01 基本觀念

⚙ 1-1 力學的種類

1. **力學的定義**：力學是專門研究力的作用對物體的影響，以及物體受力後所產生的運動與變形的科學，一般將靜力學、動力學、材料力學合稱為工程力學。

2. **力學的種類**

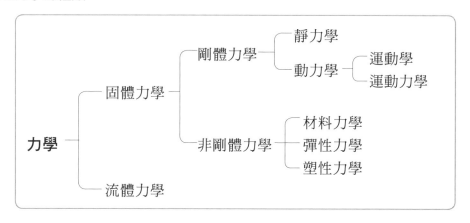

3. **機械力學研究的範圍**

靜力學	物體假設為受力後不變形之剛體，力作用於靜止物體時，應用平衡的幾何條件求解剛體受力平衡關係的問題。
材料力學	物體假設為受力後會變形之彈性體，力作用於靜止物體時，外力對物體所產生的應力與變形之效應。
動力學	物體假設為受力後不變形之剛體，力作用於靜止或移動之物體時，外力對物體所產生的速度與加速度之變化。

⚙ 1-2 力的觀念

1.力的定義：凡能使一物體改變其運動或靜止狀態或有此傾向者謂之力 (force)。

2.力的三要素

力的 **大小**　　　力的 **方向**　　　力的 **作用點**

3.力的分類

外力	物體受到外界的作用力稱之為外力。
內力	物體受到外界的作用力時，其內部各部份彼此間的作用力，大小相等方向相反，稱之為內力。
接觸力	二物體間必須要直接接觸，才會產生力量者。例如摩擦力、壓力、繩子的拉力。
超距力	二物體間不需要有直接接觸，即可產生力之作用者。例如地心引力、磁力、電力。
集中力	作用力集中在一點者。
分佈力	指作用力分佈於一段長度或某一面積者。

4.力的效應與傳遞

(1) 外效應與內效應

外效應	一外力作用於剛體上，使物體產生運動狀態之改變，稱之為力的外效應，例如投籃球、射飛鏢。
內效應	外力作用於非剛體上，使物體產生形變及其內部產生內應力以抵抗外力的現象，稱之為力的內效應。

(2) 力的傳遞模式：力在物理上我們通常稱之為作用力(F)，具有大小與方向性，可用向量來表示力作用效應的大小、作用點及作用方向，與物體沿作用力方向的移動距離(S)之乘積，我們稱之為力的作用功。

⚙ 1-3 向量與純量

1. **向量**：向量為一具有大小與方向的量。常使用的向量有位移、力、力矩、速度、加速度等，若以書寫方式表示，向量通常可將一箭號寫在一個字母上如 $\vec{A}$，其大小則以 $|\vec{A}|$ 或斜體字 A 表示。

2. **純量**：一物理量可用正數或負數表示者，稱之為純量。常使用的質量、體積和長度都是屬於純量。

3. **向量的分類**
   (1) 自由向量：凡一向量的原點可以自由決定，不受任何拘束而沒有特定之作用線或作用點，如力偶矩、角速度皆相等。
   (2) 滑動向量：指向量原點可沿某一特定直線上自由移動，如物體產生運動效應之力矩、速度、力等。
   (3) 拘束向量：凡一向量的原點不可以自由移動者，如內應力。

⚙ 1-4 力的可傳性

1. **力的單位**：國際單位制度(The International System of Units)簡寫為SI制，其基本單位：長度、時間及質量分別以公尺(m)、秒(s)以及公斤(kg)表示，力的單位則以牛頓(N)表示，1牛頓定義：使物體質量1kg產生$1(m/s^2)$的加速度時，所需要的作用力。

量	因次符號	SI單位	
		單位	符號
質量	m	公斤	kg
長度	L	米	m
時間	t	秒	s
力	F	牛頓	N

$1\,N = 10^5\,dyne$ $1\,kgf = 9.8\,N$ $1\,gf = 980\,dyne$

2. **質點與剛體**
   (1) 質點：物質之質量的集中體。
   (2) 剛體：物體受外力的作用時，其形狀與大小均無發生改變，即是物體內部任意兩點間之距離保持不變，則該物體稱之為剛體。

3.力的可傳性

對於剛體的外效應而言，作用在剛體上的力，其大小與方向不改變，則力可沿其作用線上任意移動，而不改變其外效應，稱之為力的可傳性。

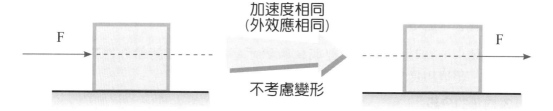

圖1.1 力的可傳性

4. **力系**：一質點或剛體同時承受兩個或兩個以上的外力作用時，這些作用力稱為力系（force system）。通常一質點或剛體所受的力系，依各力作用線之情況可分為下列幾種類型，如圖1.2所示。

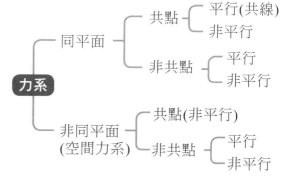

圖1.2 力系

(1) 共線力系：力系中之各力，均在同一作用線上。

(2) 共面共點力系：力系中的各力同在一平面上，且相交於同一點。

(3) 共面平行力系：力系中的各力同在一平面上，且各力的作用線互相平行。

(4) 共面非共點非平行力系：力系中的各力均同在一平面上，但各力的作用線既不互相平行，也不相交於同一點。

(5) 空間共點力系：力系中各力的作用線相交於空間中同一點，但均不在同一平面上。

(6) 空間平行力系：力系中各力的作用線互相平行，但均不在同一平面上。

(7) 空間非共點非平行力系：力系中各力的作用線，既不相交同一點，又不互相平行，且不在同一平面上。

Chapter **02** 平面力系與平衡

✿ **2-1** 力的分解與合成

1. 力的分解

一般而言，一力可分解成無限多個分力，但在力學分析時，為了計算上的方便，通常將一**單力分解為相互垂直的二分力**，既方便角度、比例的觀察，亦可利用三角函數迅速的求出分力的大小，而所分出來的分力可大於、等於或小於合力，此種方法稱為力之分解。反之，若**將作用於物體上之力系以一單力取代之而不改變物體所生之外效應之方法，稱為力之合成**，一般而言力可

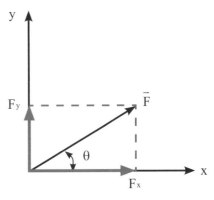

圖2.1　力的分解

分解成很多分力，如圖2.1所示，我們習慣將位於平面上的力，沿著X軸及Y軸分解出F_x及F_y的分力。

$$\vec{F} = F_x\,\vec{i} + F_y\,\vec{j} = F\cos\theta\,\vec{i} + F\sin\theta\,\vec{j}$$

2. 力的合成

力的合成，便是將兩個以上的力加起來變成一個合力，一般可分為圖解法及代數法。

(1) 圖解法

	圖形	說明
平行四邊形法	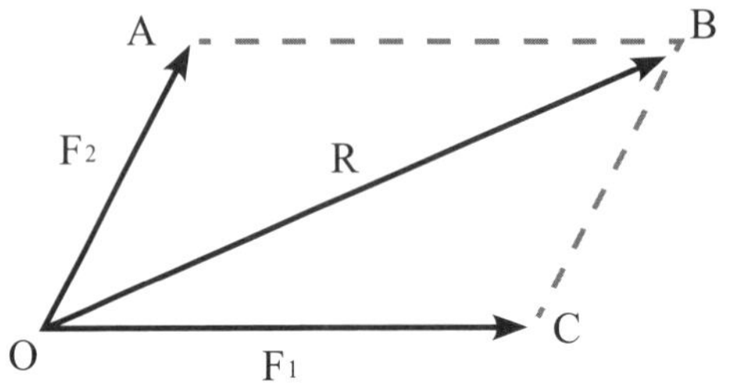 A、B、R、F₂、F₁、O、C 平行四邊形圖	1.F_1及F_2為兩共點之力。 2.以兩力為邊畫一平行四邊形。 3.畫出合力R。 4.OB的長度即為合力R的大小。
三角形法	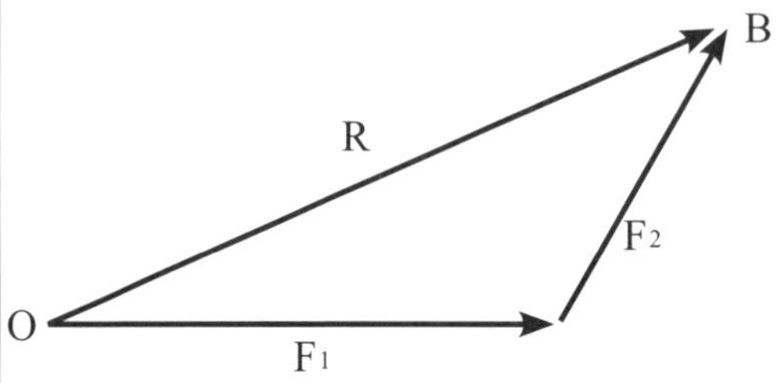 B、R、F₂、F₁、O 三角形圖	1.按比例畫出F_1的大小、方向。 2.在F_1的終點畫出F_2。 3.以F_1、F_2為二邊，畫出三角形。 4.OB的長度即為合力R的大小。

(2) 代數法

圖形

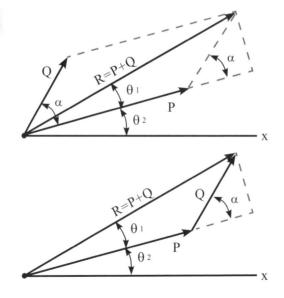

> **說明**　合力R之大小，可由三角形餘弦定律求得，即
>
> $$|R| = \sqrt{P^2 + Q^2 - 2PQ\cos(\pi - \alpha)} = \sqrt{P^2 + Q^2 + 2PQ\cos\alpha}$$
>
> $$\tan\theta_1 = \frac{Q\sin\alpha}{P + Q\cos\alpha} \qquad \theta_1 = \tan^{-1}\left(\frac{Q\sin\alpha}{P + Q\cos\alpha}\right)$$
>
> $$\theta = \theta_1 + \theta_2 = \tan^{-1}\left(\frac{Q\sin\alpha}{P + Q\cos\alpha}\right) + \theta_2$$
>
> θ_1 可由三角形之正弦定律求得
>
> $$\frac{Q}{\sin\theta_1} = \frac{R}{\sin(\pi - \alpha)} \quad , \quad \frac{Q}{\sin\theta_1} = \frac{R}{\sin\alpha}$$

⚙ 焦點命題 ⚙

1. 兩共點之力夾角為120°，大小同為40kg，其合力大小為多少kg？

答：$R = \sqrt{F_1^2 + F_2^2 + 2F_1F_2\cos\theta} = \sqrt{40^2 + 40^2 + 2 \times 40 \times 40\cos120°} = 40\text{kg}$

2. (1)試分解20kN力沿X軸和Y軸之分量及其大小。
　　(2)試分解30kN力沿X軸和Y軸之分量及其大小。
　　(3)試分解42kN力沿X軸和Y軸之分量及其大小。

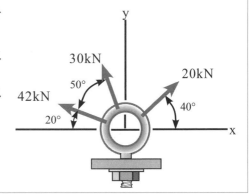

答：(1) $F_x = +(20\text{kN})\cos40°$ ，$F_x = 15.32\text{kN}$
　　　　　$F_y = +(20\text{kN})\sin40°$ ，$F_y = 12.86\text{kN}$

(2) $F = -(30\,kN)\cos70°$ ， $F_x = -10.26\,kN$

$F_y = +(30\,kN)\sin70°$ ， $F = 28.2\,kN$

(3) $F_x = -(42\,kN)\cos20°$ ， $F_x = -39.5\,kN$

$F_y = +(42\,kN)\sin20°$ ， $F_y = 14.36\,kN$

---

3. 如圖，兩作用力F_1和F_2作用於一吊環上，其合力的大小與方向為何？

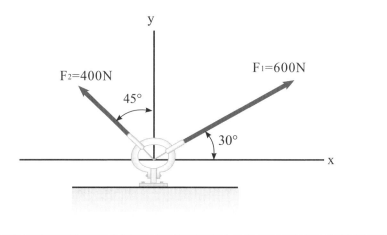

答： $\sum F_x \Rightarrow 600\cos30° + (-400)\sin45° = 236.8(N)$

$\sum F_y \Rightarrow 600\sin30° + 400\cos45° = 582.8(N)$

$F_R = \sqrt{F_x^2 + F_y^2} = \sqrt{(236.8)^2 + (582.8)^2} = 626.1(N)$

$\theta = \tan^{-1}\left(\dfrac{582.8\ N}{236.8\ N}\right) = 67.9°$

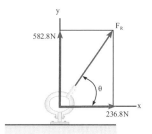

4. 如圖所示，求此三力的合力大小及合力與水平夾角成幾度。

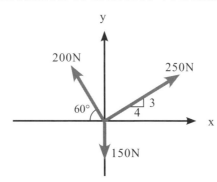

答：$\sum F_x = 250 \times \dfrac{4}{5} - 200 \times \cos 60^\circ = 200 - 200 \times \dfrac{1}{2} = 100 \text{N}$

$\sum F_y = 250 \times \dfrac{3}{5} + 200 \times \sin 60^\circ - 150 = 150 + 200 \times \dfrac{\sqrt{3}}{2} - 150 = 100\sqrt{3} \text{N}$

合力

$R = \sqrt{\left(\sum F_x\right)^2 + \left(\sum F_y\right)^2} = \sqrt{(100)^2 + \left(100\sqrt{3}\right)^2} = 200 \text{N}$；$\tan \alpha = \dfrac{\sum F_y}{\sum F_x} = \dfrac{100\sqrt{3}}{100} = \sqrt{3}$

$\alpha = 60^\circ \left(\right.$ ⟋ 60° $\left. \right)$

5. 如圖所示之二力，其夾角為60°，合力$R = 10\sqrt{3}$ N，若$F_1 = 10$N，則F_2等於多少N？

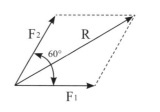

答：利用餘弦定律得

$\because R = \sqrt{F_1^2 + F_2^2 + 2\,F_1\,F_2\cos\theta}$

$\Rightarrow 10\sqrt{3} = \sqrt{10^2 + F_2^2 + 2 \times 10 \times F_2 \cos 60^\circ} \Rightarrow 100 \times 3 = 100 + F_2^2 + 10\,F_2$

$\Rightarrow F_2^2 + 10\,F_2 - 200 = 0 \Rightarrow \left(F_2 - 10\right)\left(F_2 + 20\right) = 0$

$\Rightarrow F_2 = -20$ 時，合力R的方向不合 $\therefore F_2 = 10(\text{N})$

6. 如圖所示，為一同平面平行力系，其合力之作用位置到A點之距離為多少m？

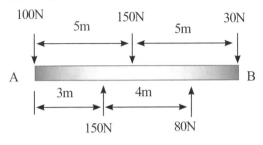

答：作自由體圖
(1)求合力R之大小
$$R = \sum F = 100 + 150 + 30 - 150 - 80 = 50 \left(N \downarrow \right)$$
(2)求合力R之位置
對A點取力矩
$$50 \times d = 150 \times 5 + 30 \times 10 - 150 \times 3 - 80 \times 7$$
$$\therefore d = 0.8 \left(m \right)$$

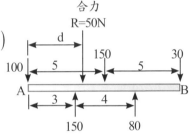

7. 試以等值合力取代此負載，並求其作用位置與B點之距離。

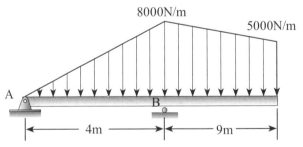

答：合力為斜線面積
$$FR = \frac{1}{2} \times 4 \times 8000 + \frac{1}{2} (5000 + 8000) \times 9 = 74500 (KN)$$

$$\sum M_B = \sum M_{RB}$$

$$-\frac{1}{2} \times 4 \times 8000 \times \frac{4}{3} + 5000 \times 9 \times \frac{1}{2} \times 9 + \frac{1}{2} \times 3000 \times 9 \times \frac{9}{3} = 74500x$$
$$x = 2.975 \ (m)$$

⚙ 2-2 | 自由體圖

1. 自由體圖定義

自由體圖或稱分離體圖（Free body diagram）：**將受力物體之全部（或部分）與周圍所接觸之其他物體隔離，其被隔離之其他每一物體以力表示之圖形，謂之自由體圖。**

2. 畫自由體圖的方法

(1) 自由體圖上之力，無論已知力或未知力應全部標示出來。

(2) 而未知力，其指向可先行假設，若事後算出答案為負值，則代表與假設力之指向成相反指向。

(3) 若事後算出答案為正值，則代表假設力之指向為正確指向。

3. 支承反力與自由體圖

支承型式	自由體圖	圖式說明
平面相接觸	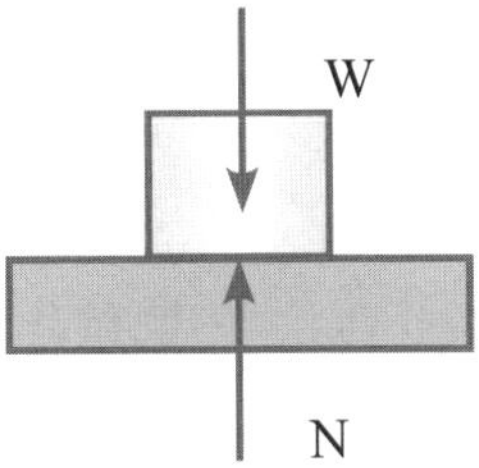	物體間之作用力與反作用力，因無摩擦力，所以支承反作用力垂直向上。
曲面接觸	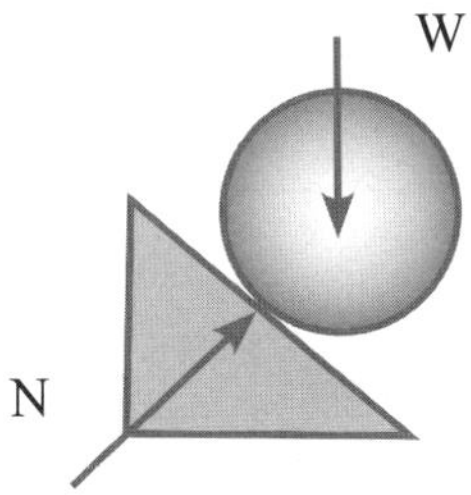	物體間之作用力與反作用力，因無摩擦力，所以支承反作用力垂直於受力面。

支承型式	自由體圖	圖式說明
點與平面	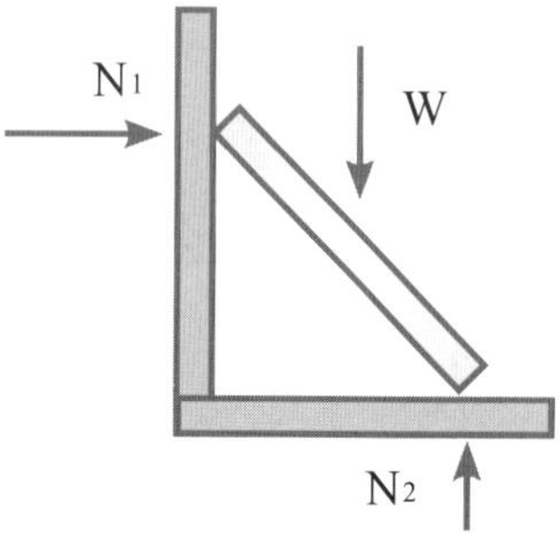 N_1 $\rightarrow$ W $\downarrow$ N_2 $\uparrow$	物體間之作用力與反作用力，因無摩擦力，所以支承反作用力垂直於受力面。
繩索	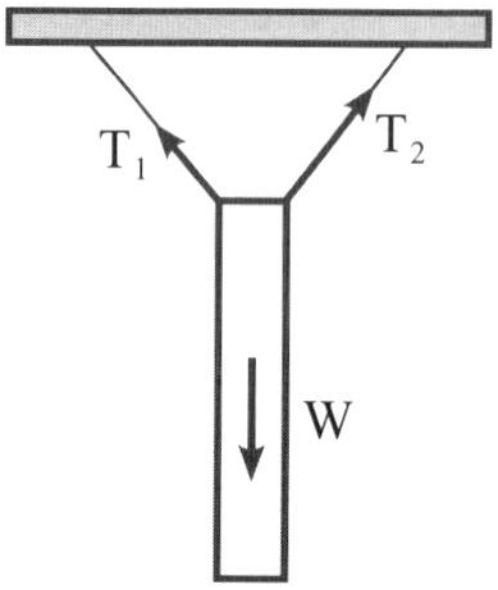 T_1 T_2 W $\downarrow$	反作用力為作用於繩索方向上的力。
滾支承及鉸支承	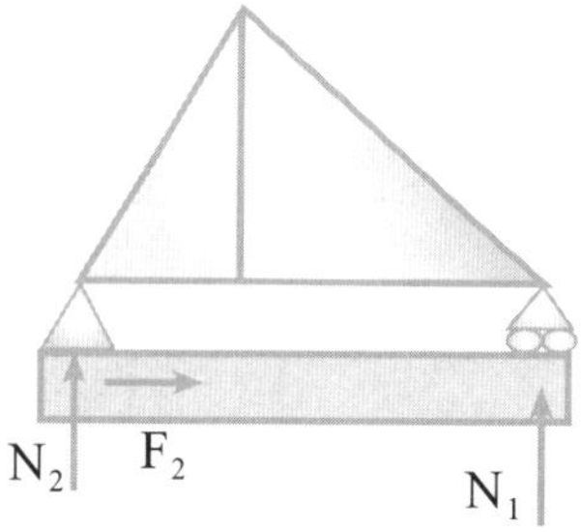 N_2 F_2 N_1	鉸支承反作用力因方向不明確，所以先假設為兩互相垂直之分力 N_2 及 F_2，滾支承反作用力為垂直於受力面。
固定支承	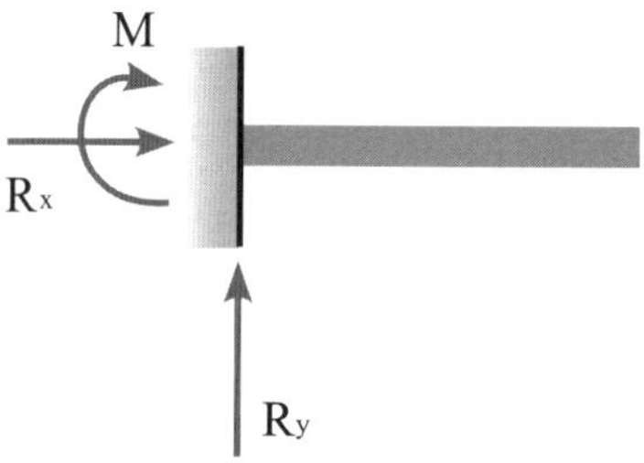 M R_x R_y	一般先行假設接觸點上作用一個水平反力，一個垂直反力及一個彎矩力。

支承型式	自由體圖	圖式說明
滑塊	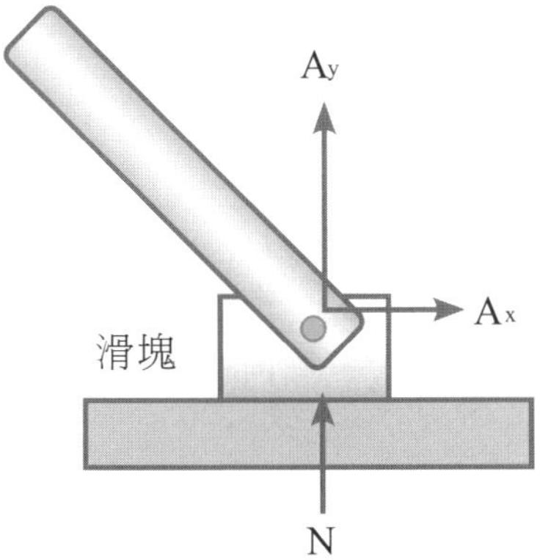 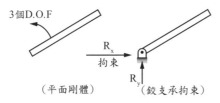	滑塊受力為地面之反作用力N與鉸接點A之作用力A_x及A_y。

觀念說明：自由度與拘束

1. 自由度（degree of freedom）d.o.f

⇒ 描述物體（或系統）之運動，所需之獨立參數的數目。

2. 拘束（constraint）

⇒ 物體（或系統）運動時，往往會受到一些限制，這些限制在力學上稱為拘束，由限制條件所得到的方程式，稱為拘束（相依）方程式。

(1) 一質點在平面上有2個d.o.f ⇒ x、y方向移動。

(2) 一剛體在平面上有3個d.o.f ⇒ x、y方向移動＋繞z軸旋轉。

(3) 一質點在空間中有3個d.o.f ⇒ x、y、z方向移動。

(4) 一剛體在空間中有6個d.o.f ⇒ x、y、z方向移動＋繞x、y、z軸旋轉。

3個D.O.F

R_x

拘束

（平面剛體） （鉸支承拘束）

R_y

R_x拘束x方向
R_y拘束y方向 ⇒ 使桿件僅能旋轉。

例

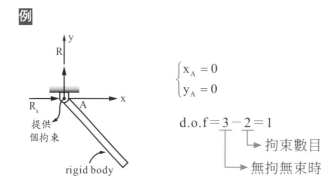

$$\begin{cases} x_A = 0 \\ y_A = 0 \end{cases}$$

d.o.f＝3－2＝1

└──→ 拘束數目

└──→ 無拘無束時

例

繩子長度為定值L，利用x、y兩變量來描述單擺，可得一條拘束方程式

$$x^2 + y^2 = L^2$$

由繩長固定（限制條件）

$$\Rightarrow x^2 + y^2 = L^2 \text{（拘束方程式）。}$$

例

(1)   (2)

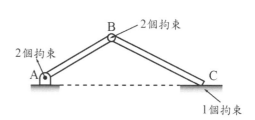

d.o.f=3-2=1   d.o.f=2×3（無拘無束）－2×2－1＝1

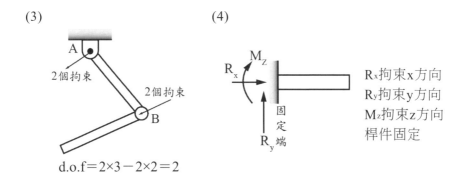

(3)

2個拘束

2個拘束

d.o.f＝2×3−2×2＝2

(4)

R_x拘束x方向
R_y拘束y方向
M_z拘束z方向
桿件固定

⚙ 2-3 力矩與力偶

1. 力矩

(1) 力矩(M)：一力的作用，除了使物體有沿施力方向移動的傾向之外，只要力的作用線與該轉軸既不相交也不平行，也可能使物體繞任一軸轉動，這種力使物體對某一軸(或點)轉動的傾向即為力對某一軸(或點)的力矩M，如圖2.2所示大小等於作用力與力至作用點之垂直距離d之乘積，即**力矩＝力×力臂**，M＝F×d。

(2) 力矩原理：力系之合力對於某一點(或軸)之力矩，等於此力系中各個力量對於該點(或軸)之力矩代數和。

(3) 力矩的特性：

A. **當力之作用線與力矩軸平行時，力矩為零。**

B. 力矩愈大，則物體轉動的趨勢愈大。

C. 當力之作用線或作用線之延長線與力矩中心或力矩軸相交，則力臂等於零，力矩亦為零。

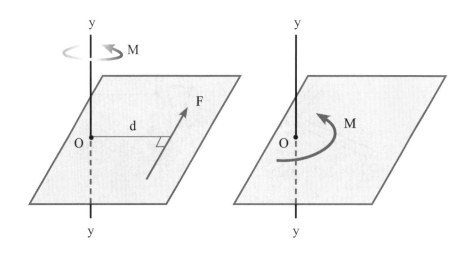

圖2.2 力矩

2. 力偶

(1) 力偶(couple)：兩互相平行且大小相等之平行作用力，作用在不同的作用線上，稱之為力偶。

(2) 力偶矩：由一對力偶所產生的力矩，其方向與力偶平面互相垂直，稱之為力偶矩M，如圖2.2所示力偶矩M＝F×d，其方向可用右手定則決定。

(3) 力偶之特性三要素：

　　A. **力偶矩的大小**：力偶矩為力偶中任一力與二力作用線間之垂直距離之乘積。

　　B. **力偶作用面之傾度**：如傾斜角度皆相同之面上，力偶可任意變動，將不改變力偶矩之大小及方向。

　　C. **力偶迴轉之方向**：和力矩相同，有順時針和逆時針方向。

(4) 力偶的轉換

　　A. 力偶可以在同一平面內任意移動或轉動。

　　B. 力偶可由一平面移到另一平行之平面。

　　C. 若力偶矩固定，則力偶之兩力與兩力間之距離可以改變。

(5) 平面上力與力偶的分解

分解單力	說明
平面上之單力	力為作用在平面上之一力 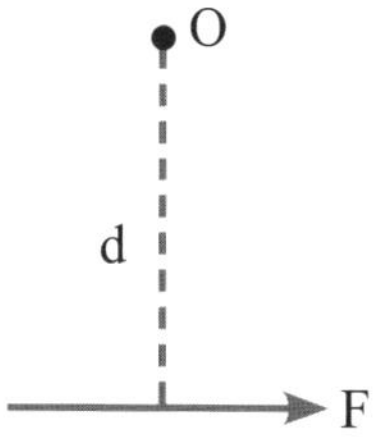 （圖示：O 點，距離 d，力 F）
於O點加一組大小相等，方向相反之力	在點上加上一組大小相等、方向相反，且平行、等於力之二作用力 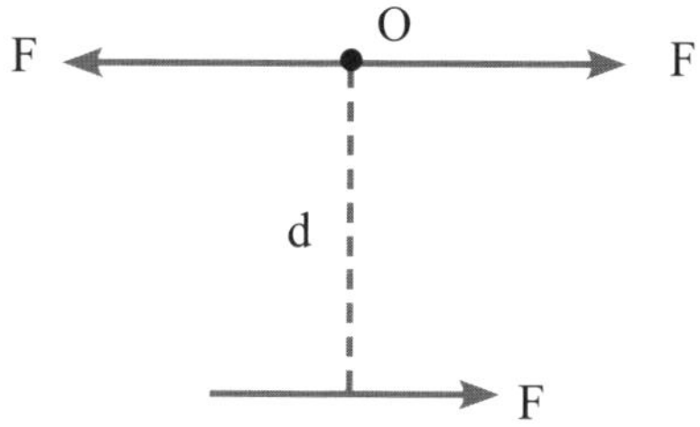 （圖示：O 點兩側各有力 F，距離 d，下方力 F）
分解成另一單力及一力偶	此二力對整個力系而言，並不影響其外效應，整個力系則成為一單力及一力偶 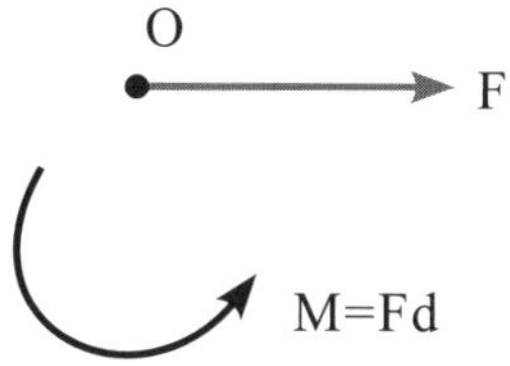 （圖示：O 點，力 F，力偶 M=Fd）

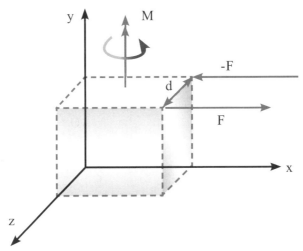

圖2.3　力偶矩

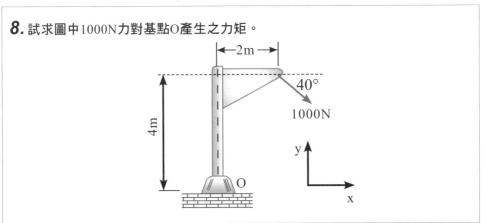

🔩 **焦點命題** 🔩

8. 試求圖中1000N力對基點O產生之力矩。

答：$F_1 = 1000\cos 40° = 766.04N$

$F_2 = 1000\sin 40° = 642.78N$

$M_O = F_1 \times 4 + F_2 \times 2$

$\quad = (766.04 \times 4) + (642.78 \times 2)$

$\quad = 4350 \text{ N} - \text{m} \circlearrowleft$

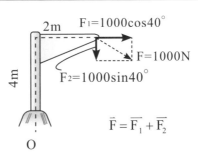

note：

(1) 本題使用力矩定理求解，力矩定理亦可使用於質心、形心、重心的計算

個別的 $\begin{cases} \text{分力} \\ \text{面積對某一點(軸)取力矩等於所有} \\ \text{質量} \end{cases}$ $\begin{cases} \text{合力} \\ \text{面積對某一點(軸)取力矩。} \\ \text{質量} \end{cases}$

(2) 本題另可使用力的可傳性 $\Rightarrow$ 適用於第三章結構分析

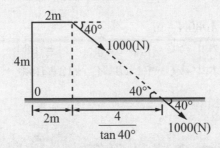

$$\overset{+}{\curvearrowright}\sum M_o = 1000 \times \sin 40° \times \left(2 + \frac{4}{\tan 40°}\right) = 4350(\text{N}-\text{m})\curvearrowright$$

---

9. 如圖所示之平面機件，受到F＝390N之力量作用，則此力對A點所產生之力矩大小及方向為？

答： $F_x = 390 \times \dfrac{5}{13} = 150$; $F_y = 390 \times \dfrac{12}{13} = 360$

$$\therefore \sum M_A = 360 \times 3 - 150 \times 2 = 1080 - 300 = 780\left(\text{N}-\text{m} \text{ 逆時針}\right)$$

10. 如圖所示一力偶作用在B、C兩點，試將此力偶分別轉換為水平力作用在
A、B及C、D的力偶。

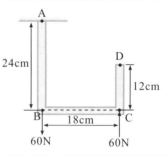

答：$C = F \times d = 60 \times 18 = 1080 N - m$

(1) 作用在AB力偶大小為 $C = F_{AB} \times d = F_{AB} \times 24 = 1080$，得 $F_{AB} = 45N$

(2) 作用在CD力偶大小為 $C = F_{CD} \times d = F_{CD} \times 12 = 1080$，得 $F_{CD} = 90N$

⚙ 2-4 平面力系之合成及平衡

1. 同平面共點力系

(1) 同平面共點力系之合成

力多邊形作圖法：

如圖所示，按大小比例與方向畫出每一個分力，再將各分力首尾相連，然後從第一力的起點到最後一力的終點畫一向量R，按比例即可量出合力R的大小與方向。

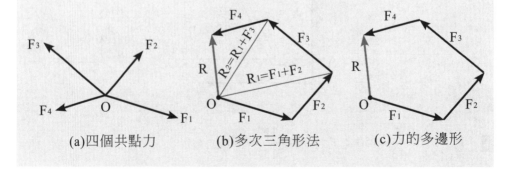

(a)四個共點力　　　(b)多次三角形法　　　(c)力的多邊形

代數法：

在同一平面上，所有的力均作用在同一點，就稱為同平面共點力系。如圖所示，欲求此四力之合力，可以先將各力分解成沿x、y軸之分力，再求出 $\sum F_x$，$\sum F_y$，便可求出合力的大小與方向。

$\sum F_x = F_1 \cos\theta_1 - F_2 \cos\theta_2 - F_3 \cos\theta_3 + F_4 \cos\theta_4$

$\sum F_y = F_1 \sin\theta_1 + F_2 \sin\theta_2 - F_3 \sin\theta_3 - F_4 \sin\theta_4$

1.合力大小： $R = \sqrt{\left(\sum F_x\right)^2 + \left(\sum F_y\right)^2}$

2.合力方向： $\alpha = \tan^{-1}\dfrac{\sum F_y}{\sum F_x}$

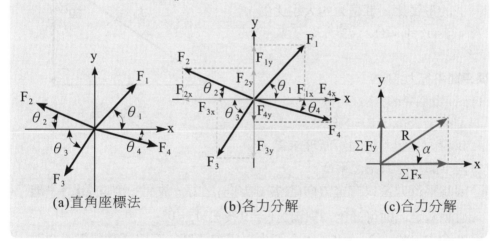

(a)直角座標法　　　(b)各力分解　　　(c)合力分解

(2) 同平面共點力系之平衡

　　A.平面共點力系的平衡：因各力共點，則各力對通過交點O的力矩必定等於零，故只剩兩個力的平衡方程式，$\sum F_x = 0$，$\sum F_y = 0$。

　　B.二力平衡條件：大小相等方向相反，且作用在同一直線上。

　　C.三力平衡條件：三力平衡時，若其作用線不平行，則必交於一點。

D. 平衡判斷方法：

圖解法：當力多邊形閉合時，合力R為零，則共點力系平衡。

代數法：合力 $R = 0 \Leftrightarrow \begin{cases} \sum F_x = 0 \\ \sum F_y = 0 \end{cases}$

E. 拉密定理：

$$\frac{F_1}{\sin\theta_1} = \frac{F_2}{\sin\theta_2} = \frac{F_3}{\sin\theta_3}$$

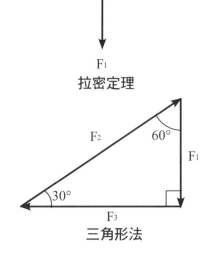

拉密定理

三角形法

F. 三角形法：利用三力平衡則此三力形成封閉三角形，求出三角形的邊長比，就是力的大小比例。

$$F_1 : F_2 : F_3 = 1 : 2 : \sqrt{3}$$

2. 同平面平行力系

(1) 同平面平行力系之合成

A. 合力大小：$R = \sum F$

B. 合力位置：依力矩原理求得。

(2) 同平面平行力系之平衡

因為平行力系只有單方向(設為x-方向)之力，故另一方向 $\sum F_y = 0$ 能自動滿足，則可簡化為只需 $\sum F_x = 0$ 及 $\sum M_z = 0$。

A. 合力為零，$\sum F = 0$：不會產生直線加速度，直線運動狀態不會改變。

B. 合力矩為零，$\sum M = 0$：不會產生角加速度，旋轉運動狀態不會改變。

C. 只有同時符合 $\sum F = 0$，$\sum M = 0$，才是平衡，缺一不可。

3. 同平面不共點不平行力系

(1) 若作用於某一平面上之力系，其合成等於零時，此時處於平衡狀態，且其合力R及力偶M均為零。

(2) 同平面不共點力系之合力有下列三種情形：

　　A.合力R≠0，合力為一單力R(力多邊形不閉合)。

　　B.合力R＝0，合力矩ΣM≠0，合力為一力偶。(力多邊形閉合，索線多邊形不閉合)。

　　C.合力R＝0，合力矩ΣM＝0，合力為零(力多邊形閉合，索線多邊形閉合)物體平衡。

　　D.應用於同平面不共點力系，以力矩原理求出其合力作用線之位置。

(3) 平衡條件

受力形式	平衡方程	平衡條件	平衡方程限制條件
基本形式	$\sum F_x=0$ $\sum F_y=0$ $\sum M_A=0$	$\vec{F}=0$ $\vec{M}=0$	A為平面上任一點且x和y軸不得相互平行。
二扭矩形式	$\sum F_x=0$ $\sum M_A=0$ $\sum M_B=0$	$\vec{F}=0$ $\vec{M}=0$	A、B為平面上任二點且兩點連線不得與x軸垂直。
三扭矩形式	$\sum M_A=0$ $\sum M_B=0$ $\sum M_C=0$	$\vec{F}=0$ $\vec{M}=0$	A、B、C為平面上任三點且三點不得在同一直線上。

4. 平面力系的平衡條件

	共點力系		平行力系	不共點且不平行力系
	二力	三力		
圖解法	1.大小相等 2.方向相反 3.作用在同一直線上	1.三力同平面 2.三力交於一點 3.力多邊形閉合	1.力多邊形閉合 2.索線多邊形閉合	1.力多邊形閉合 2.索線多邊形閉合

	共點力系	平行力系	不共點且不平行力系
代數法	$\sum F_x = 0$ $\sum F_y = 0$	$\sum F_y = 0$ $\sum M = 0$	$\sum F_x = 0$ $\sum F_y = 0$ $\sum M = 0$
平衡方程式之數目	2	2	3

5. 平面力系的解題步驟

(1) 畫出自由體圖。

(2) 將各傾斜力分解為x、y軸之分力。

(3) 平衡：利用 $\sum F_x = 0$，$\sum F_y = 0$，列出方程式，共點力系即可求解。

(4) 如果是不共點力系，再利用 $\sum M = 0$，列出方程式，共點力系即可求解。

(5) 在使用 $\sum M = 0$ 列出算式時，通常以較多未知力通過的點為力矩支點，可簡化計算。

觀念說明：

當一質點處於靜平衡狀態時，作用於質點的合外力($\sum F$)恆等於零。

亦即 $\sum F \equiv 0 \rightarrow \begin{array}{l} \sum F_x \equiv 0 \\ \sum F_y \equiv 0 \end{array}$

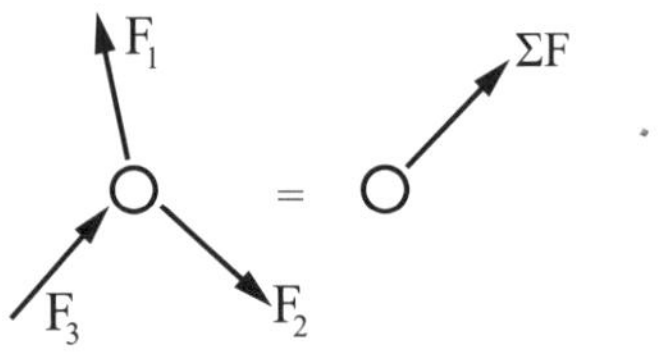

當一剛體處於靜平衡狀態時，作用於剛體的外力於任意點Q處之等效力－力隅矩（force-couple moment）恆等於零。

亦即 $\begin{cases} \sum F \equiv 0 \\ \sum M_Q \equiv 0 \end{cases}$ $\begin{cases} \sum F_x \equiv 0 \\ \sum F_y \equiv 0 \\ \sum M_Q \equiv 0 \end{cases}$

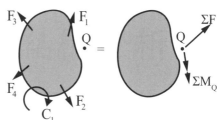

🔘 **焦點命題** 🔘

11. 引擎質量為2453N，求繩索AB及AD之張力。

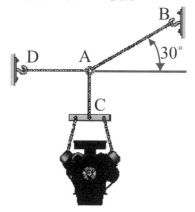

答：$\sum F_x = 0 \Rightarrow T_B \cos 30° - T_D = 0$

$\sum F_y = 0 \Rightarrow T_B \sin 30° - 2453 \text{ N} = 0$

$T_B = \dfrac{2453 \text{ N}}{\sin 30°} = 4906 \text{ N}$

$T_D = (4906 \text{ N}) \cos 30° = 4249 \text{ N}$

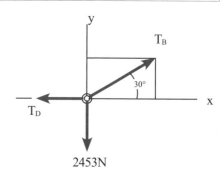

12. 若質點保持平衡，若 $\theta_1 = 45°$、$\theta_2 = 30°$、$F = 500N$，試求 F_1 及 F_2 力之大小。

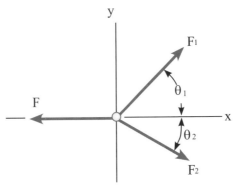

答：$\sum F_x = 0$; $F_1 \times \cos(\theta_1) + F_2 \times \cos(\theta_2) - F = 0$

$\sum F_y = 0$; $F_1 \times \sin(\theta_1) + F_2 \times \sin(\theta_2) = 0$

將 $\theta_1 = 45°$、$\theta_2 = 30°$、$F = 500N$ 代入解聯立得

$F_1 = 259(N)$

$F_2 = 366(N)$

13. 如右圖，凹槽底邊寬45cm。大圓柱40kg、直徑36cm；小圓柱10kg、直徑24cm。若接觸面均為光滑面。試求

(1) 小圓柱A、B處受力。

(2) 大圓柱C、D處受力。

【地方特考四等】

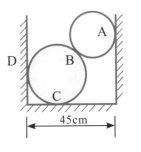

答：(1) 取整體自由體圖

$\sum F_x = 0$ 　$N_A = N_D$

$\sum F_y = 0$ 　$N_C = 10 + 40 = 50(kg)$

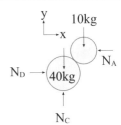

(2) 取A自由體圖

$$\cos\theta = \frac{(45-18-12)}{(18+12)} \Rightarrow \theta = 60°$$

$\sum F_y = 0 \Rightarrow N_B \times \sin\theta = 10$

$\Rightarrow N_B = 11.547(kg)$

$\sum F_x = 0 \Rightarrow N_B \times \cos\theta = N_A$

$\Rightarrow N_A = 5.77(kg)$

又 $N_A = N_D = 5.77(kg)$

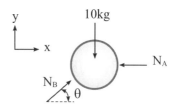

---

14. 如左下圖有個1.2 kg圓弧狀的均質鋼桿BC，半徑為300 mm，B處用銷（pin）結構支持，C處用鋼索AC支持。右下圖表示圓弧狀物件的形心位置 $\bar{x} = \dfrac{r\sin\alpha}{\alpha}$，α 單位是rad.。

(1) 求解鋼索AC的拉力？

(2) 求解B處的反應力？【106普考】

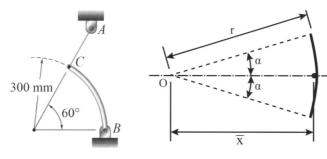

答：(1) $\bar{x} = \dfrac{r\sin30°}{\dfrac{\pi}{6}} = \dfrac{300 \times \sin30°}{\dfrac{\pi}{6}} = 286.48(mm)$

$\sum M_o = 0$

$1.2 \times 9.81 \times 286.48 \times \cos30° = B_y \times 300$

$B_y = 9.735(N)$

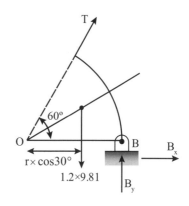

$+\uparrow \sum F_y = 0$

$T \times \sin 60° - 12 \times 9.81 + 9.735 = 0 \Rightarrow T = 2.35(N)$

(2) $\overset{+}{\rightarrow} \sum F_x = 0$

$T \times \cos 60° + B_x = 0$

$B_x = -1.176(N)$

$R_B = \sqrt{B_x{}^2 + B_y{}^2} = 9.8(N)$

15. 如下圖所示之組合樑，若維持平衡時則D點之反作用力為何？

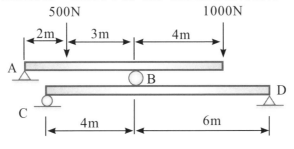

答：(1) 作AB桿之自由體圖

$[\sum M_A = 0]$

$500 \times 2 + 1000 \times 9 = R_B \times 5$

$\therefore R_B = 2000 \left(N \uparrow \right)$

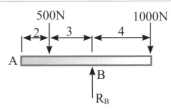

(2) 作CD桿之自由體圖

$[\sum M_C = 0]$

$2000 \times 4 = P_D \times 10$

$\therefore R_D = 800 \left(N \uparrow \right)$

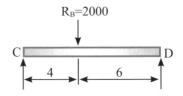

16. 某人利用一繩索拉起一長4m質量10kg之桿子，如圖所示。試求繩索之張力及A點之反作用力。【交通郵政升資】

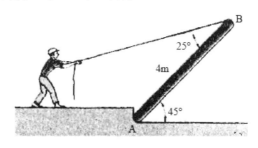

答：(1) 取AB自由體如右圖：
$$\sum M_A = 0 \Rightarrow mg \times (2\cos 45°) - (T\sin 25°) \times 4 = 0$$
$$\Rightarrow T = 82.07N$$

(2) $\sum F_x = 0 \Rightarrow A_x - T\cos 20° = 0$：

$\Rightarrow A_x = 77.12N(\rightarrow)$

$\sum F_y = 0 \Rightarrow A_y = mg + T\sin 20° = 126.17(N) \uparrow$

$R_A = \sqrt{A_x^2 + A_y^2} = 147.87(N)$

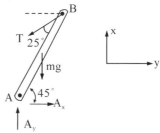

17. 如圖所示，滑塊A與軸之間為平滑，且處於平衡狀態，則A之質量為？【機械高考第一試】

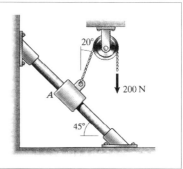

答：取滑塊A自由體圖

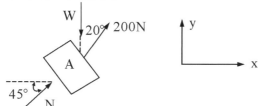

$$\Sigma F_y = 0 \text{ 、 } \Sigma F_x = 0 \Rightarrow \begin{cases} 200 \times \sin 20° + N\cos 45° = 0 \\ 200\cos 20° + N\sin 45° - W = 0 \end{cases}$$

$$W = 119.54(N) \text{，} N = -96.73(N) \quad m = \frac{W}{g} = 12.2(kg)$$

18. 如圖所示之結構與物件處於平衡狀態，其中W_2係透過C處的滑輪懸掛於右邊繩索下。如果W_1的重量為500kg，則在忽略剛性桿件AB與各繩索重量的情況下，請問W_2的重量應為何？桿件鉸接處A 點的反力又為何？【機械普考】

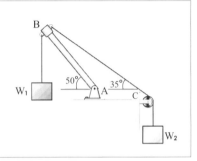

答：(1) 取AB自由體圖如右：

已知 $W_1 = 500kg$，

假設 $\overline{AB} = L$

$\Sigma M_A = 0$

$W_1 \times L\cos 50°$

$= W_2 \cos 35° \times L\sin 50° - W_2 \sin 35° \times L\cos 50°$

$\Rightarrow 500 \times \cos 50° = 0.2588\, W_2$

$W_2 = 1241.77kg$

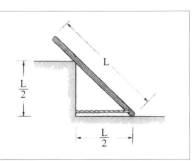

(2) $\Sigma F_x = 0 \Rightarrow W_2 \cos 35° + A_x = 0 \Rightarrow A_x = -1017.198(\leftarrow)$

$\Sigma F_y = 0 \Rightarrow -W_1 - W_2 \sin 35° + A_y = 0$

$A_y = 500 + 1241.77 \times \sin 35° = 1212.25(\uparrow)$

因此A點反力為

$N_A = \sqrt{A_x^2 + A_y^2} = \sqrt{(-1017.198)^2 + (1212.25)^2} = 1582.48kg(\searrow)$

19. 如右圖所示，一均勻桿件之重量為W，所有接觸面皆為平滑無摩擦力，則水準繩索之張力為何？【機械高考第一試】

答：取桿自由體圖

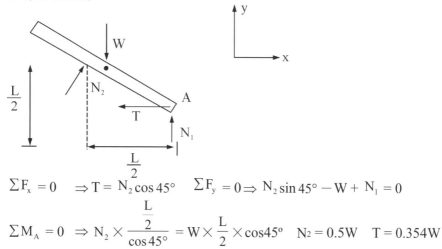

$$\sum F_x = 0 \quad \Rightarrow T = N_2 \cos 45° \qquad \sum F_y = 0 \Rightarrow N_2 \sin 45° - W + N_1 = 0$$

$$\sum M_A = 0 \quad \Rightarrow N_2 \times \frac{\dfrac{L}{2}}{\cos 45°} = W \times \frac{L}{2} \times \cos 45° \quad N_2 = 0.5W \quad T = 0.354W$$

20. B球重600N，利用繩索連接AB桿於C點，若不計滑輪D及AB桿重，試求B球與水準AB桿之接觸力，及A點插銷處之反作用力？【關務四等】

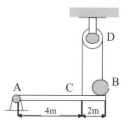

答：(1) 取球B自由體圖如右：

$$\sum F_y = 0 \Rightarrow T + N_B = 600 \cdots\cdots ①$$

(2) 取AB桿自由體圖如下：

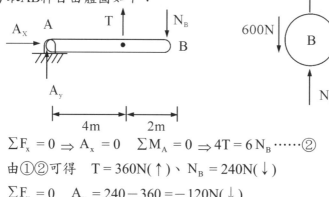

$$\sum F_x = 0 \Rightarrow A_x = 0 \qquad \sum M_A = 0 \Rightarrow 4T = 6N_B \cdots\cdots ②$$

由①②可得　$T = 360N(\uparrow)$、$N_B = 240N(\downarrow)$

$$\sum F_y = 0 \quad A_y = 240 - 360 = -120N(\downarrow)$$

21. 圖中桿件OC長度為350mm，AB的長度為100mm，插銷A在插銷O的正上方，桿件AB上的插銷B在桿件OC上的空心槽內運動，插銷B與空心槽之間無摩擦，外力F=25N。作用在AB桿件的力矩M至少需要多大，才能使AB桿件保持水準？並求出這時在O點及A點插銷的反作用力（不考慮桿件重量）。【機械普考】

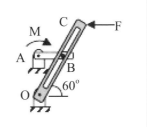

答：(1) 取桿OC自由體圖：

$\overline{OC} = 350\text{mm}$，$\overline{AB} = 100\text{mm}$

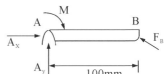

$\overline{OB} = \dfrac{100}{\cos 60°} = 200\text{mm}$

$\sum M_O = 0 \Rightarrow F_B \times 200 \times 10^{-3}$

$\quad = 25 \times 350 \times 10^{-3} \times \sin 60° \Rightarrow F_B = 37.89\text{N}$

$\sum F_x = 0 \Rightarrow O_x - 25 + 37.89 \times \cos 30° = 0 \Rightarrow O_x = 7.81(\text{N}) \leftarrow$

$\sum F_y = 0 \Rightarrow O_y = 37.89 \times \sin 30° = 18.945(\text{N}) \uparrow$

O點的反作用力 $= \sqrt{O_x^2 + O_y^2} = 20.49(\text{N})$

(2) 取AB桿之自由體圖：

$\sum M_A = 0$

$\Rightarrow M = F_B \sin 30° \times 100 \times 10^{-3} = 37.89 \times \sin 30° \times 100 \times 10^{-3}$

$\quad = 1.8945\text{N} \cdot \text{m}$

$A_x = F_B \times \cos 30° = 37.89 \times \cos 30° = 32.81(\text{N}) \rightarrow$

$A_y = F_B \times \sin 30° = 37.89 \times \sin 30° = 18.945(\text{N}) \uparrow$

A點的反作用力 $= \sqrt{(32.81)^2 + (18.945)^2} = 37.89(\text{N})$

22. 有一50kg之圓柱質量塊以繩索通過一滑輪懸吊於支撐架ABDC上如右圖。求支撐點A與滑輪D軸心上之水平反力與鉛直反力，以及BC桿上的力，並標註方向。忽略滑輪摩擦力，滑輪半徑也忽略不計。【100關四】

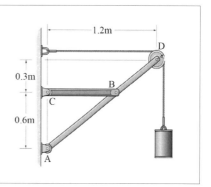

答：(1) 取A、B、D桿之F、B、D，又BC桿為二力構件，故：

$$\circlearrowleft^{+} \sum M_A = 0$$

考慮ABD桿自由度圖如下

$-50 \times 9.81 \times 1.2 + 50 \times 9.81 \times 0.9 + F_{BC} \times 0.6 = 0$

$\Rightarrow F_{BC} = 245.25(N) (拉)$

$\xrightarrow{+} \sum F_X = 0$

$-50 \times 9.81 - 245.25 + A_x = 0$

$A_x = 735.75(N)(\rightarrow)$

$+\uparrow \sum F_y = 0$

$-50 \times 9.81 + A_y = 0$

$A_y = 490.5(N) (\uparrow)$

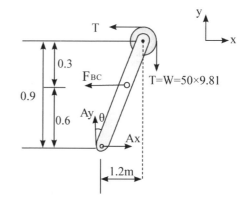

(2) 取滑輪之F、B、D：

$+\uparrow \sum F_y = 0$

$-50 \times 9.81 + D_y = 0$

$D_y = 490.5(N) (\uparrow)$

$\xrightarrow{+} \sum F_X = 0$

$-50 \times 9.81 + D_x = 0$

$D_x = 490.5(N) (\rightarrow)$

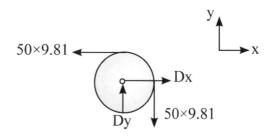

⚙ 2-5 │ 空間力系平衡

1.空間的力系

(1) 直角座標系統又稱為笛卡爾座標系統，為右手座標系統(right-handed coordinate system)，係將右手食指至小拇指，向正 x 軸方向伸展，朝正y軸方向握緊，此時右手大姆指的方向即為正 z 軸的方向。

(2) 如圖2.4計算力 $\vec{F}$ 在x軸和z軸上的投影時，先將力 $\vec{F}$ 投影在xz平面上，得平面上的投向量，然後再投影到x軸和z軸上。

(3) $\vec{F} = \vec{F}_x + \vec{F}_y + \vec{F}_z = F_x \vec{i} + F_y \vec{j} + F_z \vec{k} = F\cos\alpha\ \cos\gamma\ \vec{i} + F\sin\alpha\ \vec{j} + F\cos\alpha\cos\beta\ \vec{k}$

(4) 若某空間力系由幾個力組成，則合力

$$\vec{F} = \sum \vec{F}_i = (\sum F_x)\vec{i} + (\sum F_y)\vec{j} + (\sum F_z)\vec{k} = F_x\vec{i} + F_y\vec{j} + F_z\vec{k}$$

合力的大小：$F = \sqrt{(\sum F_x)^2 + (\sum F_y)^2 + (\sum F_z)^2}$

(5) 在計算時可先計算 $\vec{F}$ 之單位向量，如圖2.4假設合力大小為F = 100N且A點座標為(3,4,2)，則 $\vec{F}$ 計算方式如下所示：

$$F = 100 \cdot \left(\frac{}{\sqrt{(3)^2 + (4)^2 + (2)^2}} \right) = 55.7N \ 、 \ F_y = 100 \cdot \left(\frac{4}{\sqrt{(3)^2 + (4)^2 + (2)^2}} \right) = 74.3N$$

$$F_z = 100 \cdot \left(\frac{2}{\sqrt{(3)^2 + (4)^2 + (2)^2}} \right) = 37.2N$$

$$\vec{F} = 55.7\vec{i} + 74.3\vec{j} + 37.2\vec{k}$$

(6) 空間力系平衡

$$\begin{cases} \sum F_x = 0 \\ \sum F_y = 0 \\ \sum F_z = 0 \end{cases}$$

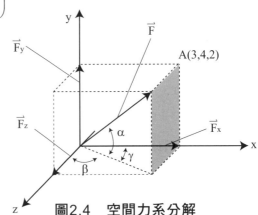

圖2.4　空間力系分解

2. 力矩

(1) 作用力對一點之力矩：

如圖2.5所示，有一剛體內有一作用力 $\vec{F} = (F_x)\vec{i} + (F_y)\vec{j} + (F_z)\vec{k}$，o點至作用力 $\vec{F}$ 作用線上任一點之位置向量 $\vec{r} = x\vec{i} + y\vec{j} + z\vec{k}$，作用力對o點之力矩 $\vec{M}_o$，其方向可用右手定則決定，我們定義為：

$$\vec{M}_o = \vec{r} \times \vec{F} = (x\vec{i} + y\vec{j} + z\vec{k}) \times (F_x\vec{i} + F_y\vec{j} + F_z\vec{k}) = \begin{vmatrix} \vec{i} & \vec{j} & \vec{k} \\ x & y & z \\ F_x & F_y & F_z \end{vmatrix}$$

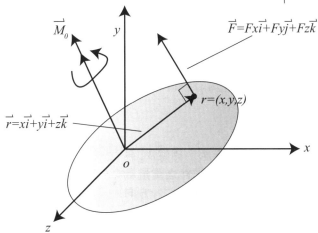

圖2.5　一力對一點之力矩

(2) 作用力對一軸之力矩

作用力 $\vec{F} = (F_x)\vec{i} + (F_y)\vec{j} + (F_z)\vec{k}$ 對一a軸之力矩：

$$\vec{M}_o = [(\vec{r} \times \vec{F}) \cdot \vec{e}_a] \times \vec{e}_a$$

其中 $\vec{e}_a$ 為a軸之單位向量、o點至作用力 $\vec{F}$ 作用線上任一點之位置向量 $\vec{r} = x\vec{i} + y\vec{j} + z\vec{k}$

焦點命題

23. 圖示長度3.4m之繩索AO，其作用於A點
之拉力為F=(−120i−90j−80k)N，則A點
之z座標為？【土木普考第一試】

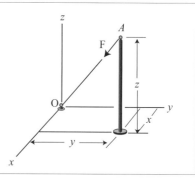

答：$|F| = \sqrt{(-120)^2 + (-90)^2 + (-80)^2} = 170$

$\vec{F}$ 之單位向量為 $\dfrac{1}{170}(-120\vec{i} - 90\vec{j} - 80\vec{k})$　Z座標 $\dfrac{80}{170} \times 3.4 = 1.6(m)$

24. 如圖所示，A點為球窩支承，繩索BC與
z軸平行，BD與x軸平行，桿件之重量為
200N，作用於中點，則A點反力之y方向
分力為何？【機械高考第一試】

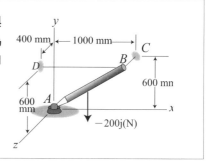

答：取AB桿之自由體圖

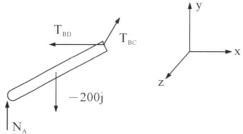

由於繩索BC與BD並無y方向之力，因此 $\sum F_y = 0 \Rightarrow N_A = 200j(N)$

---

25. 已知A,B,C 三點，有一作用於A點之力向量為F = 2i + 3 j + 4k，若BA = 5i － 6 j + 3k，BC = 3 j + 4k，則F 對B點之力矩在BC 方向之分量為？
【機械高考第一試】

答：$\overrightarrow{M_B} = \overrightarrow{BA} \times \vec{F} = \begin{vmatrix} \vec{i} & \vec{j} & \vec{k} \\ 5 & -6 & 3 \\ 2 & 3 & 4 \end{vmatrix} = -33\,\vec{i} - 14\,\vec{j} + 27\,\vec{k}$

$\dfrac{\overrightarrow{M_B} \cdot \overrightarrow{BC}}{\left|\overrightarrow{BC}\right|} = \dfrac{-42+108}{5} = 13.2$

---

26. 如圖所示，請計算出環所受之合力及其方向。

$F_2 = \{50i - 100j + 100k\}\ \text{lb}$　　$F_1 = \{60i + 80k\}\ \text{lb}$

答：$F_R = \sum F = F_1 + F_2 = \{60j + 80k\} + \{50i - 100j + 100k\} = \{50i - 40j + 180k\}$

$F_R = \sqrt{(50)^2 + (-40)^2 + (180)^2} = 191.0 = 191$

$u_{F_R} = \dfrac{F_R}{F_R} = \dfrac{50}{191.0}i - \dfrac{40}{191.0}j + \dfrac{180}{191.0}k = 0.2617i - 0.2094j + 0.9422k$

$\cos\alpha = 0.2617$　　　$\alpha = 74.8°$

$\cos\beta = -0.2094$　　$\beta = 102°$

$\cos\gamma = 0.9422$　　　$= 19.6°$

27. 有一力 $\vec{F} = 90\text{lb}$，其作用線通過B與C兩
　　點，如下圖。試求
　　(1) $\vec{F}$ 對A點的力矩？
　　(2) 從A點到 $\vec{F}$ 的作用線的垂直距離？

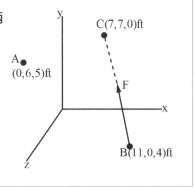

答：(1) 求力 $\vec{F}$ 對A點的力矩

　　　a. 位置向量 $\vec{r}_{BA} = (11\vec{i} - 6\vec{j} - \vec{k})\text{ft}$

　　　b. 作用力：BC方向之單位向量

$$\overrightarrow{u_{BC}} = \frac{\overrightarrow{BC}}{\left|\overrightarrow{BC}\right|} = \frac{-4\vec{i} + 7\vec{j} - 4\vec{k}}{\sqrt{4^2 + 7^2 + 4^2}} = -\frac{4}{9}\vec{i} + \frac{7}{9}\vec{j} - \frac{4}{9}\vec{k}$$

作用力 $\vec{F} = 90\text{lb}(-\frac{4}{9}\vec{i} + \frac{7}{9}\vec{j} - \frac{4}{9}\vec{k}) = (-40\vec{i} + 70\vec{j} - 40\vec{k})\text{lb}$

　　　c. 力 $\vec{F}$ 對A點所產生的力矩向量 $\overrightarrow{M_A}$ 為：

$$\overrightarrow{M_A} = \begin{vmatrix} \vec{i} & \vec{j} & \vec{k} \\ 11 & -6 & -1 \\ -40 & 70 & -40 \end{vmatrix} = (310\vec{i} + 480\vec{j} + 530\vec{k})\text{lb} - \text{ft}$$

(2) 從A點到 $\vec{F}$ 的作用線的垂直距離：

$$d = \frac{\left|\overrightarrow{M_A}\right|}{\left|\vec{F}\right|} = \frac{1}{90}(\sqrt{310^2 + 480^2 + 530^2}) = 8.66\text{ft}$$

|精選試題|

基礎試題演練

1. 有一支座如右圖所示，承受F_1與F_2兩力，則此二力之合力大小以及與x軸之夾角？

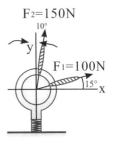

答：$F_1 = 100 (\cos15° \vec{i} + \sin15° \vec{j}) = 96.59\vec{i} + 25.88\vec{j}$

$F_2 = 150 (\sin10° \vec{i} + \cos10° \vec{j}) = 26.05\vec{i} + 147.72\vec{j}$

$F = F_1 + F_2 = 122.64\vec{i} + 173.60\vec{j}$

合力大小$F = \sqrt{122.64^2 + 173.60^2} = 212.55N$

與x軸之夾角$\theta = \tan^{-1}(\frac{173.60}{122.64}) = 54.76°$

2. 試求圖中200N力對基點A產生之力矩。

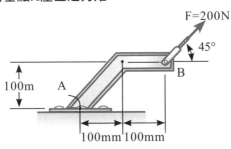

答：$M_A = (200\sin45°N)(0.2\ m) - (200\sin45°N)(0.1m) = 14.1\ N\cdot m$

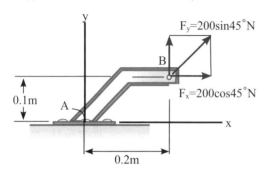

3. 如圖所示，試求BC繩之張力及AB桿所受壓力各多少？

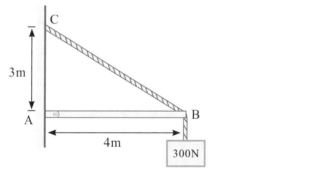

答：畫點AB的自由體圖，如圖所示。
　　根據三力共點平衡知

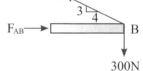

(1) $\sum F_y = 0\ T_{BC} \times \dfrac{3}{5} - 300 = 0$ 得 $T_{BC} = 500N$ (張力)

(2) $\sum F_x = 0\ F_{AB} - T_{BC} \times \dfrac{4}{5} = 0\ F_{AB} = T_{BC} \times \dfrac{4}{5} = 500 \times \dfrac{4}{5} = 400N$ (壓力)

4. 一重量為W之均勻圓球,架在底緣相靠之甲、乙兩光滑平板上,甲板與水平面成60度角,乙板與水平面成45度角(如右圖)。設板與球間無摩擦力,則甲板施於球之作用力量值為多少?

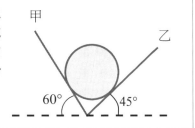

答：如圖,請自行判斷垂直斜面的正向力 $N_甲 N_乙$ 與水平夾角45度與30度

$\Sigma Fx=0$
$\Sigma Fy=0$ $\Rightarrow$ $N_甲\cos30°=N_乙\cos45°$
$N_甲\sin30°+N_乙\sin45°=W$

$N_甲 = \dfrac{2}{\sqrt{3}+1}W = (\sqrt{3}-1)W$

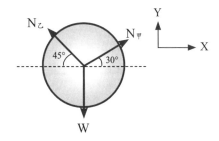

5. 如圖有二力P和Q,共同作用在螺栓A上,其X方向之合力為:

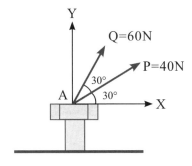

答： $\Sigma Fx = Qx + Px = Q\cos60° + P\cos30° = 64.64N$

6. 質量500kg之重物W擬利用右圖的滑輪組加以吊昇，設摩擦及滑輪組重量可忽略，試求施力F為若干，才能維持重物W不掉下。【100身四】

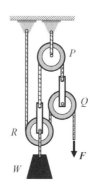

答：4F＝W

$$\Rightarrow F = \frac{W}{4}$$

$$= \frac{500 \times 9.81}{4}$$

$$= 1226.25(N)$$

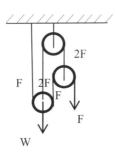

7. 如圖所示為一個弧形金屬環，金屬環半徑為r，兩側施力為2P，試求環內A點的剪力（shear force）與彎矩（bending moment）為何？【104普考】

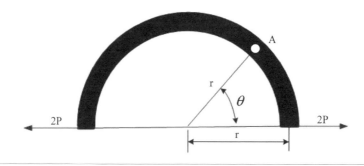

答：取A點右側之F、B、D

$\curvearrowright + \sum M_A = 0$

$M = 2Pr\sin\theta$

$\curvearrowright + \sum M_O = 0$

$N \times r = M = 2Pr\sin\theta$

$N = 2P\sin\theta$

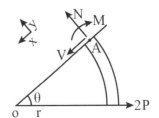

$\xrightarrow{+} \sum F_x = 0$

$V = 2P \times \cos\theta$

---

8. 如圖所示，兩個球A和B具有相等的質量並帶有靜電，因此作用在它們之間的排斥力的大小為20 mN，並沿線AB指向。試求：

(1) 繩索AC和BC的張力角度θ。

(2) 每個球體的質量m。【109普考】

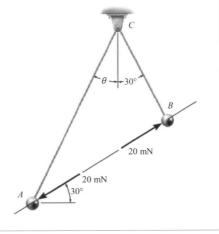

答：

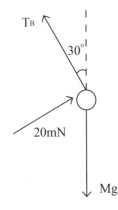

取B之F、B、D

$Mg = 40mN \Rightarrow M = 4.08(gm)$

$T_B = 20\sqrt{3}\,mN = 34.64(mN)$

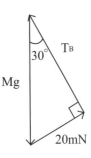

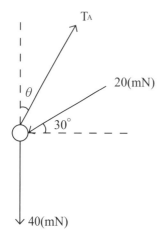

取A之F、B、D

$$\sum F_x = 0$$

$T_A \sin\theta = 20\cos 30° \cdots\cdots(1)$

$$\sum F_y = 0$$

$T_A \times \cos\theta - 20 \times \sin 30° - 40 = 0 \cdots\cdots(2)$

由(1)(2) $\Rightarrow \theta = 19.11°$、$T_A = 52.92$(mN)

---

9. 將三個半徑皆為R，重量皆為W的圓柱體，靜置於半徑3R的圓筒內，則圓筒壁作用於A作用力為＿＿＿，A、B間作用力＿＿＿。

答：(1) 取整體自由體圖如圖1

$$\frac{3W}{\sin 60°} = \frac{N_1}{\sin 150°} = \frac{N_2}{\sin 150°}$$

$\Rightarrow N_1 = N_2 = \sqrt{3}\,W$

(2) 取C自由體圖如圖2
C球與A、B球各有一個接觸點

$$\frac{W}{\sin 60°} = \frac{N_3}{\sin 150°} = \frac{N_4}{\sin 150°} \Rightarrow N_3 = N_4 = \frac{W}{\sqrt{3}}$$

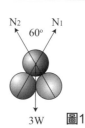

圖1

(3) 取A自由體圖如圖3
水平方向合力為零

$\Rightarrow N_5 + N_3 \times \cos 60° = N_1 \cos 60°$

$\Rightarrow N_5 + \dfrac{1}{2} \times \dfrac{W}{\sqrt{3}} = \sqrt{3}\,W \times \dfrac{1}{2} \Rightarrow N_5 = \dfrac{W}{\sqrt{3}}$

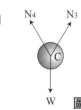

圖2

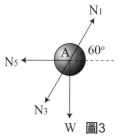

圖3

10. 如下圖所示之樑A、B、C，A端為鉸鏈支座，B端為輥承支座，則支座B之反力為：

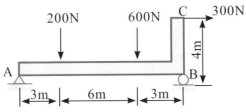

答：$\Sigma M_A = 0$

$12R_B = 300 \times 4 + 200 \times 3 + 600 \times 9 = 7200$

$\therefore R_B = 600N$

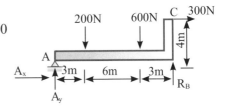

11. 右圖所示，有一楔形塊之重量為100kg，預期將一1000kg之重物舉起，楔形塊斜面之角度為30度，試求需使用多大的力P方能舉起此重物？假設接觸面的摩擦可以被忽略。【關務四等】

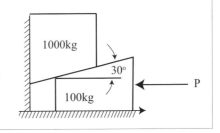

答：(1) 取上面楔形塊之自由體圖如圖1：

$\Sigma F_y = 0 \Rightarrow N_2 \cos 30° = 1000 \times 9.81$

$N_2 = 11327.61(N)$

(2) 取下面楔形塊之自由體圖如圖2：

$\Sigma F_x = 0 \Rightarrow P = 11327.61 \times \sin 30° = 5663.805N$

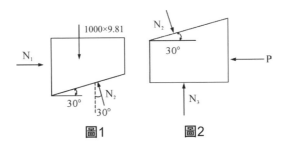

圖1　　　　圖2

12. 如圖所示引擎(engine)系統的位置，若在平衡狀態下引擎之輸出力矩為M=252N‧m，試問：作用在活塞上的P力是多少？【機械高考第一試】

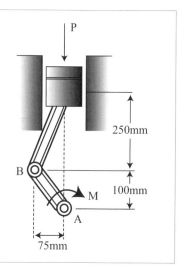

250mm

100mm

75mm

答：(1) 取AB自由體圖

$$\tan\alpha = \frac{75}{250} \Rightarrow \alpha = 16.7° \quad M = 252N\cdot m$$

$$\sum M_A = 0$$

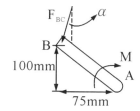

$$\Rightarrow F_{BC} \times [(\cos\alpha \times 75 \times 10^{-3} + \sin\alpha \times 100 \times 10^{-3})] = M$$

$$\Rightarrow F_{BC} = 2505.6(N)$$

(2) 取BC自由體圖

$$\sum F_y = 0 \Rightarrow P = 2505.6 \times \cos 16.7° = 2400N$$

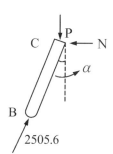

13. 一機械連桿裝置如圖所示,若於桿件AB施以210N・m的力偶(couple),如圖($\vec{M}$),且桿件BC與接觸面無摩擦力。請求出施力$\vec{P}$以讓此系統達到平衡狀態(equilibrium)。【104鐵員】

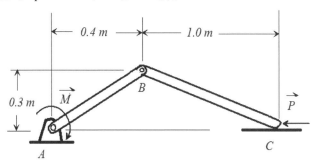

答:取AB之F、B、D

$\curvearrowright+ \sum M_A = 0$

$210 - F_{BC} \times \cos 16.7° \times 0.3 - F_{BC} \times \sin 16.7° \times 0.4 = 0$

$\Rightarrow F_{BC} = 522.01(N)$

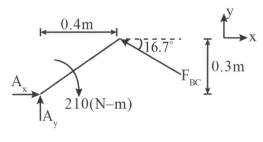

取BC之F、B、D

$\xrightarrow{+} \sum F_x = 0 \Rightarrow F_{BC} \times \cos 16.7° = P$

$\Rightarrow P = 500(N)$。

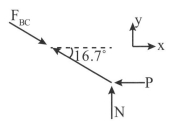

14. 受彈簧限制之滑塊，如圖所示，由A處
自由滑落，當滑塊穩定後停留在距A有
300mm之C處，若滑塊於A處時，彈簧剛
好是其自由長度，試求滑塊之質量m大小
應為何？已知彈簧常數k為10N/mm，且可
忽略滑塊之摩擦，重力加速度g=9.8m/s²。
【103關四】

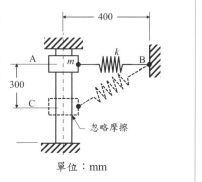

單位：mm

答：取滑塊在C處之F.B.D +↑∑Fy=0

$$10 \times 100 \times \frac{3}{5} = m \times 9.81 \Rightarrow m = 61.16(kg)$$

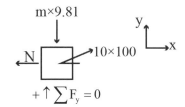

15. 如圖所示之三角形招牌承受均勻之風
用於O點之等效力及力矩系統取代
此一負載。【104地四】

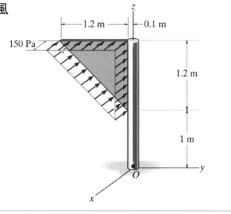

答：$\overline{F_x} = (-150 \times \dfrac{1}{2} \times 1.2 \times 1.2)\vec{i}$

$= -108(N)\vec{i}$

$\overline{M_o} = (-0.5\vec{j} + 1.8\vec{k}) \times (-108\vec{i})$

$= -54\vec{k} - 194.4\vec{j}\,(N-m)$

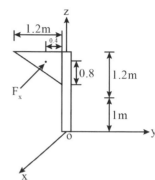

16. 圖中之均質矩形版重W，受三根垂直繩索懸吊於空中，A、B、C點為其懸吊點。若已知各繩索之最大容許張力為2.75kN，試計算最大容許版重W之值。【100年土木普考】

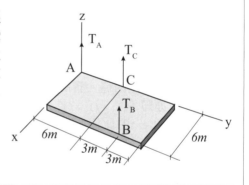

答：(1) 計算繩索拉力T_A、T_B、T_C

　　A. 選擇y軸為基準軸計算T_B

　　　　參考圖a自由體。

$$\left[\sum F_y = 0\right] : (T_B)(6) - (W)(3) = 0$$

$$\Rightarrow T_B = \dfrac{W}{2}(拉)$$

　　B. 選擇x軸為基準軸計算

　　　　參考圖 a 自由體。

$$\left[\sum M_{x軸} = 0\right] : (T_C)(6) + (T_B)(9) - (W)(6) = 0$$

$$\Rightarrow T_C = \dfrac{W}{4}(拉)$$

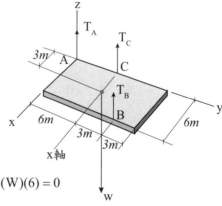

C. z軸向力平衡計算T_A

參考圖 a 自由體。

$$\left[\sum F_z = 0\right] : T_A + T_B + T_C - W = 0 \Rightarrow T_A = \frac{W}{4}(拉)$$

(2) 反求最大容許版重

已知T_B最大，令$T_B = 2.75\text{kN}$

$$T_B = \frac{W}{2} = 2.75 \text{ kN} \Rightarrow W_{max} = (2)(2.75) = 5.5\text{kN}$$

---

17. 空間直角座標三點A、B、C的座標如右圖所示。今有一力$\vec{p}$（其大小值以p表示之）作用於y−z平面且經過B點。

(1)請求出此力$\vec{p}$對A點的力矩，其中p、a、c視為給定的值。請將你的答案用向量表示，亦即（$O\vec{i} + O\vec{j} + O\vec{k}$）。

(2)請求出c/a的比值，而讓$\vec{p}$對CA這條線的力矩為0。【地四】

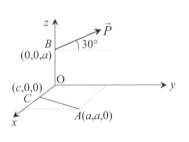

答： (1) $\vec{P} = P\cos 30° \, j + P\sin 30° \, k$

$\overrightarrow{AB} = -ai - aj + ak$

$\vec{M}_A = \overrightarrow{AB} \times \vec{P} = (-1.366Pa)i + (0.5Pa)j + (-0.866Pa)k$

(2) $\overrightarrow{AC} = (c-a)i - aj$

$\left|\vec{M}_{AC}\right| = \vec{M}_A \cdot \vec{e}_{AC} = 0$ 　　　　　故 $\dfrac{c}{a} = \dfrac{0.866}{1.366} = 0.63$

進階試題演練

1. 手施加一8lb的力在一彈簧壓縮鉗（如圖），試求維持機構平衡的彈簧受力。
【110關四】

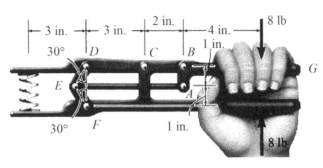

答：取ABG之F.B.D

(1)

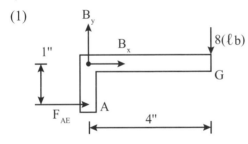

$\Sigma M_B = 0$

$8 \times 4 = F_{AE} \times 1 \Rightarrow F_{AE} = 32$（ℓb）

(2)

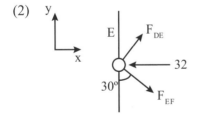

取E之F.B.D

$\Sigma F_y = 0 \Rightarrow F_{DE} = F_{EF}$

$F_{DE} \times \sin 30^o \times 2 = 32$

$\Rightarrow F_{DE} = 32$（ℓb）

(3)

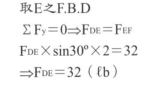

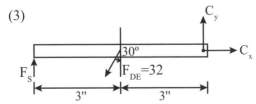

取CD之F.B.D

$\Sigma M_C = 0$

$F_S \times 6 = 32 \times \cos 30^o \times 3$

$F_S = 13.856$（ℓb）

2. 80Kg重的人試圖利用如右圖所示之方法將自己舉起。試求出他所需施在棒AB上的總力，以及他作用在平臺C點的正向反力。平臺重量不計。【機械高考】

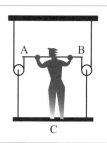

答：(1) 取AB自由體圖：

$\sum F_y = 0 \Rightarrow F = 2T \cdots\cdots$①

(2) 取C自由體圖：

$\sum F_y = 0 \Rightarrow N_C = 4T = F + mg \cdots\cdots$②

$\Rightarrow 4T - F = 80 \times 9.81 = 784.8(N)$

由①②可得$T = 392.4(N)$ $F = 2T = 784.8(N)$

$N_C = 4T = 1569.6(N)$

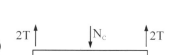

3. 如圖所示，各重W、半徑為r 的平滑管A、B的端點被等長（長度為3r）的繩索吊起，第三管C（半徑為r/2）放在A、B之間。假設管子間無摩擦力存在，試求在不破壞平衡的狀態下，管C的最大重量（以W表示）。

【機械高考】

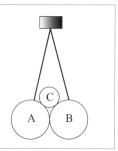

答：(1) 取整體自由體圖：

$\cos\beta = \dfrac{r}{\dfrac{r}{2} + r} = 0.67 \Rightarrow \beta = 48.19°$

$\cos\alpha = \dfrac{r}{3r + r} = 0.25 \Rightarrow \alpha = 75.52°$

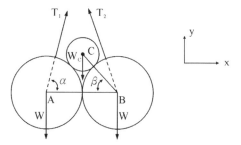

$\sum F_x = 0 \Rightarrow T_1 \cos\alpha = T_2 \cos\alpha$

$\Rightarrow T_1 = T_2$

$\sum F_y = 0 \Rightarrow T_1 \sin\alpha + T_2 \sin\alpha - W - W - W_C = 0 \Rightarrow W_C = 2T_1 \sin\alpha - 2W$

(2) 取A自由體圖：

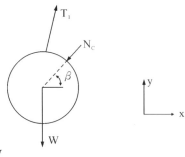

$\sum F_x = 0$

$\Rightarrow T_1 \cos\alpha = N_C \cos\beta$

$\Rightarrow N_C = \dfrac{T_1 \cos\alpha}{\cos\beta}$ ……①

$\sum F_y = 0$

$\Rightarrow T_1 \sin\alpha - W = N_C \sin\beta$ ……②

由①②可得 $T_1 = 1.45W$，$N_C = 0.5446W$

(3) 取C自由體圖：

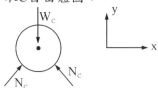

$W_C = 2\,N_C \times \sin\beta = 2 \times 0.5446W \times \sin 48.19^\circ = 0.812W$

---

4. 有一桿件的C處為鉸接（hinged），A處連接到控制纜繩（control cable），如圖所示。當桿件的B處受到向左500N的水平力時，試求纜繩的張力（tension）；在C處的反應力及其方向。【土木普考】

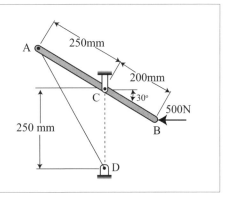

答：(1) 取整體自由體圖：

已知 $\overline{AC} = 250$mm，$\overline{BC} = 200$mm

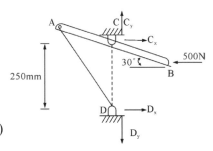

$\sum M_C = 0$

$\Rightarrow 500 \times 200 \sin 30^\circ = 250\,D_x$

$D_x = 200$N(→)

$\sum F_x = 0 \Rightarrow C_x = 500 - 200 = 300$N(→)

$\sum F_y = 0 \Rightarrow \quad C_y = D_y$

(2) 取D點自由體圖：

$$\sum F_x = 0 \Rightarrow T = \frac{200}{\sin 30°} = 400N$$

$$D_y = T\cos 30° = 346.41N(\downarrow)$$

$$C_y = D_y = 346.41(\uparrow)$$

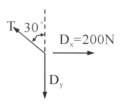

5. 如圖所示，長12m之桿件AB靜置於光滑地板上，用AC, AD, AE三條繩索支撐。已知AC,AD二繩索之拉力分別為1300N與2000N，求E點應落於何處系統才能平衡？(亦即找平衡時之x,y關係式) 若繩索AE之拉力不大於3000N時E點與B點最小距離應為多少？【土木地方特考四等】

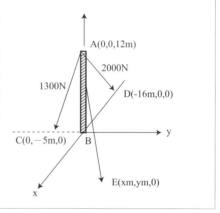

答：(1) A.已知 $T_{AC} = 1300N$、$T_{AD} = 2000N$

由圖可知

$$\overline{AD} = (-16 , 0 , -12) \quad \overline{AC} = (0 , -5 , -12)$$

$$\overline{AE} = (x , y , -12)$$

B.x方向力平衡：

AD索x方向張力 $= 2000 \times \dfrac{|-16|}{\sqrt{(-12)^2 + (-16)^2}} = 1600(N)$

AC索無x方向張力

AE索x方向張力 $= T_{AE} \times \dfrac{x}{\sqrt{(x)^2 + y^2 + (-12)^2}}$

C.y方向力平衡：

AD索y方向無張力

AC索y方向張力 $= 1300 \times \dfrac{-5}{\sqrt{(-5)^2 + (-12)^2}} = 500(N)$

$$\text{AE索y方向張力} = T_{AE} \times \frac{y}{\sqrt{x^2 + y^2 + (-12)^2}}$$

D. 得 $1600 = \dfrac{x}{\sqrt{(x)^2_y + y^2 + (-12)^2}} \times T_{AE}$ ……①

$500 = \dfrac{y}{\sqrt{x^2 + y^2 + (-12)^2}} \times T_{AE}$ ……②

$\dfrac{①}{②} \Rightarrow \dfrac{x}{y} = \dfrac{1600}{500} = \dfrac{16}{5}$

(2) 令 $T_{AD} = 3000N$，且 $\dfrac{x}{y} = \dfrac{16}{5} \Rightarrow x = 3.2y$　代入①

$1600 = \dfrac{3.2y}{\sqrt{(3.2y)^2 + y^2 + (-12)^2}} \times 3000 \Rightarrow y = 2.41(m) \Rightarrow x = 7.712(m)$

則最短距離 $\overline{EB} = \sqrt{x^2 + y^2} = 8.08m$

---

6. 如圖所示，連接於E點的四條纜繩各均受
到28 kN之拉力作用，試將纜繩EA所受之
力以笛卡爾向量（Cartesian Vector）表
示之，並求出E 點所受四條纜繩之合力為
何？【機械高考】

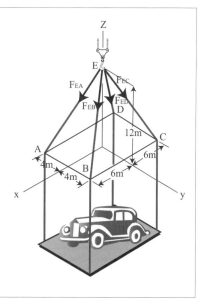

答：(1) A點座標(6，−4，0)

E點座標(0，0，12)

$\overline{EA} = 6\vec{i} - 4\vec{j} - 12\vec{k}$

$\overline{EA}$ 之單位向量

$$= \frac{1}{\sqrt{(6)^2 + (-4)^2 + (-12)^2}}(6\vec{i} - 4\vec{j} - 12\vec{k})$$

$$= \frac{1}{14}(6\vec{i} - 4\vec{j} - 12\vec{k})$$

$$\vec{F}_{EA} = 28 \times [\frac{1}{14}(6\vec{i} - 4\vec{j} - 12\vec{k})]$$

$$= 12\vec{i} - 8\vec{j} - 24\vec{k}$$

(2) 同理：

$\overline{ED}$ 之單位向量 $= \frac{1}{14}(-6\vec{i} - 4\vec{j} - 12\vec{k})$　$\vec{F}_{ED} = -12\vec{i} - 8\vec{j} - 24\vec{k}$

$\overline{EC}$ 之單位向量 $= \frac{1}{14}(-6\vec{i} + 4\vec{j} - 12\vec{k})$　$\vec{F}_{EC} = -12\vec{i} + 8\vec{j} - 24\vec{k}$

$\overline{EB}$ 之單位向量 $= \frac{1}{14}(6\vec{i} + 4\vec{j} - 12\vec{k})$　$\vec{F}_{EB} = 12\vec{i} + 8\vec{j} - 24\vec{k}$

E點合力 $\vec{F} = \vec{F}_{EA} + \vec{F}_{EB} + \vec{F}_{EC} + \vec{F}_{ED} = -96\vec{k} = 96\vec{k}(\downarrow)$

Chapter **03** 結構分析

⚙ **3-1** 簡單桁架

桁架（truss）是由細直構件所組成，於構件與構件之端點相互連接而成的一種結構。

1. **簡單桁架**：桁架中最簡單的構架為三角形，故一簡單桁架由三角形結構開始。

2. **平面桁架**：位於一平面，常用於支撐屋頂或橋樑。

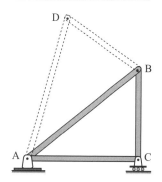

圖3.1　三角桁架

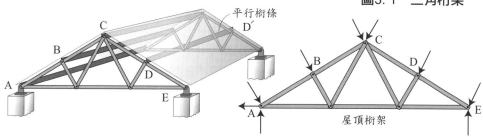

圖3.2　屋頂桁架

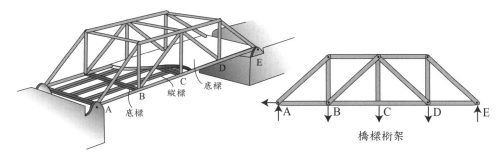

圖3.3　橋樑桁架

3.桁架基本假設

(1) 各構件本身自重忽略不計，且均為剛體，受力後均不變形。

(2) 各構件均為直線桿件，支承亦為一節點，所有作用力均作用在接點上。

(3) 連結兩構件之支承，假設為無摩擦，且各桿件的軸線均通過節點。

(4) 桁架構件之自由體圖：桁架結構分析由以上假設可知，每一構件均為兩端點受力的構件，可稱之為二力構件，若所有的受力狀況均在同一平面上，我們稱之為平面桁架(planar trusses)，無論是空間或平面上，均可將構件視為二力構件，在分析時構件僅在兩端點受力，作用力方向為沿著構件軸線傳遞，若兩端點受拉伸力，可視為拉力(T)，若兩端點受到壓縮力，可視為壓力(C)，一般計算以拉力(T)為正，壓力(C)為負，如3.4圖所示，構件與節點之受力狀況。

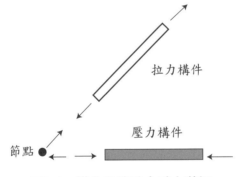

拉力構件

壓力構件

節點

圖3.4　構件與節點之受力狀況

⚙ 3-2 桁架分析

1. **節點法**：節點法就是將桁架內的節點單獨隔離出來取自由體圖分析，如圖3.4中，作用力沿構件軸線方向進出節點，進入節點之作用力為構件受到之壓力，出節點之作用力為構件受到拉伸力，由於桁架中的構件皆為同一平面的二力構件，所以各個節點之受力為共面且共點力系，利用 $\sum Fx = 0$ 及 $\sum Fy = 0$ 得兩聯立方程式，可解得兩個未知數。

2. **截面法**：截面法可將整個桁架自某一區段切開，針對三個以下之構件（特殊桁架及K桁架不受三個以下之限制）同時取截面，取截面後可分別將各部份隔離出來取自由體圖分析，並利用三個平衡方程式來計算構件之內力，如圖3.5所示，兩個未知力S_{BC}、S_{AB}可由自由體圖，應用三個平衡方程$\sum Fx = 0$、$\sum Fy = 0$、$\sum M_A = 0$式而獲得。

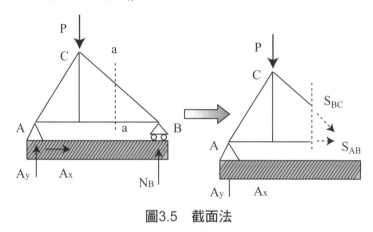

圖3.5　截面法

3. **節點法配合斷面法**：對於結構較複雜之結構，可先找尋零力構件後，再相互配合使用節點法與截面法來完成桁架的分析。

4. **零力構件**：構件內力為零稱之為零力構件(zero force member)，形式如下所示：

構件形式	自由體圖	圖式說明
二根構件連接於一節點且不共線、不受力	S_1 S_2	一節點僅接兩構件，若無任何外力作用於節點上，則此二根不共線之構件內力均為零，亦即$S_1 = S_2 = 0$。

構件形式	自由體圖	圖式說明
二根構件連接於一節點且不共線但其中一根構件與外力共線	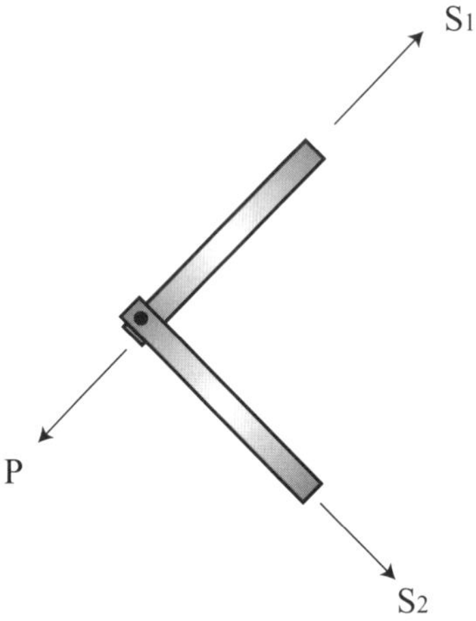	一節點僅接兩構件，若外力作用於節點上且與其中一根構件共線，則此構件之內力與外力必然大小相等方向相反，而另一根構件則為零力構件，亦即 $S_1 = P$ 且 $S_2 = 0$。
無任何外力作用且其中二根構件共線之三構件	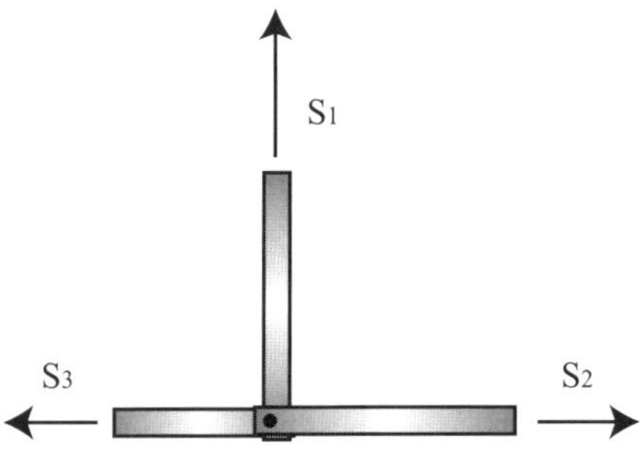	無任何外力作用且其中二根構件共線之三構件，共線的二構件，其內力必然大小相等方向相反，而第三根構件必為零力構件，亦即 $S_2 = S_3$ 且 $S_1 = 0$。

⚙ 3-3 構架與機具

1. 構架

(1)與桁架相似：用作支承負載，為剛性結構，無活動的組件。

(2)與桁架不同處：由多力構件所組成，負載不一定施加在節點上。

2. 機具

(1)與構架相似：由多力構件組成。

(2)與構架不同處：

　　A.用作傳遞或改變力量的大小與方向。

　　B.非剛性，含活動之組件。

3. 構架與機具分析

(1) 先對整體結構的平衡列出相關平衡方程式。

(2) 將每個組件分別拆開，並畫出其自由體圖，且注意不同組件間相同
　　節點上的作用力及反作用力需正確標示出來。

(3) 利用直角座標分量來描述反作用力。

(4) 辨認出二力或三力構件，以減少方程式中的未知數。

(5) 利用多餘的平衡方程式驗算答案。

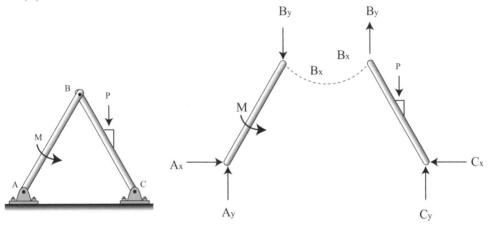

◎ 焦點命題 ◎

1. 右圖顯示一吊掛2400kg重物之吊車，假
設該吊車車身重心在圖示G點，而質量則
為1000kg，吊車於A點以銷(pin)、於B點
以搖桿座(rocker)與牆壁連接。請問支撐
點A、B的反力(reaction)各為何？【機械
地特三等第二次】

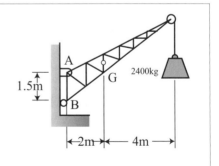

答：取整體自由體圖：

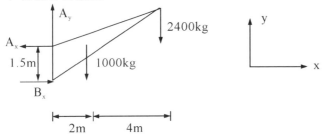

B點是搖桿座，所以僅接受X軸向力Y軸向，$B_y=0$

$\therefore R_B=B_x+B_y=B_x$

$\sum M_A=0 \Rightarrow B_x \times 1.5 - 1000 \times 2 - 2400 \times 6 = 0$

$\qquad \Rightarrow B_x = 10933.33(kg) = 107256(N)$

$\sum F_x = 0 \Rightarrow A_x = B_x = 107256(N)$

$\sum \quad = 0 \Rightarrow A_y = 2400 + 1000 = 3400(kg) = 33354(N)$

合力：$R_A = \sqrt{(A_x)^2+(A_y)^2} = 112322.48(N)$ ⟍17.3°

合力：$R_B = 107256(N)$

note：

靜定與靜不定結構

(1)靜定 ⇒ 未知反力數 ＝ 靜平衡方程式數目 $\begin{cases} \sum F_x = 0 \\ \sum F_y = 0 \\ \sum M = 0 \end{cases}$

↳ A_x、A_y、B_x

↳ 一個鉸接一個滾接

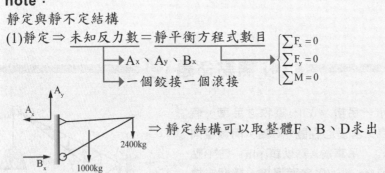

⇒ 靜定結構可以取整體F、B、D求出

(2)靜不定 ⇒ 未知反力（二個鉸接）＞靜平衡方程式數目

⇒ 靜不定結構

⇒ 無法取整體F、B、D求解

⇒ 拆通常搭配二力構件觀念求解

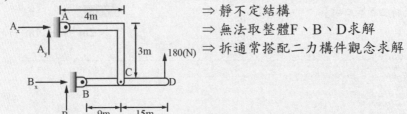

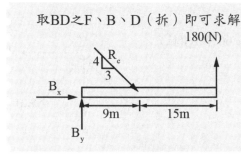

取BD之F、B、D（拆）即可求解

2. 已知 $\theta = 30°$，試求各桿件內之受力大小及方向（受拉或受壓）。【108普考】

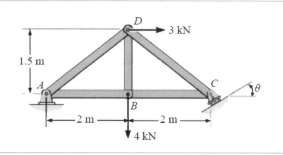

答：(1) 取整體之自由體圖

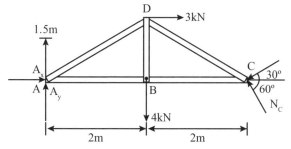

$$\curvearrowright \sum M_A = 0 \quad 3 \times 1.5 + 4 \times 2 - N_C \times \sin 60° \times 4 = 0$$

$$N_C = 3.61 (kN)$$

(2) 取C之F.B.D.

$$+ \uparrow \sum F_y = 0 \Rightarrow S_{CD} \times \frac{3}{5} + 3.61 \times \sin 60° = 0$$

$$\Rightarrow S_{CD} = -5.21 (kN)$$

故 $S_{CD} = 5.21 (kN)(壓)$

$$\sum F_x = 0 \Rightarrow 5.21 \times \frac{4}{5} - S_{BC} - 301 \times \cos 60° = 0$$

$$S_{BC} = 2.663 (kN)(拉)$$

(3) 由B之F.B.D.

$S_{BD}=4$(kN)(拉)，$S_{AB}=S_{BC}=2.663$(kN)(拉)

(4) 取D之F.B.D.

$$S_{AD} \times \frac{3}{5} - 4 + 5.21 \times \frac{3}{5} = 0$$

$$S_{AD} = 1.4567(kN)(壓)$$

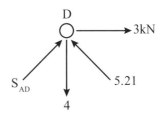

3. P為600N，所有桿重不計、C點為滾支承、銷接點皆為光滑插銷，求桿AB、AE、BE與BC受力大小。【機械關務四等】

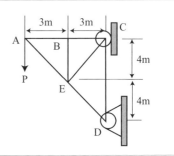

答：(1) 如下圖所示

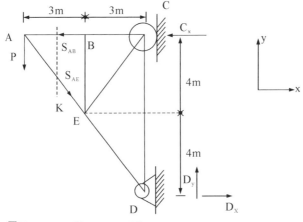

$$\sum F_y = 0 \Rightarrow D_y = P \quad \sum F_x = 0 \Rightarrow C_x = D_x$$

$$\sum M_D = 0 \Rightarrow \quad 8C_x = 6P \quad C_x = \frac{3}{4}P(\rightarrow) \quad D_x = \frac{3}{4}P(\leftarrow)$$

(2)利用剖面法如上圖之剖面線k：

$$\sum F_y = 0 \quad S_{AE} \times \frac{4}{5} = D_y = P \quad S_{AE} = \frac{5}{4}P = 750(N) \quad \sum F_x = 0$$

$$S_{AE} \times \frac{3}{5} - S_{AB} - C_x + D_x = 0 \Rightarrow S_{AB} = \frac{3}{4}P = 450(N)$$

(3) 取節點B自由體圖：

$\sum F_y = 0 \Rightarrow BE$為零力桿 $\quad S_{BE} = 0$

$\sum F_y = 0 \Rightarrow S_{AB} = S_{BC} = 450(N)$

---

4. 右圖所示桁架結構中，桿件f-c之受力為？【土木普考第一試】

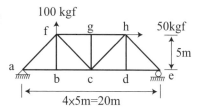

答：(1) 取整體自由體圖先求各支承反力

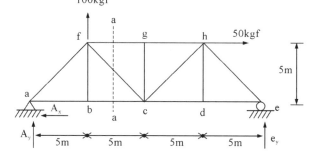

$\sum F_x = 0 \Rightarrow A_x = 50(kgf)$

$\sum F_y = 0 \Rightarrow 100 + A_y + e_y = 0$

$\sum M_A = 0 \Rightarrow 100 \times 5 - 50 \times 5 + e_y \times 20 = 0 \quad \Rightarrow e_y = -12.5(kgf)$向下

$A_y = -87.5(kgf)$向下

(2) 利用截面法取截面左邊之自由體圖

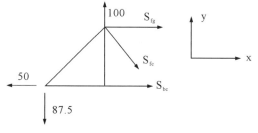

$\sum F_y = 0 \Rightarrow 100 - 87.5 - S_{fc}\sin 45° = 0 \quad \Rightarrow S_{fc} = 17.7(kgf)$拉

5. 設有如圖所示之桁架，試解此桁架，求反力及各桿桿力。【土木地方特考】

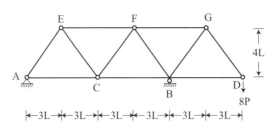

：

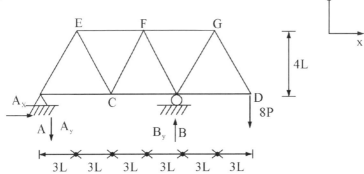

(1) 如上圖所示：

$$\sum F_x = 0 \Rightarrow A_x = 0 \qquad \sum F_y = 0 \Rightarrow B_y - A_y - 8P = 0$$

$$\sum M_B = 0 \Rightarrow 8P \times (3L + 3L) = A_y(3L \times 4)$$

$$\Rightarrow A_y = 4P(\downarrow) \quad 則 B_y = 12P(\uparrow)$$

(2) 利用節點A畫自由體圖：

$$\sum F_y = 0 \Rightarrow S_{AE} \times \frac{4}{5} = 4P \Rightarrow S_{AE} = 5P(拉)$$

$$\sum F_x = 0 \Rightarrow S_{AC} = -3P(壓)$$

(3) 取D點自由體圖：

$$\sum F_y = 0 \Rightarrow S_{GD} = 10P(拉)$$

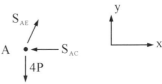

$$\sum F_x = 0 \Rightarrow S_{BD} = -6P(壓)$$

同理取各點自由體圖可求得各桿桿力

$S_{GB} = -10P(壓)$，$S_{GF} = 12P(拉)$　$S_{BF} = -5P(壓)$，$S_{BC} = -9P(壓)$

$S_{FC} = 5P(拉)$，$S_{FE} = 6P(拉)$　$S_{EC} = -5P(壓)$

|精選試題|

基礎試題演練

1. 下圖所示桁架結構中，b點之反作用力為？。【土木普考第一試】

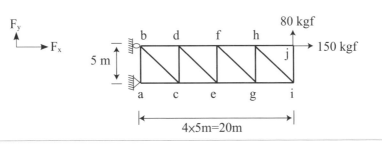

答：$\Sigma M_a = 0$　$5 \times F_b = 80 \times 20 - 150 \times 5$　$\Rightarrow F_b = 170$

2. 右圖所示為一增力機構，已知一推力P作用於A點，當工件被夾緊時，AB桿與水平面的夾角為θ，請推導工件夾緊力之表示式。【關務四等】

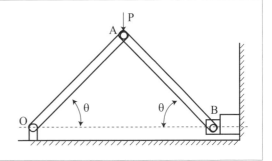

答：取整體自由體圖

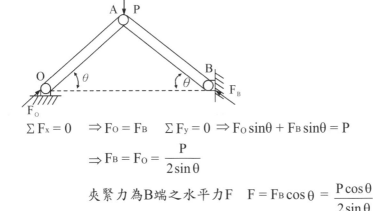

$\Sigma F_x = 0$　$\Rightarrow F_O = F_B$　　$\Sigma F_y = 0 \Rightarrow F_O \sin\theta + F_B \sin\theta = P$

$$\Rightarrow F_B = F_O = \frac{P}{2\sin\theta}$$

夾緊力為B端之水平力F　$F = F_B \cos\theta = \dfrac{P\cos\theta}{2\sin\theta}$

3. 圖示之桁架其A端為鉸接，E端為滾接，水平桿件之長度均為4m，垂直桿件 BH與DF之長度均為3m，GC為6m，則CD桿件受力為？【土木普考第一試】

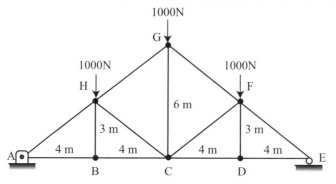

答：(1) 取整體自由體圖，先求支承反力

$$\sum F_x = 0 \Rightarrow A_x = 0$$

$$\sum F_y = 0 \Rightarrow A_y + E_y = 3 \times 1000 = 3000$$

$$\sum M_A = 0 \Rightarrow 4 \times 4 \times E_y$$
$$= 1000 \times (4 + 4 \times 2 + 4 \times 3)$$

$$E_y = 1500(N)$$

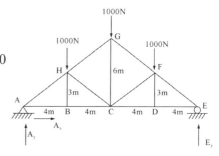

(2) 利用節點法，取E節點自由體圖

$$\sum F_y = 0 \Rightarrow S_{FE} \times - = 1500$$

$$S_{FE} = 2500(N)(壓)$$

$$\sum F_x = 0 \Rightarrow S_{ED} = S_{FE} \times \frac{4}{5} = 2000(N)(拉)$$

又構件FD為零力構件，

所以 $S_{CD} = S_{ED} = 2000(N)(拉)$

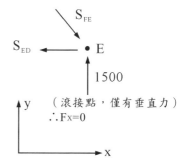

4. 圖示之桁架其A端為鉸接，F端為滾接，水平桿件之長度均為4m，垂直桿件 之長度均為3m，則CH桿件受力為？【土木普考第一試】

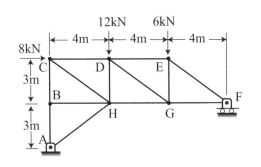

答：(1) 如圖所示，取整體自由體圖

$$\sum F_x = 0 \Rightarrow A_x = 8kN$$

$$\sum M_A = 0 \Rightarrow 4 \times 3\, F_y$$
$$= 12 \times 4 + 6 \times 4 \times 2 + 8 \times 3 \times 2$$
$$\Rightarrow F_y = 12 \ (kN)$$

$$\sum F_y = 0 \Rightarrow A_y = 6 \ (kN)$$

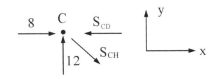

(2) 取A節點自由體圖

$$S_{AH} = 10 \quad S_{AB} = 6 + 10 \times \frac{3}{5} = 12 \ (kN) \quad (壓)$$

又因為BH之構件為零力構件
所以AB構件之內力 = BC構件之內力
$$\Rightarrow S_{AB} = S_{BC} = 12 \ (kN) \quad (壓)$$

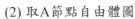

(3) 取C節點自由體圖

$$\sum F_y = 0 \Rightarrow S_{CH} \times \frac{3}{5} = 12$$

$$S_{CH} = 20kN(拉)$$

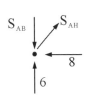

5. 如圖中的桁架（truss）結構，於A、B、D、F、H及J處同時承受P = 40 kN的向下力，試求結構件（member）FG及結構件FH的受力情形。【土木普考】

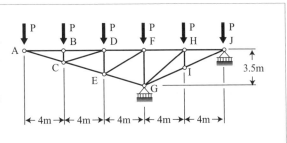

答：利用剖面法切自由體圖如下圖所示

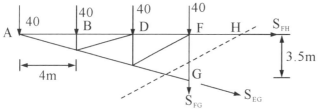

$$\sum M_G = 0 \Rightarrow 3.5 S_{FH} = 40 \times 4 + 40 \times 8 + 40 \times 12 \Rightarrow S_{FH} = 274.286N（拉）$$

$$\sum M_A = 0 \Rightarrow 40 \times 4 + 40 \times 8 + 40 \times 12 + 12 S_{FG} = 0$$

$$\Rightarrow S_{FG} = -80N（壓）= 80N(\uparrow)$$

6. 如圖所示之鉸接的兩個桿件構架，A、B、C
點為鉸接點，試求A點及B點的支撐反力。
【土木普考】

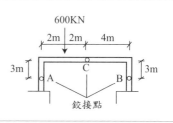

答：(1) 取ABC自由體圖：

$$\sum M_A = 0 \Rightarrow 600 \times 2 = 8 B_y$$

$$\Rightarrow B_y = 150kN(\uparrow)$$

$$\sum F_y = 0$$

$$\Rightarrow A_y = 600 - 150 = 450kN(\uparrow)$$

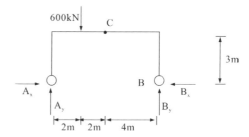

(2) 取BC段自由體圖：

$$\sum M_C = 0 \Rightarrow 3 B_x = 150 \times 4$$

$$B_x = 200kN(\leftarrow) \quad A_x = 200kN(\rightarrow)$$

A點反力合力

$$= \sqrt{A_x^2 \quad A_y^2} = \sqrt{(200)^2 + (450)^2} = 492.44（kN）$$

B點反力合力

$$= \sqrt{B_x^2 + B_y^2} = \sqrt{(-200)^2 + (150)^2} = 250（kN）$$

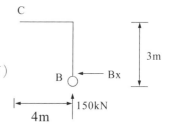

7. 下圖顯示一結構藉由一半
徑0.5m之滑輪及一索線懸
掛一400kg的重物，假設各
桿件重量可忽略不計，請
算出桿件BEF與桿件CE的
受力情形。【107關務四等】

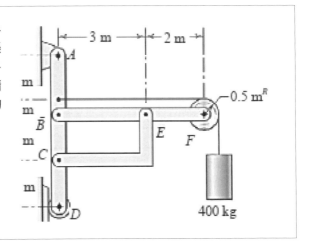

答： (1)取滑輪之F.B.D

$+\uparrow\Sigma F_y=0\Rightarrow F_y=400\times9.81=3924(N)$

$\xrightarrow{+}\Sigma F_x=0\Rightarrow F_x=3924(N)$

(2) 取BE下桿之F.B.D

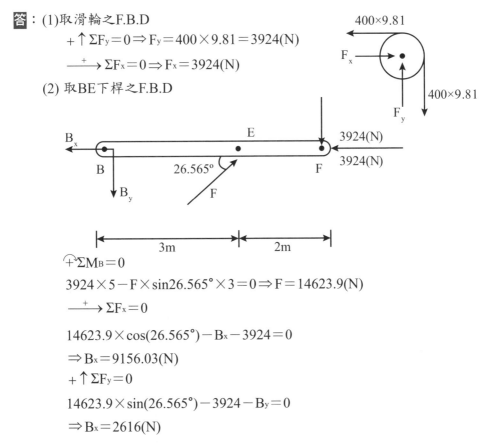

$\overset{\curvearrowright}{+}\Sigma M_B=0$

$3924\times5-F\times\sin26.565°\times3=0\Rightarrow F=14623.9(N)$

$\xrightarrow{+}\Sigma F_x=0$

$14623.9\times\cos(26.565°)-B_x-3924=0$

$\Rightarrow B_x=9156.03(N)$

$+\uparrow\Sigma F_y=0$

$14623.9\times\sin(26.565°)-3924-B_y=0$

$\Rightarrow B_x=2616(N)$

(3) 取CE桿之F.B.D

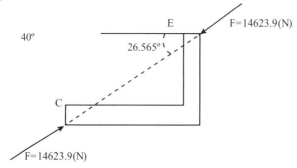

8. 如圖所示，計算銷（pin）A
和銷B作用於構架（frame）
上的力的水平及垂直分量。
【107普考】

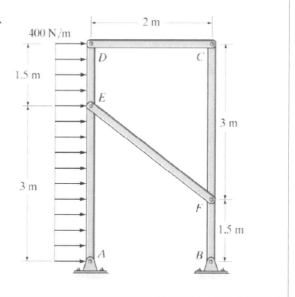

答：(1)取整體之F.B.D

$\curvearrowright \Sigma M_B = 0$

$A_y \cdot 2 + 400 \times 4.5 \times \dfrac{4.5}{2} = 0$

$\Rightarrow A_y = -2025(N)$

$+\uparrow \Sigma F_y = 0$

$B_y = 2025(N)$

$\xrightarrow{+} \Sigma F_x = 0$

$A_x + B_x + 400 \times 4.5 = 0$

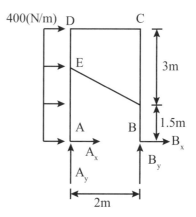

(2) 取BFC桿之F.B.D
   $+\uparrow \Sigma F_y = 0$
   $2025 + S_{EF} \times \sin 36.87° = 0$
   $S_{EF} = -3374.99(N)$
   $\curvearrowright \Sigma M_c = 0$
   $(-3374.99)\cos 36.87° \times 3 - B_x \times 4.5 = 0$
   $B_x = -1800(N)$
   故$A_x = 0(N)$

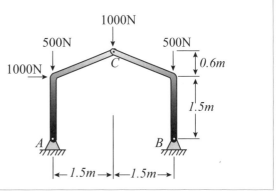

9. 若不計桿重，試求如圖所示
   之構架，在 A、B 點的反力。
   【100 年土木四等】

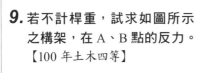

答：(1) 由整體自由體計算反力R_{Ay}、R_{By}
      參考圖a自由體。
      $[\curvearrowright \Sigma M_A = 0]$：$(R_{By})(3) - (500)(3) - (1000)(1.5) - (1000)(1.5) = 0$
      $\Rightarrow R_{By} = 1500N(\uparrow)$

      $[+\uparrow \Sigma F_y = 0]$：$R_{Ay} + R_{By} - 1000 - 500 - 500 = 0$
      $\Rightarrow R_{Ay} = 500N(\uparrow)$

      $[+\leftarrow \Sigma F_x = 0]$：$R_{Ax} + R_{Bx} - 1000 = 0$
      $\Rightarrow R_{Ax} + R_{Bx} = 1000$.....................................①

   (2) 由局部自由體計算反力R_{AX}、R_{BX}
      參考圖b自由體
      $[\curvearrowright \Sigma M_C = 0]$：$(R_{BX})(2.1) + (500)(1.5) - (R_{By})(1.5) = 0$
      $\Rightarrow R_{By} = 714.286N(\leftarrow)$
      代回① 式
      $R_{AX} = 1000 - R_{BX} = 285.714N(\leftarrow)$

10. 右圖桁架左端為類似滾子（roller）之弧腳（rocker）支撐，右端則為鉸（hinge）支撐，請算出該桁架在所示受力狀況下，桿件EF、KL與GL所受到的力量。【101鐵員】

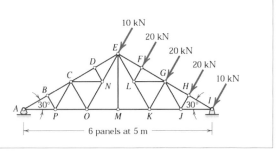

答：$\sum M_1 = 0$：$30A - 0.866[20(5+10+15)+10(20)] = 0$

$A = 23.1kN$

BP, PC, DN, CN, CO, ON, NE, EM為零力桿

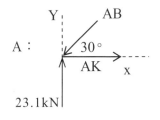

A：

$\sum F_y = 0$ ：$-0.5AB + 23.1 = 0$

$AB = 46.2kN$ C

$DE = AB$

E：

$\sum F_{y'} = 0$ ：$0.5EL + 10 - 0.866(46.2)$
$= 0, EL = 60kN$ T

$\sum F_{x'} = 0$ ：$EF - 60(0.866) - 46.2(0.5)$
$= 0, EF = 75.1kN$ C

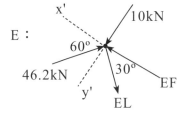

L：

$\sum F_x = 0 : -20\cos 30° + GL\cos 20°$
$= 0$, $GL = 20kN$ T

$\sum F_y = 0 : KL - 60 + 20(0.5)$
$+20(0.5) = 0$, $KL = 40kN$ T

進階試題演練

1. 如圖所示，試求出桁架
（Truss）之桿件CD 所受力
量之大小與作用之方向為
何？【機械高考】

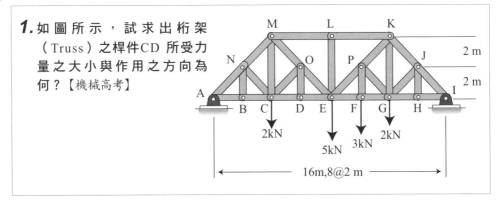

破題分析 ➡ 架解題步驟

1. 取整個桁架之自由體圖求解所受的所有外力（包含支承反力）。
2. 找出零力構件。
3. 若為三根構件以下可先用截面法求取構件內力。
4. 利用節點法求取內力。

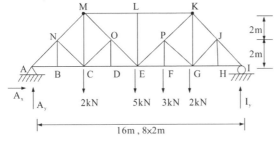

答：(1) 如圖所示，取整體自由體圖：

$$\sum F_x = 0 \Rightarrow A_x = 0 \quad \sum F_y = 0 \Rightarrow A_y + I_y = 2+3+2+5 = 12$$

$$\sum M_A = 0 \Rightarrow 16 I_y = 2\times4 + 5\times8 + 3\times10 + 2\times12 \Rightarrow I_y = 6.375 \text{（kN）}$$

$$A_y = 5.625 \text{（kN）}$$

(2) 由於桿 $\overline{BN}$、$\overline{DO}$、$\overline{NC}$、$\overline{OC}$ 為零力桿：

因此桿件CD之桿力 $S_{CD} = S_{BC} = S_{AB}$

取節點A之自由體圖

$$\sum F_y = 0 \Rightarrow S_{AN} \times \sin 45° = A_y = 5.625 \quad S_{AN} = 7.95 \text{（kN）}$$

$$\sum F_x = 0 \Rightarrow S_{AB} = S_{AN} \cos 45° = 5.625\text{kN （拉）}$$

$$S_{AB} = S_{BC} = S_{CD} = 5.625\text{kN （拉）}$$

2. 如圖所示的桁架受一垂直力P作用，試求桿件JN及JD的內力。【土木高考】

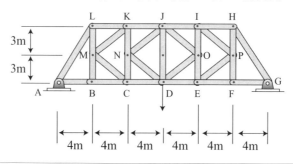

破題分析 ➡ 本題為K桁架不受三個以下之限制，可將整個桁架自某一區段切開同時取截面，取截面後可分別將各部份隔離出來取自由體圖分析，並利用平衡方程式$\sum Fx = 0$、$\sum Fy = 0$、$\sum Mo = 0$來計算構件之內力。

答： (1) 取整體自由體圖求支承反力：

$\sum M_G = 0 \Rightarrow 24A_y = 12P$

$\Rightarrow A_y = \dfrac{P}{2}(\uparrow)$

$\sum F_y = 0$

$\Rightarrow G_y = -(\uparrow)$

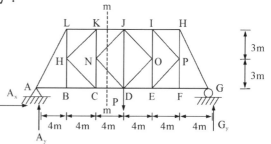

(2) 利用截面法取m－m剖面：

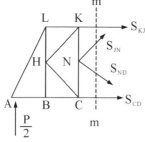
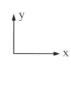

$\sum F_y = 0 \Rightarrow \dfrac{P}{2} + \dfrac{3}{5}S_{JN} - \dfrac{3}{5}S_{ND} = 0 \cdots\cdots ①$

(3) 利用節點法取N節點自由體圖：

$$\sum F_x = 0 \Rightarrow S_{JN} + S_{ND} = 0 \cdots \cdots ②$$

由①②可得 $S_{JN} = \dfrac{-5}{12}P$（壓）　　$S_{ND} = \dfrac{5}{12}P$（拉）

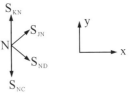

(4) 取J節點自由體圖：

由於桁架受力對稱

所以 $S_{JO} = S_{JN} = -\dfrac{5P}{12}$（壓）

$$\sum F_y = 0$$

$$S_{JD} = (\dfrac{5}{12}P \times \dfrac{3}{5}) \times 2 = \dfrac{P}{2}$$（拉）

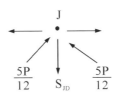

---

3. 某平面桁架（truss）結構及受力情形如下圖所示。試分析桿件AB，AC，AD，CD，CE，BC，BE 的桿力。【土木高考三等、107台電】

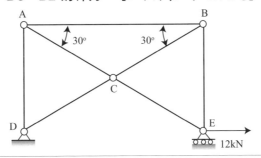

答：(1) 取整體自由體圖：

$$\sum F_x = 0 \Rightarrow D_x = 12kN(\leftarrow)$$

$$\sum F_y = 0 \Rightarrow D_y = 0$$

(2) 取D節點自由體圖：

$$\sum F_x = 0 \Rightarrow S_{DC} \sin 60^\circ = 12$$

$$\Rightarrow S_{DC} = 13.856kN$$（拉）

$$\sum F_y = 0 \Rightarrow S_{DC} \cos 60^\circ = S_{AD} \Rightarrow S_{AD} = 6.928kN$$（壓）

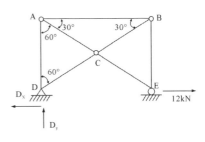

(3) 由於結構受力之對稱性：

$S_{DC} = S_{CE} = 13.856kN$（拉）

$S_{AD} = S_{BE} = 6.928kN$（壓）

又由節點C可知

$S_{AC} = S_{CE} = 13.856kN$（拉）

$S_{BC} = S_{DC} = 13.856kN$（拉）

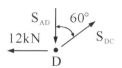

(4) 取A節點自由體圖：

$S_{AB} = S_{AC}\cos 30° \Rightarrow S_{AB} = 12kN$（壓）

---

4. 如圖所示之圓形桁架，內接三根構件，在C處承受P力，試求構件DE所承受之力，圓弧構件可視為二力構件（two-force members）。【機械地特三等】

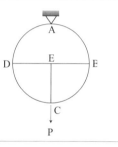

答：在構件兩端的作用力必沿著作用線作用，二作用力方向相反，大小相等，稱之為二力構件，其圓弧構件受力情況如下所示。

(1) 取整體自由體圖，如圖a：

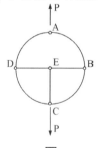

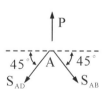

圖a　　　　　　　　　　圖b

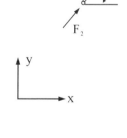

(2) 取A點節點自由體圖，如圖b：

$\sum F_x = 0 \Rightarrow S_{AD}\cos 45° = S_{AB}\cos 45° \Rightarrow S_{AD} = S_{AB}$

$\sum F_y = 0 \Rightarrow S_{AD}\sin 45° + S_{AB}\sin 45° = P \quad S_{AD} = S_{AB} = 0.707P$

(3) 取D點自由體圖：

$$\sum F_y = 0 \Rightarrow S_{AD} = S_{CD}$$

$$\sum F_x = 0 \Rightarrow S_{AD}\cos 45° + S_{CD}\cos 45° = S_{DE}$$

$$\Rightarrow 2S_{AD}\cos 45° = S_{DE} \quad \Rightarrow S_{DE} = P（壓）$$

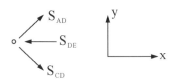

5. 一物塊重 W＝500N，由繞經直徑為150mm無摩擦滑輪之繩子所支撐，此滑輪又固定於構架之C點上，試繪出並求出作用於桿件BCD上之力。【土木地特三等】

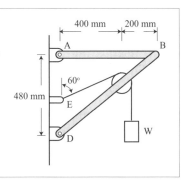

答：(1) 取AB自由體圖：

$$\sum M_A = 0 \Rightarrow B_y = 0$$

$$\sum F_y = 0 \Rightarrow A_y = B_y = 0$$

$$\sum F_x = 0 \Rightarrow A_x = B_x$$

(2) 取C滑輪自由體圖：

$$\sum F_x = 0$$

$$\Rightarrow C_x = 500 \times \cos 30° $$

$$\qquad = 433.01(N)$$

$$\sum F_y = 0 \Rightarrow C_y = 500 \times \sin 30° + 500 = 750(N)$$

(3) 取BCD自由體圖：

$$\tan \alpha = \frac{400+200}{480} = \frac{600}{480} \Rightarrow \alpha = 51.34°$$

$$\sum F_y = 0 \Rightarrow D_y = 750N(\uparrow)$$

$$\sum F_x = 0 \Rightarrow D_x = B_x + 433.01$$

$$\sum M_D = 0 \Rightarrow 750 \times 400 - 433.01 \times \frac{400}{\tan \alpha} - B_x$$

$$\Rightarrow B_x = 336.32N(\leftarrow) \quad D_x = 769.33N(\rightarrow)$$

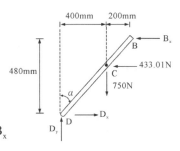

Chapter 04 質心、形心及慣性矩

⚙ 4-1 重心、形心與質量中心

1. **重心**：<u>質點系統內各質點所受重力的合力之作用點，可視為物體各部份重力集中點，稱之為重心</u>，物體的重心可視為系統內所有質點之總重力的作用點，通常可將組成物體之各個質點，其產生之重力視為空間平行力系，利用平行力系的力矩原理可求其合力的位置，如圖4.1所示，設有一物體，其總重量為W，各個質點的重量分別為W_1、W_2、W_3……，各質點至X軸的距離為y_1、y_2、y_3……，至Y軸的距離為x_1、x_2、x_3……，而以G表物體的重心，G到X軸的距離為$\bar{y}$，到Y軸的距離為$\bar{x}$，依照力矩原理，對X及Y軸取力矩可分別得到：

(1) 對y軸取力矩：

$$W \cdot \bar{x} = W_1 x_1 + W_2 x_2 + W_3 x_3 + \cdots\cdots$$

$$\bar{x} = \frac{W_1 x_1 + W_2 x_2 + W_3 x_3 + \cdots\cdots}{W}$$

(2) 對x軸取力矩：

$$W \cdot \bar{y} = W_1 y_1 + W_2 y_2 + W_3 y_3 + \cdots\cdots$$

$$\bar{y} = \frac{W_1 y_1 + W_2 y_2 + W_3 y_3 + \cdots\cdots}{W}$$

2. **形心**：<u>具有幾何形狀之物體，其中該物體之幾何形狀中心稱之為形心</u>，例如圓的圓心、圓球的中心，

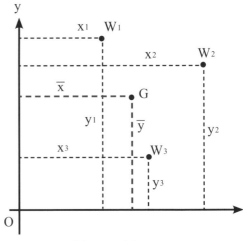

圖4.1　重心

即為形心，若物體為均質材料，則形心位置會與質心位置重合，故其求法亦與重心的求法相同。

3. 質量中心：物體質量分佈的中心點，可視為質量集中的點，稱之為質量中心，又可簡稱為質心，假設物體的質量全部集中於該點，其位置恰與重心重合，故其求法亦與重心的求法相同。

4. 重心、形心與質量中心的關係：物體的重心是由重力求得的，因重力加速度g會隨高度而改變，若在均勻重力場中，而質心的位置是不變的，所以可以認定質量中心與重心是重合的，**若物體為同一均質材料所製成，有相同的密度，則重心、形心與質量中心位在同一個位置。**

⚙ 焦點命題 ⚙

---

1. 平面上有三顆球，其位置如圖所示，試計算此三球系統的質心位置。

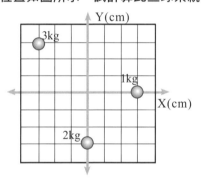

答：1公斤座標(3,0)、2公斤(0,−3)、3公斤(−3,3)

$$X_C = \frac{1\times3 + 2\times0 + 3\times(-3)}{1+2+3} = -1 \;;\; Y_C = \frac{1\times0 + 2\times(-3) + 3\times(3)}{1+2+3} = \frac{1}{2}$$

---

2. 三個質量分別為5公斤、10公斤及20公斤的物體，以質量可忽略不計的三條細桿相聯結成正三角形，且邊長均為10公分，則系統的質心距離5公斤物體為多少公分？

答：設三物體放置在平面座標上如圖

$$X_C = \frac{5\times0 + 10\times5 + 20\times10}{5+10+20} = \frac{50}{7}$$

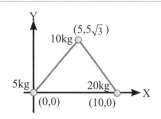

$$Y_C = \frac{5 \times 0 + 10 \times 5\sqrt{3} + 20 \times 0}{5 + 10 + 20} = \frac{10\sqrt{3}}{7}$$

$$質心與原點(5kg)距離 = \sqrt{\left(\frac{50}{7}\right)^2 + \left(\frac{10\sqrt{3}}{7}\right)^2} = \frac{20\sqrt{3}}{7}$$

⚙ 4-2 各類重（形）心求法

1. 線的重心求法

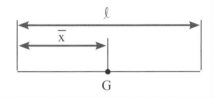

1 直線

直線的中點 $\bar{x} = \dfrac{\ell}{2}$ ；線長 $L = \ell$

2 圓弧

圓弧線的重心在圓心角之平分線上，其重心位置，如圖所示，其距中心點0之距離為：

$\bar{x} = \dfrac{r\sin\theta}{\theta}$, $\bar{y} = 0$ （θ 為圓心角之一）

線長 $L = 2r\theta$

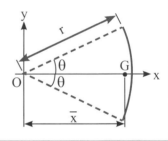

3 半圓弧

$\theta = \dfrac{\pi}{2} \Rightarrow \bar{X} = \dfrac{2r}{\pi}$ ；

線長 $L = r\pi$

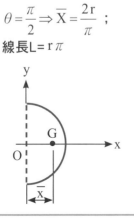

4 $\frac{1}{4}$ 圓弧

$\bar{x} = \dfrac{2r}{\pi}$ 、 $\bar{y} = \dfrac{2r}{\pi}$ ；

線長 $L = \dfrac{r\pi}{2}$

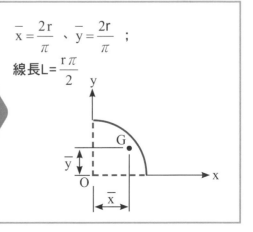

| **5**
折線 | 折線的重心求法，可將折線分成多個單一的直線，先求各單一直線的重心，再依力矩原理求總重心位置
$$\bar{x} = \frac{L_1 x_1 + L_2 x_2 + L_3 x_3 + \cdots\cdots}{L_1 + L_2 + L_3 + \cdots}$$
$$\bar{y} = \frac{L_1 X_1 + L_2 X_2 + L_3 X_3 \cdots\cdots}{L_1 + L_2 + L_3 + \cdots\cdots}$$ | 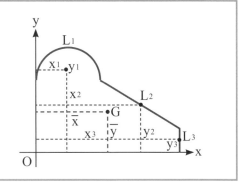 |

2. 面的重（形）心求法

名稱	重(形)心位置	圖示
矩形	方形(長方形、正方形、菱形)之重心，為其相對兩邊中點的連線之交點。 $$\bar{x} = \frac{b}{2}$$ $$\bar{y} = \frac{h}{2}$$ 面積A=b×h	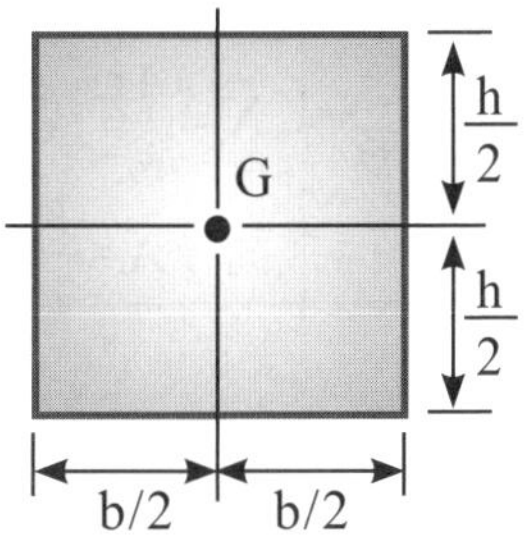
三角形	距底邊 $\frac{1}{3}$ 高度處 $$\bar{x} = \frac{1}{3}b$$ $$\bar{y} = \frac{1}{3}h$$ 面積A=$\frac{1}{2}$×b×h	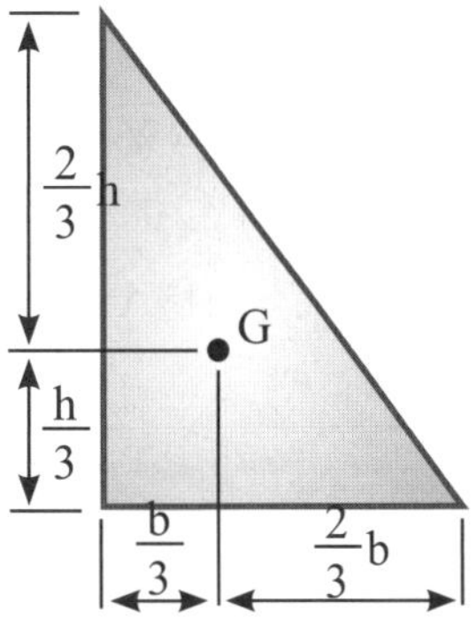

名稱	重(形)心位置	圖示
扇形	扇形面積之重心，在其所對圓心角之角平分線上，距中心點O之距離為$\overline{X}$。 $\overline{X} = \dfrac{2}{3} \cdot \dfrac{r\sin\theta}{\theta}$ $\overline{Y} = 0$ (對稱X軸) 面積$A = \dfrac{1}{2} \times r^2 \times 2\theta$	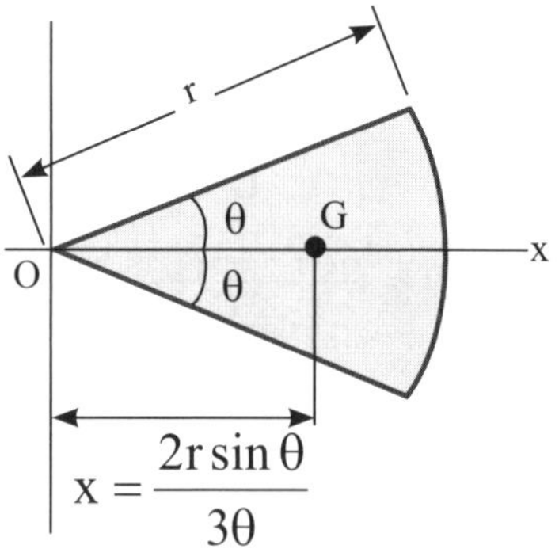 $x = \dfrac{2r\sin\theta}{3\theta}$
半圓形	$\overline{X} = \dfrac{4r}{3\pi}$ ， $\overline{Y} = 0$ (對稱X軸) 面積$A = \dfrac{1}{2} \times r^2 \times \pi$	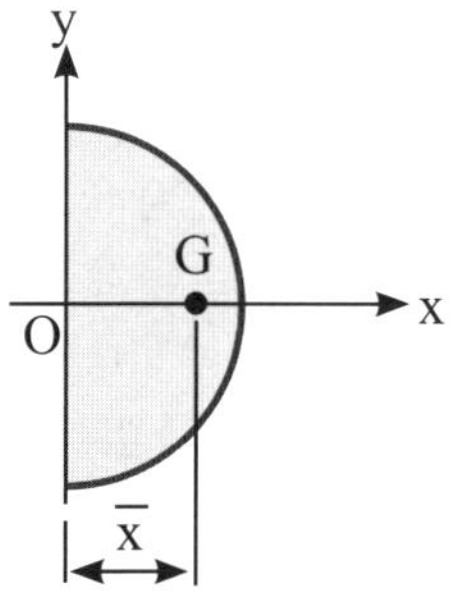
$\dfrac{1}{4}$圓形	$\overline{X} = \overline{Y} = \dfrac{4r}{3\pi}$ 面積$A = \dfrac{1}{4} \times r^2 \times \pi$	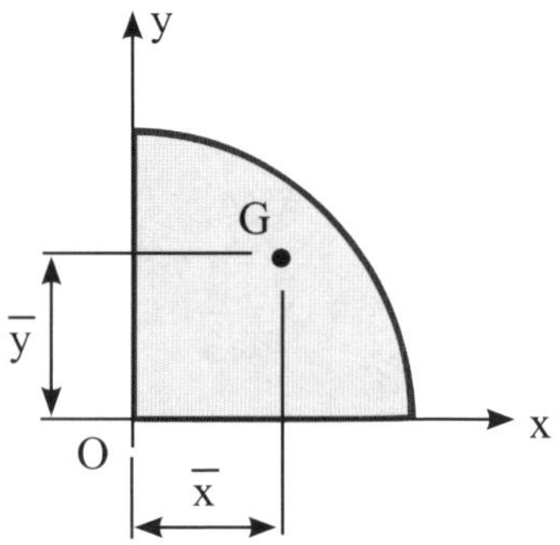

名稱	重(形)心位置	圖示
複合 面積	複合面積的重心，只要將一面積分為數個簡單形狀的面積即可，如正方形、圓形、三角形等，先求各個簡單形狀的面積，再利用力矩原理求得整個**物體面積的重心位置**。 $$\bar{x} = \frac{A_1 x_1 + A_2 x_2 + A_3 x_3 + \cdots\cdots}{A_1 + A_2 + A_3 + \cdots\cdots}$$ $$\bar{y} = \frac{A_1 y_1 + A_2 y_2 + A_3 y_3 + \cdots\cdots}{A_1 + A_2 + A_3 + \cdots\cdots}$$	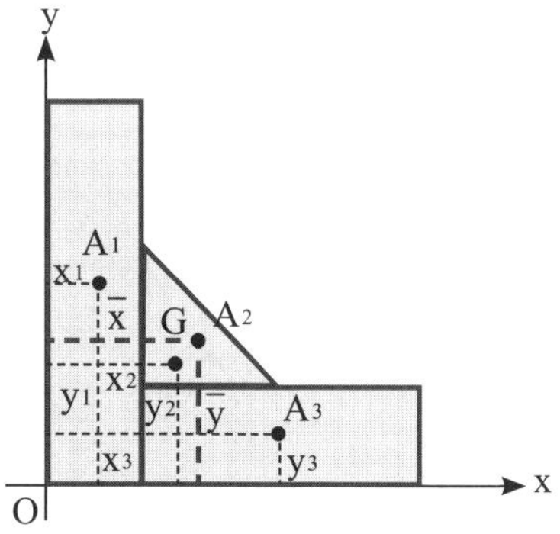

3. 體積的重（形）心求法

名稱		圖形	形心	體積
直立柱體	角柱體	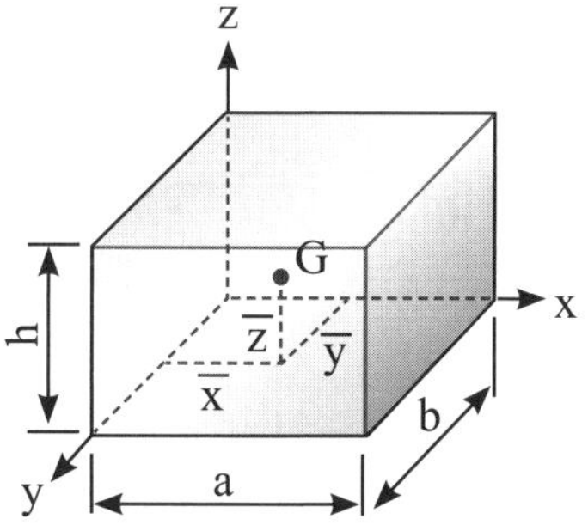	$\bar{x} = \dfrac{a}{2}$ $\bar{y} = \dfrac{b}{2}$ $\bar{z} = \dfrac{h}{2}$	$V = abh$
	圓柱體	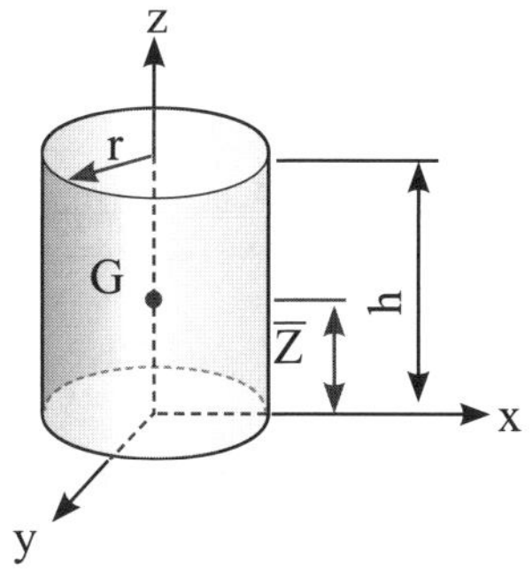	$\bar{x} = 0$ $\bar{y} = 0$ $\bar{z} = \dfrac{h}{2}$	$V = \pi r^2 h$

名稱		圖形	形心	體積
直立錐體	角錐體	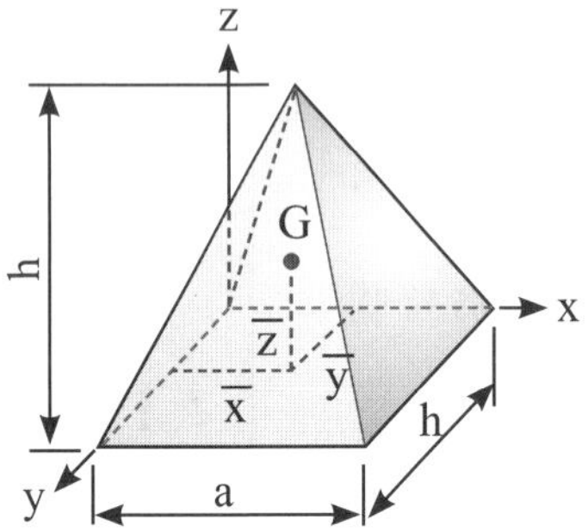	$\bar{x}=\dfrac{a}{2}$ $\bar{y}=\dfrac{b}{2}$ $\bar{z}=\dfrac{h}{4}$	$V=\dfrac{abh}{3}$
	圓錐體	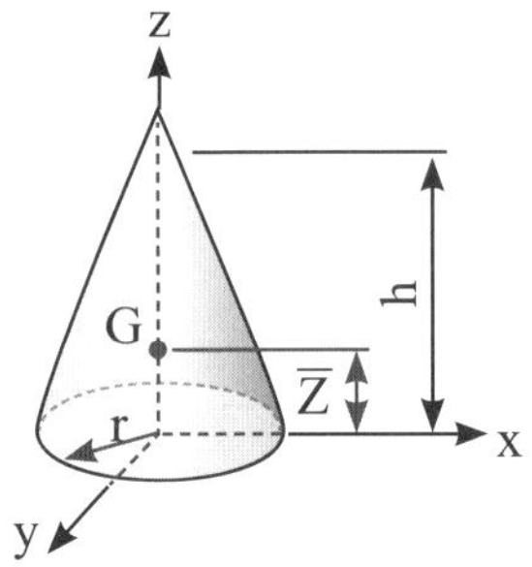	$\bar{x}=0$ $\bar{y}=0$ $\bar{z}=\dfrac{h}{4}$	$V=\dfrac{\pi r^2 h}{3}$

◉ 焦點命題 ◉

3. 如圖所示,組合線段OABCDE之重心座標$(\bar{x},\bar{y})$為?

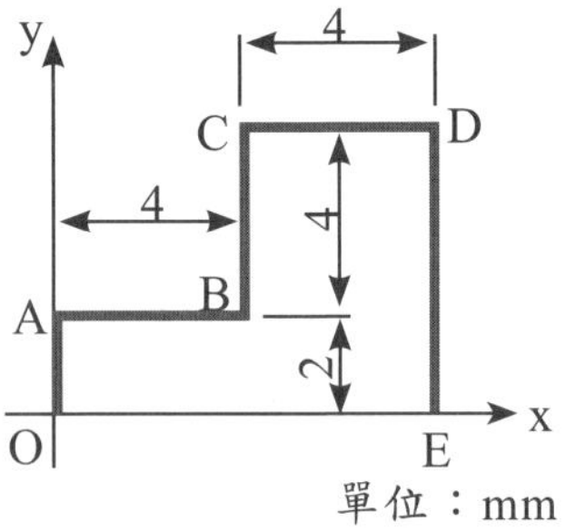

單位:mm

答:(1) 先寫出各線段之長度及重心位置

$\overline{OA}$ 線段長2mm,重心為(0, 1);$\overline{AB}$ 線段長4mm,重心為(2, 2)

$\overline{BC}$ 線段長4mm,重心為(4, 4);$\overline{CD}$ 線段長4mm,重心為(6, 6)

$\overline{DE}$ 線段長6mm,重心為(8, 3);總長L=2+4+4+4+6=20

(2) 利用力矩原理

$$\overline{x} = \frac{2 \times 0 + 4 \times 2 + 4 \times 4 + 4 \times 6 + 6 \times 8}{20} = \frac{96}{20} = 4.8$$

$$\overline{y} = \frac{2 \times 1 + 4 \times 2 + 4 \times 4 + 4 \times 6 + 6 \times 3}{20} = \frac{68}{20} = 3.4$$

---

4. 如圖所示之圓弧線重心至原點O之距離為多少？

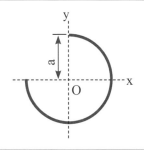

答： $\overline{OG} = \dfrac{a \sin\theta}{\theta} = \dfrac{a \sin 135°}{\dfrac{3\pi}{4}} = \dfrac{2\sqrt{2}a}{3\pi}$

---

5. 下圖顯示一由均質鐵線所組構成的封閉曲線構造物，如將該構造物置於一平面上，請找出重心之所在。【107關務四等】

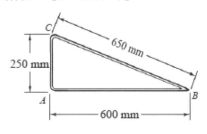

答：$(250 + 650 + 600)x$

$= 600 \times 300 + 650 \times \dfrac{650}{2} \times \cos 22.62°$

$\Rightarrow x = 250 \text{(mm)}$

$(250 + 650 + 600)y$

$= 250 \times \dfrac{250}{2} + 650 \times \dfrac{650}{2} \times \sin 22.62°$

$\Rightarrow y = 75 \text{(mm)}$

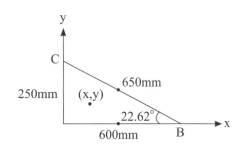

6. 如圖所示，薄厚一致．每邊為2a之正方形木板，按斜線部分切去1/4，則其殘餘部分之質量中心坐標為多少？

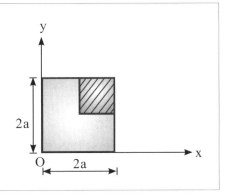

答： $x_c = \dfrac{\dfrac{1}{4}m(\dfrac{a}{2}) + \dfrac{1}{4}m(\dfrac{a}{2}) + \dfrac{1}{4}m(\dfrac{3}{2}a)}{\dfrac{3}{4}m} = \dfrac{5}{6}a$

　　　$y_c = \dfrac{\dfrac{1}{4}m(\dfrac{a}{2}) + \dfrac{1}{4}m(\dfrac{3}{2}a) + \dfrac{1}{4}m(\dfrac{a}{2})}{\dfrac{3}{4}m} = \dfrac{5}{6}a$

7. 試求陰影面積的形心位置 $\bar{x}$ 及 $\bar{y}$。

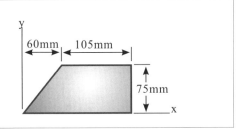

答： 如圖所示

　　三角形面積 $A_1 = \dfrac{1}{2} \times 60 \times 75 = 2250$

　　矩形面積 $A_2 = 105 \times 75 = 7875$

　　$\bar{X} = \dfrac{A_1 \times 40 + A_2 \times (60 + 52.5)}{A_1 + A_2}$

　　$\Rightarrow \bar{X} = \dfrac{975937.5}{10125} = 96.4(mm)$

　　$\bar{Y} = \dfrac{A_1 \times 25 + A_2 \times (37.5)}{A_1 + A_2} \Rightarrow \bar{X} = \dfrac{351562.5}{10125} = 34.7(mm)$

---

8. 如圖灰色面積的重心點（Centroid）座標為何？【關務三等】

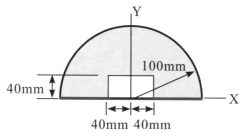

答：$\dfrac{1}{2} \times \pi \times 100^2 \times \dfrac{4 \times 100}{3\pi} - 80 \times 40 \times \dfrac{40}{2} = (\dfrac{1}{2}\pi \times 100^2 - 80 \times 40) \times y \Rightarrow y = 48.18\text{(mm)}$

x座標為0，故灰色面積之重心點座標為(0,48.18)

---

9. 如圖所示，斜線部分面積之重心座標$(\bar{x}, \bar{y})$為：

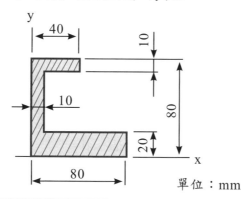

單位：mm

答：總面積A＝400＋500＋1600＝2500

$$\bar{x} = \frac{400 \times 20 + 500 \times 5 + 1600 \times 40}{2500} = \frac{74500}{2500} = 29.8$$

$$\bar{y} = \frac{400 \times 75 + 500 \times 45 + 1600 \times 10}{2500} = \frac{68500}{2500} = 27.4$$

10. 圖示之陰影面積，其形心位置的y座標為：

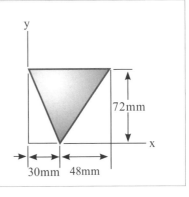

答：陰影對x軸面積矩

$$(30+48) \times 72 \times \frac{72}{2} - [\frac{1}{2} \times 30 \times \frac{72 \times 72}{3} + \frac{1}{2} \times 48 \times \frac{72 \times 72}{3}] = 134784$$

陰影面積

$$(30+48) \times 72 - \frac{1}{2} \times [30 \times 72 + 48 \times 72] = 2808 \quad y = \frac{134784}{2808} = 48$$

⚙ 4-3 慣性矩與極慣性矩

1. **慣性矩**：一個固定面積之平面可視為多個微小面積的集合，此平面各個微小面積分別與此平面之任一固定軸有相應的距離，**平面內各個微小面積分別與任一固定軸距離平方相乘之總和，稱之為慣性矩，可視為面積的二次矩，又可稱為面積慣性矩**(moment of inertia)。

對X軸之慣性矩	對Y軸之慣性矩
如圖4.2所示，假設各個微小面積分別為A_1、A_2、A_3、……，其座標分別為$(x_1，y_1)$、$(x_2，y_2)$、$(x_3，y_3)$……，若此平面上內各個微小面積分別與任一X軸相對應之距離平方相乘，所得的代數即為 $$I_x = A_1y_1 + A_2y_2^2 + A_3y_3^2 + \cdots\cdots + A_ny_n^2$$	如圖4.2所示，假設各個微小面積分別為A_1、A_2、A_3、……，其座標分別為$(x_1，y_1)$、$(x_2，y_2)$、$(x_3，y_3)$……，若此平面上內各個微小面積分別與任一Y軸相對應之距離平方相乘，所得的代數即為 $$I_y = A_1x_1 + A_2x_2^2 + A_3x_3^2 + \cdots\cdots + A_nx_n^2$$

I_X與I_Y分別為面積對Y軸與X軸之面積的二次矩，單位為長度的四次方

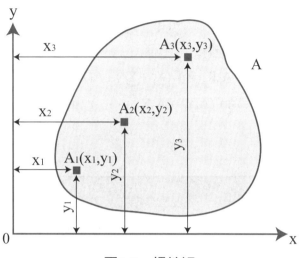

圖4.2 慣性矩

2. **慣性矩的平行軸定理**：當我們
   求出面積對一軸之慣性矩之
   後，我們即可決定此面積對任
   一平行此軸之慣性矩，此方法
   我們稱為慣性矩的平行軸定理
   (parallel axis theorem)。若一物
   體之面積對通過其形心之中立
   軸的慣性矩已知，如圖4.3，假
   設X軸為通過該物體面積之形心
   的中立軸，X_1軸與該形心軸X平
   行且相距d，假設此面積之形心
   慣性矩為I_x，且該物體之面積為
   A，利用前面所述慣性矩之求法
   我們可以得到此面積對I_x軸之慣
   性矩I_{x1}為$I_{x1} = I_x + Ad^2$

3. **極慣性矩**：面積之極慣性矩
   (polar moment of inertia)為此平面
   面積對其在平面內之任何兩互相

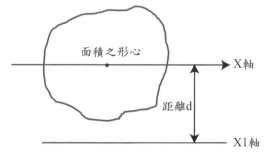

圖4.3 慣性矩的平行軸定理

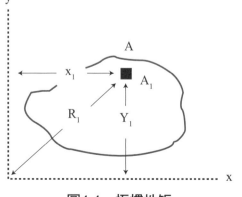

圖4.4 極慣性矩

垂直之軸慣性矩之和，常以J 表示，如圖4.4所示，此平面之面積可分為許多的微小面積A_1、A_2、A_3……，這些微小面積至原點之距離為R_1、R_2、R_3……，面積之極慣性矩為

$$J = A_1 R_1 + A_2 R_2 + \ldots + A_n R_n = A_1(X_1^2 + Y_1^2) + A(X_2^2 + Y_2^2) + \ldots + A_n(X_n^2 + Y_n^2)$$

$$= (A_1 X_1^2 + A_2 X_2^2 + \cdots) + (A_1 Y_1^2 + A_2 Y_2^2 + \cdots)$$

所以　　$J = I_Y + I_X$

4. 簡單面積之慣性矩

圖形	基本參數
1.矩形 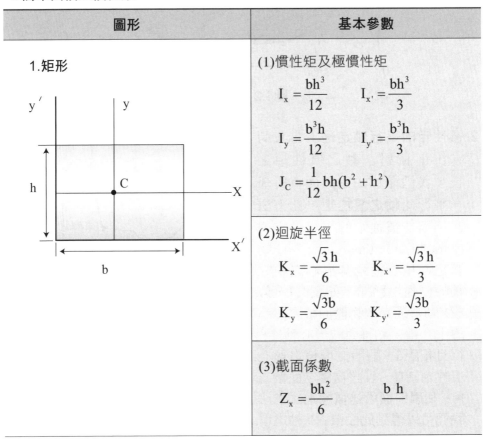	(1)慣性矩及極慣性矩 $$I_x = \frac{bh^3}{12} \qquad I_{x'} = \frac{bh^3}{3}$$ $$I_y = \frac{b^3 h}{12} \qquad I_{y'} = \frac{b^3 h}{3}$$ $$J_C = \frac{1}{12} bh(b^2 + h^2)$$
	(2)迴旋半徑 $$K_x = \frac{\sqrt{3} h}{6} \qquad K_{x'} = \frac{\sqrt{3} h}{3}$$ $$K_y = \frac{\sqrt{3} b}{6} \qquad K_{y'} = \frac{\sqrt{3} b}{3}$$
	(3)截面係數 $$Z_x = \frac{bh^2}{6} \qquad \qquad \frac{b\,h}{}$$

圖形	基本參數
2.三角形 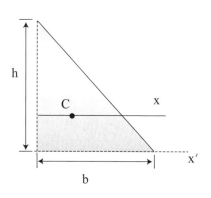	(1)慣性矩 $I_x = \dfrac{1}{36}bh^3 \qquad I_x = \dfrac{1}{12}bh^3$ (2)迴旋半徑 $K_x = \dfrac{\sqrt{2}h}{6} \ 、 \ K_y = \dfrac{\sqrt{2}b}{6}$ (3)截面係數 $Z_{x1} = \dfrac{bh^2}{12} \ 、 \ Z_{x2} = \dfrac{bh^2}{24} \ 、$
3.圓形 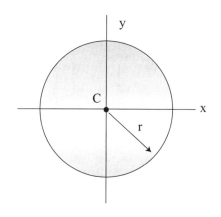	(1)慣性矩及極慣性矩 $I_x = I_y = \dfrac{1}{4}\pi r^4 \qquad J_c = \dfrac{1}{2}\pi r^4$ (2)迴旋半徑 　a.對圓心軸之迴轉半徑 　$K_x = K_y = \dfrac{d}{4}$ 　b. 對圓心軸之極迴轉半徑 　$K_p = \dfrac{d}{2\sqrt{2}}$ (3)截面係數 $Z_x = Z_y = \dfrac{\pi d^3}{32} \qquad Z_p = \dfrac{\pi d^3}{16}$

⚙ 焦點命題 ⚙

11. 請求出圖中T型斷（截）面的形心及其對x軸的慣性矩。【機械普考】

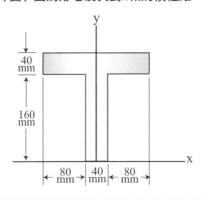

答：如圖所示

$$y_b = \frac{40\times160\times80 + 40\times(80+40+80)\times(20+160)}{40\times(80+40+80) + 40\times160}$$

$$= 135.56(\text{mm})$$

$$I_x = \frac{1}{3}(80+40+80)(160+40)^3 - \frac{1}{3}(80+80)\times(160)^3$$

$$= 314880000\text{mm}^4$$

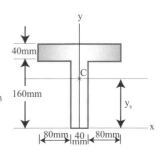

12. 如圖所示之面積，其對底邊x—x之慣性矩為：

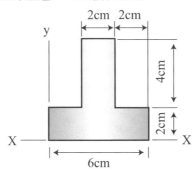

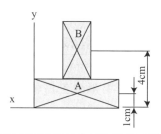

答：$I_{xA} = \dfrac{6 \times 2^3}{12} + (6 \times 2) \times 1^2 = 16 \, cm^4$

$I_{xB} = \dfrac{2 \times 4^3}{12} + (2 \times 4) \times 4^2 = 138.7 \, cm^4$

$I_{x-x} = I_{xA} + I_{xB} = 16 + 138.7 = 154.7 cm^4$

---

13. 圖斷面中，若 x 軸位於其底邊，而面積
慣性矩 $I_x = a \times 10^{-6} m^4$，則 a 為多少？

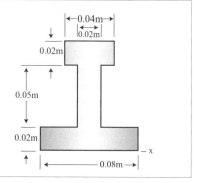

答：$I_x = \dfrac{1}{12} \times 0.08 \times (0.02)^3 + (0.01)^2 \times (0.02 \times 0.08)$

$+ \dfrac{1}{12} \times 0.02 \times (0.05)^3 + (0.02 \times 0.05) \times (0.025 + 0.02)^2$

$+ \dfrac{1}{12} \times 0.04 \times (0.02)^3 + (0.02 \times 0.04) \times (0.07 + 0.01)^2$

$= 7.593 \times 10^{-6} m^4 \Rightarrow a = 7.593$

---

14. 試計算圖中ㄈ字形面積之形心（centroid）
座標 x 與其對形心座標軸 y' 之慣性矩 I y'
（moment of inertia）。

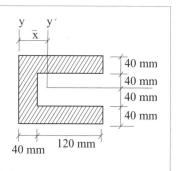

答：(1) 求解形心x

$$\overline{x} = \frac{40 \times 160 \times 80 \times 2 + 80 \times 40 \times 20}{40 \times 160 \times 2 + 80 \times 40} = 68\text{m}$$

(2) 求解對形心座標軸y'之慣性矩 $I_{y'}$

$$I_{y'} = \frac{1}{3} \times 40 \times (160 - 68)^3 \times 2 + \frac{1}{3} \times 40 \times 68^3 \times 2 + \frac{1}{3} \times 80 \times (68 - 40)^3$$

$$= 36949333.33\text{mm}^4$$

15. 試求圖示面積對於x軸的慣性矩。【鐵路員級】

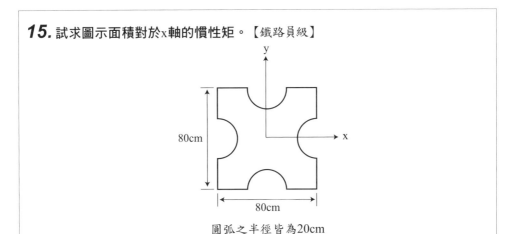

圓弧之半徑皆為20cm

答：(1) 正方形之 $I_x' = \frac{1}{12} \times (80)^4 = 3413333.33(\text{cm}^4)$

(2) 左右半圓形 $I_X'' = 2 \times \frac{1}{8}\pi \times (20)^4 = 125663.7(\text{cm}^2)$

(3) 上下之半圓形形心慣性矩 $\frac{1}{8} \times \pi \times (-r)^4 = I_C + \frac{1}{2}\pi \times (r)^2 \times \left(\frac{4r}{3\pi}\right)^2$

$$\Rightarrow I_C = 0.11r^4 = 0.11 \times (20)^4 = 17600(\text{cm}^4)$$

$$I_X''' = 2X\left[17600 + \frac{\pi \times (20)^2}{2} \times \left(40 - \frac{4 \times 20}{3\pi}\right)^2\right] = 1283027.44(\text{cm}^4)$$

(4) $x = Ix' - Ix'' - Ix'''$

$$= 3413333.33 - 125663.7 - 1283027.44$$

$$= 2004642.19(\text{cm}^4)$$

16. 如圖所示斷面對於原點0之

極慣性矩（polar moment of inertia）

為多少？

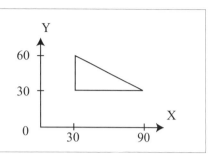

答：$J = I_x + I_y$

$$I_x = \frac{1}{36} \times 60 \times (30)^3 + \frac{1}{2} \times 60 \times 30 \times [30 + (30 \times \frac{1}{3})]^2 = 1485000$$

$$I_y = \frac{1}{36} \times 30 \times (60)^3 + \frac{1}{2} \times 60 \times 30 \times [30 + (60 \times \frac{1}{3})]^2 = 2430000$$

$$J = 1485000 + 2430000 = 3915000$$

17. 下圖所示斷面之慣性積（product of inertia）I_{xy}為？

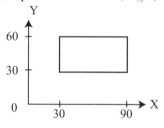

答：$I_{xy} = \int xy\,dA$

$$= 60 \times 30 \times 60 \times 45 = 4860000$$

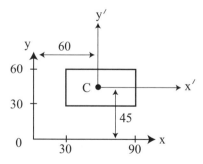

⚙ 4-4 截面係數與迴轉半徑

1. 截面係數：面積慣性矩除以中立軸到面積邊緣之距離，我們稱為截面係數 Z（section modulus）。

截面係數	圖示
1.面積A對x軸之截面係數為：$Z_x = \dfrac{I_x}{y_0}$	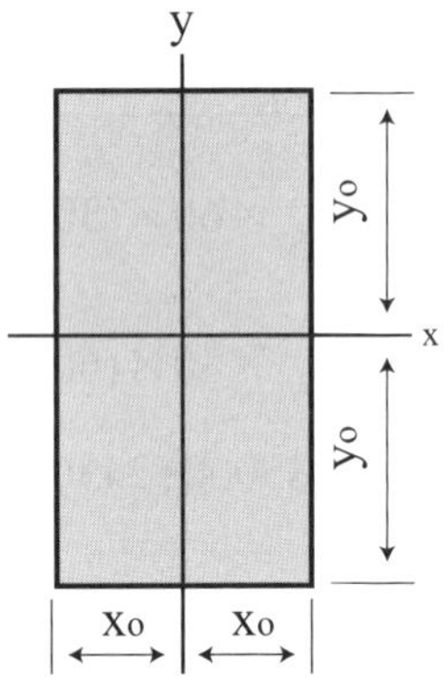
2.面積A對y軸之截面係數為：$Z_y = \dfrac{I_y}{x_0}$	
3.面積A對形心之極截面係數為：$Z_p = \dfrac{J}{R}$	

2. 迴轉半徑：一面積對某一軸之慣性矩除以該面積，所得到一長度的平方，而此長度即為此面積對此軸的迴轉半徑(radius of gyration)。

迴轉半徑	圖示
1.面積A對x軸之迴轉半徑為： $I_x = AK_x^2 \qquad K_x = \sqrt{\dfrac{I_x}{A}}$	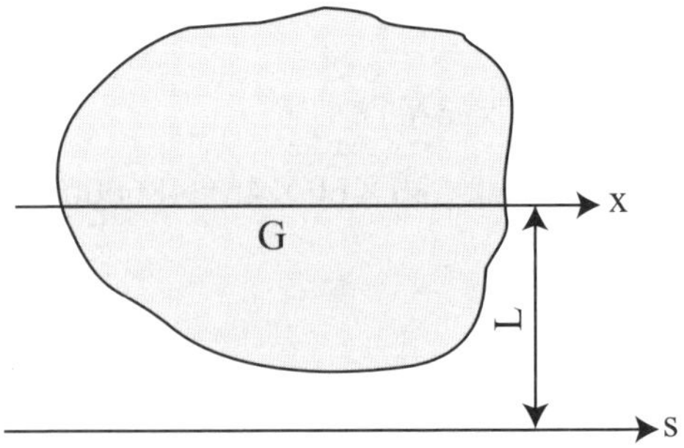
2.面積A對y軸之迴轉半徑為： $I_y = AK_y^2 \qquad K_y = \sqrt{\dfrac{I_y}{A}}$	
3.面積A對任一點之極迴轉半徑為： $J = AK_p^2 \qquad K_p = \sqrt{\dfrac{J}{A}}$	

🔅 焦點命題 🔅

18. 如圖所示之三角形面積，試求其對S軸之慣性矩及迴轉半徑。

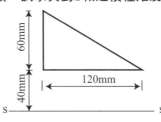

答：$A=\dfrac{1}{2}\times 60\times 120=3600\,mm^2$

$I_s=I_x+AL^2=\dfrac{120\times(60)^3}{36}+3600\times(60)^2=1368\times10^4\,mm^4$

$K_s=\sqrt{\dfrac{I_s}{A}}=\sqrt{\dfrac{1368\times10^4}{3600}}=62\,mm$

19. 如圖所示，四分之一圓形面積對x軸之迴轉半徑為？

答：$I=Ak^2 \Rightarrow \dfrac{1}{4}\times\dfrac{\pi d^4}{64}=\dfrac{1}{4}\times\dfrac{\pi d^2}{4}\times k^2$; $k=\dfrac{d}{4}=\dfrac{R}{2}$

20. 如圖所示之斜線面積之水平形心軸慣性矩、截面係數及迴轉半徑各為若干？

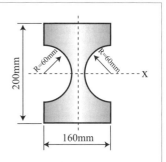

答：$I_x = \dfrac{160 \times (200)^3}{12} - \dfrac{3.14 \times (60)^4}{4} = 9649.64 \times 10^4 \, \text{mm}^4$

$Z_x = \dfrac{I_x}{y} = \dfrac{9649.64 \times 10^4}{100} = 964.96 \times 10^3 \, \text{mm}^3$

$K_x = \sqrt{\dfrac{I_x}{A}} = \sqrt{\dfrac{9649.64 \times 10^4}{160 \times 200 - \pi \times (60)^2}} = 68.3 \, \text{mm}$

| 精選試題 |

基礎試題演練

1. 線段ABCD如下圖，試求其重心座標x為多少m？

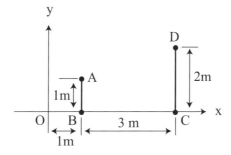

答：1公斤座標(3,0)、2公斤(0,−3)、3公斤(−3,3)

$X_C = \dfrac{1 \times 3 + 2 \times 0 + 3 \times (-3)}{1 + 2 + 3} = -1$ ；$Y_C = \dfrac{1 \times 0 + 2 \times (-3) + 3 \times (3)}{1 + 2 + 3} = \dfrac{1}{2}$

2. 有一鐵絲彎成如圖所示之形狀，以O座標為（0,0），則其重心位置為？

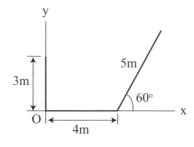

答：a＝3→（0,1.5）
　　b＝4→（2,0）

c＝5→（$4+\dfrac{2.5}{2}$, $\dfrac{2.5\sqrt{3}}{2}$）

L＝3＋4＋5＝12cm

$\bar{x}=\dfrac{3\times0+4\times2+5\times(6.5)}{12}$

$=\dfrac{34.25}{12}=2.85$cm

$\bar{y}=\dfrac{3\times1.5+4\times0+5\times\dfrac{2.5}{2}\sqrt{3}}{12}$

$=\dfrac{15.32}{12}=1.28$cm

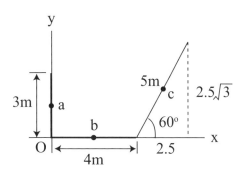

---

3. 如圖所示之圓弧線AB，θ＝30°，r=6cm，其重心為？

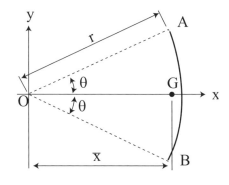

答：$\bar{x}=\dfrac{r\sin\theta}{\theta}=\dfrac{6\cdot\sin(\dfrac{\pi}{6})}{\dfrac{\pi}{6}}=\dfrac{18}{\pi}$　$\bar{y}=0$　$\therefore$G（$\dfrac{18}{\pi}$, 0）

4. 如圖所示，一圓弧半徑為r，圓心角為2β，試求其形心位置。【機械地特四等】

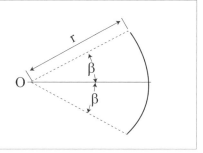

答：圓弧對稱x軸，故 $\overline{y} = 0$，以積分方式先求弧長

$$L = \int dL = \int_{-\beta}^{\beta} r d\theta = 2r\beta$$

圓弧對y軸一次矩為

$$Q_y = \int x dL = \int_{-\beta}^{\beta} r\cos\theta(r d\theta)$$

$$= r^2 \int_{-\alpha}^{\alpha} \cos\theta d\theta = 2r^2 \sin\beta$$

由於 $Q_y = \overline{x} L \Rightarrow \overline{x}(2r\beta) = 2r^2 \sin\beta$

$$\Rightarrow \overline{x} = \frac{r\sin\beta}{\beta}$$

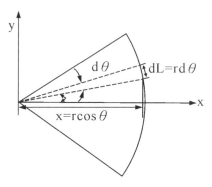

5. 如圖所示，圖形為一鐵線彎成ABCD三段，求此鐵線的形心。

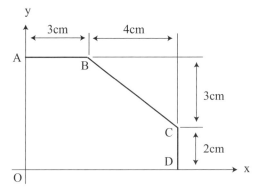

答：$AB = 3cm$，$BC = \sqrt{4^2 + 3^2} = 5$ cm，$CD = 2cm$

鐵線長L＝AB＋BC＋CD＝10cm三條直線的形心各在線段的中點

(1) 依力矩原理，對y軸取力矩 $L \cdot \overline{x} = AB \cdot x_1 + BC \cdot x_2 + CD \cdot x_3$

$10 \cdot \overline{x} = 3 \times 1.5 + 5 \times (3+2) + 2 \times 7$　　$\therefore \overline{x} = 4.35$ cm

(2) 對x軸取力矩 $L \cdot \overline{y} = AB \cdot y_1 + BC \cdot y_2 + CD \cdot y_3$

$10 \cdot \overline{y} = 3 \times 5 + 5 \times (2 + 1.5) + 2 \times 1$

$\therefore \overline{y} = 3.45$ cm 故形心為 $\overline{x} = 4.35$ cm，$\overline{y} = 3.45$ cm

---

6. 請求出右下T型斷（截）面對x軸的形心 $\overline{y}$ 為多少？

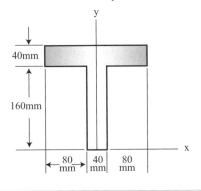

答：如圖所示

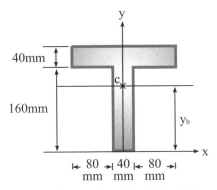

$$\overline{y} = y_b = \frac{40 \times 160 \times 80 + 40 \times (80 + 40 + 80) \times (20 + 160)}{40 \times (80 + 40 + 80) + 40 \times 160} = 135.56 \text{(mm)}$$

7. 如圖所示，一具有正方形缺口的正方形板之外部尺寸為50mm×50mm，其缺口尺寸為25mm×25mm。若此板具有均勻之厚度及均勻之密度，則此板的重心位置 $\overline{y}$ 的值為多少mm？

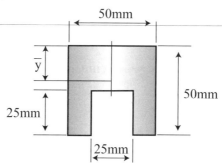

答： $\overline{y} = \dfrac{50 \times 50 \times 25 - 25 \times 25 \times (25 + \dfrac{25}{2})}{50 \times 50 - 25 \times 25} = 20.83$

8. 請求出下圖灰色區域的質量中心（centroid）。

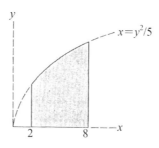

答： 陰影面積 $= \dfrac{2}{3} \times 8 \times \sqrt{40} - \dfrac{2}{3} \times 2 \times \sqrt{10} = 29.515$

$\dfrac{2}{3} \times 8 \times \sqrt{40} \times \dfrac{3}{8} \times \sqrt{40} = \dfrac{2}{3} \times 2 \times \sqrt{10} \times \dfrac{3}{8} \times \sqrt{10} + 29.515 \times y$

$y = 2.54$

$\dfrac{2}{3} \times 8 \times \sqrt{40} \times \dfrac{3}{5} \times 8 = \dfrac{2}{3} \times 2 \times \sqrt{10} \times \dfrac{3}{5} \times 2 + 29.515 \times x$

$x = 5.314$

本題亦可使用積分解

9. 如圖所示，陰影部份的形心座標如何？

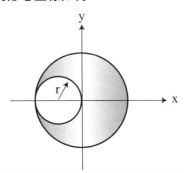

答：斜線部分為半徑2r的大圓，減去半徑為r的小圓。

大圓面積為 $A_1 = \pi(2r)^2 = 4\pi r^2$；小圓面積為 $A_2 = \pi r^2$

依面積力矩原理得 $(4\pi r^2 - \pi r^2) \cdot \overline{x} = 4\pi r^2 \times 0 - \pi r^2 \times (-r)$

$\therefore \overline{x} = \dfrac{r}{3}$，其形心座標$(\dfrac{r}{3}, 0)$

10. 如圖所示，試求該面積形心至x軸之距離為多少？

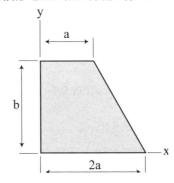

答：$A \times d = ba \times \dfrac{b}{2} + \dfrac{1}{2} ba \times \dfrac{b}{3} \Rightarrow \dfrac{3}{2} ba \times d = \dfrac{4}{6} b^2 a \Rightarrow \dfrac{3}{2} ba \times d = \dfrac{4}{6} b^2 a \Rightarrow d = \dfrac{4}{9} b$

11. 半圓面積之重心位於距圓心 $\dfrac{4r}{3\pi}$ 處，圖畫斜線部分之重心為？

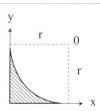

答：(1) 對稱，則 $\overline{x}=\overline{y}$

(2) $\overline{x}=\overline{y}=\dfrac{r^2\times 2r-\dfrac{\pi r^2}{4}\times(r-\dfrac{4r}{3\pi})}{r^2-\dfrac{\pi r^2}{4}}=\dfrac{0.0479r}{0.2146}=0.223r$

12. 右圖中間為正三角形，則斜線區域之形心座標y之值為多少mm？

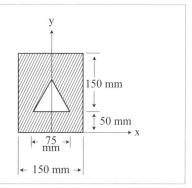

答：$y_c=\dfrac{(200\times150\times\dfrac{200}{2})-\left[\dfrac{1}{2}\times75^2\times\dfrac{\sqrt{3}}{2}\times(\dfrac{1}{3}\times75\times\dfrac{\sqrt{3}}{2}+50)\right]}{(200\times150)-(\dfrac{1}{2}\times75\times75\times\dfrac{\sqrt{3}}{2})}=102.5(mm)$

13. 如圖所示等厚箱型斷面對於Y軸之面積二次矩為多少？

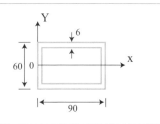

答：$\dfrac{1}{3}\times60\times90^3-\left[\dfrac{1}{12}\times48\times78^3+48\times78\times45^2\right]=5100192$

14. 如圖所示之對稱面，其慣性矩 I_{x-x} 約為多少 cm^4 ？

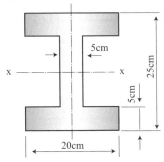

答：
$$I_{xA} = \frac{20 \times 25^3}{12} = 26042$$

$$I_{xB} + I_{xC} = \frac{15 \times 15^3}{12} = 4218.75$$

$I_{x-x} = I_{xA} - I_{xB} - I_{xC} = 26042 - 4218.75 = 21822.916 cm^4$

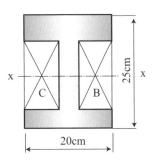

15. 已知半徑為 r 之圓形截面對圓心軸之面積二次矩（慣性矩）為 $\pi r^4 / 4$，試求如圖之半圓截面對通過形心 C 且平行於底邊之軸的面積二次矩（慣性矩）I。（提示：平行軸原理）【104地四】

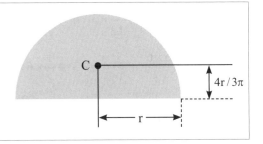

答：$I_o = I_c + \pi r^2 \times \dfrac{1}{2} \times (\dfrac{4r}{3\pi})^2 = \dfrac{\pi}{8} r^4$

$I_c = 0.11 r^4$

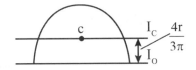

16. 如圖所示，陰影區域對x軸之慣性矩為若干cm⁴？

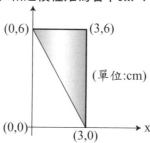

答：$I_x = \dfrac{3 \times 6^3}{36} + \dfrac{1}{2} \times (3 \times 6) \times 4^2 = 162\,cm^4$

17. (1)試求陰影面積對x軸的慣性矩 I_x

(2)試求陰影面積對y軸的慣性矩 I_y。

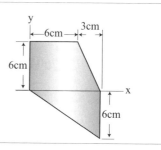

答：(1) $I_X = \dfrac{6 \times 6^3}{3} + \dfrac{1}{12} \times 3 \times 6^3 + \dfrac{1}{12}(6+3) \times 6^3 = 648\,cm^4$

(2) $I_y = \dfrac{6 \times 6^3}{3} + \dfrac{1}{36} \times 6 \times 3^3 + \dfrac{1}{2} \times 6 \times 3(6+1)^2$

$\qquad + \dfrac{1}{36} \times 6 \times 9^3 + \dfrac{1}{2} \times 6 \times 9 \times (\dfrac{2 \times 9}{3})^2 = 1971\,cm^4$

18. 試求形心位置X的座標：

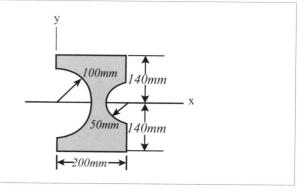

答：$A_1 = (200)(280)mm^2$，$\overline{x}_1 = 100mm$，

$A_2 = -\frac{1}{2}\pi(100)^2 mm^2$，$\overline{x}_2 = \frac{4(100)}{3\pi}mm$，

$A_3 = -\frac{1}{2}\pi(50)^2 mm^2$，$\overline{x}_3 = 200 - \frac{4(50)}{3\pi}mm$

$\overline{x} = \dfrac{\overline{x}_1 A_1 + \overline{x}_2 A_2 + \overline{x}_3 A_3}{A_1 + A_2 + A_3}$

$= \dfrac{(100)[(200)(280)] + \left[\dfrac{4(100)}{3\pi}\right]\left[-\dfrac{1}{2}\pi(100)^2\right] + \left[200 - \dfrac{4(50)}{3\pi}\right]\left[-\dfrac{1}{2}\pi(50)^2\right]}{(200)(280) - \dfrac{1}{2}\pi(100)^2 - \dfrac{1}{2}\pi(50)^2}$

$= 116mm$

---

19. 如圖環形斷面，外徑為3cm，內徑為
2cm，求其對x−x軸之迴轉半徑。

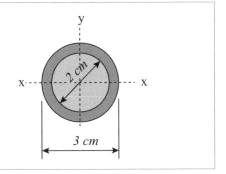

答：$I_{Total} = I_{大圓} - I_{小圓} = \dfrac{\pi \times 3^4}{64} - \dfrac{\pi \times 2^4}{64} = \dfrac{65\pi}{64}$

$K_{Total} = \sqrt{\dfrac{I_{Total}}{A_{Total}}} = \sqrt{\dfrac{13}{16}}(cm)$

---

20. 如圖所示，內部圓形之半徑為
2cm，如斜線面積之重心在y軸上，
試求a之長度？

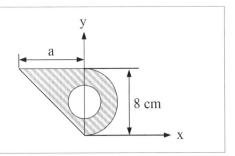

答：假設重心座標(0, y)

$$\frac{1}{4}\times\pi\times(8^2)\times\frac{4\times4}{3\pi}+\frac{1}{2}\times8\times a\times\frac{1}{3}a$$

$$=[\frac{1}{2}斜線面積]\times0+[內部圓形面積]\times0$$

$$a=5.657（cm）$$

---

21. 如圖所示之斷面形狀，斜線部分面積對X軸之面積
慣性矩為多少mm^4？

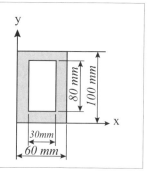

答：由組合面積之慣性矩及二次矩平移原理得

$$I_x=\frac{1}{12}(60\times100^3-30\times80^3)+(60\times100-30\times80)\times5^2$$

$$=3720000+9000000$$

$$=1272\times10^4 mm^4$$

---

22. 如圖所示，試求該不對稱T形截面對平行
x-x軸且通過截面形心之軸的面積慣性矩。
參考公式：底邊寬b，高度h之矩形截面，
其對通過形心且平行於底邊之
軸的面積慣性矩$I=\frac{bh^3}{12}$

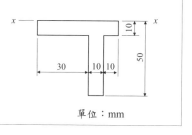

單位：mm

答：

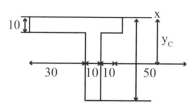

先求形心位置

10×50×5+10×40×30=(10×50+10×40)×yc

yc=16.11(mm)

$$I_C = \frac{1}{3} \times 10 \times (50-16.11)^3 + \frac{1}{3} \times 50 \times (16.11)^3 - \frac{1}{3} \times 40 \times (6.11)^3 = 196403.8(\text{mm}^4)$$

$$I_x = \frac{1}{3} \times 50 \times 10^3 + \frac{1}{12} \times 10 \times 40^3 + (10 \times 40) \times 30^2 = 430000(\text{mm}^4)$$

進階試題演練

1. 平面面積中含一中空圓形，試求該面積的形心在x座標軸的位置。【109地四】

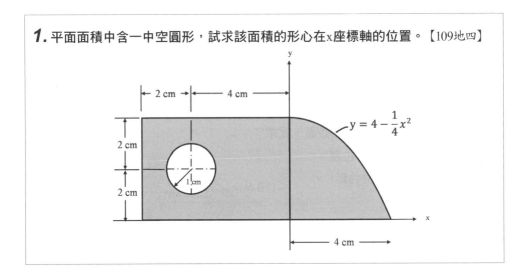

答：

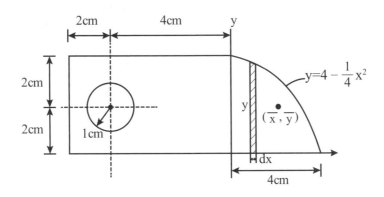

(1) 先求右邊之形心座標

$$\int_0^4 dA = \int_0^4 y dx = \int_0^4 (4 - \frac{1}{4}x^2)dx = (4x - \frac{1}{12}x^2\big|_0^4) = 10.67$$

$$Q_y = \int_0^4 \cdot x \cdot y dx = \int_0^4 x(4 - \frac{1}{4}x^2)dx = 16$$

$$Q_x = \int_0^4 \frac{1}{2} y \cdot y dx = \int_0^4 \frac{1}{2} \times (4 - \frac{1}{4}x^2)^2 dx = 17.07$$

$$\overline{x} = \frac{Q_y}{A} = \frac{16}{10.67} = 1.5 \text{ (cm)}$$

$$\overline{y} = \frac{Q_x}{A} = 1.6 \text{ (cm)}$$

(2) $6 \times 4 \times (-3) + 10.67 \times 1.5$
$= \pi \times 1^2 \times (-4) + (10.67 + 6 \times 4 - \pi \times 1^2)x$
$x = -1.377 \text{ (cm)}$

2. 如圖所示為一組合梁之橫截面，試求：

(1) 橫截面的形心坐標位置。

(2) 橫截面對 x 軸的慣性矩 I_x。

【109普考】

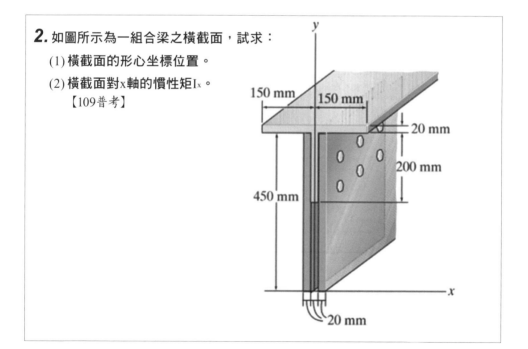

答：(1) 對稱結構x＝0

$$20×300×460+200×20×350+450×20×[\frac{450}{2}]×2$$

$$=[20×300+200×20+450×20×2]\overline{y}⇒\overline{y}=293.21(mm)$$

(2) $Ix=\frac{1}{3}×300×470^3-\frac{1}{3}×240×450^3-\frac{1}{3}×20×250^2=2988133333$

---

3. 圖示之拋物線 $y=\frac{b}{a^2}x^2$ 與x座標軸間之

陰影面積，求I_x、I_y。【土木普考第一試】

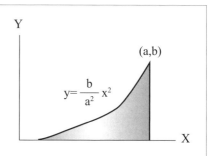

答：**解一**

$$y=\frac{b}{a^2}x^2$$

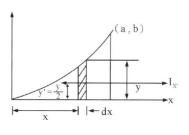

(1) $I_y=\int x^2dA=\int x^2ydx$

$$⇒I_y=\int_0^a x^2·(\frac{b}{a^2}x^2)dx=\frac{b}{a^2}\frac{x^5}{5}\Big|_0^a=\frac{a^3b}{5}$$

$$⇒I_y=\frac{a^3b}{5}$$

(2) $dI_x=dI_{x'}+dA(y')^2=\frac{1}{12}dxy^3+ydx(\frac{y}{2})^2=\frac{1}{3}y^3dx$

$$dI_x=\frac{1}{3}y^3dx=\frac{1}{3}\frac{b^3}{a^6}x^6dx \quad I_x=\int dI_x=\int_0^a\frac{1}{3}\frac{b^3}{a^6}x^6dx⇒I_x=\frac{ab^3}{21}$$

另解

(1) $I_x = \int y^2 dA = \int y^2(a-x)dy$

$\quad I_x = \int_0^b y^2 [\, a-(\dfrac{a^2}{b}y)^{\frac{1}{2}}\,]\ dy$

$\quad = \dfrac{a}{3}y^3 - \dfrac{a}{(b)^{\frac{1}{2}}} \times \dfrac{2}{7}y^{\frac{7}{2}}\Big|_0^b = \dfrac{ab^3}{21}$

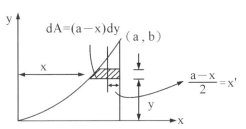

(2) $dI_y = dI_{y'} + dA(x')^2$

$\quad = \dfrac{1}{12}dy \cdot (a-x)^3 + (a-x)dy(\dfrac{a-x}{2})^2 = \dfrac{1}{3}(a-x)^3 dy$

$\quad I_y = \int_0^b (a-x)^3 dy = \int_0^b [\, a-(\dfrac{a^2 y}{b})^{\frac{1}{2}}\,]^3 dy = \dfrac{a^3 b}{5}$

Chapter 05 摩擦

✿5-1 摩擦的種類

1. **摩擦定義**：摩擦可定義為兩物體相接觸，且有相對運動，作用於一物體上防止該物體在另一物體或表面上滑動的阻力，此力與接觸面相切，且與運動或即將運動之趨勢的方向相反稱之為摩擦現象。

2. **摩擦的種類**：摩擦常依接觸面的性質可以分為乾摩擦、流體摩擦以及內部摩擦。

乾摩擦	物體接觸面上無任何潤滑液存在，為一理想之乾燥面，庫侖首先探討此種摩擦效應，故又稱庫侖摩擦，乾摩擦又分成靜摩擦力、動摩擦力、滾動摩擦力三種。
流體摩擦	當摩擦接觸面存在液體時，其摩擦效應尚須考慮液體性質，故通常在流體力學中討論。
內部摩擦	物體內部分子，因為變形而導致其分子與分子間的相互摩擦效應。屬於塑性力學範圍。

✿5-2 摩擦的定律

1. **摩擦定律**：又稱庫侖定律，**最大靜摩擦(F)與接觸面間正壓力(N)成正比，比例常數為 μ_s 稱為靜摩擦係數，即 $F=\mu_s N$。**

2. **靜摩擦力與動摩擦力**
   (1) 靜摩擦：**當具摩擦之物承受作用力，即將使物體間產生相對運動，此時之作用力等於最大靜摩擦力，以 f_s 表示。$f_s=\mu_s N$（μ_s 為靜摩擦係數）。**

(2)動摩擦：物體受外力(F)作用而產生運動，其接觸面間產生動摩擦，且**動摩擦力大小為$f_k = \mu_K N$（μ_k為動摩擦係數）。**

(3)如圖5.1所示，其中靜摩擦力為物體受力後，在原處靜止不動，由靜力平衡可知靜摩擦力等於外力，最大靜摩擦力為物體處於將動未動狀態，其摩擦力稱為最大靜摩擦力，動摩擦力為物體處於滑動狀態之摩擦力稱為動摩擦力，一般來說略小於最大靜摩擦力。

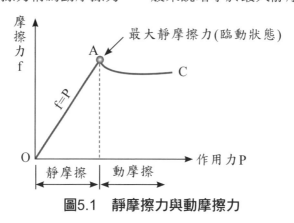

圖5.1　靜摩擦力與動摩擦力

3.摩擦力之比較

(1)摩擦係數的範圍為$0 < \mu < \infty$，當$\mu = 0$時為完全光滑面，當$\mu = \infty$時為完全粗糙面。

(2)靜摩擦係數＞動摩擦係數＞滾動摩擦係數。

(3)最大靜摩擦力＞動摩擦力＞滾動摩擦力。

4.摩擦定律要點

(1)**摩擦力的大小與接觸面之性質有關，但與接觸面積大小無關。**

(2)摩擦力F與正向力N互相垂直且成正比，亦即$F = \mu N$，即表示正向力與接觸面垂直，摩擦力與接觸面平行，其中**μ稱之為摩擦係數，不隨正向力之增減而變化。**

(3)**接觸面間相對速度、溫度與摩擦係數無關。**

(4)**物體運動速度愈快，則動摩擦係數越小。**

5. **平衡與摩擦方程式**：平衡與摩擦方程式(Equilbrium Versus Frictional Equations)，摩擦力與運動方向或運動趨勢的方向相反。摩擦問題中假設摩擦力的指向，如同一般的未知力F，且滿足 $F < \mu_s N$，而正確的指向，由求得平衡方程式中的F之後再予以確定。

6. **解題步驟**：以下提供求解包含乾摩擦的平衡問題之步驟。
   (1) 自由體圖
      A. 作所需的自由體圖，除非題意指出，即將運動或滑動，否則摩擦力通常為未知數；即不可假設 $F = \mu N$。
      B. 決定未知數的數目，並比較分析可供應用的平衡方程式的數目。
      C. 若未知數的數目多於平衡方程式，必須使用摩擦方程式以得到額外的方程式，而解得正確的答案。
      D. 若使用 $F = \mu N$，在自由體圖中F必須標示正確的指向。
   (2) 平衡與摩擦方程式
      A. 應用平衡方程式及所需摩擦方程式（或傾斜時的狀態方程式），求解未知數。
      B. 若是三維空間問題，各分力或所需的力臂較困難求得，可利用笛卡爾向量平衡方程式來求解。

◎ 焦點命題 ◎

1. 如右圖所示，200N的外力作用於水平放置的物體重心G上，該物體重量為520N。如該外力在圖示角度，可使該物體即將開始產生滑動，求物體與地面之間的靜摩擦係數為多少？

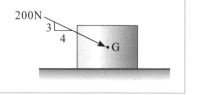

答：自由體圖如右

$$\left[\sum F_y = 0\right]$$

$$N = 520 + 200 \times \frac{3}{5} = 640(N)$$

$$\left[\sum F_x = 0\right]$$

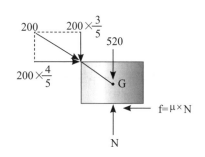

$$200 \times \frac{4}{5} = f, \; 160 = \mu \times 640$$

$$\therefore \mu = 0.25$$

---

2. 如右圖，A重100N，B重50N，各接觸面間之摩擦係數皆為0.3，A、B皆為靜止，則P應施力多大，始可將A推動？

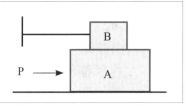

答：取A自由體圖
　　其中$N_B = 50$
　　$N_A = 100 + 50 = 150$
　　$\sum F_x = 0 \quad P = 0.3N_B + 0.3N_A = 60N$

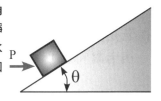

---

3. 如圖所示，質量為30kg之物體靜置於傾斜角為$\theta = 30°$之斜面上，已知物體與斜面間之靜摩擦係數為$\mu = 0.3$，試求必須施加多大之水平力P才能使物體向上移動。（假設重力加速度值為$g = 9.81 m/s^2$）【土木普考】

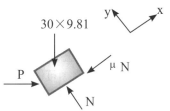

答：取滑塊物體之自由體圖
　　$\sum F_x = 0 \Rightarrow P\cos 30° - 30 \times 9.81 \times \sin 30° - \mu N = 0$
　　$\sum F_y = 0 \Rightarrow -P\sin 30° - 30 \times 9.81 \times \cos 30° + N = 0$
　　由以上二式可求得　$P = 312.29(N)$

---

4. 如圖所示為三方塊$W1 = 100$公斤、$W2 = 150$公斤、$W3 = 200$公斤，$W1$受一牆阻擋其向左運動，已知所有接觸面之最大靜摩擦係數$\mu = 0.3$，試求水平力P需多大才能拉動$W2$向左運動。【關務四等】

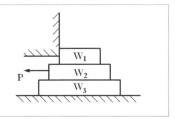

答：(1) 取 W_2 W_3 自由體圖，

　　　若 W_2 W_3 一起向左移動：

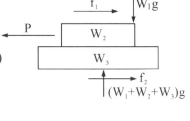

　　　$P = f_1 + f_2$

　　　$f_1 = \mu(W_1 g) = 0.3 \times 100 \times 9.81 = 294.3(N)$

　　　$f_2 = \mu[(W_1 + W_2 + W_3)g]$

　　　　$= 0.3 \times 450 \times 9.81 = 1324.35(N)$

　　　$P = f_1 + f_2 = 1618.65$

　　(2) 取 W_2 自由體圖，若 W_2 向左移動：

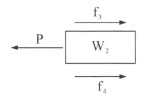

　　　$P = f_3 + f_4$

　　　$f_3 = \mu(W_1 g) = 294.3(N)$

　　　$f_4 = \mu[(W_2 + W_1)g] = 0.3 \times 250 \times 9.81 = 735.75(N)$

　　　$P = f_3 + f_4 = 1030.05(N) < 1618.65$

　　　所以需 $P = 1030.05(N)$ 之力才可拉動 W_2

---

5. 如圖示，兩物體以繩索相連，平面與斜面
的摩擦係數分別為 $\mu_A = 0.3$，滾輪摩擦力不
計，A物體重100kgw，若欲使兩物體移動，
則B的重量至少為若干？(kgw)【台電】

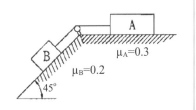

答：取A自由體圖與B自由體圖

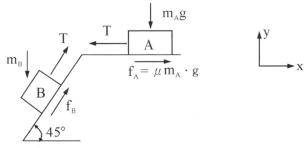

若是物體B向下滑動，如上圖所示

(1) 由A自由體圖：$\sum \quad = 0 \Rightarrow T = f_A = \mu m_A g = 0.3 \times 100 = 30(kgw)$

(2) 由B自由體圖：$T + f_B - m_B \times \sin 45° = 0$

　　$\Rightarrow 30 + 0.2 \times \cos 45° \times m_B - m_B \times \sin 45° = 0 \quad m_B = 53.1(kgw)$

6. 如圖所示，一重量100kgw之物體A放置於一靜摩擦係數 $\mu_1 = 0.1$ 之粗糙平面上，而A之斜面上放置一重量150kgw之物塊B，且斜面之靜摩擦係數 $\mu_2 = 0.4$ ，斜面傾角 $\theta = 30°$；假設物塊B右方施加一向左之力 $F = 50\,kgw$，物體A之左側施加一向右之力P，若在此受力情況下物體A與物塊B達到靜平衡，請問在此情況下P力的範圍為何？【機械普考】

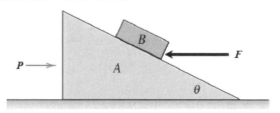

答：(1) 假設整體向左移動，如圖a所示

$\sum F_x = 0 \quad \Rightarrow P + 0.1N_A = 50$

$\sum F_y = 0 \quad \Rightarrow N_A = 100 + 150 = 250\,kgw$

故 $P = 25$(kgw)

(2) 假設整體向右移動，如圖b所示

$\sum F_x = 0 \quad \Rightarrow P - 0.1N_A = 50$

$\sum F_y = 0 \quad \Rightarrow N_A = 100 + 150 = 250$

故 $P = 75$(kgw)

25(kgw) $\leq P \leq 75$ (kgw)

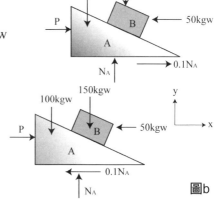

7. 右圖左邊之方塊重9kg， 與 μ_k 分別代表方塊與斜面間之靜摩擦與動摩擦係數，其中 $\mu_s = 0.30$ 、 $\mu_k = 0.25$ 。當圖中之外力P=60N、角度 $\theta = 15°$ 時，請問方塊是否處於平衡狀態？如果不是，請問方塊與斜面間摩擦力的大小與方向各為何？【鐵特員級】

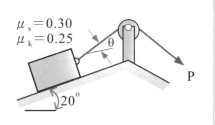

答：取方塊自由體圖，假設方塊朝上運動

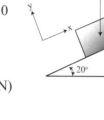

$$\sum F_x = 0 \Rightarrow -9 \times 9.8 \times \sin 20° + 60 \times \cos 15° - F_2 = 0$$

$$\Rightarrow F_2 = 27.76 \,(N)$$

$$\sum F_y = 0$$

$$\Rightarrow N_1 = 9 \times 9.81 \times \cos 20° - 60 \times \sin 15° = 67.43 (N)$$

又 $F_2 = \mu N_1 \Rightarrow \mu = 0.41 > 0.3$（最大靜摩擦力）

故方塊會向上運動，其摩擦力 $N \times \mu = 67.43 \times 0.25 = 16.858$

---

8. 如圖所示，長度為5m，重量不計之梯子，斜置於牆面與地面之間，假設牆面完全光滑，地面與梯子間之靜摩擦係數為 $\mu = 0.3$。質量50kg之人站立於梯子中點而不滑倒，則梯子與牆面最大之夾角 θ 為何？此時牆面與地面之反力為何？

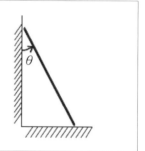

答：(1) 取桿自由體圖

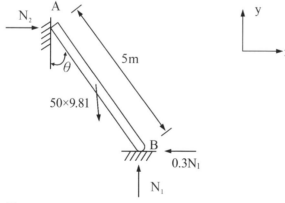

$$\sum F_y = 0 \Rightarrow N_1 = 50 \times 9.81 = 490.5N (\uparrow)$$

$$\sum M_A = 0 \Rightarrow -50 \times 9.81 \times \frac{5}{2} \times \sin\theta + 490.5 \times 5\sin\theta \leq 0.3 \times 490.5 \times 5\cos\theta$$

$$\Rightarrow 1.67 \leq \cot\theta$$

$\theta \leq 30.96° \Rightarrow$ 最大夾角為30.96°

(2) $\sum F_x = 0 \Rightarrow N_2 = 0.3 \times 490.5 = 147.15N$

地面反力 $\sum F = \sqrt{(490.5)^2 + (147.15)^2} = 512.1(N)$

9. 右圖為一個肘節機構，其兩臂AB＝CB，F為施加之外力。在A端以一無摩擦之銷固定，而C端則有一摩擦係數為f的滑塊，求f要多大才能使此肘節機構不會移動？

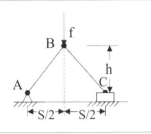

答：(1) 如圖所示

$$\sum M_A = 0 \quad \Rightarrow N_c = \frac{F}{2}$$

取B自由體圖如右

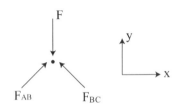

$$\sum F_x = 0 \quad \Rightarrow F_{AB} = F_{BC}$$

$$\sum F_y = 0 \quad \Rightarrow F_{AB} \times \frac{h}{\sqrt{(\frac{s}{2})^2 + (h)^2}} + F_{BC} \frac{h}{\sqrt{(\frac{s}{2})^2 + (h)^2}} = F$$

可得 $F_{BC} = F \times \dfrac{\sqrt{(\frac{s}{2})^2 + (h)^2}}{2h}$

(2) 取BC自由體圖

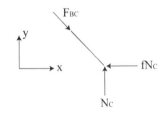

$$\sum F_x = 0 \quad \Rightarrow F_{BC} \frac{\frac{s}{2}}{\sqrt{(\frac{s}{2})^2 + (h)^2}} = f N_c$$

$$\Rightarrow \frac{Fs}{4h} = f \times \frac{F}{2}$$

$f = \dfrac{s}{2h}$ ，故f至少要大於或等於 $\dfrac{s}{2h}$

10. 如圖所示之均質方塊，質量為100kg，物體與地面的摩擦係數為0.5，當此物體受F力作用時，試問物體發生滑動而不傾倒之最大h值為多少m？

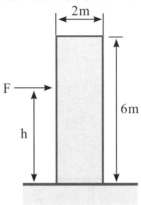

答：作自由體圖如右，假設物體正在等速滑動

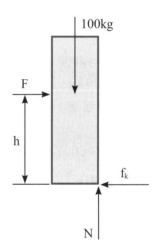

$$\left[\sum F_y = 0\right]$$

$N - 100 = 0$，$N = 100$

$f_k = \mu_k \cdot N = 0.5 \times 100 = 50$

$$\left[\sum F_x = 0\right]$$

$F - f_k = 0$，$F = 50(kg)$

物體傾倒時必以A為之點

$$\left[\sum M_A = 0\right]$$

$F \times h - 100 \times 1 = 0$，$50 \times h - 100 = 0$

$h = 2(m)$

11. 右圖所示，A物體重2000公斤，B物體重3000
公斤，B物體與水平面間之摩擦係數 $\mu = 0.1$，
其他接觸面皆光滑，試求外力F至少需若干方
能將A向上推舉？

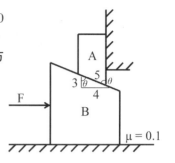

答：取A自由體圖

$\sum F_y = 0$

$\sin\theta = \dfrac{4}{5}$

$\cos\theta = \dfrac{3}{5}$

$N_2 \sin\theta = 2000$

$N_2 = 2500 \text{ kg}$

取B自由體圖

$\sum F_y = 0$

$N_2 \cos\theta + 3000 = N_3$

$N_3 = 2500 \times \dfrac{4}{5} + 3000 = 5000 \text{ kg}$

$\sum F_x = 0$

$F = N_2 \sin\theta + f = 2500 \times \dfrac{3}{5} + 5000 \times 0.1 = 2000 \text{ kg}$

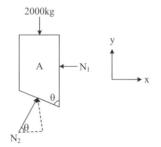

12. 如圖所示，已知一工作人員和地板之間的靜摩擦係數 $\mu_p=0.5$，條板箱和地板之間的靜摩擦係數為 $\mu_c=0.25$。設若工作人員的質量 $m=70kg$，試求工作人員可以利用拉繩所移動的條板箱，其最大質量為若干？【關務四等】

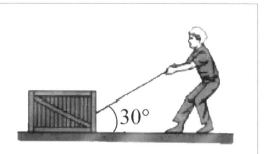

答：(1) 取工作人員自由體圖

$$\begin{cases} N = T \times \sin 30^\circ + 70 \times 9.81 \cdots\cdots① \\ T\cos 30^\circ = 0.5N \cdots\cdots② \end{cases}$$

由①②

可知 $N = 965.38$ (N)，$T = 557.36$

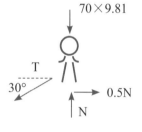

(2) 取箱自由體圖

$\sum F_x = 0$

$T\cos 30^\circ = 0.2NA \Rightarrow 557.36 \times \cos 30^\circ = 0.25N_A$

$N_A = 1930.75$ (N)

$\sum F_y = 0 \quad T \times \sin 30^\circ - m \times 9.81 + N_A = 0$

$m = 225.22$ (kg)

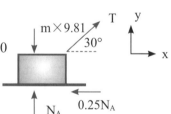

⚙5-3 摩擦角與靜止角

角度	說明
1.摩擦角	物體受力作用即將動時，**接觸面之正壓力(N)與總反力R之夾角(φ)稱摩擦角。** 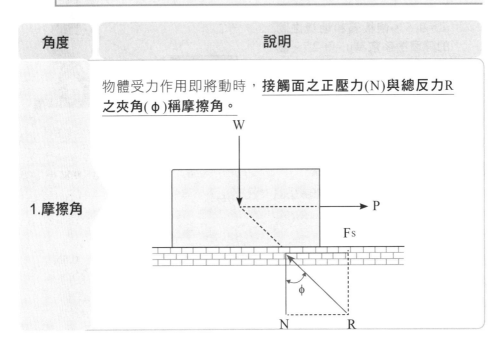
2.靜止角	物體置斜面上，**當斜面角漸增至某一角度(θ)時，物體將下滑，此時之斜面角稱為靜止角** $\mu = \tan \theta$ $\phi = \theta$（摩擦角＝靜止角） 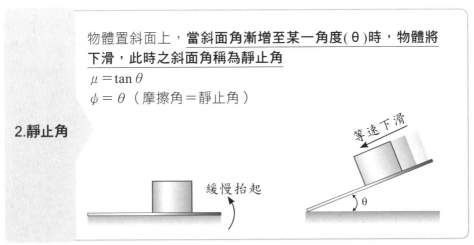

焦點命題

13. 剛體框架內置半徑30mm圓柱，圓柱與框架斜邊接觸於A點，斜邊與鉛直線夾角 θ＝30°。圓柱與框架右側直邊之間夾有一薄片，圓柱與薄片接觸於B點如右圖。薄片與框架之間無摩擦力，若不論作用於薄片上的力P大小，均能使圓柱在框內仍保持自鎖狀態（self－locking）而不滑動或滾動，分別求A、B兩接觸點處的最小靜摩擦係數 μA及μB。忽略圓柱質量，不考慮薄片厚度。【104關四】

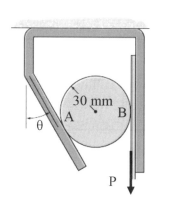

答：取圓柱之F、B、D

$$\sum M_B = 0 +$$

$$\mu_A N_A \times 30(1+\cos30°) - N_A \sin30° = 0$$

$$\mu_A = \frac{\sin30°}{1+\cos30°} = 0.268$$

$$\sum M_A = 0 +$$

$$\mu_B N_B \times 30(1+\cos30°) - N_B \sin30° = 0$$

$$\mu_B = \frac{\sin30°}{1+\cos30°}3 = 0.268$$

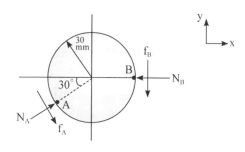

$f_A = \mu_A N_A$

$f_B = \mu_B N_B$

14. 一條鐵鍊平放於地面,全長為L,每單位長度的質量為ρ,前段(長度為x)置於粗糙面(動摩擦係數為　),後段則置於光滑平面,並持續施予一力P,如下圖所示。鐵鍊一開始靜止在光滑平面(x=0),試求當x=L時鐵鍊的速度V為何?假設鐵鍊一直保持拉緊的狀態。【100地四】

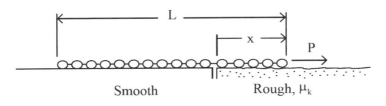

答:$U_{1\to 2} = \Delta(T + V)$

$$-\int \mu_k \rho gx dx + PL = \frac{1}{2}\rho LV^2$$

$$V = [\frac{-\mu_k \rho gL^2 + 2PL}{\rho L}]^{\frac{1}{2}}$$

15. 如圖所示,設若θ=30°時,質量5kg的物體A以等速度向下滑動,試求當θ=45°時,物體A的加速度為多少?(請繪製自由體圖)【103鐵員】

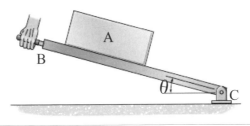

答:M=tan30°=0.577

取A之F.B.D

$+\uparrow \sum F_y = 0$

N=5×9.81×cos45°=34.68(N)

$\overset{+}{\to}\sum F_x = 0$

5×9.81×sin45°−0.577×34.68=5×a

a=2.93m/s^2

精選試題

基礎試題演練

1. 如右圖所示之斜面與水平夾角為30°，今欲施加
一力P將置於斜面上重20kg之方塊往斜上方推，
若斜面與方塊間之摩擦係數為0.1，則所需之力
P至少為多少kg？

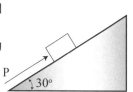

答： $\Sigma F_Y = 0$　$N = W\cos30° = 20\cos30° = 17.32kg$

$\Sigma F_X = 0$　$P - W\sin30° - \mu N = 0$

$P - 20\sin30° - 0.1 \times 17.32 = 0$ ； $P = 11.732kg$

2. 如圖所示，上下兩滑塊之重量分別為100N、
500N，設繩與滑輪間無摩擦，各平面間之摩
擦係數均為0.2，且繩子之上下兩段均各保持
水平。今欲以一水平力拉動此物體，若P之大
小恰可使物體產生滑動，則P值應為若干N？

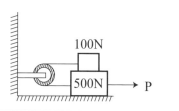

答：物體即將滑動

∴作用力＝最大靜摩擦力取100N為自由體

$T = f_1 = 0.2 \times 100 = 20N$

再取100N及500N為自由體

$P - 2T = f_2 = \mu N_2$

$P - 2 \times 20 = 0.2 \times 600$

∴ $P = 160N$

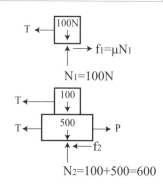

3. 在傾角為37°之斜面上置一質量5公斤之小物
體，設斜面與此物體間之靜摩擦係數為0.2
（如圖），今欲使5公斤之物體靜止且維持力
平衡，試求質量m範圍。

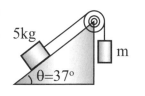

答：(1) 假設滑塊上滑
$$\Sigma F_y = 0 \Rightarrow N = 5g \times \cos 37^\circ = 39.17 \text{(N)}$$
$$\Sigma F_x = 0 \Rightarrow -5g \times \sin 37^\circ + T - 0.2N = 0$$
$$\Rightarrow T = 37.35 \text{(N)}$$

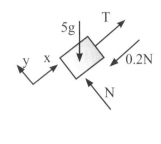

(2) 假設滑塊下滑
同理可得 T = 21.58(N)，
故 21.58(N) ≤ T ≤ 37.35(N)
⇒ 2.2kg ≤ m ≤ 3.8kg

---

4. 如圖所示，重100N之滑塊自靜止狀態釋放，滑塊與斜面間之最大靜摩擦係數為0.3，試求不使滑塊下滑之最小彈簧初始拉力為多少N？

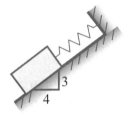

答：作自由體圖：假設彈簧的最小拉力為F。

$$\left[\Sigma F_y = 0\right]，N - 80 = 0 \Rightarrow N = 80$$

$$f = \mu N = 0.3 \times 80 = 24$$

$$\left[\Sigma F_x = 0\right]，F + f - 60 = 0 \Rightarrow F = 36 \text{(N)}$$

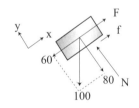

---

5. 如圖所示，物體A放置於斜面上，重量為80N，其與斜面之摩擦係數為0.25，若欲使物體A不會往下滑動，則力量F至少應為多少？

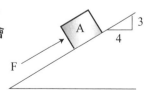

答：作自由體圖如右

$$\left[\sum F_y = 0\right]$$

$$N - 80 \times \frac{4}{5} = 0 \Rightarrow N = 64$$

$$f_s = 0.25N = 16$$

$$\left[\sum F_x = 0\right]$$

$$F + f_s - 80 \times \frac{3}{5} = 0 \Rightarrow F + 16 - 48 = 0$$

$$\Rightarrow F = 32(N)$$

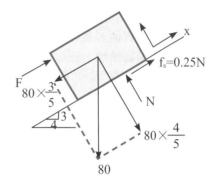

---

6. 如圖所示之均質（homogeneous）半圓柱體，其質心為G，置放於斜角為θ、接觸面靜摩擦係數（coefficient of static friction）為μ_s=0.3之斜面上，試求此半圓柱不產生滑動之情況下，最大容許斜面之角度θ及對應之角度ø。

【103普考】

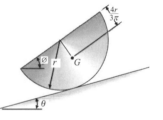

答：

$$\frac{r}{\sin(180° - \phi)} = \frac{\dfrac{4r}{3\pi}}{\sin\theta}$$

$$\varnothing = a\sin\left[\frac{3\pi}{4} \cdot \sin(\theta)\right]$$

$$\varnothing = 42.6°$$

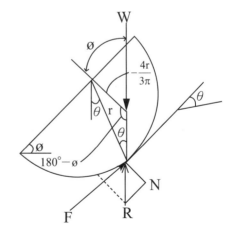

7. 一根均質桿件，長度為2L，重量為W，斜靠於
牆角，如圖所示，假設牆面為光滑面，地面之
靜摩擦係數為0.28，試求桿件能維持平衡的最
小角度 θ 為多少？【104普考】

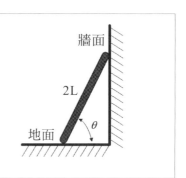

答：取桿之F、B、D

$\curvearrowright + \sum M_B = 0$

$W \times L \times \cos\theta - N_A \times 2L \times \sin\theta = 0$ ---(1)

$+\uparrow \sum F_y = 0$

$W = N_B$

$\xrightarrow{+} \sum F_x = 0$

$N_A = 0.28 N_B = 0.28W$ ---(2)

由(1)(2)$\tan\theta = \dfrac{25}{14} \Rightarrow \theta = 60.75°$

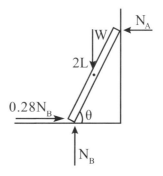

8. 右圖為一質量塊組，其兩組成部分的質量分別為
W與6W。若地面與質量塊間的摩擦係數為0.4，今
有一力F作用於質量塊左側，請問當質量塊產生滑
動而不傾倒，作用力的最大施力高度h值為多少？
【鐵員】

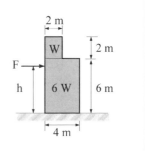

答：取整體自由體圖

$\sum M_B = 0 \Rightarrow F \times h = W \times 2 + 6W \times 2 \cdots\cdots①$

$\sum F_X = 0 \Rightarrow F = \mu N \cdots\cdots\cdots\cdots\cdots②$

$\sum F_y = 0 \Rightarrow N = W + 6W = 7W \cdots\cdots\cdots③$

由①②③可得

F＝2.8W，h＝5.357(m)

故h要小於5.357(m)

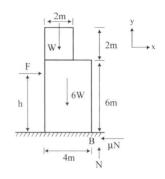

---

9. (1)如圖(a)所示，一位作業人員利用滑輪以繩索提升一個重物W，假設摩擦力忽略不計，請繪出滑輪之自由體圖。

(2)如圖(b)所示，圓盤重量為20kg，施力150N使圓盤越過高度0.6m之臺階，假設所有接觸面之摩擦力均忽略不計，請繪出圓盤之自由體圖。

圖(a)   圖(b)

答：(一)假設滑輪質量m

　　O_x、O_y支承反力

　　W：重物重量

　　T：人拉繩索之作用力

(二)

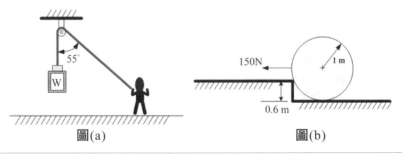

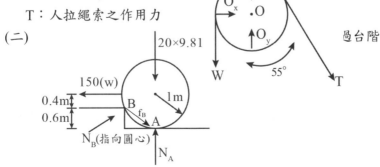

10. 圖示質量10kg之均勻木梯靜置於粗糙之地面與光
滑之牆面之間，若欲維持平衡，則木梯與地面間
之靜摩擦係數最小應為何？【土木普考第一試】

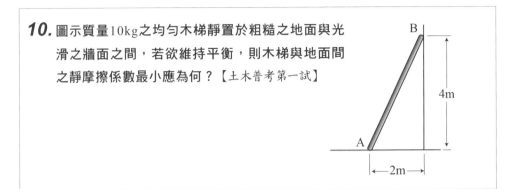

答： 如圖所示

$\sum F_y = 0$

$\Rightarrow N_A = 10 \times 9.81 = 98.1(N)$

$\sum M_A = 0$

$\Rightarrow 4N_B = 10 \times 9.81 \times 1 \Rightarrow N_B = 24.525(N)$

$\sum F_x = 0$

$\Rightarrow N_B = \mu N_A \Rightarrow 24.525 = \mu \times 98.1$

$\mu = 0.25$

11. 某人想以雙手水平夾持書籍，如圖所示，每一本書的平均質量為0.8kg，手
與書本之間的最大靜摩擦係數為 $\mu_1 = 0.6$，書本間的最大靜摩擦係數為 μ_2
$= 0.4$。重力加速度g ＝ 9.81 m/sec^2。此人雙手的最大水平夾持力為P ＝ 120
N，請問此人一次最多能夾持幾本書？【106地特四等】

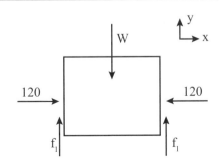

答： (1) 取整體之F.B.D

若書正要下滑

$f_1 = 0.6 \times 120$

$+\uparrow \sum F_y = 0$

W＝0.6×120×2＝144（N）

$\dfrac{144}{0.8 \times 9.81}$＝18.35⇒故最多18本

(2) 取第2本～第n−1本書之F.B.D（假設共n本書）

W′=2f₂ = 2×0.4×120 = 96

$$\frac{96}{0.8\times9.81}=12.2\Rightarrow 故共12本$$

n＝12＋2＝14本<18本

∴此人最多能夾持14本書

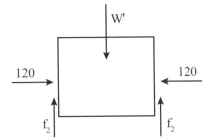

---

12. 如右圖所示，長度單位為mm，0.8kg的圓棒水平擺放，以銷釘（pin）固定於A處，並由一1.6kg的線軸（spool）支撐於B點，圓棒與線軸都是均質材料，線軸與地面接觸點為C。假設B、C處的靜摩擦係數均為0.25，試求在不影響系統平衡的最大拉力P為何？

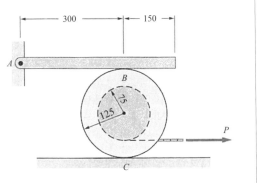

答：取棒之F.B.D

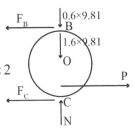

N=(1.6+0.6)×9.81=21.582

(1) 假設B先滑動，F_B=0.25×0.6×9.81

$$\sum M_C = 0 \Rightarrow P\times(125-75)=0.25\times0.6\times9.81\times125\times2$$

P=7.3575(N)

(2) 假設C先滑動，F_C=21.582×0.25

$$\sum M_B = 0 \Rightarrow P\times(125+75)=21.582\times0.25\times125\times2$$

P=6.74(N)

∴C先滑動，最小拉力P為6.74(N)

13. 如圖所示，請決定將該100kg圓柱
體抬升所需之最小水平力P。假設
在接觸點A與B之靜摩擦係數分別
為$(\mu_s)_A=0.6$與$(\mu_s)_B=0.2$。而在楔塊
（wedge）與地板C間之靜摩擦係
數為$\mu_s=0.3$。假設在此作用力之
下，此圓柱在A點為滾動而B點為
滑動。解題時請先畫出自由體圖，
未畫者不予計分。【110地四】

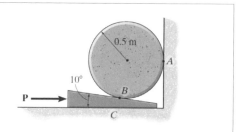

答：(1) 取圓柱之F、B、D

$\sum M_O=0$

$f=0.2N_B$……(1)

$\sum F_y=0$

$N_B\cos10^o-0.2N_B\sin10^o-100\times9.8$

$\Rightarrow 0.95N_B-f=980$……(2)

由(1)(2)

$N_B=1306.67$（N）

(2) $\sum F_x=0$

$P=1306.67\times\sin10^o+0.2\times1306.67\times\cos10^o+0.3\,[1306.67\times\cos10^o-$

$0.2\times1306.67\times\sin10^o]$

$=856.69$（N）

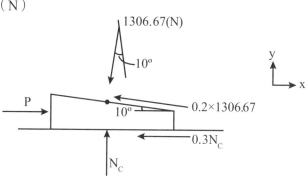

14. 下圖顯示一套合於圓管、可上下移動之托架及它們的尺寸，圓管與托架間之摩擦係數為0.25。今該托架將承受一W之負荷，則負荷施加位置x至少應為何，才不至於使托架下滑？（假設托架自重極小於W而可忽略）【107關務四等】

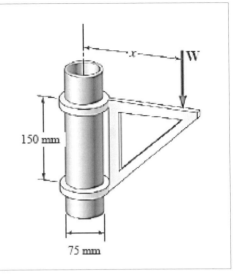

答：取托架之F.B.D

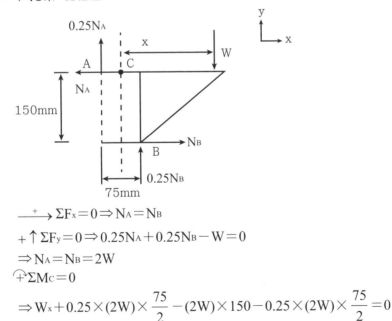

$$\xrightarrow{+}\Sigma F_x=0\Rightarrow N_A=N_B$$

$$+\uparrow\Sigma F_y=0\Rightarrow 0.25N_A+0.25N_B-W=0$$

$$\Rightarrow N_A=N_B=2W$$

$$\curvearrowright\Sigma M_C=0$$

$$\Rightarrow Wx+0.25\times(2W)\times\frac{75}{2}-(2W)\times150-0.25\times(2W)\times\frac{75}{2}=0$$

$$x=300(mm)$$

進階試題演練

右圖顯示一物體置於一斜面連同其所受到的兩個外力，物體與斜面間的靜摩擦係數為0.30、動摩擦係數為0.20，現假設圖中之P = 200N 而 θ = 30°，請問物體與斜面間摩擦力的大小及方向為何？而物體是否會向何方移動？【地特三等】

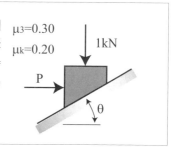

破題分析

$\tan\beta = \mu = 0.3 \Rightarrow \beta = 16.7$

欲使物塊保持平衡

$\text{Fmin} \leqq \text{F} \leqq \text{Fmax} \Rightarrow W\tan(\alpha-\beta) \leqq P \leqq W\tan(\alpha+\beta)$

$\Rightarrow W\tan(\alpha-\beta) = 236.39 \text{ (N)} > P = 200\text{(N)}$

$\Rightarrow$ 故滑塊會向左下滑動

答：(1) 取物體自由體圖，假設物體向上移動：

A. $\Sigma F_y = 0$

$-200 \times \sin 30° + N_1 - 1000 \times \cos 30° = 0$

$\Rightarrow N_1 = 966.025\text{(N)}$

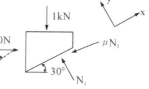

B. $\Sigma F_x = 0$

$200 \times \cos 30° - 1000 \times \sin 30° - \mu \times 966.02 = 0$

$\mu = -0.34$(不合)，表示物體向下移動

(2) 假設物體向下移動：

A. $\Sigma F_y = 0$

$-200\sin 30° + N_2 - 1000 \times \cos 30° = 0$

$\Rightarrow N_2 = 966.025N$

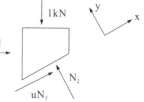

B. $\Sigma F_x = 0$

$200 \times \cos 30° - 1000 \times \sin 30° + 966.02\mu = 0$

$\Rightarrow \mu = 0.34 > 0.3$

要防止物體下滑斜面摩擦力至少要大於0.34，所以物體會向下滑動。

(3) 取 $\mu = \mu_k = 0.2$：

則物體與斜面間的摩擦力

$f = \mu N_2 = \mu_k N_2 = 0.2 \times 966.025 = 193.205\text{(N)}$

第二篇 動力學

Chapter 01 質點運動學 — 直線運動

⚙ 1-1 運動的種類

1. 依運動路徑分類

分類	說明
直線運動 (Rectilinear Motion)	凡是質點沿一直線運動，不論其速度的變化如何，而方向不變者，稱之為直線運動。如等速度直線運動、自由落體運動、簡諧運動等。
曲線運動 (Curvilinear Motion)	當質點沿著曲線路徑運動，即稱為曲線運動，只要質點不是作直線運動，就是作曲線運動。如等速度圓周運動、變速度圓周運動、斜拋體運動等。

2. 依運動的速度分類

分類	說明
等速度運動 (Uniform Motion)	物體的速度恆定，即移動的方向與快慢保持不變的運動形式，如等速度直線運動。
變速度運動 (Variable Motion)	速度的大小以及方向隨時會改變者稱之，如等速圓周運動、簡諧運動。

3. 依參考座標分類

分類	說明
絕對運動 (Absolute Motion)	以固定不動的座標系為參考來分析物體的運動。
相對運動 (Relative Motion)	所選的參考座標系本身會移動或轉動者稱。

⚙ 1-2 | 直線運動之速度與加速度

1. 運動學的基本物理量

基本物理量	說明
質點	對一有限大小之物體，若只需考慮其質量中心之運動，可將此**質量中心視為具有質量但體積為零的物體，此時稱此點為質點。**
位置	座標平面上有一點$P(x,y)$，是指P點在座標(x,y)的位置，這是以座標原點O為參考點說的，故稱P點的位置向量$\vec{r} = \overline{OP} = (x\vec{i}, y\vec{j})$，一旦參考點改變，P點的位置座標也會跟著改變 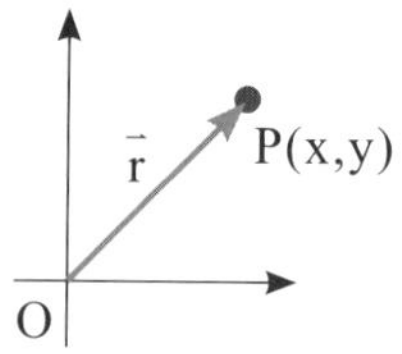
位移	**物體末位置和初位置的直線距離**，表示物體從起點到終點的直線距離和移動方向，亦即**質點位置的變化量稱為位移**，為一向量。若質點由位置X移動到X'，其位移為$\Delta X = \bar{X} - \bar{X}'$，即初位置X移動到末位置X'之直線長度，若取△x向右為正，則△x向左時就是負的。位移的大小是以長度單位表示之，如公制km、m、mm或英制mile、ft、in等。
路徑	**質點運動時所經的路線總長度稱之為路徑**，為一純量(只有大小無方向性)，也是以長度單位表示之。如圖所示質點的位移和質點所行的路徑不同，質點由A出發，沿ABCD曲線到達D是為路徑，而位移是指AD之直線長。 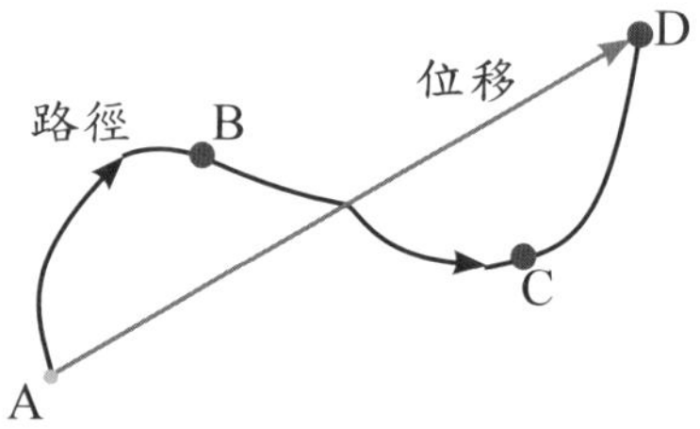
速度	單位時間內位移的變化量，稱之為速度v。由於位移是一向量，時間是一純量，所以速度也為一向量。其單位以km/hr、m/sec或mile/hr、ft/sec等表示之。

基本物理量	說明
加速度	單位時間內速度之變化量，稱之為加速度。加速度為一向量，以正負值表示之，a＞0為加速運動，a＜0為減速運動。其單位為m/sec^2或ft/sec^2。

2. 質點之直線運動

質點之直線運動	說明
位移	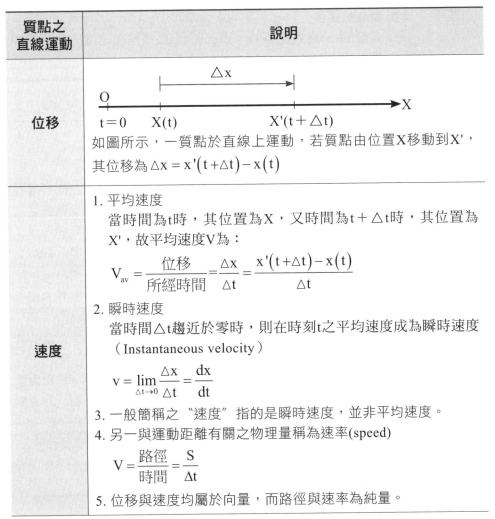 如圖所示，一質點於直線上運動，若質點由位置X移動到X'，其位移為$\triangle x = x'(t+\triangle t) - x(t)$
速度	1. 平均速度 當時間為t時，其位置為X，又時間為t＋$\triangle$t時，其位置為X'，故平均速度V為： $$V_{av} = \frac{位移}{所經時間} = \frac{\triangle x}{\triangle t} = \frac{x'(t+\triangle t) - x(t)}{\triangle t}$$ 2. 瞬時速度 當時間$\triangle$t趨近於零時，則在時刻t之平均速度成為瞬時速度（Instantaneous velocity） $$v = \lim_{\triangle t \to 0} \frac{\triangle x}{\triangle t} = \frac{dx}{dt}$$ 3. 一般簡稱之〝速度〞指的是瞬時速度，並非平均速度。 4. 另一與運動距離有關之物理量稱為速率(speed) $$V = \frac{路徑}{時間} = \frac{S}{\Delta t}$$ 5. 位移與速度均屬於向量，而路徑與速率為純量。

質點之直線運動	說明
加速度	1. 平均加速度 若質點在時刻t及t＋△t之速度分別為v(t)及v'(t＋△t)則平均加速度（average acceleration） $$a_{av} = \frac{v'(t+\triangle t) - v(t)}{\triangle t}$$ 2. 瞬時加速度 當時間△t趨近於零時，則在時刻t之平均加速度成為瞬時加速度（Instantaneous acceleration） $$a = \lim_{\triangle t \to 0} \frac{v'(t+\triangle t) - v(t)}{\triangle t} = \lim_{\triangle t \to 0} \frac{\triangle v}{\triangle t} = \frac{dv}{dt}$$

觀念說明

1. **參考體**：在量測物體的運動狀態之前，必須先指明觀測者所在的參考體（reference body, reference frame），因為由不同的參考體觀測所得之運動，通常是不相同的。此外，參考體可分為固定參考體與運動參考體，由固定參考體所觀測之運動，稱為絕對運動；而由運動參考體所觀測之運動，就稱為相對運動。

   為了將物體的運動情形以數學的方式描述出來，我們需在參考體上建立一組座標系，稱為參考座標系（reference coordinates）。

   【註】：所謂的慣性參考體（inertia reference frame）指的是：固定的或作等速度運動且不旋轉之參考體。

2. **在參考體上觀測**：觀察者在參考體A上的O點處，觀測空間中一質點的運動。在時刻為t時，質點位於P點，此時由O點至P點的向量r，稱之為質點在該時刻的位置向量（position vector）。

   若在t＋△t時刻時，質點移動到P'點，則由P點至P'點的向量△r，稱為質點於△t時間內的位移向量（displacement vector）。另一方面，圖中之△S，為△t時間內質點移動的軌跡弧長。必須強調的是，弧長△S並非位移向量△r之長度。

質點的速度向量（velocity vector）υ定義為：當 Δt 趨近於零時，位移向量 Δr 與所經歷時間 Δr 的比值。以數學式子表示為 $a \equiv \lim\limits_{\Delta t \to 0} \dfrac{\Delta \upsilon}{\Delta t} = \dfrac{d\upsilon}{dt} = \dot{\upsilon} = \ddot{r}$

再參照圖中所示，以 υ 表示質點在P處的速度。若當質點移至P'點時，其速度變成為 $\upsilon + \Delta \upsilon$，則質點的加速度向量（acceleration vector）a定義如下 $a \equiv \lim\limits_{\Delta t \to 0} \dfrac{\Delta \upsilon}{\Delta t} = \dfrac{d\upsilon}{dt} = \ddot{r}$

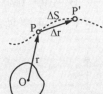

【註】

(1) 上述關係與座標係無關

(2) $\vec{r}$ 會因參考點不同而不同，但 $\Delta\vec{r}$、$\vec{v}$、$\vec{a}$ 與參考點無關，與參考體有關

(3) $\begin{cases} 運動：\vec{v} \neq 0 \\ 靜止：\vec{v} = 0,\ \vec{a} = 0（恆靜止） \\ \quad\quad \vec{v} = 0,\ \vec{a} \neq 0（瞬間靜止）通常發生在轉折點 \end{cases}$

(4) $\vec{v} = \dot{\vec{r}}$ 指的是位置向量 $\vec{r}$ 箭頭端之點的速度

(5) 若以卡氏直角座標來描述質點的運動量

$$\vec{r} = x\vec{i} + y\vec{j} + z\vec{k}$$
$$\vec{v} = \dot{\vec{r}} = \dot{x}\vec{i} + \dot{y}\vec{j} + \dot{z}\vec{k} \quad \overset{條件：}{\longleftarrow}$$
$$\vec{a} = \ddot{\vec{r}} = \ddot{x}\vec{i} + \ddot{y}\vec{j} + \ddot{z}\vec{k} \quad \overset{條件：}{\longleftarrow} \quad \vec{i}、\vec{j}、\vec{k} \text{ 方向不變}$$

將三維的運動分成三個一維的運動

3. 直線運動之圖形比較

(1) 等速度運動之圖形比較

A. x－t圖中的曲線斜率表示速度的量值，表示該時刻的瞬間速度。

B. 在v－t圖中，曲線下的面積大小表示該時距內的位移變化量

C. 等速運動之加速度a＝0

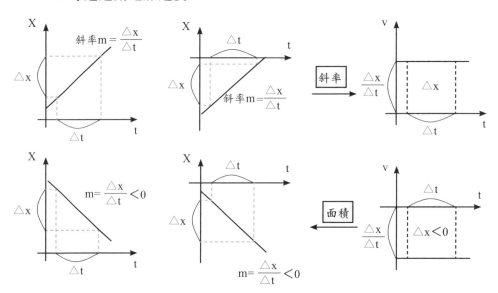

圖1.1　等速度運動之圖形比較

(2) 等加速度運動之圖形比較

A. 在x－t圖中，曲線上某點的切線斜率表示該時刻的瞬間速度。

B. 在v－t圖中，曲線上某點的切線斜率表示該時刻的瞬間加速度。

C. 在a－t圖中，曲線下的面積大小表示該時距內的速度變化量。

D. 在v－t圖中，曲線下的面積大小表示該時距內的位置變化量。

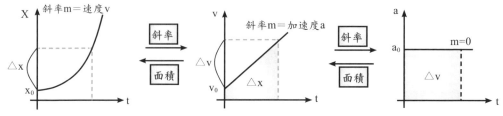

圖1.2　等加速度運動之圖形比較

4. 直線運動之運動方程式

現在我們假設一質點沿直線作等加速度運動，V_0為運動時的初速度，a為加速度，V為經過t時間後之速度，則依加速度之定義經推導可得以下公式：

(1) 瞬時加速度 = 平均加速度 = $\dfrac{速度變化量}{時間變化量} \Rightarrow a = \dfrac{\Delta v}{\Delta t} = \dfrac{V - V_0}{t}$

(2) 末速度 = 初速度 + 速度變化量 $\Rightarrow V = V + at$

(3) $\Delta x = \dfrac{(V + V_0) \times t}{2} = V_0 t + \dfrac{1}{2} at^2 \Rightarrow S = V_0 t + \dfrac{1}{2} at^2$

(4) 由式(1)得 $V = V_0 + at \Rightarrow t = \dfrac{V - V_0}{a}$

代入式(2)(3)(消去參數t) $S = V_0 t + \dfrac{1}{2} at^2 = s = \dfrac{V^2 - V_0^2}{2a} \Rightarrow V^2 = V_0^2 + 2as$

故可整理成如下表格

等加速度 （S：距離、a：加速度、V：末速度、V_0：初速度、t：時間）	等減速度 （S：距離、a：加速度、V：末速度、V_0：初速度、t：時間）
$S = V_0 t + \dfrac{1}{2} at^2$	$S = V_0 t - \dfrac{1}{2} at^2$
$V = V_0 + at$	$V = V_0 - at$
$V^2 = V_0^2 + 2aS$	$V^2 = V_0^2 - 2aS$

備註：
直線運動之加速度運動的基本公式皆是由五個基本物理量排列組合而成，運用時須先確認：(1)3個已知變數，(2)1個待求變數，(3)1個無關變數，並以無關變數決定使用何公式，任一公式皆含四個變數，知其三便得其四，計算前可先進行邏輯推演以決定解題方向。

觀念說明

1.基本微分公式

(1) $v = \lim\limits_{\Delta t \to 0} \dfrac{\Delta x}{\Delta t} = \dfrac{dx}{dt}$

(2) $a = \lim\limits_{\Delta t \to 0} \dfrac{\Delta v}{\Delta t} = \dfrac{dv}{dt}$

(3) $adx = vdv$

2.運動型式

(1) a＝常數

$$dv = adt \Rightarrow v = v_0 + at$$

$$dx = vdt \Rightarrow x - x_0 = v_0 t + \frac{1}{2}at^2$$

$$vdv = adx \Rightarrow v^2 = v_0^2 + 2a(x - x_0)$$

(2) $a = a(t)$

$$dv = a(t)dt \Rightarrow \int_{v_0}^{v} dv = \int_{0}^{t} a(t)dt \Rightarrow v(t) = v_0 + \int_{0}^{t} a(t)dt$$

$$dx = v(t)dt \Rightarrow \int_{x_0}^{x} dx = \int_{0}^{t} v(t)dt$$

(3) $a = a(x)$

$$vdv = a(x)dx \Rightarrow \int_{v_0}^{v} vdv = \int_{x_0}^{x} a(x)dt \Rightarrow v(x)$$

$$dt = \frac{dx}{v(x)} \Rightarrow \int_{0}^{t} dt = \int_{x_0}^{x} \frac{1}{v(x)}dx$$

(4) $a = a(v)$

$$a(v)dx = vdv \Rightarrow \int_{x_0}^{x} dx = \int_{v_0}^{v} \frac{v}{a(v)}dv$$

$$a = \frac{dv}{dt} \Rightarrow dt = \frac{dv}{a(v)} \Rightarrow \int_{0}^{t} dt = \int_{v_0}^{v} \frac{dv}{a(v)}$$

180(N)

R_c

4

3

B_x

焦點命題

1. 汽車由靜止開始，沿著直線路徑行駛125m後，速度到達20m/s。試求等加速度及所需的時間。

答：$v^2 = 2ad$　　$a = \dfrac{v^2}{2d}$　　$a = 1.6\dfrac{m}{s^2}$

$v = at$　　$t = \dfrac{v}{a}$　　$t = 12.5\,s$

2. 卡車沿著直線道路行駛，在15秒內速率由20km/h增加到120km/h。若加速度維持常數，試求這段期間行駛的距離d。

答：$V_1 = 20(km/h) = 5.56(m/s)$　　$V_2 = 120(km/h) = 33.3(m/s)$

$a = \dfrac{v_2 - v_1}{t}$　　$a = 1.852\dfrac{m}{s^2}$

$d = v_1 t + \dfrac{1}{2}at^2$　　$d = 291.7\,m$

3. 甲、乙兩車沿一直線路徑同向行駛，甲車在乙車前方45公尺處，若甲車之速率為45m／s，乙車之速率為60m／s，則經過多少分鐘後乙車會追上甲車？

答：$V_乙 \times t = 45 + V_甲 \times t$；$60 \times t = 45 + 45 \times t$，可得$t = 3$（秒）

4. 一物體由靜止作等加速度運動，若在第二秒內的位移為15公尺，則在第四秒內的位移與第二秒內的位移差為多少？

答：$S_{1\sim2} = \dfrac{1}{2} \times a \times (2^2 - 1^2) \Rightarrow 15 = \dfrac{1}{2} \times a \times 3 \Rightarrow a = 10$

$S_{3\sim4} = \dfrac{1}{2} \times a \times (4^2 - 3^2) = 35\,(m)$。

位移差 $= 35 - 10 = 25(m)$

5. 一質點之位移方程式S=8t+3t^{2}公尺，試求(1)t=2秒時之速度及加速度？(2)當t=0至t=2秒區間內之平均速度及平均加速度？

破題要領：給定位置的參數式

已知 $\begin{cases} x = x(\ ) \\ y = y(\ ) \\ z = z(\ ) \end{cases}$ $\xrightarrow{對 t 微}$ $\begin{cases} \dot{x}(\ ) \\ \dot{y}(\ ) \\ \dot{z}(\ ) \end{cases}$ $\xrightarrow{對 t 微}$ $\begin{cases} \ddot{x}(\ ) \\ \ddot{y}(\ ) \\ \ddot{z}(\ ) \end{cases}$ $\xrightarrow{帶入數值}$ 某特定時刻（位置）

之絕對運動量

答：(1) $V = \dfrac{dS}{dt} = \dfrac{d}{dt}(8t+3t^2)=8+6t=8+6\times2=20 \text{m/sec}$

$a = \dfrac{dV}{dt} = \dfrac{d}{dt}(8+6t)=6 \text{m/sec}^2$

(2) $t_1=0$，$S_1=0$，$V_1=8$　$t_2=2$，$S_2=8\times2+3(2)^2=28$，$V_2=20$平均速度

$V = \dfrac{S_2-S_1}{t_2-t_1} = \dfrac{28-0}{2-0} = 14 \text{m/sec}$

平均加速度 $a = \dfrac{V_2-V_1}{t_2-t_1} = \dfrac{20-8}{2-0} = 6 \text{m/sec}^2$

6. 有一質點(particle)作水平方向直線運動，若其加速度可表示成$g(t) = 5t^2$ m/sec^2，t之單位為秒，初始速度V(0)= 2 m/sec。試問：當時間為2秒時，該質點的速度值(m/s)？【機械高考第一試】

答：$V(t) = \displaystyle\int g(t)dt = \dfrac{5}{3}t^3 + C_1$　$V(o) = 2 = C_1$　$\Rightarrow V(t) = \dfrac{5}{3}t^3 + 2$

$V(2) = \dfrac{5}{3}(2)^3 + 2 = 15.33$

7. 有一台車直線行駛，其速度v與時間t之關係如圖所示，則：

(1)20秒末的位移為何？

(2)前5秒之加速度為何？

(3)前10秒之平均速度為何？

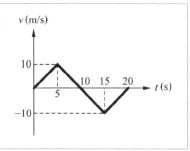

答：v-t圖形中，曲線下的面積代表運動所走的距離

(1) 20秒末的位移等於圖形中上下兩塊三角形面積之合

$$\Delta S = \frac{1}{2}(10 \times 10) - \frac{1}{2}(10 \times 10) = 0 \text{（公尺）}$$

(2) $v = v_0 + at \Rightarrow 10 = 0 + a \times 5$，$a = 2$（公尺/秒^2）

(3) 前10秒位移，$S = $ 三角形面積 $= \frac{1}{2}(10 \times 10) = 50$（公尺）

$$\text{平均速度} v_{平} = \frac{\Delta S}{\Delta t} = \frac{5}{10} = 5 \text{（公尺/秒）}$$

8. 右圖，為一質點沿x軸運動之速度v與時間t之關係圖。若t＝0時該質點位於x＝5m處，則該質點

(1)在t＝12s時的位置為若干？

(2)於t＝0～12s期間的平均速率為若干？

(3)在t＝10s時的瞬時加速度為若干？

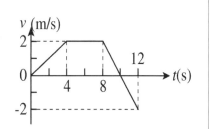

答：(1) 由圖0～12(s)位移x$\Rightarrow \Delta x = 4 + 8 + 2 - 2 = +12$(m)

$\Rightarrow x' = x_0 + \Delta x = 5 + 12 = +17$(m)

(2) 平均速率 $= \frac{\Delta S}{\Delta t} = \frac{4 + 8 + 2 + 2}{12} = \frac{4}{3}$(m/s)

(3) 圖t＝10(s)，加速度a(10)＝8～12(s)的 $\bar{a} = \frac{(-2) - 2}{12 - 8} = -1$(m/s^2)

9. 一物體從靜止起運動作直線等加速度運動，加速度 $a = 10m/s^2$，已知最後兩秒內所走距離為全程的 $\dfrac{16}{25}$，則全程路徑長為_____公尺。

答：設加速度a，全程時間為t，位移為d；則開始到t－2秒，

位移為 $(1 - \dfrac{16}{25})d = \dfrac{9}{25}d \begin{cases} d = \dfrac{1}{2}at^2 \\ \dfrac{9}{25}d = \dfrac{1}{2}a(t-2)^2 \end{cases} \Rightarrow$

兩式相除且兩邊開根號 $\dfrac{5}{3} = \dfrac{t}{t-2} \Rightarrow t = 5$ 代入得d=125

10. 一小彈頭以初速60m/s向下射入流體中。假設該彈頭在流體中以 $a = 0.4V^3 (m/s^2)$ 之減速度進行，v為該彈頭在流體中之速率。試求4秒後該彈頭之速度及水面下之位置為何？【101普考】

答：(1) $a = \dfrac{dv}{dt} = -0.4v^3 \Rightarrow \dfrac{dv}{v^3} = -0.4dt$

$\displaystyle\int_{60}^{V_2} \dfrac{1}{v^3}dv = \int_0^4 -0.4dt \Rightarrow v_2 = 0.559(m/s)$

(2) $vdv = ads \Rightarrow vdv = -0.4v^3ds$

$\displaystyle\int_{60}^{0.559} \dfrac{1}{v^2}dv = \int_0^S -0.4ds \Rightarrow S = 4.43(m/s)$

⚙ **1-3**　直線運動之自由落體及鉛直拋體

1. 自由落體

在等加速度直線運動的實例中，以自由落體運動最為常見。物體於空中若未受有外力之作用時，必將自由墜落於地上，則由自由落體定律可知，物體所受之重力可視為不變，且指向地心，因此由重力發生的加速度恆指向地心，若將空氣對於落體的阻力忽略不計，其值可視為一常數，此常數稱為重力加速度(acceleration of gravity)，常以英文字母 "g" 表示，g值為9.81m/sec²，由靜止狀態而自由墜下之物體，稱為自由落體。此種運動之初速度$V_0 = 0$，加速度為g，高度為h，末速度為v，故由等加速度直線運動三大公式可改為：

$$h = \frac{1}{2} gt^2 \qquad V = gt \qquad V^2 = 2gh$$

2. 廣義的自由落體運動

廣義的自由落體運動	圖示
若一物體由靜止自底角為θ的光滑斜面上滑落，經由適當轉換後，可完全套用自由落體公式，假設物體位移為ℓ，則： $\begin{cases} a \to (-g) \to g\sin\theta \\ h \to (-y) \to \ell \end{cases}$ (沿斜面向下為正向) $\ell = \frac{1}{2}(g\sin\theta)t^2$	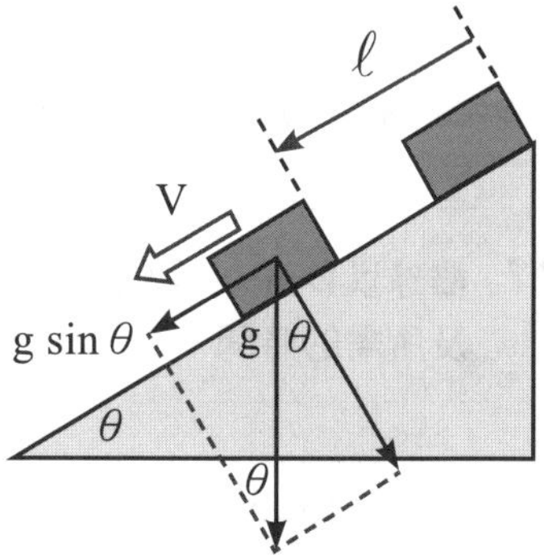

3. 鉛直拋體

鉛直方向的拋體運動可分為下拋運動與上拋運動兩種。

下拋運動 （h：距離、g：加速度、V：末速度、V_0：初速度、t：時間）	上拋運動 （h：距離、g：加速度、V：末速度、V_0：初速度、t：時間）
$h = V_0 t + \dfrac{1}{2} g t^2$	$h = V_0 t - \dfrac{1}{2} g t^2$
$V = V + g t$	$V = V_0 - g t$
$V^2 = V_0^2 + 2 g h$	$V^2 = V_0^2 - 2 g h$

備註：

直線運動之加速度運動的基本公式皆是由五個基本物理量排列組合而成，運用時須先確認：(1)3個**已知變數**，(2)1個**待求變數**，(3)1個**無關變數**，並以**無關變數**決定使用何公式，任一公式皆含四個變數，知其三便得其四，計算前可先進行邏輯推演以決定解題方向。

焦點命題

11. 棒球以18m/s的初始速度從12.5m的高塔向下拋出。試求撞到地面時的速度及所需的時間。

答：$v = \sqrt{v_0^2 + 2gh}$　$v_0 = 4.5\text{m/s}$；$h = 12.5\text{m}$；$V = \sqrt{(4.5)^2 + 2(9.8)(12.5)} = 16.3\text{m/s}$

$t = \dfrac{v - v_0}{g}$　$t = \dfrac{v - v_0}{g} = \dfrac{16.3 - 4.5}{9.8} = 1.204\text{s}$

12. 塔高50m，一物體自塔頂垂直向上拋出，經5秒後物體降至地面，若重力加速度為10m/sec，則到達地面時之速度為多少？

答：$h = v_0 t - \frac{1}{2}gt^2$; $-50 = V_0 \times 5 - \frac{1}{2} \times 10 \times (5)^2$ $\quad \therefore V_0 = 15m/sec(\uparrow)$

又$V = V_0 - gt = 15 - 10 \times 5 = -35m/sec(\downarrow)$

13. 高度差14.7公尺的甲球和乙球，同時自由落下，若甲球比乙球遲一秒鐘落地，則乙球原來的高度為多少m。($g = 9.8m/s^2$)

答：$14.7 = \frac{1}{2} \times 9.8 \times [(t+1)^2 - t^2] \Rightarrow t = 1$（秒）

$h = \frac{1}{2}gt^2 = \frac{1}{2} \times 9.8 \times 1^2 = 4.9$（公尺）

14. 某人自海拔高135公尺的海邊山崖，以30m/s的初速鉛直上拋一塊小石頭。($g = 10m/s^2$)
(1)石頭幾秒後掉落到海面？
(2)石頭上升的最大高度＝？
(3)石頭落海瞬間速度的量值？
(4)石頭幾秒時，升至最高點？

答：(1) $-135 = 30t - \frac{1}{2} \times 10 \times t^2 \Rightarrow t = 9$或$-3$（不合）
(2)$0^2 = 30^2 - 2 \times 10 \times H \Rightarrow H = 45(m)$
(3)$v^2 = 30^2 - 2 \times 10 \times (-135) \Rightarrow v = 60(m/s)$
(4)$0 = 30 - 10t' \Rightarrow t' = 3(s)$

15. 測試期間,火箭向上運行的速度為75m/s,在火箭距離地面40m處引擎故障。試求火箭所能到達的最大高度及撞到地面前一瞬間的速度。火箭在整個運動期間只受重力的影響,重力加速度g=9.81m/s²。忽略空氣阻力的影響。

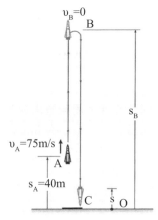

答:(1) $v_B^2 = v_A^2 + 2a_c(s_B - s_A) \Rightarrow 0 = (75\ m/s)^2 + 2(-9.81\ m/s^2)(s_B - 40\ m)$
$s_B = 327\ m$

(2) 速度為求撞到地面前一瞬間的速度

$v_C^2 = v_B^2 + 2a_c(s_C - s_B) \Rightarrow 0 + 2(-9.81\ m/s^2)(0 - 327m)$

$v = -80.1m/s = 80.1m/s \downarrow$

16. 將A球以29.4m/sec的初速度自塔底垂直上拋,同時B球則由塔頂自由落下,二球會相會於中點,則塔高為?

答:$29.4 \times t + \dfrac{1}{2} \times (-9.8) \times t^2 = \dfrac{1}{2} \times 9.8 \times t^2$

$3t - \dfrac{1}{2}t^2 = \dfrac{1}{2}t^2$; $t^2 - 3t = 0$; $t(t-3) = 0$,$t = 0$(不合)$\rightarrow t = 3sec$

$h = 2S_B = 2 \times \dfrac{1}{2} \times 9.8 \times 3^2 = 88.2\ m$

17. 一物體以V_0(m/s)的速度由地面垂直上拋，其上升的高度為樓高的4倍，物體
由上拋之最終高度自由落下，其經過樓頂的速度為若干(m/s)？

答：(1) 由$V^{1^2}=V_0^2-2gh$；$0=V_0^2-2g\times(4h)$

$$\therefore h=\frac{V_0^2}{8g}\quad(垂直上拋)$$

(2) $V^{1^2}=2gs=2\times g\times(3h)=2\times g\times(3\times\frac{V_0^2}{8g})=\frac{3V_0^2}{4}$

$$\therefore V^1=\frac{\sqrt{3}}{2}V_0\quad(自由落體)$$

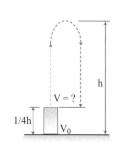

18. 有兩質點p、q同時開始運動，已知質點p沿
著光滑斜面自由下滑；質點q則自由下落，
如圖。則p、q兩球著地時間的比值為：

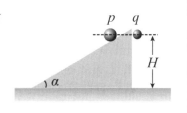

答：P下落之距離$=\dfrac{}{\sin\alpha}$，加速度$=g\sin\alpha$，q下落之距離$=H$，

加速度$=g$，$S=\dfrac{1}{2}at^2\Rightarrow t=\sqrt{\dfrac{2S}{a}}$

$$\therefore\frac{t_g}{t_q}=\frac{\sqrt{\dfrac{\dfrac{2H}{\sin\alpha}}{g\sin\alpha}}}{\sqrt{\dfrac{2H}{g}}}=\frac{1}{\sin\alpha}$$

⚙ 1-4 │ 直線運動之相對運動

一質點對於另一個固定點或一個靜止的座標所作的運動，稱為**絕對運動**，如靜止站立在地面上的人看汽車的運動情形。**質點對於另一個會運動的點或座標作的運動，稱之為相對運動**，如坐在汽車上看車外其他汽車的運動情形，其運動分析如下所示。

1. 相對運動關係

相對運動關係	圖式
1. 相對位置： $\vec{r}_{A/B} = \vec{r}_A - \vec{r}_B$	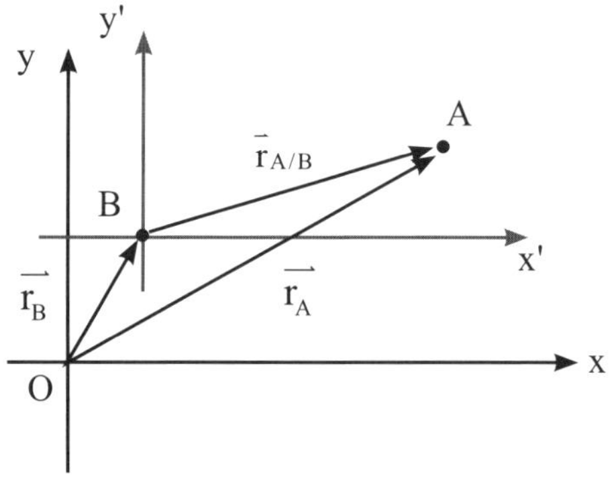
2. 相對位移： $\triangle\vec{r}_{A/B} + \triangle\vec{r}_{B/C} = \triangle\vec{r}_{A/C}$	
3. 相對速度 (1)由地面或者由靜止於地面的觀察者觀察A的速度，可標示為 $\vec{V}_A$，稱此作A相對於地面的速度。 (2)由B觀察A的速度，可標示為 $\vec{V}_{A/B}$，稱此作A相對於B的速度，A為被觀察者，B為觀察者 $\vec{V}_{A/B} = \vec{V}_A - \vec{V}_B$	
4. 相對加速度： $\vec{a}_{A/B} = \vec{a}_A - \vec{a}_B$ B相對於A之加速度	

相對運動關係	圖式
5. 相對速度分析 　如右圖所示，若以自己為觀察者C，欲知B眼中A的速度，則可藉由計算得知： 　$$\overrightarrow{V_{AB}} = \overrightarrow{V_{AC}} + \left(-\overrightarrow{V_{BC}}\right)$$	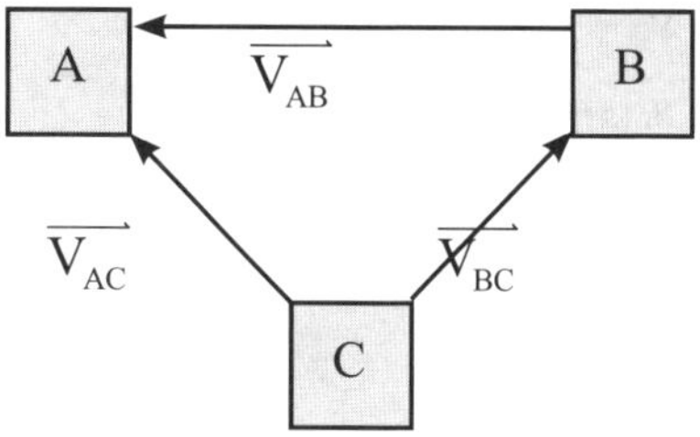

焦點命題

19. 於三維空間裡有兩個運動的質點A與B，於固定座標Oxyz的位置向量表示為 $\vec{r}_A$ 與 $\vec{r}_B$。繪向量圖說明B的位置相對於A的位置向量為 $\vec{r}_{B/A}$，亦請申述向量 $\vec{r}_{B/A}$ 等同於B的位置相對於平移座標Ax'y'z'（以A位置為原點）？【106普考】

答： 以Oxyz固定座標而言

$$\vec{r}_B = \vec{r}_A + \vec{r}_{B/A} \Rightarrow \vec{r}_{B/A} 為B相對於A之向量$$

另設一參考座標

$$Ox'y'z' \Rightarrow \vec{r}_{B/A} 為站在A上觀測B之位置$$

應為B相對於A之位置

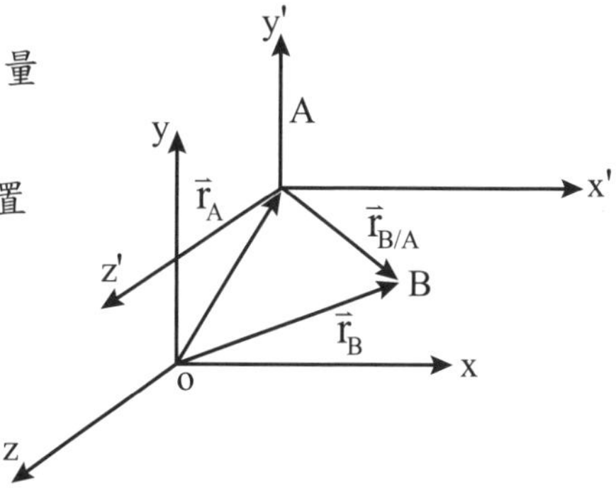

20. 某人以3m/sec的速度步行時，感覺雨點自仰角45°方向落下，則當此人以6m/sec速度步行時，他感覺雨點飄下的仰角為何？

答：$V_{雨/地} = V_{雨/人} + V_{人/地}$由圖(a)知

$V_{雨/地} = 3\tan 45° = 3m/sec$

又$\tan\theta = \dfrac{3}{6} = \dfrac{1}{2}$

$\therefore \theta = \tan^{-1}\dfrac{1}{2}$

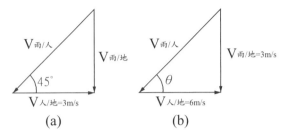

(a)   (b)

---

21. 如下圖所示，車輛A位於十字路中央右方52m處，以10.4 m/s的速度向東（＋x）行駛。車輛B位於十字路中央上方30m處，以6m/s的速度向南（－y）行駛。圖解繪出車輛B相對於車輛A的相對位置及相對速度。【106普考】

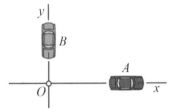

答：

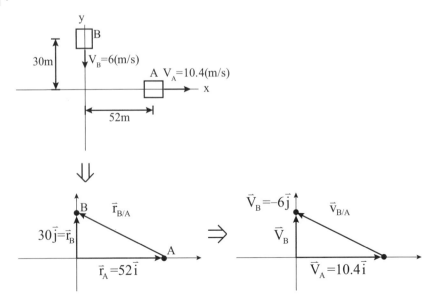

$$\vec{r}_B = \vec{r}_A + \vec{r}_{B/A} \Rightarrow \vec{r}_{B/A} = \text{-}52\vec{i} + 30\vec{j}$$
$$\vec{V}_B = \vec{V}_A + \vec{V}_{B/A} \Rightarrow \vec{V}_{B/A} = \text{-}10.4\vec{i} - 6\vec{j}$$

> **22.** 兩艘相同的船隻A、B，分別自甲、乙兩地同時出發，A順流而下，B逆流而上，河水的流速為5km/hr，A、B二船在河面上皆以相對於河水20km/hr速率航行。則：(1)A船相對地面的速度大小為何？(2)B船對地面的速度大小為何？(3)B船相對於A船的速度為何？

答：(1) $V_A = 20 + 5 = 25$ km/hr

(2) $V_B = 20 - 5 = 15$ km/hr

(3) 以B船速度(逆流)為正，則A船速度為負(-25)，B船相對於A船，

$V_{BA} = V_B - V_A = 15 - (-25) = 40$ km/hr

| 精選試題 |

基礎試題演練

1. 一質點由靜止起動，其a～t圖如圖，試求：

(1) 0～10(s)該質點的
平均加速度＿＿＿＿＿(m/s²)。

(2) 0～10(s)該質點
的平均速度＿＿＿＿＿(m/s)。

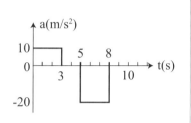

答：(1) 由a～t圖，$\Delta v = 30 - 60 = -30$

$$= -30 \quad \bar{a} = \frac{\Delta v}{\Delta t} = \frac{-30}{10} = -3 (m/s^2)$$

(2) 先作出質點的v～t圖，
即可求得0～10(s)的總位移，

$\Delta x = 45 + 60 + 22.5 - 22.5 - 60 = 45$，

$$\bar{v} = \frac{\Delta x}{\Delta t} = \frac{45}{10} = -4.5 (m/s)$$

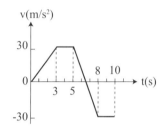

2. 一物體由靜止出發，作等加速度直線運動，求前半程與後半程時間之比

答：$\dfrac{S}{2} = \dfrac{1}{2} a (t_1)^2 \Rightarrow t_1 = \sqrt{\dfrac{S}{a}}$

$S = \dfrac{1}{2} a(t_1 + t_2)^2 \Rightarrow t_1 + t_2 = \sqrt{\dfrac{2S}{a}} \Rightarrow t_2 = \sqrt{\dfrac{S}{a}} (\sqrt{2} - 1)$

$t_1 : t_2 = 1 : (\sqrt{2} - 1)$

3. 質點以位置 $s = (0.3t^3 - 2.7t^2 + 4.5t)$ m 的方式作直線運動，其中t的單位為秒。試求在 $0 \leq t \leq 10\,s$ 期間內質點的最大加速度及最大速度。

答：$\dfrac{ds}{dt}$=v=$0.9t^2-5.4t+4.5$　$\dfrac{dv}{dt}$=a=$1.8t-5.4$

當t＝10時，$a_{max}=12.6(m/s^2)$；當t＝10時，$v_{max}=40.5(m/s)$

---

4. 某車行駛於高速公路上，車速108公里／小時，欲在4秒內以等減速度將其車速降到72公里／小時，則在此4秒內約前進若干公尺？

答：V_0=108km/hr=30m/sec　　V=72km/hr=20m/sec　　t=4sec

$S=\dfrac{V+V_0}{2}\times t=\dfrac{20+30}{2}\times4$=100m

---

5. 一直線運動質點的位置-時間關係為x＝t^2-2t+1 m，則試求(1)出發點的位置。(2)初速為多少。(3)質點與坐標原點最接近的時間為幾秒。

答：(1) 由x＝t^2-2t+1，t＝0時x＝1 (m)

(2) v＝$\dfrac{dx}{dt}=2t-2$，t＝0時v＝-2(m/s)

(3) x＝t^2-2t+1＝$(t-1)^2$，t＝1時x＝0(m)即t＝1(s)時，
　　質點與原點的距離為零。

---

6. 質點以位置$s=(t^2-6t+5)$ m 的方式作直線運動，其中t的單位為秒。試求 $t=6$ s 時質點的平均速度、平均速率及加速度。

答：s＝(t^2-6t+5)

$\dfrac{ds}{dt}$=v=2t－6　　$\dfrac{dv}{dt}$=a=$2(m/s^2)$

$V_m=\dfrac{s(6)-s(0)}{6}=\dfrac{5-5}{6}$=0 (平均速度)

當t=3時，速度由負→正

故 $V_a=\dfrac{\left|s(3)-s(0)\right|+\left|s(6)-s(3)\right|}{6}$=3

7. 某甲在一高樓之底部鉛直上拋A球，同時某乙在該樓之頂部將B球以自由落體之方式放下，設兩人之出手點相距45m，若A球與B球欲同時著地，則甲應以多少之初速度鉛直上拋A球（設當地之g＝10m/sec^2）

答：$H＝gt^2$；$45＝-\times10t^2$；$t＝3sec$

　　　$h＝V_0t-\dfrac{1}{2}gt^2$；$0＝V_0\times3-\dfrac{1}{2}\times10\times3^2$；$V_0＝15m/sec$

8. 一球在30°之斜面上運動，如圖所示，若球與斜面間無摩擦力，當球由靜止狀態滑移一段距離L時，其速度為多少

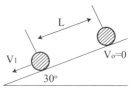

答：下滑加速度為$g\sin\theta＝g\times\dfrac{1}{2}＝\dfrac{1}{2}g$

　　　$V^2＝V_0^2+2aS \Rightarrow V^2＝0+2\times(\dfrac{1}{2}g)\cdot L＝gL$　　$V＝\sqrt{gL}$

9. 自地面垂直往上拋一物體，當其上升與下降之際，兩次通過高5m處時，其相隔時間為2秒鐘，則此物上拋之初速為多少m/sec。

答：$V_2＝V_1+at$　　$0＝V_1-9.8\times1$　　$V_1＝9.8 (m/sec)$
又 $V_1^2＝V_0^2+2as$　　$(9.8)^2＝V_0^2+2\times(-9.8)\times5$
$V_0＝14(m/sec)$

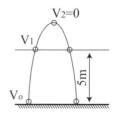

10. 將A球以29.4m/sec的初速度自塔底垂直上拋，同時B球則由塔頂自由落下，則幾秒後二球會相會於中點？

答：∵二球相會在中點 ∴$S_A = S_B = \dfrac{1}{2}h$

$29.4 \cdot t + \dfrac{1}{2} \times (-9.8) \cdot t^2 = \dfrac{1}{2} \times 9.8 \times t^2$

$3t - \dfrac{1}{2}t^2 = \dfrac{1}{2}t^2$　$t^2 - 3t = 0$　$t(t-3) = 0$　$t = 0$（不合）　$t = 3(s)$

---

11. 一棒球發球機以19.6m/s的初速把一棒球垂直向上發射，設g＝9.8m/s^2，當球到達最高點時，發球機又以同樣的初速，向上發射第二個球，如兩球在空中相撞，第二球由發球機到相撞需＿＿＿＿秒，此時兩球離發球機＿＿＿＿公尺高。

答：$H = \dfrac{v^2}{2g} = 19.6$

(1) $\dfrac{1}{2}gt^2 + 19.6t - \dfrac{1}{2}gt^2 = 19.6 \Rightarrow t = 1$（秒）

(2) $h = 19.6 \times 1 - \dfrac{1}{2} \times 9.8 \times 12 = 14.7$（公尺）

---

12. 一質點以初速度20m/s，自傾斜角53°的光滑斜面底端，向上滑行，g＝10m/s^2。試求：(1)該質點上滑的最大高度為若干？(2)該質點在斜面上滑動全程歷時若干？

答：(1) 上滑期間：$a = -g\sin53° = -8(\text{m/s}^2)$，

由 $0 = v_0 + at = 20 - 8t \Rightarrow$ 上滑歷時 $t = 2.5(s)$

由 $0^2 = v_0^2 + 2ad = 20^2 - 2 \times 8 \times d \Rightarrow$ 上滑位移 $d = 25(m)$

$\Rightarrow$ 上滑的最大高度 $h = d\sin53° = 20(m)$

(2) 下滑期間：$a' = -g\sin53° = -8(\text{m/s}^2)$，

由 $-25 = \dfrac{1}{2}(-8)t^2 \Rightarrow$ 下滑歷時 $t' = 2.5(s)$

$\Rightarrow$ 全程歷時＝上滑歷時＋下滑歷時＝2.5＋2.5＝5.0(s)

13. 塔高50m，一物體自塔頂垂直向上拋出，經5秒後物體降至地面，若重力加速度為10m/sec^2，則到達地面時之速度為多少m/sec？

答： 由h=V₀t－$\dfrac{1}{2}$gt^{2}得知位移與速度之方向相反，

所以位移取負值即－50=V₀×5－$\dfrac{1}{2}$×10(5)^2

∴V₀=15m/sec(↑)又V=V₀－gt=15－10×5=－35m/sec(↓)

14. 有一小石子自塔頂落下 a 後，另一小石子於離塔頂下方 b 處自由落下，結果兩石子同時著地，則塔高為（但 b＞a）？

答： 此為相對運動問題，對兩石子而言，
自 a 下落與自 b 下落均同時 t 著地，

即 h=$\dfrac{1}{2}$gt^2 且 h+b－a=$\sqrt{2ga}$ · t+$\dfrac{1}{2}$gt^2

∴b－a=$\sqrt{2ga}$ · t

⇒t=$\dfrac{b－a}{\sqrt{2ga}}$ ∴h=$\dfrac{1}{2}$g · $\dfrac{(b－a)^2}{2ga}$=$\dfrac{(b－a)^2}{4a}$

∴H=h+b=$\dfrac{(a+b)^2}{4a}$

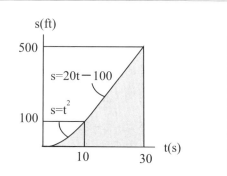

15. 一腳踏車沿著筆直路徑前進，其位置表示為圖。試畫出0≤t≤30s間的v-t和a-t圖。【110關四】

答：(1) $V = \dfrac{ds}{dt}$

　　A. t＝0→10

　　　$V = \dfrac{ds}{dt} = 2t$

　　　⇒t＝10時V＝20

　　B. t＝10→30

　　　$V = \dfrac{ds}{dt} = 20$

　(2) $a = \dfrac{dV}{dt}$

　　A. t＝0→10

　　　$a = \dfrac{dV}{dt} = 2$

　　B. t＝10→30

　　　$\dfrac{dV}{dt} = 0$

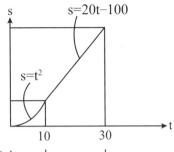

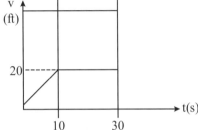

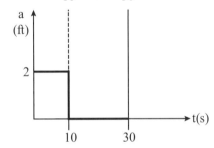

---

16. 一物體從靜止自由落下，於最後1秒鐘內行經全程的一半，物體自高處落到地面需時所需的時間為多少？

答：∵ $\dfrac{1}{2}ht = \dfrac{1}{2}h(t-1)$　　$\dfrac{1}{2} \times (\dfrac{1}{2}gt^2) = \dfrac{1}{2}g(t-1)^2$

$\dfrac{1}{4}gt^2 = \dfrac{1}{2}g(t^2-2t+1)$　　$\dfrac{1}{4}gt^2 - 4t + \dfrac{1}{2} = 0$

$t^2 - 4t + 2 = 0$　　$t = \dfrac{4 \pm \sqrt{4^2 - 8}}{2} = 2 \pm \sqrt{2}$ ；$(2 - \sqrt{2})$（不合）

∴t＝$2 + \sqrt{2} \fallingdotseq 3.4$(sec)

17. 一石子在 24.5m 高之塔頂以 19.6m/sec 之速度鉛直上拋，試求 (1) 經幾秒石頭落地；(2) 落地時石頭之速度；(3) 石頭落地前所經路程長度。設空氣阻力忽略不計。

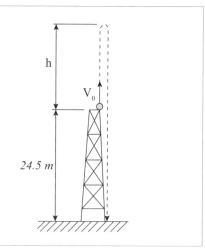

答：(1) $-24.5 = 19.6t - \dfrac{1}{2} \times 9.81 \times t^2 \Rightarrow t = 5$

(2) 石頭落地速度
$v^2 = (19.6)^2 - 2(9.81)(-24.5) = 864.9$
解得 $v = -29.4$m/sec（負號表示方向朝下）

(3) 石頭達最高點時 $v = 0$，設 $y = h$，則由公式：

$h = \dfrac{v_0^2}{2g} = \dfrac{19.6^2}{2(9.81)} = 19.6$ m

故石頭落地前所經路程長度為
$s = 2h + 24.5 = 2(19.6) + 24.5 = 63.7$ m

進階試題演練

1. 某質點的運動加速度與運動位置之關係式為 a (x) = $-kx^{-2}$ m/s^2，其中a 為質點的加速度，x為質點的運動位置。已知該質點在靜止時，x =6m；當速度 v=4m/s時，x=3m，試求：(1)k值為何？(2)當質點位置通過x=1m時，該質點的速度為何？【關務三等】

答 : (1) $\dfrac{dv}{dt} = a \Rightarrow \dfrac{dv}{dx}\dfrac{dx}{dt} = a \Rightarrow v\,dv = a\,dx$

$\displaystyle\int_{6}^{3} -kx^{-2}\,dx = \int_{O}^{4} v\,dv \quad \Rightarrow kx^{-1}\Big|_{6}^{3} = \dfrac{1}{2}v^2\Big|_{0}^{4} \quad \Rightarrow k = 48$

(2) $a(x) = -48\,x^{-2} \quad \Rightarrow 48\displaystyle\int_{6}^{1}(-x)^{-2}\,dx = \int_{O}^{v} v\,dv \quad \Rightarrow 48\,x^{-1}\Big|_{6}^{1} = \dfrac{1}{2}v^2$

$v = 8.94\text{m/s}$

---

2. 質點以位置x(t)＝5＋3t^2－t^{3}的方式做直線運動，其中t的單位為秒。試求(1)t＝0至t＝2s之位移。(2)速度為0之時刻。(3)t＝1s至t＝4s之平均速度及平均速率。(4)t＝2s時的加速度。

答 : (1) t＝0及t＝2秒時之位置x$_0$及x$_2$分別為
x$_0$＝5m，x$_2$＝5＋3(2)^2－(2)^2＝9m
故位移 Δx＝x$_2$－x$_0$＝9－5＝4m

(2) 速度與時間之關係式為 $v = \dfrac{dx}{dt} = 6t - 3t^2$
令v＝0，即6t－3t^2＝0，得t＝0及t＝2秒

(3) t＝1秒及t＝4秒時之位置x$_1$及x$_4$分別為
x$_1$＝5＋3(1)^2－(1)^3＝7m，x$_4$＝5＋3(4)^2－(4)^3＝－11m
t＝1秒至t＝4秒之平均速度為

$v = \dfrac{\Delta x}{\Delta t} = \dfrac{x_4 - x_1}{\Delta t} = \dfrac{-11 - 7}{3} = -6\text{m/s}$

因t＝2秒時v＝0，表示在該瞬間運動方向發生變化，
則t＝1秒至t＝4秒間之運動路徑長度（距離）s為

$s = |x_2 - x_1| + |x_4 - x_2| = |9 - 7| + |(-11) - 9| = 22\text{m}$

故平均速度為 $\overline{v}_{sp} = \dfrac{\Delta s}{\Delta t} = \dfrac{22}{3} = 7.33\text{m/s}$

(4) 加速度與時間之關係函數為 $a = \dfrac{dv}{dt} = \dfrac{d}{dt}(6t - 3t^2) = 6 - 6t \ \text{m}/\text{s}^2$

則 $t = 2$ 秒時之加速度為 $a_2 = 6 - 6(2) = -6\text{m/s}^2$

---

3. 質點在 $v_1 = 160(\text{km/hr})$ 的初速經位移400m後速度減為 $v_2 = 30(\text{km/hr})$ 運動。假設加速度 $a = -kv^2$，其中k為常數試求k值及位移400m所需之時間。

答： 因加速度為速度之函數：$a = -kv^2$

得 $\dfrac{vdv}{-kv^2} = dx$ ，整理後可寫為 $\dfrac{dv}{v} = -kdx$

積分之 $\displaystyle\int_{v_1}^{v_2} \dfrac{dv}{v} = -k\int_0^x dx$ ，得 $\ln\dfrac{v_2}{v_1} = -kx$

將 $v_1 = 160\text{km/hr} = 44.44 \ \text{m/s}$ ，

$v_2 = 30\text{km/hr} = 8.33\text{m/s}$ ，

$x = 400\text{m}$ ，代入上式

$\ln\dfrac{8.33}{44.44} = -k(400)$ ，得 $k = 4.18 \times 10^{-3}\text{m}^{-1}$

$\dfrac{dv}{dt} = a = -kv^2$ ，整理後可寫為 $\dfrac{dv}{v^2} = -kdt$

積分之 $\displaystyle\int_{v_1}^{v_2} \dfrac{dv}{v^2} = -k\int_0^t dt$ ，得 $t = \dfrac{1}{k}\left(\dfrac{1}{v_2} - \dfrac{1}{v_1}\right)$

故 $t = \dfrac{1}{4.18\times 10^{-3}}\left(\dfrac{1}{8.33} - \dfrac{1}{44.44}\right) = 23.3\,\text{sec}$

Chapter 02 質點運動學－曲線運動

⚙ 2-1 角位移、角速度及角加速度

1. 角位移、角速度及角加速度基本物理量

名稱	說明
角位移 $\triangle\theta$	固定於剛體上某一線段，在某一時間內所掃過的角度，其單位大小以轉(revolution)、弧度(radian)與度(°)表示，其之間的關係為：一轉(rev)＝2π弧度(rad)＝360°
角速度 ω	單位時間內角位移的變化量，或單位時間內物體所轉過的角度，稱之為角速度。 (1)平均角速度 $\overline{w} = \dfrac{\triangle\theta}{\triangle t} \quad \left(\dfrac{rad}{s}\right)$ (2)瞬間角速度 $w = \lim\limits_{\triangle t \to 0} \dfrac{\triangle\theta}{\triangle t}$ (3)角位置與時間關係（θ－t）圖的斜率表角速度w。 (4)角速度與時間關係（w－t）圖的面積表角位移△θ。 (5)角速度w的單位通常是使用弧度／秒（rad/sec），可是在工程的應用上以每秒的轉數（rps）或每分鐘的轉數（rpm）表示，其與角速度的關係如下： $w = \dfrac{2\pi N}{60}$ (N為每分鐘的轉數，單位r.p.m)

名稱	說明
角加速度 α	(1)平均角加速度 $\overline{\alpha} = \dfrac{\triangle w}{\triangle t}\ \ \left(\dfrac{\text{rad}}{\text{s}^2}\right)$ (2)瞬時角加速度 $\alpha = \lim\limits_{\triangle t \to 0}\dfrac{\triangle w}{\triangle t}$ (3)角速度與時間關係（w－t）圖的斜率表角加速度α。

2. 圓周運動之角位移、角速度及角加速度

平移	轉動	瞬時關係
位移S	角位移$\triangle\theta$	$S = r\triangle\theta$
速度v	角速度ω	$v = r\omega$
切線加速度a_T	角加速度α	$a_T = r\alpha$
法線加速度 $a_N = \dfrac{v^2}{r} = r\omega$ 加速度 $a = \sqrt{a_T^2 + a_N^2} = \sqrt{a^2\alpha^2 + r^2\omega^4}$		

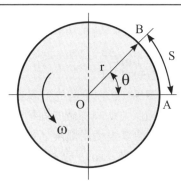

圖2.1　圓周運動之角位移、角速度及角加速度

3. 等加速度運動與等角加速度之比較

等加速度運動	等角加速度
直線運動(方向固定)	等角加速度運動(圓周運動)
$\vec{r} = \overline{OP} = (x, y)$ (s：距離、a：加速度)	$\theta = \omega_0 t + \dfrac{1}{2}\alpha t^2$ (θ：徑度、α：角加速度)
$v = v_0 + at$ (v：末速度、v_0：初速度)	$\omega = \omega_0 + \alpha t$ (ω：末角速度、ω_0：初角速度)
$v^2 = v_0^2 + 2as$	$\omega^2 = \omega_0^2 + 2\alpha\theta$

4. **等速度圓周運動**：若物體在作等速圓周運動時，每經一相等的時間就會重複運動一次，這種運動稱之為週期運動（periodic），而每迴轉一周或每重複一次運動所需的時間稱之為週期（period），其單位為秒（sec）。又單位時間內所運動的次數，稱之為頻率（frequency），或者也可以稱之為迴轉數（number of revolution），其單位為次/sec。如物體作等速圓周運動時，以T代表週期，而單位時間內的迴轉數為n，那麼可知週期T和迴轉數n兩者互為倒數，其關係式如下：

$$T = \dfrac{1}{n}$$

又因為迴轉一圈為2π弧度，那麼就可知道單位時間內轉過的弧度，即可知角速度ω為：

$\omega = 2\pi n$（n為每秒鐘的轉數，單位r.p.s）

而角速度ω與週期T之關係則為：

$$\omega = \dfrac{2\pi}{T}$$

焦點命題

1. 一圓輪在做等角加速度運動，經過25轉之後，角速度由100(轉/秒)增至150(轉/秒)，則其角加速度為多少？

答：$\omega^2 = w_0^2 + 2\alpha \cdot \Delta\theta$；$150^2 = 100^2 + 2\alpha \times 25$；$\alpha = 250$轉／秒^2

2. 一電風扇以600rpm之速度旋轉，若扇葉半徑為15cm，則其角速度ω，扇葉尖端之切線速度V，各為多少？

答：$\omega = \dfrac{2\pi N}{60} = \dfrac{2\pi \times 600}{60} = 20\pi$ (rad/sec)；$V = r\omega = 15 \times 20\pi = 300\pi$(cm/sec)

3. 一電扇以1200rpm之速度迴轉，今突然斷電，使葉片之轉速在5sec內變為600rpm，請問葉片在該5sec內共轉幾轉？而使飛輪完全停止還需多少時間？

答：$W_1 = \dfrac{1200 \times 2\pi}{60} = 125.66(\text{rad}/\text{s})$

$W_2 = \dfrac{600 \times 2\pi}{60} = 62.83 \,(\text{rad/s})$

$W_2 = W_1 - \alpha t = 125.66 - \alpha \times 5 \Rightarrow \alpha = 12.566 \,(\text{rad/s})$

$\theta = W_1 t - \dfrac{1}{2}\alpha t^2 = 125.66 \times 5 - \dfrac{1}{2} \times 12.566 \times 5^2 = 471.225$；

$\dfrac{471.225}{2\pi} = 75$（轉）

$W_3 = 0 = W_1 - \alpha t_2 = 125.66 - 12.566 \times t_2 \Rightarrow t_2 = 10$；
$10 - 5 = 5$
故還需5秒飛輪才可完全停止

4. 一半徑為60公分之輪，由靜止開始以等角加速度轉動，在10秒鐘內共轉過40轉，則(1)角加速度為多少弧度／秒^2。(2)10秒末輪之角速度為多少弧度／秒。(3)10秒末輪之線速度為多少公尺／秒。(4)10秒末輪之切線加速度為多少公尺／秒^2。(5)10秒末輪之法線加速度為多少公尺／秒^2。

答：(1) 40轉＝$40 \times 2\pi$ 弧度 $\Rightarrow \theta = \omega_0 t + \dfrac{1}{2} \alpha t^2 \Rightarrow 40 \times 2\pi = 0 + \dfrac{1}{2} \times \alpha \times 10^2$

$\therefore \alpha = \dfrac{8}{5} \pi$ 弧度／秒^2

(2) $\omega = 0 + \dfrac{8\pi}{5} \times 10 = 16\pi$ 弧度／秒

(3) $v = r\omega = 0.6 \times 16\pi = 9.6\pi$ 公尺／秒

(4) $a_t = r\alpha = 0.6 \times \dfrac{8\pi}{5} = \dfrac{24\pi}{25}$ 公尺／秒^2

(5) 法線加速度要代這個公式 $a_N = \dfrac{v^2}{r} = \dfrac{(r\omega)^2}{r} = r\omega^2 = 0.6 \times (16\pi)^2$ 公尺／秒^2

5. 如圖，A齒輪的半徑為40mm，B齒輪的半徑為20mm，若A齒輪作順時鐘旋轉，角速為2rad/s，則Q點對P點的相對速度為多少？

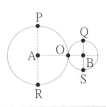

答：$V_Q = r\omega_B = 20 \times (-4) = -80$(mm/sec，←)；$V_P = r\omega_A = 40 \times 2 = 80$(mm/sec，→)

$V_{Q/P} = V_Q - V_P = -80 - 80 = -160$(mm/sec,←)

6. 一馬達從靜止到900rpm需時6秒，經30秒等角速度運轉後，關掉電源後經10秒才完全停止，若角加速度及角減速度均為常數，試求馬達啟動時之角加速度

答：$w_0 = 0$　$w = \dfrac{2\pi N}{60} = 30\pi$　$\alpha = \dfrac{30\pi - 0}{6} = 5\pi$(rad/s^2)

$w = \dfrac{900 \cdot 2\pi}{50} = 30\pi$ rad/sec ；$30\pi = 0 + 6\alpha \Rightarrow \alpha = 5\pi$ rad/sec^2

7. 有一飛輪，於$\frac{1}{2}$秒內以等角加速度，自靜止達到每分鐘30轉，試求該輪之角加速度為何？

答：$\omega = \frac{2\pi N}{60} = \frac{2\pi \times 30}{60} = \pi$　　$\omega_0 = 0$　$t = \frac{1}{2}$ sec，

又 $\alpha = \frac{\omega - \omega_0}{t} = \frac{\pi - 0}{\frac{1}{2}} = 2\pi (rad/sec^2)$

⚙ 2-2 │切線加速度與法線加速度

當質點沿一已知的曲線運動時，質點的運動方程式可以按法線(normal)和切線(tangential)方向寫出，如果質點做等加速度圓周運動，那麼質點的大小和方向都有了變化，所產生的加速度就是法線加速度與切線加速度的正交向量和。

1. **切線加速度**：當物體的旋轉速度改變時，物體的切線速度也會改變，因為切線速度大小的改變而產生的加速度，就稱為切線加速度（a_t），其方向為運動路徑的切線方向。
   $a_t = r\alpha$，a_t的單位為m/sec^2。
   其中r為半徑(m)，
   α為角加速度（rad/sec^2）。

2. **法線加速度**：因為速度的方向改變而產生的加速度，則稱之為法線加速度，或向心加速度
   $a_n = \frac{V^2}{r} = r\omega^2$，$a_n$的單位為$m/sec^2$
   其中r為半徑（m），V為切線速度（m/sec），ω為角速度（rad/sec）。

3. **加速度的合成**：物體沿曲線或圓周作變加速度時，其速度的大小與方向都會有所變化，物體的總加速度，等於切線加速度與法線加速度的向量和，

大小和方向可用向量的加法求得：

$$a = \sqrt{a_t^2 + a_n^2} = \sqrt{(r\alpha)^2 + (r\omega^2)^2}$$

$$a = r\sqrt{\omega^4 + \alpha^2}$$

========= ◎ **焦點命題** ◎ =========

8. 汽車沿著半徑50m的圓形路徑行駛。如果速率為16m/s，且以 $8\,m/s^2$ 加速，試求此瞬間加速度的大小。

答：$a_n = \dfrac{v^2}{\rho}$　　$a_n = 5.12\dfrac{m}{s^2}$　　$a = \sqrt{a_n^2 + a_t^2}$　　$a = 9.50\dfrac{m}{s^2}$

9. 有一圓盤之半徑為100mm，繞其中心軸旋轉，由靜止開始作等角加速度圓周運動，其角加速度為5rad/sec^2，試求在5秒時，圓盤周緣上任一點之加速度與速度各若干。【關務四等】

答：$w = wo + \alpha t = 0 + 5 \times 5 = 25(rad/s)$

$V = w \times r = 25 \times 0.1 = 2.5 m/s$

$a = \sqrt{a_n^2 + a_t^2} = \sqrt{[\dfrac{v^2}{r}]^2 + (\alpha r)^2}$

$= \sqrt{[\dfrac{(2.5)^2}{0.1}]^2 + (5 \times 0.1)^2} = 62.5 m/s^2$

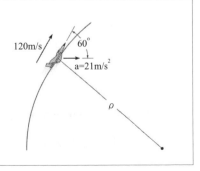

10. 在已知的瞬間，噴射機的速率為120m/s，而加速度為21m/s^2，方向如圖示。試求飛機速率的增加率及路徑的曲率半徑ρ。

答：$a_t = (a)\cos(\theta)$　　$a_t = 10.50\dfrac{m}{s^2}$

$a_n = (a)\sin(\theta) = \dfrac{v^2}{\rho}$　　$\rho = \dfrac{v^2}{(a)\sin(\theta)}$　　$\rho = 791.8\,m$

---

11. 一圓盤之半徑為5cm，繞其中心軸旋轉，由靜止開始作等加速度圓周運動，其角加速度為2rad/sec^2，試求在一秒後，圓盤周緣上任一點之加速度？

答：$\omega = \omega_0 + \alpha \cdot t = 2 \times 1 = 2(\text{rad/sec})$

$a_n = r\omega^2 = 5 \times 2^2 = 20(\text{cm/sec}^2)$

$a_t = r\alpha = 5 \times 2 = 10(\text{cm/sec}^2)$

$a = \sqrt{20^2 + 10^2} = 10\sqrt{5}$

---

12. 如圖所示，賽車C在半徑90m的水平圓型軌道上行駛。如果它的速率以2.1m/s^{2}的增加率由靜止加速，試求達到2.4m/s^{2}速度所需的時間，並求出此時速率。

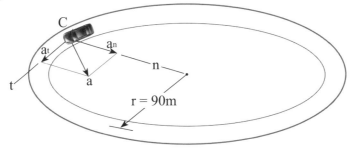

答：加速度的大小$a = \sqrt{a_t^2 + a_n^2}$，這裡$a_t = 2.1\text{m/s}^2$。

而且$a_n = v^2/\rho$，此處$\rho = 90\text{m}$，又$v_0 = v + (a_t)t \Rightarrow v = 0 + 2.1t$

因此$a_n = \dfrac{v^2}{\rho} = \dfrac{(2.1t)^2}{90} = 0.049t^2\text{m/s}^2$

加速度到達2.4m/s^{2}所需的時間為$a = \sqrt{a_t^2 + a_n^2} \Rightarrow 2.4 = \sqrt{(2.1)^2 + (0.049t^2)^2}$

解得t＝4.87（取正）V＝2.1t＝2.1×4.87＝10.2(m/s)

✿ 2-3 拋體運動

拋體運動可分解為水平和鉛直兩個方向的直線運動，兩者可依各別受力情形獨立運動而互不牽涉，最後再合併處理為平面運動，這種先分解再合併的方式乃是運用運動的獨立性。於水平方向不受力故維持等速度運動，於鉛直方向恆受一向下的重力加速度作用，故作一等加速度運動。

1. 水平拋體運動

一物體以初速度 v_0 水平射出後，水平方向可視為一等速度運動，鉛直方向則可視為一自由落體運動；重力加速度除了使物體行進方向不斷改變外，也使速度逐漸加快，如圖2.2所示，初速度：$\vec{v}(0) = v_0\vec{i}$，加速度：$\vec{a} = -g\vec{j}$

水平方向	$a_x = 0$	$v_x = v_x(0) = v_0$	$x = v_0 t$
垂直方向	$a_y = -g$	$v_y = -gt$	$y = -\dfrac{1}{2}gt^2$

(1) 經過t秒後之位置與速度

水平速度：$V_x = V_0$

垂直速度：$V_y = gt$

物體速度：$V = \sqrt{V_x^2 + V_y^2} = \sqrt{V_0^2 + (gt)^2}$

水平位置：$x = V_0 t$

垂直位置：$y = h - \dfrac{1}{2}gt^2$

運動方向之俯角θ
速度函數：$\vec{v} = v_x\vec{i} + v_y\vec{j} = v_0\vec{i} + (-gt)\vec{j}$

$$\Rightarrow \theta = \tan^{-1}\left(-\frac{gt}{v_0}\right)，為任一時刻質點運動方向的俯角$$

(2)質點落地後之位置與速度

落地時間：$h=\frac{1}{2}gT^2$, $T=\sqrt{\dfrac{2h}{g}}$

水平速度：$V_x = V_0$

垂直速度：$V_y = gT = \sqrt{2gh}$

落地速度：$V = \sqrt{V_x^2 + V_y^2}$

$\qquad\qquad = \sqrt{V_0^2 + 2gh}$

水平射程：$S = V_0 T = V_0\sqrt{\dfrac{2h}{g}}$

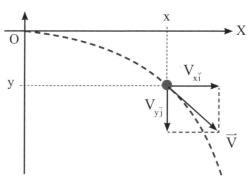

圖2.2　水平拋體運動

2. **斜向拋體運動**：一物體以初速度 v_0 向仰角 θ 射出後，水平方向仍可視為一等速度運動，鉛直方向則可視為一鉛直上拋運動；重力加速度除了使物體行進方向不斷改變外，在上升過程中，速度逐漸減慢，在下降過程中，速度逐漸加快，如圖2.3所示，初速度：$\vec{v}(0) = v\cos\theta\vec{i} + v\sin\theta\vec{j}$，加速度：$\vec{a} = -g\vec{j}$

方向	加速度	速度	位移	最大位移量
水平(x方向)	$a_x = 0$	$V\cos\theta$	$V\cos\theta t$	$X = \dfrac{V^2\sin 2\theta}{g}$
鉛直(y方向)	$a_y = -g$	$V\sin\theta - gt$	$V\sin\theta t - \dfrac{1}{2}gt^2$	$Y = \dfrac{V^2(\sin\theta)^2}{2g}$

(1)經過t秒後之位置與速度

水平速度：$V_x = V_0\cos\theta$

垂直速度：$V_y = V_0\sin\theta - gt$

物體速度：$V = \sqrt{V_x^2 + V_y^2} = \sqrt{(V_0 \cos\theta)^2 + (V_0 \sin\theta - gt)^2}$

水平位置：$x = (V_0 \cos\theta) \cdot t$

垂直位置：$y = (V_0 \sin\theta) \cdot t - \dfrac{1}{2}gt^2$

(2)質點最高點之位置

水平速度：$V_x = V_0 \cos\theta$

垂直速度：$V_y = 0$

所需時間：$t = \dfrac{V_0 \sin\theta}{g}$ $\left(\because V_y = V_0 \sin\theta - gt = 0\right)$

最大高度：$H = \dfrac{V_0^2 \sin^2\theta}{2g}$ $\left(\because V_y^2 = 0 = (V_0 \sin\theta)^2 - 2gH\right)$

(3)質點落地之位置

所需時間：$T = \dfrac{2V_0 \sin\theta}{g}$ $(\because T = 2t)$

水平射程：$S = (V_0 \cos\theta) \cdot T = \dfrac{V_0^2 \sin 2\theta}{g}$

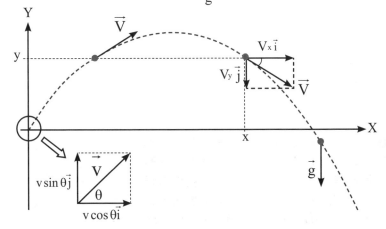

圖2.3 斜向拋體運動

◎ 焦點命題 ◎

13. 一轟炸機以100公尺／秒的速率直線水平飛行而接近目標，若目標與飛機的垂直高度差為490公尺，則飛機應在距離目標上空水平距離多少公尺處就要投下炸彈，才能準確轟炸目標物？（重力加速度為9.8公尺／秒^2）

答：由y方向高度計算落地時間 $490 = \frac{1}{2} \times 9.8 \times t^2 \Rightarrow t = 10(s)$

　　由X方向計算水平射程 $x = V_x t = 100 \times 10 = 1000(m)$

14. 如圖所示，一物體離地面 h = 45 m 高的地方，以 $V_o = 25m/sec$ 的水平速度投射，求物體到達地面所需時間，水平射程及著地時的速度V。

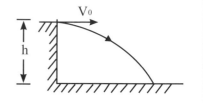

答：(1) $h = \frac{1}{2}gt^2 \Rightarrow 45 = \frac{1}{2} \times 9.81 \times t^2 ; t = 3.02$（秒）

　　(2) 水平射程 $x = 25 \times 3.02 = 9.147$ (m)

　　(3) $V_y = gt = 9.81 \times 3.02 = 29.626$ (m/s)

　　　$V = \sqrt{(V_y)^2 + (V_o)^2} = \sqrt{(25)^2 + (29.626)^2} = 38.76$ (m/s)

15. 物體自一塔頂被水平拋出，著地的位置座標如圖所示，設向右為正，向下為正，假設重力加速度g = 10m／s^2，試求(1)軌跡方程式。(2)初速。(3)著地時物體的速度與地面的夾角。(4)物體到達位置(10，5)，所花的時間。

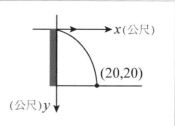

答：$\begin{cases} x = v_0 t = 20 \cdots\cdots ① \\ y = \dfrac{1}{2}gt^2 = 20 \cdots\cdots ② \end{cases}$

(1) 依照軌跡方程公式，將v_0及g代入，可得$y = \dfrac{1}{2}g(\dfrac{x}{v_0})^2 = \dfrac{x^2}{20}$

(2) $\begin{cases} x = v_0 t = 20 \cdots\cdots ① \\ y = \dfrac{1}{2}gt^2 = 20 \cdots\cdots ② \end{cases}$　g＝10代入由第②式得t＝2代入①得$v_0 = 10$

(3) $\tan\theta = \dfrac{v_y}{v_x} = \dfrac{gt}{v_0} = \dfrac{10 \times 2}{10} = 2 \Rightarrow \theta = 63.43^\circ$

(4) x方向等速運動，故位移到10與20，時間恰為一半，故為1秒鐘。

---

16. 拋射體以初始速度 v_0 發射。試求距離R、最大高度h及飛行時間。以 θ 及 υ_0 表示結果，加速度為重力加速度g。

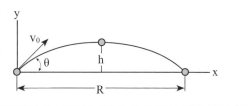

答：

$a_x = 0$　　　　　　　　　　$a_y = -g$

$v_x = v_0\cos(\theta)$　　　　　　$v_y = -gt + v_0\sin(\theta)$

$s_x = v_0\cos(\theta)t$　　　　　$s_y = \dfrac{-1}{2}gt^2 + v_0\sin(\theta)t$

$0 = \dfrac{-1}{2}gt^2 + v_0\sin(\theta)t$　　　$t = \dfrac{2v_0\sin(\theta)}{g}$

$R = v_0\cos(\theta)t$　　　　　$R = \dfrac{2v_0^2}{g}\sin(\theta)\cos(\theta)$

$h = \dfrac{-1}{2}g\left(\dfrac{t}{2}\right)^2 + v_0\sin(\theta)\dfrac{t}{2}$　　$h = \dfrac{v_0^2\sin\theta^2}{2g}$

---

17. 一個人要將一個物體投到距離他為d的地點，若不考慮身高，請找出初速率V與投射角 θ 的關係。【地方特考四等】

答： $d = V\cos\theta t$ ……①

$0 = V\sin\theta t - \dfrac{1}{2}gt^2 \Rightarrow t = \dfrac{2V\sin\theta}{g}$ ……②

②代回① $d = \dfrac{2V^2\sin\theta\cos\theta}{g} = \dfrac{V^2\sin 2\theta}{g}$

$\Rightarrow \sin 2\theta = \dfrac{dg}{V^2} \Rightarrow \theta = \dfrac{1}{2}\sin^{-1}[\dfrac{dg}{V^2}]$

---

18. 一物體以30m/sec的速度與60°的仰角向外拋射，試求該物體：拋出4sec後的水平與垂直位置離拋出點各為何？所能達到的最大高度為何？其所需時間為何？所能達到的最遠距離為何？【普考】

答： (1) $S = (V\cos\theta)t = 30 \times \cos 60° \times 4 = 60m$

$h = (V\sin\theta)t - \dfrac{1}{2}gt^2 = 30 \times \sin 60° \times 4 - \dfrac{1}{2} \times 9.8 \times 4^2 = 25.523m$

(2) 最大高度 $H = \dfrac{V^2(\sin\theta)^2}{2g} = \dfrac{30^2 \times (\sin 60°)^2}{2 \times 9.81} = 34.4m$

(3) $H = (V\sin\theta)t - \dfrac{1}{2}gt^2 \Rightarrow 34.4 = 30 \times (\sin 60°)t - \dfrac{1}{2} \times 9.8t^2 \Rightarrow t = 2.6(sec)$

(4) $S_{max} = \dfrac{V^2\sin 2\theta}{g} = \dfrac{(30)^2 \times \sin(2 \times 60°)}{9.8} = 79.53m$

---

19. 自地面以仰角60°，斜向拋射之物，當其運動方向為俯角30°時，高度80米。假設重力加速度為10m/s²，求此物可達最大高度。

答：
$$\begin{cases} \tan(-30°) = \dfrac{v_y}{v_x} = \dfrac{v_0\sin60° - gt}{v_0\cos60°} \\ d_y = 80 = v_0\sin60° \cdot t - \dfrac{1}{2}gt^2 \end{cases} \Rightarrow 消去t可得v_0 = 20\sqrt{6}\ \text{m/s}$$

$$\Rightarrow H = \dfrac{v_0^2\sin^2 60°}{2g} = 90\,\text{m}$$

20. 一砲彈由水平地面以60°之仰角發射，其初速度為500m/sec，當此砲彈之水平方向位移為3000m時，其距離此水平地面之高度為多少m？

答：(1) 利用水平方向（等速度運動）求出t
　　　$R = V_x t \rightarrow 3000 = 250 \times t$　　$\therefore t = 12\text{sec}$
　　(2) 利用垂直方向(上拋)求高度H
　　　$H = 250\sqrt{3} \times 12 - \dfrac{1}{2} \times 9.8 \times 12^2$
　　　$\therefore H = 5196 - 706 = 4490\text{m}$

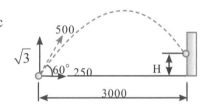

21. 一砲在350m高的砲臺上向海面射擊，初速度25m/s，仰角37°，若欲擊中正以6m/s速率向砲臺行進的敵艦，假設重力加速度為10m/s^2，則發砲時艦與砲臺的水平距離為若干m？

答：向下為負，砲彈落海時間計算
　　$-350 = 25\sin37° t - \dfrac{1}{2}gt^2 \Rightarrow t = 10\text{或}-7（不合）$

　　落海時水平射程$R = v_0\cos37° t = 200(\text{m})$
　　船在十秒內走了$vt = 6 \times 10 = 60(\text{m})$
　　所以發射砲彈時砲與船的距離為$200 + 60 = 260$公尺

⚙ 2-4　質點相依運動

如圖中位置座標S_A及S_B代表各滑塊的位置，每個座標都是從某固定點或基準面算起，沿每個斜面的運動方向量測，如果繩索的全長為L，位置座標的關係如下表所示

	說明
滑塊	1.繩長：$S_A + l_{CD} + S_B = L$ 2.速度分析：$\dfrac{ds_A}{dt} + \dfrac{ds_B}{dt} = 0$ 　或 $\upsilon_B = -\upsilon_A$ 3.加速度分析：$a_B = -a_A$
滑輪組	1.繩長：$S_A + 3S_B = L$ 2.速度分析： $\dfrac{ds_A}{dt} + 3 \times \dfrac{ds_B}{dt} = 0 \Rightarrow V_A + 3V_B = 0$ 3.加速度分析：$3a_B + a_A = 0$

焦點命題

22. 已知$V_B = 1.2 \text{m/s}$向左求A的速度？

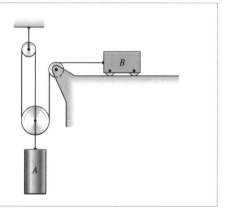

答：$L = S_B + 3S_A + \text{constants}$
$0 = \upsilon_B + 3\upsilon_A$，
$\upsilon_A = -\dfrac{\upsilon_B}{3} = -\left(\dfrac{-1.2}{3}\right) = 0.4\text{m/s}$

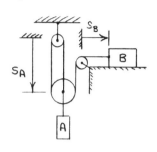

23. 已知$V_A = 4\text{m/s}$向下、$a_A = 8\text{m/s}^2$(向下)、
$V_C = -2\text{m/s}$(向上)、$a_B = -2\text{m/s}^2$(向上)，
求B的速度及C的加速度？

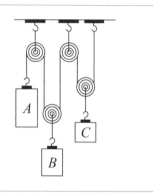

答：(1) 如圖所示

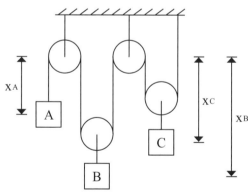

$x_A + 2x_B + 2x_C = L = $常數
$\Rightarrow \dot{x}_A + 2\dot{x}_B + 2\dot{x}_C = 0 \quad 4 + 2\dot{x}_B + 2\times(-2) = 0$
$\Rightarrow \dot{x}_B = V_B = 0\text{(m/s)}$

(2) $\ddot{x}_A + 2\ddot{x}_B + 2\ddot{x}_C = 0 \quad \Rightarrow 8 + 2\times(-2) + 2\ddot{x}_C = 0$
$\Rightarrow \ddot{x}_C = a_C = -2\text{m/s}^2(向上)$

| 精選試題 |

📝 基礎試題演練

1. 汽車行經半徑為50m之圓環道路，車速為36km/hr，則汽車之離心加速度為多少m/sec²？

答：36km/hr=10m/sec　$a_n = \dfrac{V^2}{r} = \dfrac{10^2}{50} = 2(m/sec^2)$

2. 一彈射物以初速度50m/s且與水平軸夾角60°發射。忽略空氣阻力，請求出此彈射物在達到最高點時的曲率半徑（radius of curvature ρ）。

注意：重力加速度g以9.81m/s²計算之。

答：$9.81 = -\dfrac{(50 \times \cos 60°)^2}{\rho} \Rightarrow \rho = 63.71(m)$

3. 一子彈在200m高之峭壁邊緣，以180m/sec之初速度發射出去，仰角30°，設空氣阻力忽略不計，則子彈著地處至發射處之水平距離約為若干？（設重力加速度g=10m/sec²）

答：h=(V₀sin θ)t$-\dfrac{1}{2}$gt² ，200=(180sin30°)t$-\dfrac{1}{2} \times 10 \times$t²

$t^2 - 18t - 40 = 0(t-20)(t+2)=0$

∴t=20⇒R=V₀cos θ ×t=180cos30°×120≒3118m

4. 如圖欲將一球水平拋入移動中貨車上，已知當球拋出時，球與貨車的水平距離L，且當時貨車的車速為v₀，若貨車係以等加速度a移動，若貨車高度不計，則小球經幾秒落於貨車上，球初速為多少。

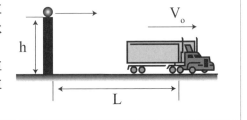

答：落在高度不計貨車上時間$h=\dfrac{1}{2}gt^2$　$t=\sqrt{\dfrac{2h}{g}}$

　　球飛的水平距離＝L＋車子走距離$\Rightarrow v \times t = L + v_0 t + \dfrac{1}{2}at^2$

　　$v = L\sqrt{\dfrac{g}{2h}} + v_0 + \dfrac{1}{2}a\sqrt{\dfrac{2h}{g}}$

---

5. 一球在高20m處以20m/sec之初速，仰角為53°射出，則當球擊中距離48m處之牆時，其距離地面之高度為多少？

答：(1) 利用「水平等速運動」求t$\Rightarrow R=V_x t \rightarrow 48 = 12 \times t$
　　　　∴t＝4sec
　　(2) 利用「鉛直上拋運動」求出h
　　　　$h = 16 \times 4 - \dfrac{1}{2} \times 9.8 \times 4^2 \rightarrow h = 64 - 78.4 = -14.4$
　　　　故H＝－14.4＋20＝5.6m

---

6. 右圖中，一球由平台上斜向拋出，其拋射角為37°。若小球恰能由平台邊緣掠過，而落於地面上，求其(1)初速之值。(2)落地點與平台邊緣的距離為(g＝10m/s^2)

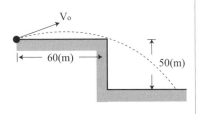

答：(1) 水平射程已知為60，故利用$R = \dfrac{v_0^2 \sin 2\theta}{g}$，

　　　移項求v₀$\Rightarrow v_0^2 = Rg\dfrac{1}{\sin 2\theta} = 60 \times 10 \times \dfrac{1}{2\sin 37° \cos 37°} = 252$

　　　　$\Rightarrow v_0 = 25(m/s)$

　　(2) 考慮垂直方向，往下掉50公尺，初速25(m/s)，俯角37度向下，

　　　　取向下為正$50 = 25 \times \sin 37° t + \dfrac{1}{2} \times 10 \times t^2$

　　　　$\Rightarrow t = 2 \Rightarrow x = v_0 \cos 37° \times t = 40$ m

7. 以10m/s的初速在水平方向拋出一物體，不計空氣阻力，當水平位移與垂直位移比為 $\dfrac{2}{\sqrt{3}}$ 時，此時時間為何？

答：$\begin{cases} \text{水平位移}x = v_0 \times t = 10 \times t \cdots ① \\ \text{鉛直位移}y = \dfrac{1}{2}gt^2 = \dfrac{1}{2} \times 10 \times t^2 \cdots ② \end{cases}$ $\dfrac{①}{②} \Rightarrow \dfrac{2}{\sqrt{3}} = \dfrac{2}{t} \Rightarrow t = \sqrt{3}$ (s)

8. 將一物體自地面以10米／秒之初速53°的仰角斜向拋出，則當物體之速度與水平成37°角時，物體距地面之高度約為多少米？(g=10m/s²)

答：$\tan 37^\circ = \dfrac{V_y}{V_x} = \dfrac{V_0 \sin 53^0 - gt}{V_0 \cos 53^0} \Rightarrow \dfrac{3}{4} = \dfrac{10 \times \dfrac{4}{5} - 10t}{10 \times \dfrac{3}{5}}$ ， $t = \dfrac{7}{20}$(s)

y方向作上拋，取向上為正

$H = V_0 \sin 53^\circ t - \dfrac{1}{2}gt^2 = 10 \times \dfrac{4}{5} \times \dfrac{7}{20} - \dfrac{1}{2} \times 10 \times \left(\dfrac{7}{20}\right)^2 = \dfrac{175}{80} \cong 2.18$

9. 汽車沿著半徑300m的曲線路徑行駛。在3秒內速率均勻的由15m/s增加到27m/s，試求速率為20m/s時的加速度大小。

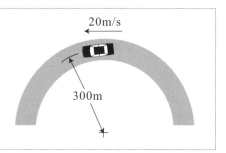

答：$a_t = \dfrac{27-15}{3} = 4\text{m/s}^2$

$a_n = \dfrac{(20)^2}{300} = \dfrac{4}{3}\text{m/s}^2$

$a = \sqrt{a_t{}^2 + a_n{}^2} = \sqrt{4^2 + (\dfrac{4}{3})^2} = 4.22\text{m/s}$

10. 當物塊C以6 m/s向下移動時，
物塊A以2 m/s的速率向下移動，
試求物塊B相對於C的相對速度。

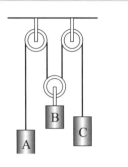

答：$v_A = 2\dfrac{m}{s}$

$v_C = 6\dfrac{m}{s}$

$v_A + 2v_B + v_C = 0$

$v_B = \dfrac{-(v_A + v_C)}{2}$ $v_B = -4.0\dfrac{m}{s}$

$v_{BC} = v_B - v_C$ $v_{BC} = -10.0\dfrac{m}{s}$

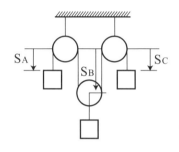

11. 如果A端向下拉1m，
試求物塊B的位移。

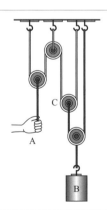

答：$L_1 = 2s_A + 2s_C$ $L_2 = (s_B - s_C) + s_B$

$0 = 2\triangle s_A + 2\triangle s_C$ $0 = 2\triangle s_B - \triangle s_C$

$\triangle s_C - \triangle s_A$ $\triangle s_B = \dfrac{\triangle s_C}{2}$ $\triangle s_B = -0.50m$

12. 一飛輪的轉速在10秒內由3600rpm均勻減至2400rpm，試求其角減速度？10秒內飛輪轉了多少轉？假若要使飛輪完全停止，尚需要多少時間？【101關四】

答：(1) $N_1 = 3600 \Rightarrow W_1 = \dfrac{2\pi \times 3600}{60} = 376.99 \ (rad / s)$

$N_2 = 2400 \Rightarrow W_2 = \dfrac{2\pi \times 2400}{60} = 251.33 (rad / s)$

$W_2 = W_1 + \alpha t \Rightarrow 251.33 = 376.99 + \alpha \times 10 \Rightarrow \alpha = -12.566 (rad/s^2)$

(2) $W_2^2 = W_1^2 + 2\alpha\theta$

$(251.33)^2 = (376.99)^2 + 2\theta \times (-12.566) \Rightarrow \theta = 3141.6 (rad) = 500 (轉)$

(3) $0 = 251.33 + (-12.566) \times t$

$t = 20 (秒)$

13. 直徑為300mm之砂輪，以180rpm之速度旋轉，在砂輪外圓周上之磨粒，其向心加速度為多少m/sec^2？

答：$w = \dfrac{180 \times 2\pi}{60} = 6\pi \ (rad/sec)$

$r = 150mm = 0.15m$

$a_n = r\omega^2 = 0.15 \times (6\pi)^2 = 5.4\pi^2 \ (m/sec^2)$

14. 如圖所示，一物體離地面h＝150m高的地方，以v0＝180m/sec速度的速度及30度仰角投射，求(1)物體著地點與發射點之水平距離。(2)物體距離地面之最大高度。(3)物體著地時速度之大小。【109台電】

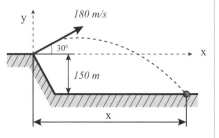

答：(1) $-150 = 90t - \dfrac{1}{2}(9.81)t^2$，得$t = 19.91$秒

$x = (v_x)_0 t = (155.9)(19.91) = 3104m$

(2) $0^2 = 90^2 - 2(9.81)y$，$y = 413m$

則此時距地面之最大高度：$h = y + 150 = 563m$

(3) $v_x = (v_x)_0 = 156m/s$

$v_y = 90 - (9.81)(19.91) = -105m/s$

故落地時速度之大小：$v = \sqrt{156^2 + (-105)^2} = 188m/s$

---

15. 貨車以27.8m/s的速率沿著半徑750m的圓形道路行駛。今突然以等減速度在8秒內剎車，使速度降為20.8m/s，試求開始剎車瞬間車子之加速度大小。

答：$a_1 = \dfrac{v_1 - v_2}{t} = \dfrac{27.8 - 20.8}{8} = 0.875\, m/s^2$

$a_n = \dfrac{v_1^2}{\rho} = \dfrac{27.8^2}{750} = 1.030\, m/s^2$

加速度大小：$a = \sqrt{a_1^2 + a_n^2} = 1.351\, m/s^2$

加速度方向：$\alpha = \tan^{-1}\dfrac{a_n}{a_t} = 49.7°$

進階試題演練

1. 球由傾斜 $30°$ 的斜面垂直反彈的速度 $v_A = 12\ m/s$。試求再撞到斜面B點的距離R。

答：$\theta = 30°$　$v_A = 12\dfrac{m}{s}$　　$= 9.81$—

$v_A \sin(\theta)t = R\cos(\theta) \Rightarrow 12\sin30°t = R\cos30° \cdots\cdots ①$

$\dfrac{-1}{2}gt^2 + v_A\cos(\theta)t = -R\sin(\theta) \Rightarrow -\dfrac{1}{2}g \times t^2 + 12 \times \cos30°t = R\sin30° \cdots\cdots ②$

由①②解得t＝2.82，R＝19.6m

2. 一球在斜坡最高點以初速5m/s，仰角（與水平方向夾角）53°被踢出，斜坡斜角37°，若落點仍在斜坡的草地，問（重力加速度g＝10m/s²）

(1)自被踢出至落於斜坡需時多少秒？

(2)落於斜坡時之鉛直速度為多少？

答：(1) 斜拋可將運動分解成以初速V_0等速直線運動，及向下的自由落體兩種運動相加。設經過t秒，物體等速運動前進了$V_0 \times t$公尺，同時也向下掉了自由落體$S = \frac{1}{2}gt^2$，最後落在斜面上如右圖，設落再斜面上

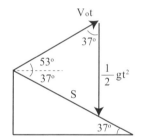

的位移S，根據已知角度及正弦公式，$\dfrac{v_0 t}{\sin 53^{\circ}} = \dfrac{\frac{1}{2}gt^2}{\sin 90^{\circ}} = \dfrac{S}{\sin 37^{\circ}}$，

代入 $\dfrac{5t}{4/5} = \dfrac{\frac{1}{2}10t^2}{1} = \dfrac{S}{3/5}$　$t = \dfrac{5}{4}$，$S = \dfrac{75}{16}$

(2) y方向作上拋,初速$V_0\sin53^{\circ}$，末速V，

$V = V_0\sin53^{\circ} - gt = 5 \times \dfrac{4}{5} - 10 \times \dfrac{5}{4} = -8.5 (m/s)$

3. 貨車以4m/s的速率在半徑50m的圓形路徑行駛。從 $s=0$ 處起短距離內，以 $\dot{v} = (0.05s)$ m/s² 加速，其中s的單位為公尺。試求移動 $s=10m$ 時的速率及加速度大小。

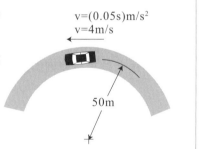

答：已知 $\rho = 50m$　$v_0 = 4\dfrac{m}{s}$　$b = 0.05\dfrac{1}{s^2}$　$s_1 = 10m$

$a_t = bs$　　$\displaystyle\int_{v_0}^{v_1} v\,dv = \int_0^{s_1} bs\,ds$　　$\dfrac{v_1^2}{2} - \dfrac{v_0^2}{2} = \dfrac{b}{2}s_1^2$

$$v_1 = \sqrt{v_0^2 + bs_1^2} \Rightarrow v_1 = 4.58\frac{m}{s}$$

$$a_{t1} = b \times s_1 \qquad a_{n1} = \frac{v_1^2}{\rho} \qquad a_1 = \sqrt{a_{t1}^2 + a_{n1}^2} \qquad a_1 = 0.653\frac{m}{s^2}$$

4. 如圖所示，駕駛預知前方的路面為起伏顛簸，因而踩下煞車以產生一均勻的減速度。若汽車在下坡最低點A的速度為100km/h，而在上坡最高點C的速度為50km/h。其中，從A到C的路段為120m。假如乘客在A點處感受到有3m/s² 的總加速度，並且在上坡點C處的曲率半徑為150m，試計算(1)在A點的曲率半徑 ρ；(2)在轉折點B的加速度；(3)在C點的總加速度。

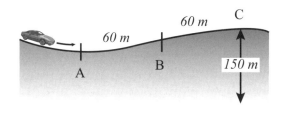

答：汽車的尺寸相較於路徑是較小的。因此，可將汽車視為一質點處理。

其速度為

$$v_A = \left(100\frac{km}{h}\right)\left(\frac{1h}{3600s}\right)\left(1000\frac{m}{km}\right) = 27.8m/s$$

$$v_C = 50\frac{1000}{3600} = 13.89m/s$$

由下式可求出沿著路徑的等減速度

$$\left[\int v\, dv = \int a_t\, ds\right] \qquad \int_{v_A}^{v_c} v\, dv = a_t \int_0^s ds$$

$$a_t = \frac{1}{2s}(v_C^2 - v_A^2) = \frac{(13.89)^2 - (27.8)^2}{2(120)} = -2.41m/s^2$$

(1) 在A點的情況：已知總加速度及a_t。能夠簡單地計算出a_n與ρ為

$$\left[a^2 = a_n^2 + a_t^2\right] \qquad a_n^2 = 3^2 - (2.41)^2 = 3.19$$

$a_n = 1.785 \text{m/s}^2$

$\left[a_n = v^2 / \rho \right]$ $\rho = v^2 / a_n = (27.8)^2 / 1.785 = 432 \text{m}$

(2) 在B點的情況：因為在轉折點的曲率半徑無限大，即 $a_n = 0$，因而
$a = a_t = -2.41 \text{m/s}^2$

(3) 在C點的情況：法線加速度成為
$[a_n = v^2 / \rho]$ $a_n = (13.89)^2 / 150 = 1.286 \text{m/s}^2$
使用n與t方向的單位向量 e_n 與 e_t，加速度可寫成

$a = 1.286 e_n - 2.41 e_t \, \text{m/s}^2$

其中，a的大小為

$\left[a = \sqrt{a_n^2 + a_t^2} \right]$ $a = \sqrt{(1.286)^2 + (-2.41)^2} = 2.73 \text{m/s}^2$

Chapter 03 質點力動學

⚙ 3-1 質點力學定理及應用

第1~2章描述了剛體與質點的運動方程式，其中並未考慮到剛體與質點本身具有質量及受力後的慣性效應，因此質點與剛體動力學的基本運動方程式描述了質點受力與其運動之間的關係，質點動力學的基礎是牛頓的三個定律，即慣性定律、力與加速度之間的關係的定律和作用與反作用定律。

1. 動力學的基本定律

(1) 牛頓第一定律（慣性定律）：不受力作用力的質點，若質點原為靜止者，恆保持靜止狀態；若為運動者，將維持原有速度與方向作等速率直線運動，這種性質稱為慣性。

(2) 牛頓第二定律：牛頓第二定律建立了質點的質量、加速度與作用力之間的定量關係，質點的質量與其本身加速度的乘積，等於作用於質點上的力的大小，又稱為質點動力學的基本方程式，即是力與加速度之間的關係的定律 $\Sigma F = ma$。

(3) 牛頓第三定律：兩個物體間的作用力與反作用力總是大小相等，方向相反，沿著同一直線，且同時分別作用在這兩個物體上，又稱之為作用力與反作用力定律。

(4) 力的單位：力的絕對單位如下表所示：常用的單位為牛頓，常用N表示。

單位系統	F	m	a
C.G.S	達因(dyne)	公克(gram)	公分/秒²(cm/s^2)
M.K.S	牛頓(newton)	公斤(kg)	公尺/秒²(m/s^2)
F.P.S	磅達(poundal)	磅(lb)	呎/秒²(ft/s^2)

2.質點的運動方程式：牛頓第二定律建立了物體在運動時與作用力之間的定量關係，而運動方程式$\sum F = ma$是一向量式，基本上可以採用任意的座標系來表示向量，如下所示：

(1) 卡式座標系之運動方程式

$$\sum F_x = ma_x = m\ddot{x}$$

$$\sum F_y = ma_y = m\ddot{y}$$

$$\sum F_z = ma_z = m\ddot{z}$$

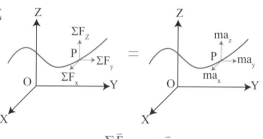

(2) 曲線座標運動方程式

$$\sum F_t = ma_t = mr\alpha$$

$$\sum F_n = ma_n = m\frac{v^2}{r}$$

$$\sum F_b = ma_b = 0$$

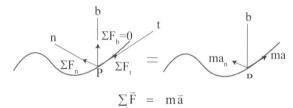

$$\sum \vec{F} = m\vec{a}$$

🔘 焦點命題 🔘

---

1. 以簡圖及數學表示式論述下列兩子題：

   (1)以質點的受力狀態說明牛頓第二運動定律（Newton's 2nd law of motion）及牛頓第三運動定律？

   (2)當質點受力作圓周運動時，根據牛頓運動定律說明向心力（centripetal force）與離心力（centrifugal force）？【109關四】

答：(1) A.牛頓第二運動定律：

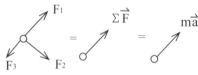

   當質點受外力時，必產生一加速度，此加速度大小與合力的大小成正比且方向相同，並與質點的質量成反比。

$$\sum \vec{F} = m\vec{a}$$

$$\sum \vec{F}：合力 \qquad m：質量 \qquad \vec{a}：加速度$$

B. 牛頓第三運動定律：
　當質點受另一質點作用時，此質點必產生一個與作用力大小相等方向相反的作用力。

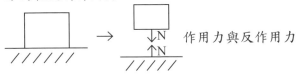 作用力與反作用力

(2) 一質點作曲線運動，產生一法線加速度，因而產生向心加速度的力即稱為向心力。離心力是使質點飛離中心的一個假想力，離心力與向心力大小相等方向相反。

向心力

---

2. 一人重75kgw站在升降機內的彈簧秤上，已知升降機吊纜上的張力為8300N，g = 9.8m/s²，而升降機加上人與秤的質量共750kg，則此時秤上的**讀數應為多少？** (kgw)【台電】

答：取自由體圖

$T - mg = ma \Rightarrow 8300 - 750 \times 9.81 = 750a$

$a = 1.258$ 　讀數 $= 75 \times \dfrac{(1.258 + 9.81)}{9.81} = 84.7$

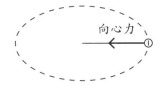

---

3. 方塊A與B之質量分別為10kg 與30kg，藉由一根無重量的繩索與無摩擦的滑輪連結著，如附圖所示。假設庫侖摩擦係數為0.30，請導出從靜止狀態開始4秒後方塊A的速度。(請取重力加速度為9.81 m/s² **計算)**【機械普考】

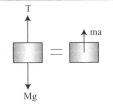

答：(1) 取B物體自由體圖

$\sum F_y = ma_y$

$\Rightarrow N = m_B g \times \cos 60° = 147.15(N)$

$\sum F_x = ma_x$

$\Rightarrow -T + m_B g \sin 60° - \mu N = m_B a$

$\Rightarrow T + 30a = 210.726$

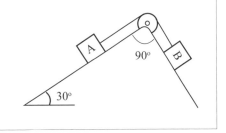

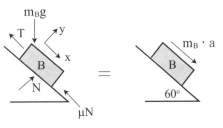

(2) 取A物體自由體圖

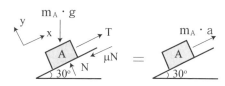

$$\sum F_y = ma_y$$

$$\Rightarrow N = m_A g \times \cos 30° = 84.957$$

$$\sum F_x = ma_x$$

$$\Rightarrow T - \mu N - + m_A \sin 30° = m_A \cdot a$$

$$\Rightarrow T - 10a = 74.537 \quad a = 3.4 (m/s^2)$$

4秒後 $V_A = at = 3.4 \times 4 = 13.6 m/s$

---

4. 質量50kg的木箱置於水平面上，接觸面間的動摩擦係數 $\mu_k = 0.3$。若木箱受到400N的拉力，方向如圖所示，試求由靜止起動3s後的速度。

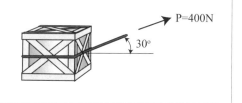

答：運動方程式

$$\underset{+}{\rightarrow} \sum F_x = ma_x;$$

$$400\cos 30° - 0.3N_C = 50a \cdots\cdots\cdots ①$$

$$+\uparrow \sum F_y = ma_y;$$

$$N_C - 490.5 + 400\sin 30° = 0 \cdots\cdots\cdots ②$$

由②式解得 N_C，將結果代入①式，然後求解a，

得 $N_C = 290.5 N \quad a = 5.19 m/s^2$

$$\upsilon = \upsilon_0 + a_c t = 0 + 5.19(3) = 15.6 m/s \rightarrow$$

---

5. 一100lb的木箱放置在斜面上，試描述當(1) $\theta = 15°$。(2) $\theta = 20°$時之加速度。

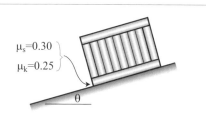

答：(1) $\theta = 15^\circ$ 先判斷是否滑動

$\sum F_y = 0 \Rightarrow N = 100 \times 9.81 \times \cos 15^\circ$

$\sum F_x = 0 \Rightarrow \mu = 100 \times 9.81 \times \cos 15^\circ$

$\qquad\qquad = 100 \times 9.81 \times \sin 15^\circ$

$\qquad\qquad \Rightarrow \mu = \tan 15^\circ = 0.268$

$\mu = 0.268 < 0.3$ 故不滑動　a＝0

(2) $\theta = 20^\circ$ 先判斷是否滑動

$\mu = \tan 20^\circ = 0.364 > 0.3$ 故會滑動

如自由體圖

$\sum F_y = 0 \Rightarrow N = 100 \times 9.81 \times \cos 20^\circ = 921.84(N)$

$\sum F_x = 0 \Rightarrow 0.25 \times 100 \times 9.81 \times \cos 20^\circ - 100 \times 9.81 \times \sin 20^\circ = -100a$

$a = 1.05(m/s^2)$

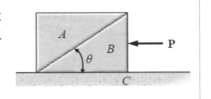

---

6. 兩質量塊A及B的質量均為m。若要讓A質量塊對B無相對移動，試求施加於B質量塊之最大水平力P。【108普考】

答：(1) 由A之牛頓第二運動定律

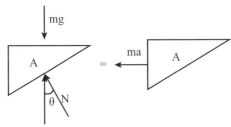

$N\cos\theta = mg \Rightarrow N = \dfrac{mg}{\cos\theta}$

$N\sin\theta = ma \Rightarrow a = g\tan\theta$

(2) 由B之牛頓第二運動定律

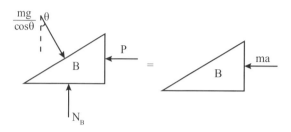

$$\frac{mg}{\cos\theta}\sin\theta - P = -ma \Rightarrow P = 2mg\tan\theta$$

7. 如圖所示，質量160×10^3kg的火車從靜止開始朝向斜坡行駛。如果此時發動機施加的牽引力F是火車重量的1/8倍，則當火車沿斜坡向上行駛1km時，忽略滾動阻力，試求火車的速度為多少？【109普考】

答：由牛頓第二運動定律：

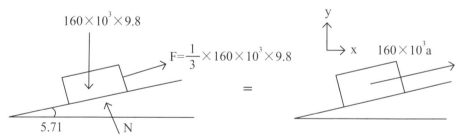

$$\sum F_x = 0$$

$$\frac{1}{8}\times160\times10^3\times9.8 - 160\times10^3\times9.8\times\sin(5.71) = 160\times10^3 a$$

$$a = 0.25\left(\frac{m}{s^2}\right) \qquad V^2 = 2\times2.5\times1000 \Rightarrow V = 22.36\left(\frac{m}{s}\right)$$

8. 如圖所示之滑輪系統組，$W_1 = 200N$，$W_2 = 100N$，W_1物體與斜面間摩擦係數 $\mu = 0.2$，試求 W_1 與 W_2 物體之加速度分別為何？假設滑輪為無質量且不計繩與滑輪間之摩擦。【關務機械三等】

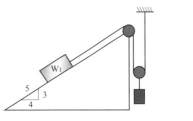

答：(1) 取 W_1 自由體圖：

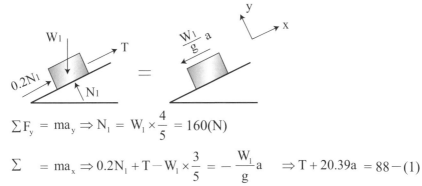

$$\sum F_y = ma_y \Rightarrow N_1 = W_1 \times \frac{4}{5} = 160(N)$$

$$\sum \quad = ma_x \Rightarrow 0.2N_1 + T - W_1 \times \frac{3}{5} = -\frac{W_1}{g}a \quad \Rightarrow T + 20.39a = 88 - (1)$$

(2) 取 W_2 自由體圖：

$$\sum F_y = 0 \Rightarrow 2T - W_2 = \frac{W_2}{g}(\frac{a}{2}) \quad \Rightarrow 2T - 5.097a = 100 - (2)$$

由(1)(2)得$a = 1.656 \text{ m/s}^2 \quad T = 54.2(N)$

所以 W_1 加速度$a = 1.656 \text{ m/s}^2 \quad W_2$ 加速度$\frac{a}{2} = 0.828 \text{ m/s}^2 (\uparrow)$

9. 如圖所示，一質量為m＝2.5公斤的小球，懸於一長為L＝3公尺之一輕線之一端，此小球以等角速度ω在一水平圓周上運動，欲使θ＝30°時，小球之角速度ω為若干r.p.m.，另繩中所示之張力T為若干？【機械地特四等】

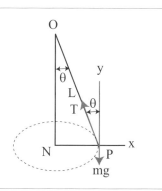

答：取小球之自由體圖：

$\sum F_y = ma_y$

$\Rightarrow T\cos\theta = mg$

$\Rightarrow T\cos 30° = 2.5 \times 9.81$

$T = 28.32(N)$

$\sum F_x = ma_x \Rightarrow T\sin\theta = m\omega^2 r$

$\Rightarrow 28.32 \times \sin 30° = 2.5 \times \omega^2 \times 3 \times \sin 30°$　$\omega = 1.943(rad/s)$

---

10. 一輛機車沿著半徑為10m的圓形軌道行駛，機車上的儀表顯示機車時速為54km，而且機車騎士觀察到此時時速正在降低，每秒鐘的降低量為每小時1.2km。此機車及騎士的總質量為150kg。若是軌道面為水平（並未傾斜），請求出這時機車所受到的摩擦力。【機械普考】

答：假設機車為逆時針運動：

$V = 54 \text{ km/h} = \dfrac{54 \times 10^3}{60 \times 60} = 15\text{m/s}$

速度每秒鐘降低1.2 km/h

$t = \dfrac{54}{1.2} = 45(\text{sec})$　$a_t = \dfrac{15}{45} = 0.33 \text{ m/s}^2$　$a_n = \dfrac{15^2}{10} = 22.5 \text{ m/s}^2$

$a = \sqrt{(a_t)^2 + (a_n)^2} = 22.502\text{m/s}^2$　$F = ma = 150 \times 22.502 = 3375.36\text{N}$

11. 高速公路在某一轉彎處的曲率半徑為500m，設計車速為100km/hr，假設車輪與路面摩擦力可勿略，且$g = 9.8m/s^2$，則此路段設計之內傾角為？【台電】

答：取自由體圖

$$\sum F_x = 0 \Rightarrow mg\sin\theta = m\frac{V^2}{r}\cos\theta$$

$$\Rightarrow \tan\theta = \frac{V^2}{gr} = \frac{(\frac{100 \times 10^3}{60 \times 60})^2}{9.81 \times 500} = 0.157$$

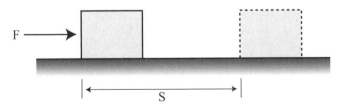

$$\theta = \tan^{-1}0.157$$

⚙ 3-2 | 質點功能原理及應用

1. 功的及其單位

(1) 功的定義：功為一純量，但仍有正負之分，當力與位移的方向相同時即為正功，而力與位移的方向相反時即為負功。若有許多的力作用於一物體上，其對物體所作的功，等於每一個力單獨對物體所作之功的總和。

　A. 水平力作功：假設有一大小、方向不變的力F，作用在一物體上，使物體沿著力的方向移動一位移量S，即可稱此力對物體作功。因此功的定義為力的大小與物體位移量的相乘積。W=F·S

（圖：F → 方塊，位移 S）

　B. 斜向力作功：若力F的方向和位移S的方向不相同，而是有一個夾角 θ 存在時，如圖所示，則此時力對物體所做之功為

$$W = F\cos\theta \times S = F \times S\cos\theta$$

其中$F\cos\theta$稱之為有效拉力(effective force)

S稱之為有效位移(effective displacement)

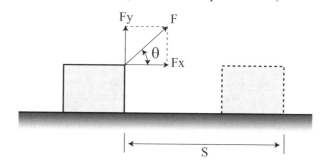

討論如下的狀況：

a.當$\theta = 0$時，$\cos\theta = 1$，作用力與位移的方向為相同。即作用力對物體作功為$W = F\cdot S$

b.當$\theta = 90$時，$\cos\theta = 0$，作用力與位移的方向垂直，則作用力不對物體作功。$W = O$

c.當$\theta = 180$時，$\cos\theta = -1$，作用力與位移的方向相反，作用力對物體作負功。$W = -F\cdot S$

(2) 功的單位

	絕對單位	重力單位
CGS制	達因-公分(爾格)	公克-公分
MKS制	牛頓-公尺(焦耳)	公斤-公尺
FPS制	呎-磅達	呎-磅

(3) 功率的單位：在環境之中，作功的多少雖然很重要，但對物體作功的時間也是不可以忽略的，因為不論多小的馬達，只要時間充足，仍可作相當的功，而一部強有力的馬達僅須很短的時間，即可作相當的功，所以機器的性能是以功率來衡量，因此定義在單位時間內所作的功稱為功率。

假設在一時間t之內所作的功為W，則功率為：$P = \dfrac{W}{t}$

將W＝F・S 代入，所以功率可寫成：P=F・V

功率為一純量，其單位可以用功的單位除以時間。

功率之單位：

	絕對單位	重力單位
CGS制	達因-釐米／秒	克-釐米／秒
MKS制	焦耳／秒(瓦特)	公斤-公尺／秒
FPS制	呎-磅達／秒	呎-磅／秒

常用之功率單位：

A. 公制馬力(PS)1PS＝75kg-m/sec＝4500kg-m/min＝736(watt)

B. 英制馬力(HP)1HP＝550ft-lb/sec＝33000ft-lb/min＝746(watt)

C. 1仟瓦＝1.36PS

D. 1仟瓦×小時＝3.6×10^6焦耳（仟瓦小時，馬力小時均為功之單位）

E. 仟瓦(瓦千)(kW)1kW＝1000watt＝102kg-m/sec

功率是由功定義出來的，因此可看出時間乘以功率即是功，由此在一般的機械裝置上或電器用品，幾乎都是標示功率，這樣可以輕易看出這裝置的效率。

2. **動能及位能**：物體因所在的位置、運動情形，而具有作功的能力，稱之為能，因和功有密切的關係，所以能的單位亦和功的單位相同。如果是藉由物體的運動而產生的能，稱之為動能（kinetic energy），如發射出的高速子彈可以傷人。若是由物體位置的改變，或者物體形狀的改變產生出來的能，稱之為位能（potential energy），如從高處流下的水可推水車，壓縮的彈簧可以彈開物體等。就力學的討論而言，動能與位能合稱為機械能（mechanical energy）。

(1) **動能（kinetic energy）**

在一個慣性系統（inertial reference frame），物體以一定速度移動時，我們就說它有動能。假設一物體質量為m，受到一水平力F 的作用，使物體在無摩擦的平面上，移動了一距離S，速度由初速度 v_1 變為末速度v_2，則物體所作的功為W：W＝FS

其中F=ma且 $v_2^2 = v_1^2 + 2as$

因此功的公式可改寫 $W = ma \times \dfrac{v_2^2 - v_1^2}{2a} = \dfrac{1}{2}mv_2^2 - \dfrac{1}{2}mv_1^2$

由上式中，將物體的動能 E_k 定義為其質量與速度的平方之乘積的一半，即 $E_k = \dfrac{1}{2}mv^2$ 。

其大小受兩個因素影響：(1)速率 (2)質量。速率愈快，則物體所具有的動能愈大；質量愈大，則物體所具有的動能愈大。

故可知外力對物體所作的功就等於動能的改變量。

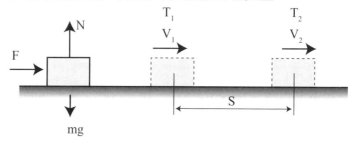

(2)**位能（potential energy）**

物體因位置的改變或者形狀的改變，而具有作功的能力，稱之為位能。可以分為重力位能和彈性位能(應變位能)兩種：

A.重力位能：物體因高出一任意選定的基準面，即因高度差，而具有作功的能力，因此重力位能U定義為，物體的重量W和物體選定之基準面的高度h 之乘積，如圖。U＝Wh＝mgh

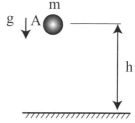

其大小受兩個因素影響：(1)高度差 (2)質量。高度愈高，則物體所具有的重力位能愈大；質量愈大，則物體所具有的重力位能愈大。

B.彈性位能：彈性物體在受力變形後，如
果變形不超過物體的比例限度，則會具
有一定的恢復力，此恢復力是因為彈性
物體受力變形所儲存的應變能，當外力
除去後，物體恢復原來形狀，則恢復力
即可作功。

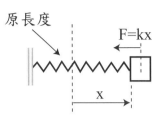

假設一彈簧常數為k之彈簧，受到一力F 的作用，伸長了x，依虎
克定律可知，彈性物體的變形量與受力成正比。

彈力：$F = K x = K \times$(彈簧伸長量)

彈性位能：$E_P = \dfrac{1}{2} Kx^2 = \dfrac{1}{2} K$(彈簧伸長量)^2

3. 能量不滅定律：能量的形態有許多種，而且可以籍由許多的方法加以轉
換，也可以任意的傳遞，但不能由虛無之中創造出能量，也不能將已有的
能量消滅。

若作用於物體上的力對物體所作的功，與該物體所走的路徑無關，而只和
該物體的初位置與末位置有關，這種力稱之為保守力(conservative force)，
如重力位能與彈性位能即為保守力。而摩擦力所作的功與物體的運動路徑
有關，路徑愈長所作的功愈大，所以摩擦力不是保守力。

(1) 非保守功：在某狀態時系統之動能與位能的和，稱之為機械能
(mechanical energy)，系統內同時有保守力及非保守力作功時，則能量
方程式：

非保守(如摩擦功)W_{nc}＝(動能增量)ΔE＋(位能增量)ΔU

(2) 保守功：系統若是沒有非保守功的作用(例如摩擦力作功)，在保守力
作功的影響下，質點的動能會完全轉換成位能，可稱之為機械能守
恒(principle of conservation of mechanical energy)，則能量方程式：

$0 =$(動能增量)ΔE＋(位能增量)ΔU

總機械能=位能+動能 $= \dfrac{1}{2} mv_1^2 + m g h_1 = \dfrac{1}{2} mv_2^2 + m g h_2$ （絕對單位）

焦點命題

12. 如圖有個40.8kg的物體停置於20°的斜面上，該物體與斜面間的動摩擦係
數為0.35。用一個740N的力開始推動該物體，當該物體沿著斜面速度為
0.6m/s時：

(1) 動摩擦力為若干？

(2) 應用功與能的原理求解該物體沿著斜面行進的距離？【106普考】

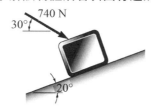

答：(1) 由牛頓第二運動定律

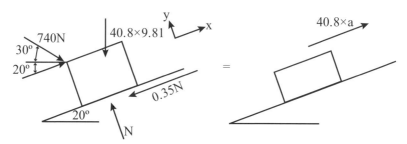

$$+\uparrow \sum F_y = ma_y$$

$$N - 40.8 \times 9.81 \times \cos 20° - 740 \times \sin 50° = 0$$

$$N = 942.98(N)$$

動摩擦力 $= 0.35 \times N = 330.04$（N）

$$\xrightarrow{+} \sum F_x = ma_x$$

$$740 \times \cos 50° - 330.04 - 40.8 \times 9.81 \times \sin 20° = 40.8 \times a$$

$$a = 6.214(m/s^2)$$

(2) 由功能原理

$$(740 \times \cos 50° - 330.04)S$$

$$= [40.8 \times 9.81 \times \sin 20°]_2 - [0]_1 + \frac{1}{2} \times 40.8 \times (0.6)^2$$

$$\Rightarrow S = 0.84(m)$$

13. 作用力F=50 N於s=2m時施加於繩索上。假設6kg之套筒原本靜止，試求套筒在s=0時速度為何？（忽略套筒和桿件間之摩擦）【108普考】

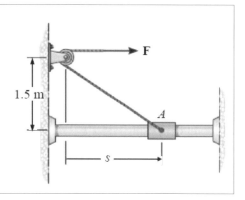

答：位置1：　　　　　　　位置2：

$T_1 = 0$　　　　　　$T_2 = \dfrac{1}{2} \times 6 \times V^2 = 3V^2$

$\forall_{g_1} = 0$　　　　　$\forall_{g_2} = 0$

由功能原理

$U_{1 \to 2} = \triangle(T + \forall)$

$50 \times \left[\sqrt{1.5^2 + 2^2} - 1.5 \right] = 3V^2$

$V = 4.08 (\text{m/s})$

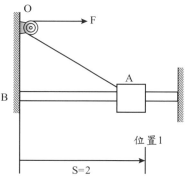

14. 如圖所示，有一重量10jg的方塊靜止在光滑的斜面上。設若彈簧在未受拉伸的情況下，該方塊受到一水平力P＝400N的作用，而言該斜面往上移動s＝2m，試求作用在方塊的總功為多少？

【機械普考】

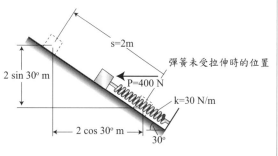

答：水平力P此力的大小固定力乘以位移在力方向的分量算出結果；即

$U_p = 400\,\mathrm{N}(2\mathrm{m}\cos 30°) = 692.8\,\mathrm{J}$

重量W重量的方向與垂直位移的方向相反，所以為負功；即

$U_w = -98.1\,\mathrm{N}(2\mathrm{m}\sin 30°) = -98.1\,\mathrm{J}$

彈簧力作功 $= \dfrac{-1}{2} \times 30 \times 2^2 = -60\,\mathrm{N-m}$ ；總功 $= 692.82 - 98 - 60 = 534.82\,\mathrm{N-m}$

15. 一質量為1kg的剛球由靜止狀態從一滑坡滾下，而球離開滑坡的角度為
30°。若不考慮摩擦及空氣阻力，並令重力加速度g=9.81m/s^2。試求取剛球
落地時的水平距離x。【109地四】

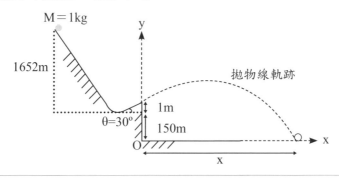

答： 由功能原理

$V^2 = V_0^2 + 2gh$

$\Rightarrow V^2 = 2 \times 9.8 \times (1652 - 1)$

$\Rightarrow V = 179.9$（m/s）

y'方向：

$-|5| = 179.9\sin30°t - \dfrac{1}{2} \times 9.8 \times t^2$

$\Rightarrow t = 19.9$（sec）

x'方向：

$R = 179.9 \times \cos30° \times 19.9 = 3100.38$（m）

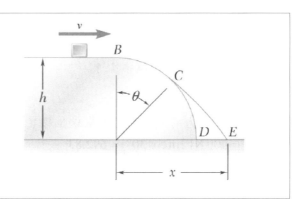

16. 如圖所示，在一水平面上
一小物件（block）以等速
v滑動。已知h＝0.9m，若
小物件離開圓弧面BCD
時θ＝30°，求取小物件所
需的速度。【107普考】

答：由功能原理

位置(一)　　　位置(二)

$\forall_{g1} = 0$　　　$\forall_{g2} = -mgh(1-\cos\theta)$

$T_1 = \dfrac{1}{2}mv_1^2$　　　$T_2 = \dfrac{1}{2}mv_2^2$

由功能原理機械守恆

$$\left[-mgh(1-\cos\theta) + \dfrac{1}{2}mv_2^2\right] - \left[\dfrac{1}{2}mv_1^2\right] = 0$$

$\Rightarrow v_2^2 - v_1^2 = 2gh(1-\cos\theta) = 2.6 \cdots\cdots\text{①}$

由牛頓第二運動定律

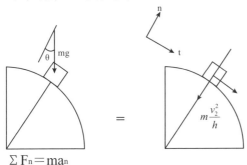

$\sum F_n = ma_n$

$mg\cos\theta = m\dfrac{v_2^2}{h} \Rightarrow v_2^2 = gh\cos\theta = 8.41 \cdots\cdots\text{②}$

由①② $v_1^2 = v^2 = 8.41 - 2.6 = 5.81$

$V = 2.41(m/s)$

---

17. 寫出下列兩子題的數學式及作功的計算：

(1)250kg之物體靜止置放於一光滑之水平面上。若施以750N的水平力使該物體作直線運動，求解該力在5秒內作功（work）為若干焦耳（Joule）？

(2)以150N·m的扭矩作用於靜止的飛輪（fly wheel），若其角加速度為5rad/sec² ，求解在10秒後作功為若干焦耳？【109關四】

答：(1)

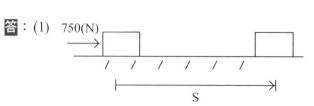

由牛頓第二定律：

$\sum F = ma \Rightarrow 750 = 250a \Rightarrow a = 3(\frac{m}{s^2})$

$S = \frac{1}{2} \times at^2 = \frac{1}{2} \times 3 \times 5^2 = 37.5(m)$

$W = F \times S = 750 \times 37.5 = 28125(J)$

(2) $\theta = \frac{1}{2}\alpha t^2 = \frac{1}{2} \times 5 \times 10^2 = 250$

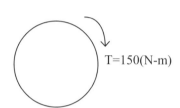

$W = T\theta = 150 \times 250 = 37500(J)$

---

18. 雲霄飛車由90米高處俯衝而下，問其通過半徑30米圓形軌道，30米高的A點時之向心加速度？【機械關務四等】

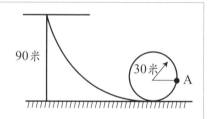

答：(1) 利用功能原理機械能守恆：

$0 = \frac{1}{2}mV_2^2 - \frac{1}{2}mV_1^2 + mgh_2 - mgh_1 \Rightarrow 0 = \frac{1}{2} \times mV_2^2 - 0 + mg(30-90)$

$\Rightarrow V_2 = 34.31$

(2) A點之向心加速度 $a_n = \frac{|V_2|^2}{30} = 39.24(m/s^2)$

19. 如圖所示,假設所有的接觸面均為光滑面,一個物體於A點以3m/s的速度下滑至B點,試求該物體於B點之速度為何?【104普考】

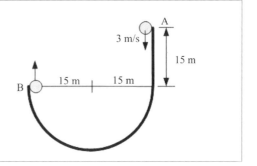

答:位置A   位置B

$V_A = mg \times 15$ $V_B = 0$

$T_A = \dfrac{1}{2} \times m \times 3^2$ $T_B = \dfrac{1}{2} \times m \times V_B^2$

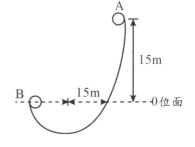

機械能守恆$0 = \Delta(T+V)$

$0 = [\dfrac{1}{2}mV_B^2]_2 - [mg \times 15 + \dfrac{1}{2} \times m \times 3^2]_1$

$\Rightarrow V_B = 17.41(\text{m}/\text{s})$

20. 如右圖所示,重量為10N之滑塊沿一垂直之桿作無摩擦之自由滑動。已知彈簧之常數為10N/m,自由長度為2m,試求滑塊由A處靜止被釋放後,通過B處時的速度大小為何?
【機械地特四等】

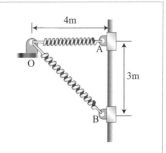

答:利用功能原理機械能守恆:

$$0 = \frac{1}{2}mV_B^2 - \frac{1}{2}mV_A^2 + mg(0-h) + \frac{1}{2}k\delta_B^2 - \frac{1}{2}k\delta_A^2$$

$$\Rightarrow 0 = \frac{1}{2} \times \frac{10}{9.81} \times V_B^2 - 0 + \frac{10}{9.81} \times 9.81 \times (-3) + \frac{1}{2} \times 10 \times [(5-2)^2 - (4-2)^2]$$

$$V_B = 3.132(\text{m/s})$$

21. 如圖所示之鍛造機,其重40kg之落鎚(hammer)先被提升到位置1後,再被自由釋放,由於落鎚本身重量及兩條彈簧張力之作用,使落鎚加速落下而於位置2撞上一工件(workpiece)。若兩條彈簧之彈簧常數(spring constant)均為k=1500N/m,且當落鎚於位置2時之每條彈簧張力都為150N,試求此落鎚衝擊該工件前瞬間之速度。(不考慮摩擦效應)。【關務機械三等】

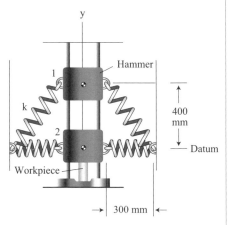

答:(1) 如圖所示,當落鎚處於位置2時:

$F = k\delta \Rightarrow 150 = 1500\delta_2 \Rightarrow \delta_2 = 0.1m$

因此彈簧原始長度為$0.3 - 0.1 = 0.2m$

動能 $T_2 = \frac{1}{2}mV_2^2$,位能 $= 0 + \frac{1}{2} \times k \times \delta_2^2 \times 2 = 15$

(2) 落鎚處於位置1時:

動能$T_2 = 0$,

位能 $= mgh_1 + \frac{1}{2} \times k \times \delta_1^2 \times 2 = 40 \times 9.81 \times 0.4 + 2 \times \frac{1}{2} \times 1500 \times (0.3)^2 = 291.96$

(3) 利用功能原理機械能守恆:

$0 = \Delta(T + V) \Rightarrow \frac{1}{2}mV_2^2 + 15 - 291.96 = 0 \Rightarrow V_2 = 3.72(m/s)$

22. 50kg之物體自5m之高處落下,撞擊一彈簧之頂面,設此物體之初速度為零且此彈簧之彈性係數K=200kg/cm,試求此物體剛接觸彈簧時之速度?另求此彈簧之縮短量?【關務四等】

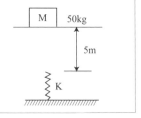

答:(1) 利用功能原理之機械能守恆求速度:

$0 = \frac{1}{2}mV_2^2 - \frac{1}{2}mV_1^2 + mg(0-h) \Rightarrow 50 \times 9.81 \times 5 = \frac{1}{2} \times 50 \times V_2^2$

$V_2 = 9.9m/s^2$

(2) 如圖所示，系統機械能守恆：

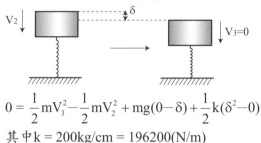

$$0 = \frac{1}{2}mV_3^2 - \frac{1}{2}mV_2^2 + mg(0-\delta) + \frac{1}{2}k(\delta^2 - 0)$$

其中$k = 200\text{kg/cm} = 196200(\text{N/m})$

$98100\delta^2 - 490.5\delta - 2450.25 = 0$　$\delta = 0.16(\text{m})$

---

23. 一0.8kg軸環沿垂直面上固定桿件滑動，摩擦不計，若軸環受8N水平力作用，由A靜止開始滑動至B，試求到B點前之速度V

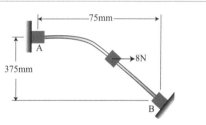

答：(1) 軸環位於A點

A. 重力位能$V_1 = 0.8 \times 9.81 \times 0.375 = 2.943(\text{J})$

B. 力作用的功$W_1 = 0$。

C. 動能$T_1 = 0$。

(2) 軸環位於B點

A. 重力位能$V_2 = 0$。

B. 力作用的功$W_2 = 8 \times 0.75 = 6(\text{J})$

C. 動能$T^2 = \frac{1}{2}mv^2 = 0.4v^2$

由功−能原理$6 = 0.4v^2 - 2.943 \Rightarrow v = 4.73(\text{m/s})$

---

24. 如圖之一滑塊以初速度4(m/s) 由A靜止開始滑動至B，試求到B點前之速度V。(動摩擦係數為0.3)

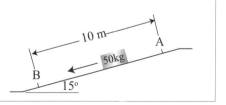

答：(1) 滑塊位於A點

A. 重力位能$V_1 = 50 \times 9.81 \times 10 \times \sin 15° = 1269.5$

B. 摩擦功$W_1 = 0$

$\quad$ C.動能$T_1 = \dfrac{1}{2} \times 50 \times 4^2 = 400$

(2) 滑塊位於B點

$\quad$ A.重力位能$V_2 = 0$

$\quad$ B.摩擦功$W_1 = -0.3 \times 50 \times 9.81 \times \cos 15^\circ \times 10 = -1421.36$

$\quad$ C.動能$T_2 = \dfrac{1}{2} \times 50 \times v_2$

由功－能原理$-1421.36 = \left[\dfrac{1}{2} \times 50 \times v^2 - 400 \right] - 1269.5$

$v = 3.15(\text{m/s})$

---

25. 由如圖所示，已知一長度$l = 2\text{m}$、質量 $M = 3\,\text{kg/m}$的鏈條由自由狀態釋放。設若鏈條和斜面之間的摩擦係數 $\mu = 0.2$，試求當端點A恰好通過另一端點B時，鏈條的速度為多少？【普考】

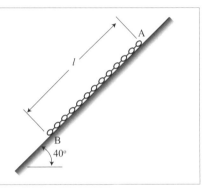

答：

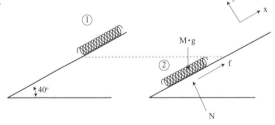

(1) 鍊條由狀態1→2，由自由體圖所示，

$\quad \sum F_y = 0 \Rightarrow -3 \times 2 \times 9.81 \times \cos 40^\circ + N = 0 \Rightarrow N = 45\,(\text{N})$

$\quad F = \mu N = 0.2 \times 45 = 9\,(\text{N})$

(2) 由功能原理

$\quad$ A.狀態1位能$V_1 = 3 \times 2 \times 9.81 \times 2 \times \sin 40^\circ = 75.67$

$\qquad$ 動能$T_1 = 0$

B.狀態2：位能$V_2 = 0$　動能$T_2 = \dfrac{1}{2} \times 3 \times 2 \times V^2$

C.功能原理

$-\Delta W = \Delta (V + T) = (V + T)_2 - (V + T)_1$

$-f \times 2 = \dfrac{1}{2} \times 3 \times 2 \times V^2 - 0 + 0 - 75.67$

$\Rightarrow V = 4.38 \, (\text{m/s}^2)$

---

26. 如圖所示，光滑2kg套環C配合垂直軸滑動。當套環到達虛線位置A時，彈簧未受力。試求下列兩種情況，y＝1m時套環的速度，(1)在A點由靜止釋放，(2)在A點以$v_A = 2$m/s向上速度釋放。【110關四】

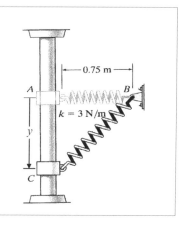

答：(1) 位置A

$\forall_{gA} = 2 \times 9.8 \times 1 = 19.6$　$T_A = 0$

位置C

$\forall_{gC} = 0$　$T_C = \dfrac{1}{2} \times 2 \times V_C^2 = V_C^2$

$\forall_{eC} = \dfrac{1}{2} \times 3 \times (\sqrt{0.75^2 + 1^2} - 0.7) = 0.375$

由功能原理機械能守恆

$19.6 = 0.375 + V_C^2 \Rightarrow V_C = 4.385$（m/s）

(2) 由功能原理機械能守恆

$19.6 + \dfrac{1}{2} \times 2 \times 2^2 = V_C^2 + 0.375$

$\Rightarrow V_C = 4.82$（m/s）

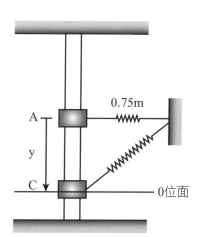

27. 有一個馬達驅動的絞鏈輪A 將斜面上
的木頭往上拖，如圖二所示。木頭重
360 公斤，斜坡角度30度，拖上去的速
度是1.5公尺/秒。(1)如果斜面和木頭間
的滑動摩擦係數是0.5，求馬達輸出功
率為多少仟瓦？(2)如果馬達輸出功率
突然在某一瞬間增加為10仟瓦，此時
瞬間木頭加速度為多少？【機械普考】

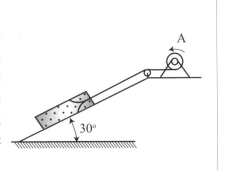

答：(1) $\sum F_y = 0 \Rightarrow N = mg\cos 30°$

$\sum F_x = 0 \Rightarrow T - F_s - mg\sin 30° = 0$

$\Rightarrow T = \mu(mg\cos 30°) + mg\sin 30°$

$= 0.5 \times 360 \times 9.81 \times \cos 30° + 360 \times 9.81 \times \sin 30° = 3295.03(N)$

$P = 3295.03 \times 1.5 = 4942.54W = 4.942kW$

(2) 若某瞬間增加10kW：

$T_2 \times 1.5 = 10 \times 10^3 \Rightarrow T_2 = 6666.67(N)$

$T_2 - \mu(mg\cos 30°) \quad mg\sin 30° = ma$

$\Rightarrow a = 9.366(m/s^2)$

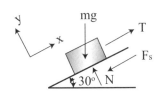

28. 彈簧的彈性係數為600N/m，兩質量分
別為m_A=15kg，m_B=20kg，假設水平的
圓棒為光滑。起始狀態如右圖所示，
彈簧為未拉伸之狀態，質量B有一向下
之速度1m/s。當B向下移動0.25m時，
B的速度為何？【102普考】

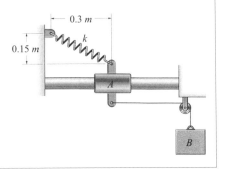

答：彈簧由位置一到位置二之伸長量為0.2346m

位置一（初始位置）   位置二

$T_A = \dfrac{1}{2} \times 15 \times 1^2 = 7.5$ $T_A = \dfrac{1}{2} \times 15 \times V^2 = 7.5V^2$

$$T_B = \frac{1}{2} \times 20 \times 1^2 = 10 \qquad\qquad T_B = \frac{1}{2} \times 20 \times 1^2 = 10V^2$$

$$V_A = V_B = 0 = V_e \qquad\qquad V_A = 0$$

$$V_B = -20 \times 9.81 \times 0.25 = -49.05$$

$$V_e = \frac{1}{2} \times 600 \times (0.2346)^2 = 16.51$$

由功能原理
$$0 = [17.5V^2 - 49.05 + 16.51] - [17.5]$$
$$V = 1.69 (m/s)$$

⚙ 3-3 質點力動學之動量原理

1. **質心**：質點系的質量中心，其位置：

$$\vec{r}_c = \frac{\sum m_i \vec{r}_i}{m} \Rightarrow x_c = \frac{\sum m_i x_i}{m} \;,\; y_c = \frac{\sum m_i y_i}{m} \;,\; z_c = \frac{\sum m_i z_i}{m}$$

2. **動量定理**

(1) 在質點系統中，作用力在一段時間內對系統之動量的影響，稱之為線衝量與動量原理(principle of linear impulse and momentum)，可表示為：質點的動量：$m\vec{v}$ ；質點系統的動量：$\vec{L} = \sum m_i \vec{v}_i$

(2) 將質心公式對時間 t 求一階導數：

$$\vec{r}_c = \frac{\sum m_i \vec{r}_i}{m} \xrightarrow{\text{微分後}} \dot{\vec{r}}_c = \frac{\sum m_i \dot{\vec{r}}_i}{m}$$

則動量 $m\vec{v} = \sum m_i \vec{v}_i \Rightarrow \vec{L} = m\vec{v}_c$

(3) 質點的動量定理：假設質點質量為 m ，速度為 $\vec{v}$ ，作用力為 $\vec{F}$ ，由牛頓第二定律：

$$m\frac{d\vec{v}}{dt} = \vec{F} \Rightarrow md\vec{v} = \vec{F}dt \text{ (質點動量定理的微分形式)}$$

將上式對時間 t 積分 $m\bar{v}_2 - m\bar{v}_1 = \int_{t_1}^{t_2} \bar{F} dt$ (在 t_1 至 t_2 時間內的線衝量 (linear impulse)

(4) 線動量守恆：如果作用於系統的某一方向合力等於零，則線動量在 t_1 至 t_2 時間內為一定向量，此稱之為線動量守恆(conservation of linear momentum)原理，即：

1. 若 $\sum F_{ix} = 0$ 則 $(m\bar{v}_x)_2 - (m\bar{v}_x)_1 = \int_{t_1}^{t_2} \sum F_{ix} dt = 0$(x方向線動量守恆)

2. 若 $\sum F_{iy} = 0$ 則 $(m\bar{v}_y)_2 - (m\bar{v}_y)_1 = \int_{t_1}^{t_2} \sum F_{iy} dt = 0$(y方向線動量守恆)

3. 若 $\sum F_{iz} = 0$ 則 $(m\bar{v}_z)_2 - (m\bar{v}_z)_1 = \int_{t_1}^{t_2} \sum F_{iz} dt = 0$ (z方向線動量守恆)

3. 角動量：

(1) 質點的角動量：如圖3.1設質點 M 的質量為 m，某暫態的速度為 $\bar{v}$，到 O 點的路徑為 $\bar{r}$，質點對 O 點的動量矩：

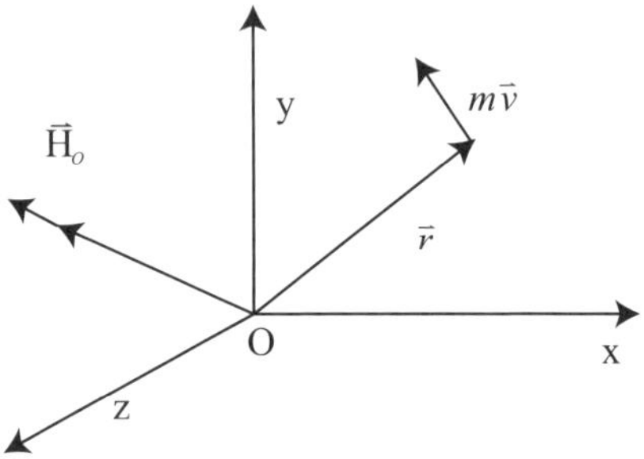

$$\bar{H}_o = \bar{r} \times m\bar{v} = m(\bar{r} \times \bar{v}) = m \begin{vmatrix} \bar{i} & \bar{j} & \bar{k} \\ x & y & z \\ v_x & v_y & v_z \end{vmatrix}$$

圖3.1　角動量

$$= m \left(\begin{vmatrix} y & z \\ v_y & v_z \end{vmatrix} \bar{i} - \begin{vmatrix} x & z \\ v_x & v_y \end{vmatrix} \bar{j} + \begin{vmatrix} x & y \\ v_x & v_y \end{vmatrix} \bar{k} \right) = H_x \bar{i} + H_y \bar{j} + H_z \bar{k}$$

(2) 質點系統的角動量：設質點系由 n 個質點組成，其中第 i 個質點的質量為 m_i，速度為 $\bar{v}_i$，到 O 點的路徑為 $\bar{r}_i$，則質點系統對 O 點的動量矩：$\bar{H}_0 = \sum \bar{r}_i \times m_i \bar{v}_i$

(3) 質點角動量定理

A.由牛頓第二定律：

$$m\frac{d\bar{v}}{dt} = \bar{F} \Rightarrow \bar{r} \times m\frac{d\bar{v}}{dt} = \frac{d}{dt}(\bar{r} \times m\bar{v}) - \frac{d\bar{r}}{dt} \times m\bar{v} = \bar{r} \times \bar{F}$$

$$\Rightarrow \frac{d}{dt}(\bar{r} \times m\bar{v}) = \bar{M}_O$$

B. 作用於質點之外力對O點之力矩等於質點對O點之角動量對時間的變化率：

$$\sum \vec{M}_0 = \dot{\vec{H}}_0 \quad \sum M_{ox} = \dot{H}_{ox} \quad \sum M_{oy} = \dot{H}_{ox} \quad \sum M_{oy} = \dot{H}_{oz}$$

(4) 角動量守恆定理：若在一時間內作用在質點之力系對固定點0之合力力矩為零，則角動量在時間內為一定向量，此稱之為角動量守恆 (conservation of angular momentum)：

$$\vec{H}_0 = \vec{H}_0$$

🔘 焦點命題 🔘

---

29. 如圖所示，一物塊質量5kg，在離牆6m處以$V_1 = 14$ m/s 的速度向牆衝去，假設物塊與地面之動摩擦係數為 $\mu_k = 0.3$，碰撞後物塊靜止，牆對物塊作用之衝量為多少N · s？【機械高考第一試】

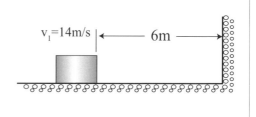

答： 由功能原理 $W_{nc} = \Delta(T + V)$

$$-0.3 \times 5 \times 9.81 \times 6 = \frac{1}{2} \times 5V_2^2 - \frac{1}{2} \times 5 \times 14^2 \quad V_2 = 12.676$$

$$mV_2 = 5 \times 12.676 = 63.4$$

---

30. 質量20g之子彈以$(V_B)_1 = 1200$m/s之速度射入平滑面上300g之木塊，木塊將位移多遠才停止？設子彈射入木塊前，彈簧無變形。

【機械高考第一試】

答：子彈射入木塊時線動量守恆
$$m_B \times (V_B)_1 = (m_A + m_B)V \Rightarrow 20 \times 10^{-3} \times 1200 = (300 + 20) \times 10^{-3} V$$
$$V = 75m/s$$
由功能原理
$$\frac{1}{2}(m_A + m_B)V^2 = \frac{1}{2}k\delta^2 \Rightarrow \frac{1}{2} \times (300 + 20) \times 10^{-3} \times 7.947^2 = \frac{1}{2} \times 200\delta^2 \quad \delta = 3(m)$$

31. 質量2kg的鋼珠以40m/s的速度擲向懸吊的18kg物塊，當鋼珠嵌入物體後，試求物塊擺動到停止時的最大高度h。

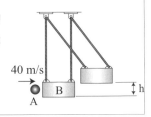

答：$2 \times 40 = (2 + 18) \times V \Rightarrow V = 4(m/s)$

$$\Rightarrow \frac{1}{2}(2 + 18) \times V^2 = (2 + 18) \times g \times h \Rightarrow h = 0.815(m)$$

32. 如圖所示之絞盤吊車可產生一水平拉力F，其力量之大小隨時間變化如圖中所示。置物桶B之質量為70kg，時間t=0時之初始速度為v_1=3m/s，假設滑輪皆無摩擦損失且重量可忽略，重力加速度為9.81m/s²，試求當t=18s時，置物桶之速度。【103普考】

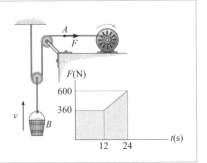

答：(1) 利用內插法：
$$\frac{F - 360}{600 - 360} = \frac{18 - 12}{24 - 12} \Rightarrow F = 480(N)$$

(2) $mv_1 + \sum I_{mp_{1\to2}} = mv_2 \Rightarrow 70 \times 3 + \int Fdt = 70 \times V_2$

其中 $\int Fdt = 2 \times [360 \times 12 + (360 + 480) \times 6 \times \frac{1}{2}] - 70 \times 9.81 \times 18 = 1319.4$

$$\Rightarrow 70 \times 3 + 1319.4 = 70V_2，V_2 = 21.85(m/s)$$

33. 如圖所示，質量為mB之球B以一長度為 ℓ 之繩懸吊於質量為mA之車A下方，若球B於系統為靜止狀態下被給予一v之速度，試求：(1)球B擺動至最高處時速度為何？(2)球B所能上升之最大垂直高度h為何。
【機械技師】

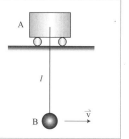

答：(1) 取系統運動之自由體圖：

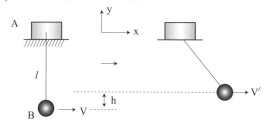

當B點達到最高點時，繩子的角速度等於零，且運動過程x水平方向無外力，故x方向線動量守恆

$$\sum mv_{x'} = \sum mv_x \Rightarrow (m_A + m_B)V' = m_B V \quad V' = \frac{m_B}{m_A + m_B}V$$

(2) 利用功能原理機械能守恆：

$$\Delta(T + V) = 0$$

$$\frac{1}{2}(m_A + m_B)(V')^2 - \frac{1}{2}m_B V^2 + m_B gh = 0 \quad \Rightarrow h = \frac{m_A V^2}{2(m_A + m_B)g}$$

🔧 3-4 質點碰撞

1. 二物體在極短之時間內撞擊，在此期間內彼此產生很大的作用力，而導致運動狀態的變化，稱之為碰撞。在碰撞期間垂直於接觸面之公法線稱為碰撞線(line of impact)。若兩碰撞物體的質量中心均在碰撞線上稱之為中心碰撞；若碰撞時兩物體之質量中心有一個不在碰撞線上，則此種碰撞稱為偏心碰撞。當中心碰撞時，若兩個物體在碰撞前的速度均位於碰撞線上，稱之為正向碰撞，反之，若有一物體之速度不在碰撞線上，稱之為斜向碰撞，分析碰撞問題時應由動衝量方程式及恢復係數方程式來著手。

2. 正向碰撞：

(1) 如圖3.2所示，兩個物體在碰撞前的速度V_{An}、$V_{Bn}(V_{Bn}<0)$均位於撞擊線上，且碰撞後以兩物體以 V'_{An}、V'_{Bn} 的速度離開，則恢復係數定義為：

$$恢復係數\ e = \frac{恢復期之衝量}{變形期之衝量} = -[\frac{V'_{An} - V'_{Bn}}{V_{An} - (-V_{Bn})}]$$

(2) 恢復係數值的範圍介於0和1之間，當恢復係數等於0時，稱之為完全塑性(perfectly plastic)碰撞或是完全非彈性(perfectly inelastic)碰撞；當恢復係數1時，稱為完全彈性(perfectly elastic)碰撞。

(3) 系統在n方向未受到外衝量作用，n方向線動量守恆，則動衝量方程式：

$$(m_A \vec{v}_A) + (m_B \vec{v}_B) = (m_A \vec{v}'_A) + (m_B \vec{v}'_B)\ (n方向線動量守恆)$$

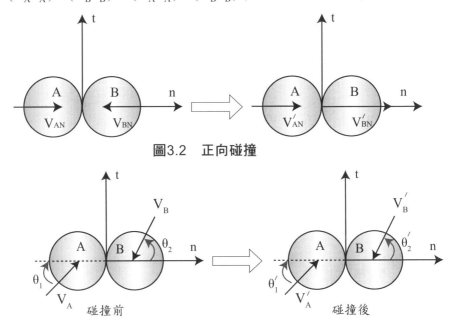

圖3.2　正向碰撞

圖3.3　斜向碰撞

3. 斜向碰撞

(1) 如圖3.3若碰撞前速度分別V_A及V_B，與n軸夾角分別為 θ_1 及 θ_2，碰撞後速度分別及 V'_A 及 V'_B，與n軸夾角分別為 θ'_1 及 θ'_2 定義恢復係數：

$$恢復係數\ e = -[\frac{V'_{An} - V'_{Bn}}{V_{An} - (-V_{Bn})}] = -[\frac{V'_A \cos\theta'_1 - V'_B \cos\theta'_2}{V_A \cos\theta_1 - (-V_B \cos\theta_2)}]$$

(2) t方向線動量守恆：

A. A球在t方向線動量守恆：$V'_{At} = V_{At}$

B. B球在t方向線動量守恆：$-V'_{Bt} = V_{Bt}$

(3) 系統在n方向線動量守恆：

$(m_A V_{An}) + (m_B V_{Bn}) = (m_A V'_{An}) + (m_B V'_{Bn})$ (n方向線動量守恆)

焦點命題

34. 如圖所示二軸環在平滑水平軸上滑動，假設碰撞係數e=0.6，試計算二軸環碰撞後之末速度為多少？

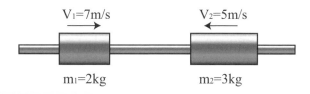

$V_1=7m/s$　　　　$V_2=5m/s$

$m_1=2kg$　　　　$m_2=3kg$

答：$m_1 V_1 + m_2 V_2 = m_1 V'_1 + m_2 V'_2 \rightarrow 2(7) + 3(-5) = 2V'_1 + 3V'_2 \cdots\cdots$①

$e = \dfrac{V'_2 - V'_1}{V_1 - V_2}$：$0.6 = \dfrac{V'_2 - V'_1}{7 - (-5)} \cdots\cdots$②

由①②可得 $V'_1 = -4.52\,m/s$　$V'_2 = 2.68\,m/s$

35. 如圖所示，已知球B的質量為0.75kg，方塊A的質量為1.5kg。又已知B球係以vB＝4m/s的初始速度朝向初呈靜止狀態的方塊A撞擊。

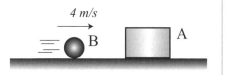

4 m/s

B　　　A

假設球B和方塊A之間的恢復係數e＝0.7，方塊A和地板之間的磨擦係數 $\mu_A = 0.4$，以及球B和地板之間的摩擦阻力可以忽略不計，試求受到撞擊後的方塊A在靜止前所滑動的距離為多少？【機械普考】

答：$0.75 \times 4 = 0.75 \times V_B + 1.5 \times V_A$ ……①

$0.7 = \dfrac{V_A - V_B}{4 - 0}$　　$V_A = V_B + 2.8$ ……②

②代入①得 $V_B = -0.53 \, \text{m/s} \, (\text{向左})$　　$V_A = -0.53 + 2.8 = 2.27 \, \text{m/s}$

取得A方塊，由功——能原理

$-0.4 \times 1.5 \times 9.8 \times s = \dfrac{1}{2} \times 1.5 \times \left(0^2 - 2.27^2\right)$　　$S = 0.657 \text{m}$

---

36. 一質量為2kg之A物塊，自靜止狀態在距B板塊 h=0.5m之高度處釋放，如B板塊之質量為3kg，A與B之間的恢復係數（coefficient of restitution） e=0.6，彈簧係數k=30N/m；試求A物塊在剛撞擊 B板塊後之速度。【地方特考機械三等】

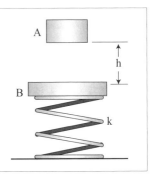

答：(1) A物塊撞擊B物塊前瞬間速度：

$\dfrac{1}{2} m_A V_A^2 = m_A \times g \times h$　$\Rightarrow V_A = \sqrt{2gh} = 3.132 (\text{m/s})$

(2)　　　碰撞期間　　＝　　碰撞後　　－　　碰撞前：

動量守恆定理 $0 = m_A(-V_A') + m_B(-V_B') - m_A(-V_A)$

$\Rightarrow 0 = -2 \times V_A' + 3 \times (-V_B') - 2 \times (-3.132)$ ……①

$e = -\dfrac{(-V_A') - (-V_B')}{-3.132 - 0} = 0.6$　$\Rightarrow -V_A' + V_B' = -1.88$ ……②

由①②可知 $V_B' = 2(\text{m/s})$，$V_A' = 0.12(\text{m/s})$

A物塊撞擊B板後之速度 $= 0.12(\text{m/s})$

37. 如圖所示之A球質量 $m_A = 23kg$，半徑 75mm；另一球B的質量 $m_B = 4kg$，其半徑50mm。兩球以圖示之速度相互接近。設若恢復係數e=0.4，且不計摩擦。試求碰撞後瞬間兩球的速率各為何？

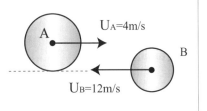

答：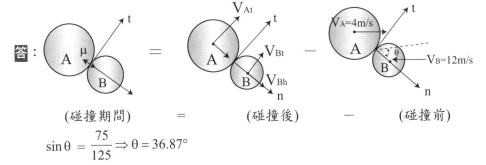

(碰撞期間)　　=　　(碰撞後)　　—　　(碰撞前)

$\sin\theta = \dfrac{75}{125} \Rightarrow \theta = 36.87°$

(1) 碰撞前後A、B球切線方向速度分量不變

$V_{Bt} = -V_B \times \sin 36.87° \Rightarrow V_{Bt} = -7.2(m/s)$

$V_{At} = V_A \times \sin 36.87 \Rightarrow V_{At} = 2.4(m/s)$

(2) 碰撞過程無外力，n方向線動量守恆

$m_A v_A \cos\theta - m_B v_B \cos\theta = m_A v_{An} + m_B v_{Bn}$

$\Rightarrow 23V_{An} + 4V_{Bn} = 35.2 \cdots\cdots①$

(3) 恢復係數　$e = 0.4 = \dfrac{V_{Bn} - V_{An}}{V_A \cos\theta + V_B \cos\theta} \Rightarrow V_{Bn} - V_{An} = 5.12 \cdots\cdots②$

由①②可得 $V_{An} = 0.545(m/s)$, $V_{Bn} = 5.665(m/s)$

碰撞後A球速度 $V'_A = \sqrt{(0.545)^2 + (2.4)^2} = 2.46m/s$

B球速度 $V'_B = \sqrt{5.665^2 + (-7.2)^2} = 9.16m/s$

|精選試題|

基礎試題演練

1. 設電梯與乘客之質量為1000公斤，若電梯由20米／秒之初速，以等加速度下降50米而靜止，求該電梯鋼索的張力至少為若干？【機械關務四等】

答：(1) 先求電梯之等加速度：
$$0^2 = 20^2 + 2 \times a \times 50 \Rightarrow a = -4(m/s^2) \uparrow$$
(2) 取電梯之自由體圖：
$$T = 1000 \times 9.81 + 1000 \times 4 = 13810(N)$$

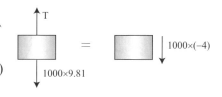

2. 如圖所示，已知重量W＝100kg的物體自靜止狀態開始運動，當其速度達到12m/sec時，共費時4秒，試求物體B的重量。假設該物體和地板之間的動摩係數 μ ＝0.25；滑輪與繩之間無摩擦，且滑輪對其轉動軸的慣性矩I＝5kg-m-sec^2（重力單位）。【105普考】

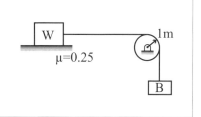

答：由牛頓第二定律
$$\Rightarrow T_1 - 0.25 \times 100 \times 9.81 = 100a......(1)$$

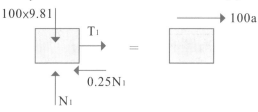

$$\sum M_0 = \sum (M_0)_{eff}$$

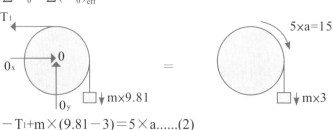

$$-T_1 + m \times (9.81 - 3) = 5 \times a......(2)$$

其中 $a=\dfrac{12}{4}=3$......(3)

由(1)(2)(3)，m=82.27(kg)，重807.06(N)

---

3. 下圖顯示質量1kg之滑塊P沿一半圓弧形軌道APB滑動，彈簧AP一端固定於A點、另一端則固定於滑塊P上。彈簧之彈性常數為500N/m，其未受力之長度與軌道半徑R同為250mm。假設摩擦與彈簧質量皆可忽略，當滑塊P被推置到＝60°位置後，自靜止釋放。試求：

(1)P之切線加速度。

(2)軌道對滑塊之反力。【107關務四等】

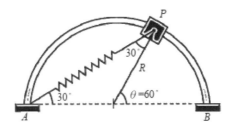

答：

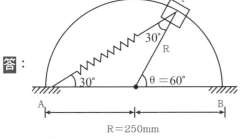

R＝250mm

彈簧伸長量 $\delta=250\times\cos30°\times2\Rightarrow\delta=183.01$(mm)

由牛頓第二運動定律

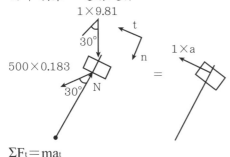

$\Sigma F_t=ma_t$

$$-1 \times 9.81 \times \sin 30° + 500 \times 0.183 \times \sin 30° = 1 \times a$$
$$\Rightarrow a = 40.845 (m/s^2)$$
$$\Sigma F_n = ma_n$$
$$1 \times 9.81 \times \cos 30° + 500 \times 0.183 \times \cos 30° - N = 0$$
$$N = 87.73(N)$$

---

4. 有一些小型物體（質量為m，可視為一質點）由輸送帶定速傳送，並掉入下方之容器內，如圖所示，輸送帶速度為v，輸送帶與物體間之摩擦係數為 μ，重力加速度為g，試推導求解物體開始滑移、離開輸送帶之角度位置 α 的方程式。【103地四】

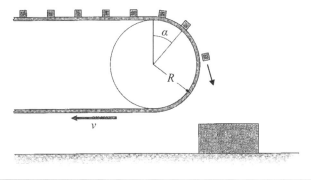

答：取正要離開之F、B、D

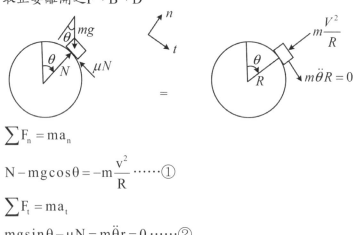

$$\sum F_n = ma_n$$
$$N - mg\cos\theta = -m\frac{v^2}{R} \cdots\cdots ①$$
$$\sum F_t = ma_t$$
$$mg\sin\theta - \mu N = m\ddot{\theta}r = 0 \cdots\cdots ②$$
由②$N = \dfrac{mg\sin\theta}{\mu}$代回①

$$\frac{mg\sin\theta}{\mu} = mg\cos\theta = -m\frac{V^2}{R}$$

$$\Rightarrow \cos\theta - \frac{1}{\mu}\sin\theta = \frac{V^2}{gR} \ \text{當}\ \theta = \alpha\ \text{時} \Rightarrow \cos\alpha - \frac{1}{\mu}\sin\alpha = \frac{V^2}{gR}$$

5. 如圖所示，一方塊B（質量0.2kg）用一條繩子（質量忽略不計）與椎頂連接，該圓錐角度為90°，若方塊B以一個速度0.5m/s沿此圓錐運動。請求出該繩子之張力及圓錐作用在方塊B上之作用力。解題時請先畫出自由體圖，未畫者不予計分。【110地四】

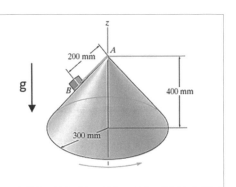

答：由牛頓第二運動定律

$$\Sigma F_x = ma_x : T\times\frac{3}{5} - N\times\frac{4}{5} = 0.2\times\frac{0.5^2}{0.2\times\frac{3}{5}} \cdots\cdots(1)$$

$$\Sigma F_y = ma_y : T\times\frac{4}{5} + N\times\frac{3}{5} - 0.2\times9.8 = 0\cdots\cdots(2)$$

由(1)(2)　T=1.818（N）　N=0.843（N）

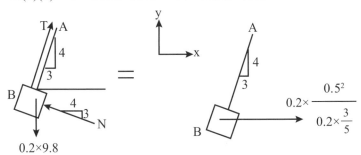

6. 如右圖所示，質量為M之物體，以長度L的繩子繫於支點O，若將物體從最低點往上移至與鉛錘線之夾角為60°時釋放，求該物體擺至最低位置時，繩中之張力為多少？【鐵員】

答：(1) 機械能守恆

$$\frac{1}{2}mv^2 = mgh \Rightarrow \frac{1}{2}mv^2 = mg \times \left(L - L\cos 60°\right) = mg \times \frac{L}{2}$$

$$v = \sqrt{gL}$$

(2) 取物體擺至最低位置之自由體圖

$$\Rightarrow T - mg = m\frac{V^2}{L} \Rightarrow T = 2mg$$

7. 一列火車質量為250公噸（1公噸＝1000kg），加速時，火車引擎產生的推力為40kN；煞車時，火車會受到相當於重量1/5的阻力；火車行進時，所受到的摩擦阻力則恆為其重量的1/100。今該火車自靜止加速至40km/hr，然後關掉引擎並煞車誌至停止。請問：

(1)火車自靜止至剛達到40km/hr速度時，所行走的距離為何？

(2)火車自開始煞車時算起，需經多久才會停止？其間所行走的距離為何？【101鐵員】

答：(1)

$$40 - \frac{250 \times 9.81}{100} = 250a \Rightarrow a = 0.0619(m/s^2)$$

$$V = 40km/hr = 11.11(m/s)$$

$$V^2 = 2as \Rightarrow s = \frac{(11.11)^2}{2 \times 0.0619} = 997.03(m)$$

(2) A.若不考慮行進時摩擦阻力

$$\boxed{} \xleftarrow{\dfrac{250\times9.81}{5}} = \boxed{} \xleftarrow{250a}$$

$$\dfrac{250\times9.81}{5} = 250a$$

$$a = 1.962(m/s^2)$$

$$V^2 = 2as \Rightarrow S = \dfrac{(11.11)^2}{2\times1.962} = 31.45(m)$$

$$V = at \Rightarrow 11.11 = 1.962t \Rightarrow t = 5.663(sec)$$

B.若考慮行進時摩擦阻力

$$\boxed{} \xleftarrow{} = \boxed{} \, 250a$$

$$\dfrac{250\times9.81}{5} + \dfrac{250\times9.81}{100}$$

---

8. 有一質量300g之球由一球員於A點以vA=25m/s之速度踢起，若無空氣阻力且球與地面撞擊之恢復係數（coefficient of restitution）為0.4，試求球於B處彈起後之速度大小與角度θ。

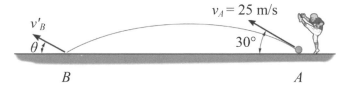

答：取球於B處之動量衝量圖

$$\boxed{} \Big\uparrow I_N \quad = \quad 0.3\times V_y \Big\uparrow \, \xleftarrow{0.3V_x} \quad - \quad \xrightarrow{0.3\times25} 30°$$

(碰撞期間) = (碰撞後) － (碰撞前)

x方向動量守恆

$0 = [-0.3V_x] - [-0.3 \times 25 \times \cos 30°]$

$\Rightarrow V_x = 21.65(\tfrac{m}{s})$

$e = 0.4 = -\dfrac{[0 - V_y]}{[0 - (-25 \times \sin 30°)]} \Rightarrow V_y = 5$

$V = \sqrt{(21.65)^2 + 5^2} = 22.2(\tfrac{m}{s})$

$\theta = \tan^{-1}(\dfrac{5}{21.65}) = 13°$

---

9. 將一球以一長為a的繩綁住而作垂直面之圓周運動，求球在A點的張力T_A和在B點的張力T_B的比？【機械關務四等】

答：(1) 取B自由體圖，且假設A、B球以等速度V

進行圓周運動：$T_B = mg + m\dfrac{V^2}{a}$

(2) 取A自由體圖：

$T_A = m\dfrac{V^2}{a} - mg$

$\dfrac{T_A}{T_B} = \dfrac{m(\dfrac{V^2}{a}) - mg}{m(\dfrac{V^2}{a}) + mg} = \dfrac{V^2 - ag}{V^2 + ag}$

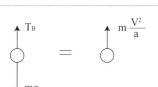

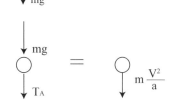

---

10. 如圖所示，若接觸面為光滑面，一物體由a靜止滑至b處，試求Vb為若干？【101關四】

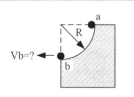

答：$mgR = \dfrac{1}{2}m(V_b)^2$　　$V_b = \sqrt{2gR}$

11. 施加在5kg方塊之力F隨時間t（秒）而改變如圖所示，t＝0時方塊為靜止。
方塊與地面之靜摩擦係數為0.4，動摩擦係數為0.3，重力加速度
$g=10(m/s^2)$。
(1)試繪方塊之加速度a與時間t之關係圖。
(2)t＝5時，方塊之速度為何與移動之總距離為何？
(3)t＝40時，方塊之速度為何與移動之總距離為何？【107地特四等】

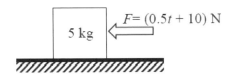

$$F=(0.5t+10)\ N$$

5 kg

答：(1) A.方塊尚未移動時，此時外力等於靜摩擦力：
　　　　$f_s=F$
　　　　$0.4\times5\times10=(0.5t+10)$
　　　　$t=20$
　　　　即方塊於t＝20(s)時，克服最大靜摩察力$f_s=20(N)$，開始移動。
　　　B.方塊開始移動時，根據牛頓第二定律：
　　　　$\sum F=F-f_k=ma$
　　　　$(0.5t+10)-0.3\times5\times10=5\times a$
　　　　$a=0.1t-1(t\geq20)$

　　　C.a－t圖如下：

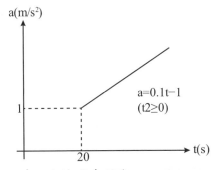

a(m/s²)

a=0.1t−1
(t2≥0)

1

20

t(s)

(2) t＝5時，方塊尚未移動
　　故速度為零，移動總距離為零
(3) $a=0.1t-1(t\geq20)$ ············①
　　積分①式得速度函數：
　　$v(t)=0.05t^2-t+c_1(t\geq20)$ ············②
　　I.C.(v,t)＝(0,0)得$c_1=0$

積分②式得位置函數：

$$S(t) = \frac{0.05}{3}t^3 - \frac{1}{2}t^2 + c_2 \cdots\cdots\cdots ③$$

$I.C(S,t) = (0,0)$ 得 $C_2 = 0$

速度 $v(40) = 0.05t^2 - t = 40(m/s)$

$$\int_{20}^{40}(0.05t^2 - t)dt = 333.3(m)$$

---

12. 在高度150m之平台上，一起重機需於2分鐘將水平地面上之2000kg物體以等速吊升至該平台，評估起重機與馬達機組之機械效益為88%，請問至少需要挑選多少馬力（HP）的馬達才能完成該事？【107關務四等】

答：$W_{out} = \dfrac{2000 \times 9.81 \times 150}{60 \times 2} = 24525(W)$

$\eta = 0.88 = \dfrac{24525(W)}{W_{in}} \Rightarrow W_{in} = 27869.32(W) = 37.32(hp)$

---

13. 2018年10月臺鐵發生普悠瑪出軌意外後，某工程單位也檢討公路彎道之超高（cant或superelevation）與速限之相關規定。參考圖一，若某公路彎道半徑為200m，外側超高為8%，且車輛之重心高800、輪距1640及側向摩擦係數0.2。試回答下列問題：

(1)若要求車輛不得打滑或傾倒，該彎道之合理速限應為多少km/h？

(2)增加外側超高1%與增加彎道半徑1%，對提高車輛速限，何者比較有效？試計算佐證之。【108關務四等】

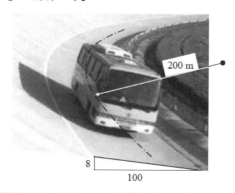

答：由牛頓第二運動定律

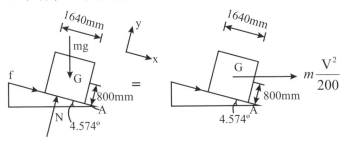

(1) 檢查打滑

$$\begin{cases} -mg \times \cos 4.574° + N = m\dfrac{v^2}{200} \times \sin 4.574° \\[4mm] mg\sin 4.574° + f = m\dfrac{v^2}{200} \times \cos 4.574° \end{cases}$$

$$N = mg\cos 4.574° + m\dfrac{v^2}{200} \times \sin 4.574°$$

$$f = -mg\sin 4.574° + m\dfrac{v^2}{200} \times \cos 4.574° = 0.2N$$

$$\Rightarrow -mg\sin 4.574° + m\dfrac{v^2}{200} \times \cos 4.574°$$

$$= 0.2 \times \left[mg\cos 4.574° + m\dfrac{v^2}{200} \times \sin 4.574° \right]$$

$$\Rightarrow g\sin 4.574° + 0.2g \times \cos 4.574° = \dfrac{v^2}{200}\left[\cos 4.574° - 0.2 \times \sin 4.574°\right]$$

$$\Rightarrow V = 23.62(m/s) = 85.03(km/hr)$$

檢查傾倒

$$\overset{\curvearrowleft}{+}\Sigma M_A = (\Sigma M_A)_{eff}$$

$$mg \times \sin 4.574° \times 0.8 - mg \times \cos 4.574° \times \dfrac{1.64}{2}$$

$$= m\dfrac{V^2}{200} \times \cos 4.574° \times 0.8 + m\dfrac{V^2}{200} \times \sin 4.574° \times \dfrac{1.64}{2}$$

V^2 為負值故無論V多少均不會翻車

故 V＝85.03(km/hr)

(2) 外側增加1% ⇒

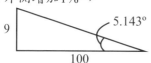

故 $g\sin 5.143° + 0.2g \times \cos 5.143° = \dfrac{v^2}{200}\left[\cos 5.143° - 0.2 \times \sin 5.143°\right]$

$\Rightarrow V = 24(m/s)$

若增加半徑1% ⇒ 半徑 = 202

同理 $\dfrac{V^2}{202} = \dfrac{(23.62)^2}{200} \Rightarrow v = 23.74(\text{m}/\text{s})$

故增加斜度可提高速限

---

14. 一起重機將1000kg之重物以等速度在10秒內拉升5m之高度，則起重機加於重物的功率為多少仟瓦？

答：$P = \dfrac{F \times S}{t} = \dfrac{1000 \times 5}{10}$ =500kg-m/sec=4900瓦特=4.9仟瓦

---

15. 一直徑為150mm之實心圓軸，以240rpm之轉速進行外圓車削，經測得其切削力為500N，則此車削加工所消耗之功率為多少W？

答：圓軸之切線速率 $V = \dfrac{\pi DN}{1000} = \dfrac{\pi \times 150 \times 240}{1000}$ =113.1m/mm=1.885m/sec

故所消耗功率 $P = F \times V = (500N) \times (1.885m/sec) = 942.5(W)$

---

16. 一物體質量2kg做自由落體，當落下2m瞬間重力對該物體的瞬時功率為何？

答：落下2m時的速率$v = \sqrt{2gh} = 6.26$ m/s

功率$P = F \cdot v = mgv = 2 \times 9.8 \times 6.26 = 122.696$ W

---

17. 滑動系統有二質量塊A與B，二者藉由
繩索通過一滑輪系統相連如右圖。質
量塊A質量200kg懸垂於滑輪上，距離
地面10m。質量塊B質量300kg置於斜
面上，質量塊B與斜面間之摩擦係數μ
＝0.6，斜面傾角30°。滑動系統由靜止
釋放後，求質量塊A接觸地面瞬間之速
度、加速度與上方繩索張力。
【100關四】

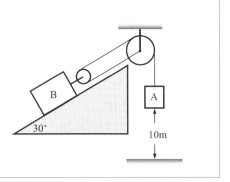

答：由相依運動得知

$\ell = \ell_A + 2\ell_B$ ℓ＝繩索總長度

$0 = V_A + 2V_B$

$0 = a_A + 2a_B \Rightarrow a_A = -2a_B$

(1) 取B物塊之F、B、D：

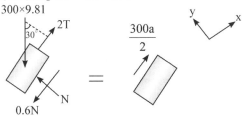

$$\sum F_y = ma_y \quad \uparrow +$$

$$-300 \times 9.81\cos 30° \ +N=0$$

$$N=2548.7(N)$$

$$\sum F_x = ma_x \quad \rightarrow +$$

$$-300 \times 9.81\sin 30° \ -0.6 \times 2548.7 + 2T = 150a_A$$

$$2T-3000 = 150a_A \cdots\cdots ①$$

(2) 取A物塊之F、B、D：

$$\sum F_y = ma_y \quad \uparrow +$$

$$T-200 \times 9.81 = -200a_A$$

$$\Rightarrow 1962-T = 200a_A \cdots\cdots ②$$

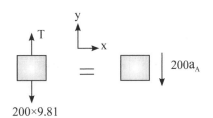

由①②知

$a_A=1.68(\dfrac{m}{s^2})$，T=1626(N)

(3) 由等加速度公式：

$V^2=V_0^2+2as$

$V^2=0+2\times1.68\times10$

$\Rightarrow V=5.79(\dfrac{m}{s})$

---

18. 如圖所示一50kg方塊以10m/s速度在光滑地面往左滑行，為彈簧所阻，彈簧之常數為1kN/m，設能量損失可忽略。問：
(1)彈簧被壓縮50cm時，方塊之速度為若干？
(2)彈簧被壓縮多少時，方塊始能停下？
(3)試描述彈簧被壓縮至方塊停下後，方塊之運動狀況。【107地特四等】

答：(1) 根據功能原理：

$E=U_k+E'$

$\dfrac{1}{2}mv^2=\dfrac{1}{2}kx^2+\dfrac{1}{2}mv'^2 \qquad \dfrac{1}{2}\times50\times(10)^2=\dfrac{1}{2}(1000)(0.5)^2+\dfrac{1}{2}\times50\times(v')^2$

v'＝9.75(m/s)

(2) 根據功能原理：

$E=U_k$

$\dfrac{1}{2}mv^2=\dfrac{1}{2}kx^2 \qquad \dfrac{1}{2}\times50\times(10)^2=\dfrac{1}{2}(1000)(x')^2$

x'＝2.23(m)

(3) 當方塊接觸彈簧瞬間，方塊為等速運動，加速度為零。

當方塊壓縮彈簧至停下瞬間，方塊速度為零，加速度不為零。

此過程為簡諧運動（S.H.M）。

19. 一條鐵鍊平放於地面，全長為L，每單位長度的質量為 ρ ，前段（長度為x）置於粗糙面（動摩擦係數為 μ_k ），後段則置於光滑平面，並持續施予一力P，如下圖所示。鐵鍊一開始靜止在光滑平面（x=0），試求當x=L時鐵鍊的速度V為何？假設鐵鍊一直保持拉緊的狀態。【100地四】

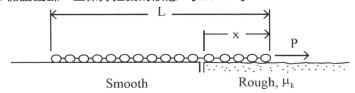

答：$U_{1\to2} = \Delta(T+V)$

$-\int \mu_k \rho gxdx + PL = \frac{1}{2}\rho LV^2$

$V = [\dfrac{-\mu_k \rho gL^2 + 2PL}{\rho L}]^{\frac{1}{2}}$

20. 如圖所示，質量20kg的軸環（collar）以靜止狀態滑設於光滑的圓桿，另有兩個彈簧同時以自由狀態套設在同一圓桿，其兩端分別和該軸環以及該圓桿的端面連接；兩個彈簧的自由長度皆為1m，其彈簧常數（spring constant）分別為k=50N/m及k'=100N/m。設若該軸環在s=0.5m的位置被自由釋放；當s=0時，試求軸環的速度為多少？（請繪製自由體圖）

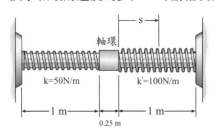

答：

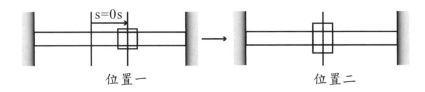

$$V_{g_1} = 0$$

$$V_{e_1} = \frac{1}{2} \times 50 \times 0.5^2 + \frac{1}{2} \times 100 \times 0.5^2$$

$$= 18.75 (\text{N-m})$$

$$T_1 = 0$$

$$V_{g_1} = 0$$

$$V_{e_2} = 0$$

$$T_2 = \frac{1}{2} \times 20 \times V^2 = 10V^2$$

由功能原理

$$\left[10V^2 \right]_2 - \left[18.75 \right]_1 = 0 \Rightarrow V = 1.37 (\tfrac{m}{s})$$

---

21. 質量為 5m 的車廂內懸掛一單擺，單擺質量為 m，桿長為 2ℓ，細桿的質量可忽略不計。今將單擺移至水平位置（如下圖）後由靜止釋放，假設摩擦忽略不計，試求單擺在垂直位置（擺錘落至最低點處）時，擺錘的速度與車廂的速度，並註明其方向。【100普考】

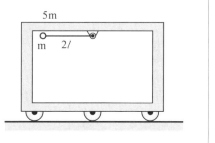

答：V_1=單擺移至水平位置時，單擺速度
V_2=單擺移至水平位置時，車廂速度
X方向動量守恆

$$-5mV_2 + mV_1 = 0 \cdots\cdots ①$$

由功能原理

$$\frac{1}{2}mV_1^2 + \frac{1}{2}(5m)V_2^2 = 2mgl \cdots\cdots ②$$

由①②可得

車廂 $V_2 = 1.1436\sqrt{l}$ (向左)

單擺 $V_1 = 5.718\sqrt{l}$ (向右)

22. 已知當駕駛員踩下行駛速度為10km/h的輕型卡車的制動器時，它會在停止前滑動3m。當駕駛員踩下制動器時，如果卡車以80km/h的速度行駛，試求它將會在停止前滑動多遠？【109普考】

答：由功能原理

$V = 10(km/h) = 2.78(m/s)$　　　　$V = 80(km/h) = 22.22(m/s)$

$f \times 3 = \frac{1}{2}m \times (2.78)^2 \cdots\cdots(1)$　　　$f \times S = \frac{1}{2}m \times (22.22)^2 \cdots\cdots(2)$

由(1)(2) $\Rightarrow S = 191.65(m)$

23. 如下圖所示，一顆球距離地面0.9m高，以速度$v_0 = 7.6$m/s往右水平運動撞擊一面與水平有60°夾角之光滑斜牆於A點，已知球與斜牆之間的碰撞恢復係數（coefficient of restitution）為e＝0.9，球碰撞反彈後飛行至地面位置點B，請計算球的落地點B離牆角C之距離d。

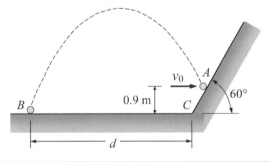

答：(1) 將 v_0 撞擊前分解為與壁面垂直速度 v_{0N} 及平行速度 v_{0T}

$V_{0N} = V_0 \sin 60° = 6.58$ (m/sec)

$V_{0T} = V_0 \cos 60° = 3.80$ (m/sec)

(2) 考慮撞擊後之與壁面垂直速度 v'_{0N} 及平行速度 v'_{0T}

$v'_{0T} = v_{0T} = 3.8(m/s)$　　$e = \dfrac{v'_{0N}}{v_{0N}} \Rightarrow v'_{0N} = ev_{0N} = 0.9 \times 6.58 = 5.922(m/s)$

$$\theta = \tan^{-1}(\frac{v'_{0N}}{v'_{0T}}) = 57.3^0$$

$$v'_0 = \sqrt{(v'_{0T})^2 + (v'_{0N})^2} = 7.03(m/s)$$

(3) 將撞擊後速度 $v'_0 = 7.03(m/s)$ 分解為水平 v'_{0X} 與垂直方向速度 v'_{0Y}

$$\frac{M_0L^2}{}+\frac{1}{}M_nL^2+C_t \cdot L \Rightarrow C_t = -\frac{1}{}M_nL$$

$$v'_{0X} = v'_0 \cos\alpha = 3.22(m/s) \qquad v'_{0Y} = v'_0 \sin\alpha = 6.25(m/s)$$

(4) 撞擊後反彈之落地時間 $-0.9 = v'_{0Y}t - \frac{1}{2} \times 9.81 \times t^2 \Rightarrow t = 1.41(sec)$

(5) A到B之水平距離D

   $D = 3.22 \times 1.41 = 4.54(m)$

   $d = D - 0.9 \times \cot 60 = 4.02(m)$

---

24. 如圖所示，一根懸掛於天花板固定點C的單擺長度為L，擺錘質量為m。擺錘的初始位置A與固定端同高。單擺下方B點有一個掛勾，BC的直線距離為a。重力加速度以符號g表示。單擺的繩子碰到掛勾後，會改變路徑。若單擺的動能要能支持其以掛勾為圓心，作圓周運動，試問所需最短的距離a。【110普考】

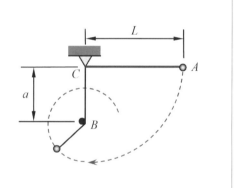

答：(1) 由功能原理

$$V_D{}^2 = 0 + 2gL \Rightarrow V_D = \sqrt{2gL}$$

(2) 若要能作圓周運動 $\Rightarrow T > 0$

   E點之牛頓第二運動定律

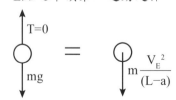

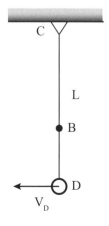

$\Rightarrow V_E^2 = (L-a)$

由功能原理

$V_E^2 = V_D^2 - 2g(L-a) \times 2$

$\Rightarrow g(L-a) = 2gL - 4g(L-a)$

$\Rightarrow 5g(L-a) = 2gL$

$\Rightarrow L-a = \dfrac{2}{5}L$

$\Rightarrow a = \dfrac{3}{5}L$

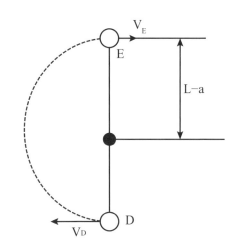

25. 如圖所示，一條長 π r／2 的可撓曲腳踏車鍊條，每
單位長度的質量密度為 ρ。自靜止狀態 θ＝0，沿
著一個平滑的圓形滑道墜落，重力加速度以符號 g
表示。試求鍊條最後一節離開滑道的鉛錘速度 v。
【106 地特四等】

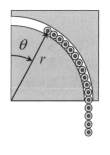

答：

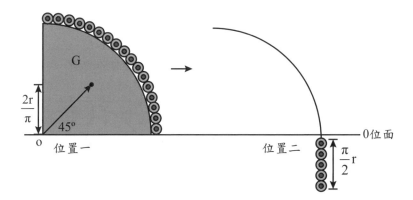

$$\overline{OG} = \frac{2r}{\pi}$$

由功能原理

位置一   位置二

$$\forall_{g1} = \frac{\pi r}{2} \times \rho \times q \times \frac{2r}{\pi}$$ $$\forall_{g1} = \frac{\pi r}{2} \times \rho \times q \times \frac{2r}{\pi}$$

$$T_1 = 0$$ $$T_2 = \frac{1}{2}(\frac{\pi}{2} r \rho) V^2$$

由功能原理機械能守恆

$$[-\frac{\pi r}{2} \rho g \times \frac{1}{2}(\frac{\pi}{2} r) + \frac{1}{2}(\frac{\pi}{2} r \rho) V^2]_2 - [\frac{\pi r}{2} \times \rho \times g \times \frac{2r}{\pi}]_1 = 0$$

$$\Rightarrow V^2 = 2g[\frac{2r}{\pi} + \frac{\pi r}{4}] \Rightarrow V = \sqrt{2g(\frac{2r}{\pi} + \frac{\pi r}{4})}$$

---

26. 木塊質量m沿鉛直光滑軌道內側滑行，木塊靜止從左方高3r之P點下降，經Q點再循圓軌道上升至最高點R時，軌道內側給木塊的正向力為：

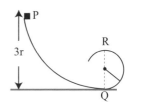

答：鉛直圓週運動只受重力和正向力作用，

正向力不作功，所以力學能守恆，P到R點下降(3r－2r)=r

下降動能增加＝位能減少 $\frac{1}{2} mv_R{}^2 - \frac{1}{2} mv_P{}^2 = mgH \Rightarrow$

$v_R{}^2 = v_P{}^2 - 2g(3r - 2r) \Rightarrow$ 則 $V_R = \sqrt{2gr}$ 圓週運動向心力 $F = \dfrac{mv^2}{R}$

右圖 $mg + N = m\dfrac{2gr}{r}$ ，則 $N = mg$

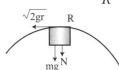

(物體在軌道內側，所以正向力在R點向下)。

27. 一個體重75kg的乘客站在電梯內的彈簧秤上。由靜止開始,到運動三秒為
止,繩索所承受的張力T為8300N,試求此期間的彈簧秤讀數R,以牛頓表
示,以及在三秒末時電梯向上的速度v。電梯、乘客與彈簧秤的總質量為
750kg。

答:取整體之F、B、D

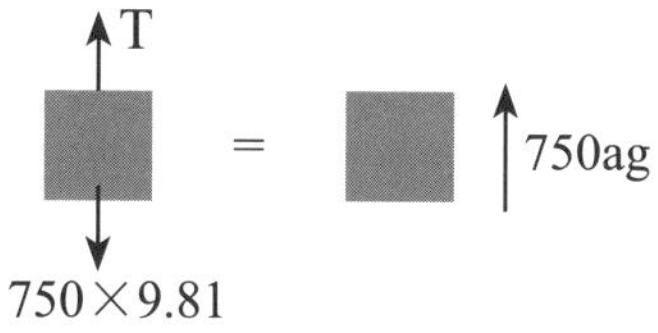

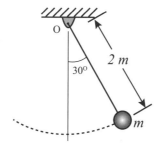

$$\left[\sum F_y = ma_y\right] \quad 8300-7360=750a_y \quad a_y=1.257 \text{ m/s}^2$$

$$\left[\sum F_y = ma_y\right] \quad R-736=75(1.257) \quad R=830\text{N}$$

三秒末達到的速度為

$$\left[\Delta v = \int a \, dt\right] \quad v-0 = \int 1.257 \, dt \quad v=3.77 \text{ m/s}$$

28. 長2m之單擺在一鉛直面上擺動,擺至圖示位置時,繩中之張力為擺錘重量
之2.5倍,試求擺錘在此位置之速度與加速度。

答:將擺錘運動至圖示位置時之自由體圖及等效力圖繪出,如圖(b)所示,
由運動方程式

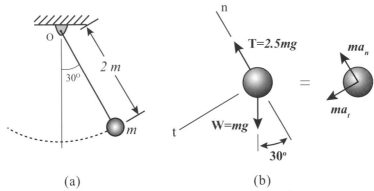

$$\sum F_t = ma_t \text{ , } mg\sin30^o = ma_t \text{ , } a_t = g\sin30^o = 4.90\text{m/s}^2$$

$$\sum F_n = ma_n \text{ , } 2.5mg - mg\cos30^o = ma_n \text{ , } a_n = 1.634g = 16.03\text{m/s}^2 \text{ , }$$

P=單擺長度2m

由向心加速度：$a_n = \dfrac{v^2}{\rho}$，得 $v = \sqrt{\rho a_n} = \sqrt{(2)(16.03)} = 5.66\text{m/s}$

29. 圖中10kg之套環可在光滑之垂直桿上滑動。彈簧之自由長度為100mm，彈簧常數k＝500N/m。今將套環自圖中位置 "1" 由靜止釋放，試求套環落下150mm至位置 "2" 時之速度？

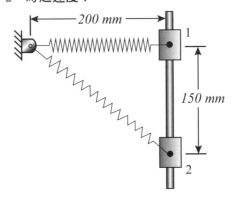

答：設位置 "1" 為重力位能之零位面，則

　　$V_{g1}=0$，$V_{g2}=-10(9.81)(0.150)=-14.72\text{N-m}$

套環在位置"1"及位置"2"時彈簧之伸長量x_1及x_2為

$x_1 = 200 - 100 = 100mm = 0.100m$

$x_2 = 250 - 100 = 150mm = 0.150m$

則彈力位能分別為

$$V_{S1} = \frac{1}{2}kx_1^2 = \frac{1}{2}(500)(0.100)^2 = 2.5N-m$$

$$V_{S2} = \frac{1}{2}kx_2^2 = \frac{1}{2}(500)(0.150)^2 = 5.63N-m$$

由機械能守恆：$T_1 + V_{g1} + V_{S1} = T_2 + V_{g2} + V_{S2}$

$0+0+2.5 = \frac{1}{2}(10)V_2^2 - 14.72 + 5.63$ ，得$V_2 = 1.522m/s$

進階試題演練

1. 一質量為125kg之水泥塊A，由圖中之位置自靜止狀態釋放，拉動一質量為200kg之木塊，上一30°之斜坡。如木塊與斜坡間之動摩擦係數為0.5，試求當水泥塊A到達地面B點瞬間木塊的速度。【機械交通郵政升資】

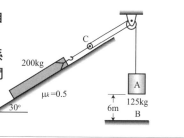

答：(1) 取木塊自由體圖

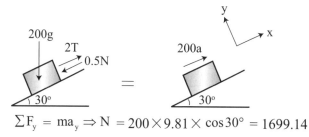

$\sum F_y = ma_y \Rightarrow N = 200 \times 9.81 \times \cos 30° = 1699.14$

$$\sum F_x = ma \Rightarrow -200 \times 9.81 \times \sin 30° \quad 0.5 \times 1699.14 = 200a - 2T$$
$$\Rightarrow 2T - 200a = 1830.57 \cdots \cdots ①$$

(2) 取A自由體圖

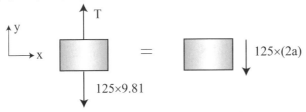

$$\sum F_y = ma_y \Rightarrow T + 250a = 1226.25 \cdots \cdots ②$$

由①②得a $= 0.888 m/s^2$, T $= 1004.25N$

(3) A之加速度 $a_A = 2a = 1.776$

$$V_A = \sqrt{2 \times 1.776 \times 6} = 4.62 m/s(水泥塊速度)$$

$$V = \frac{1}{2}V_A = 2.31 m/s(木塊之速度)$$

---

2. 如圖所示，0.5 kg鐵環沿垂直面的無摩擦螺
旋(方程式為r $= 0.3\theta$)滑軌移動，鐵環從A
點靜止受徑向拉力T $= 10N$作用至B 點時之
速度為何？【機械關務四等】

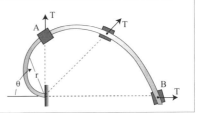

答：(1) 拉力T所作的功

$$W = \vec{T} \cdot d\vec{r} = \int_{\frac{\pi}{2}}^{\pi} Tdr = \int_{\frac{\pi}{2}}^{\pi} 0.3Td\theta = 0.15T\pi$$

(2) 利用功能原理 $W_{nc} = \Delta(T + V)$

$$\Delta T = \frac{1}{2}mV_B^2 - \frac{1}{2}mV_A^2 = \frac{1}{2}mV_B^2 - 0 = 0.25 V_B^2$$

$$\Delta V = 0 - mgh = -0.5 \times 9.81 \times 0.3 \times \frac{\pi}{2} = -2.31$$

$$W = W_{nc} = 0.15 \times 10 \times \pi = 4.71$$

$$4.71 = 0.25 V_B^2 - 2.31 \Rightarrow V_B = 5.3(m/s)$$

3. 如圖所示，已知質量為15kg之物體由
靜止被釋放，沿摩擦係數為0.2之斜面
下滑10m後與彈簧常數為50N/m之彈
簧接觸，若不計彈簧質量，試求彈簧
之最大壓縮量為何？【機械高考】

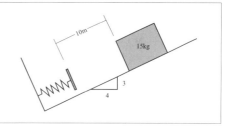

答：(1) 如圖所示，當物體處於位置1時
動能 $T_1 = 0$

位能 $V_1 = mg \times (10+\delta) \times \dfrac{3}{5} = 882.9 + 88.29\delta$

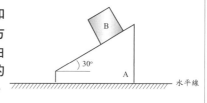

(2) 當物體處於位置2時

動能 $T_2 = 0$ 位能 $V_2 = 0 + \dfrac{1}{2}k\delta^2 = 25\delta^2$

(3) 利用功能原理(機械能不守恆)

$W_{nc} = \Delta(T+V)$ $\Rightarrow -F_S \times (10+\delta) = 25\delta^2 - (882.9 + 88.29\delta)$

$\Rightarrow -mg \times \dfrac{4}{5} \times 0.2 \times (10+8) = 25\delta^2 - (882.9 + 88.29\delta)$ $\delta = 6.546m$

---

4. 如圖所示之滑塊A、B的質量皆為m，已知
所有的接觸面間都沒有摩擦力，重力的方
向為垂直向下。滑塊A、B在圖示的位置由
靜止狀態被釋放，當滑塊B在斜面上滑動的
距離為3公尺時，試求滑塊A、B的速度。
【土木地特三等】

答：

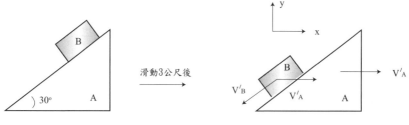

(1) 如圖所示，若滑動3公尺後，則系統x方向不受力，x方向線動量守恆

$\sum mV_x = \sum mV'_x$ $0 = m_B(V'_A - V'_B\cos 30°) + m_A V'_A \Rightarrow V'_A = \dfrac{\sqrt{3}}{4}V'_B \cdots\cdots$①

(2) 由功能原理機械能守恆

$0 = \Delta(T + V)$

$\Rightarrow 0 = \dfrac{1}{2} m_B \times V_B^2 + \dfrac{1}{2} m_A (V_A')^2 - m_B g \times 3 \times \sin 30°$ ……②

其中 $V_B = \sqrt{(-V_B' \sin 30°)^2 + (V_A' - V_B' \cos 30°)^2}$ ……③

由①②③可得 $V_B' = 6.862\text{m/s}$　　$V_A' = 2.971\text{m/s}$

(3) $\vec{V}_A = 2.971\,\vec{i}$

$\vec{V}_B = (2.971 - 6.862 \cos 30°)\vec{i} - (6.862 \sin 30°)\vec{j} = -2.972\,\vec{i} - 3.43\,\vec{j}$

---

5. 如圖所示，A、B、C三物體質量分別為30 kg、20 kg 與10kg，滑輪(D、E為靜滑輪，F 為動滑輪)質量不計，摩擦力亦不計。三物體 由圖示位置靜止釋放，求各物體之加速度為 何？【土木高考】

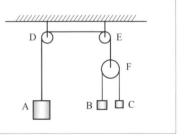

答：(1) 取B自由體圖，假設A物體向下移動，且加速度為 a_2

$\sum F_y = ma_y \Rightarrow T + 20(a_1 - a_2) = 196.2$ ……①

(2) 取C自由體圖

$\sum F_y = ma_y \Rightarrow T - 10(a_1 + a_2) = 98.1$ ……②

(3) 取A自由體圖

$\sum F_y = ma_y \Rightarrow 2T + 30a_2 = 294.3$ ……③

由①②③可得 $T = 138.495(\text{N})$,

$a_1 = 3.462(\text{m/s}^2)$, $a_2 = 0.577(\text{m/s}^2)$

(4) A物體加速度為 $a_2 = 0.577\text{m/s}^2 (\downarrow)$：

B物體加速度為 $a_1 - a_2 = 2.855\text{m/s}^2 (\downarrow)$

C物體加速度為 $a_1 + a_2 = 4.039\text{m/}$ ($\uparrow$)

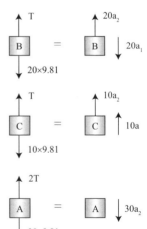

6. 如圖所示，一滑塊質量為500g，靜止放置於
圓柱表面上方，圓柱之半徑R = 1.5m。若對
滑塊施加一向右之起始速度，滑塊沿圓柱
表面滑動直至θ = 30°時與圓柱表面分離。
在不考慮摩擦力的情況下，試求：(1)V_0之大
小；(2)滑塊在開始移動瞬間，與圓柱表面之
接觸力大小。【關務機械三等】

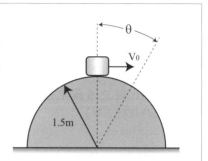

答：(1) 如圖所示，

物體由位置1運動至位置2時
與圓柱產生分離由功能原理機械能守恆

$$0 = \frac{1}{2}mV_2^2 - \frac{1}{2}mV_0^2 - mgr(1-\cos\theta) \cdots\cdots ①$$

取位置2之自由體圖

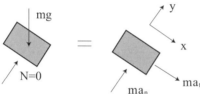

$$\sum F_y = ma_y \Rightarrow ma_n = mg \times \cos\theta \Rightarrow a_n = g\cos\theta = 8.496$$

又 $\frac{V_2^2}{r} = a_n = 8.496 \Rightarrow V_2 = 3.57$m/s代回① 可得 $V_0 = 2.97$(m/s)

(2) 取位置1之自由體圖

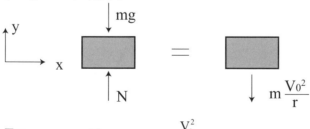

$$\sum F_y = ma_y \Rightarrow N - mg = -m\frac{V_0^2}{r}$$

$$\Rightarrow N = 0.5 \times 9.81 - 0.5 \times \frac{(2.97)^2}{1.5} = 1.9647(N)$$

7. 一質量為 m_A 之單擺 A，以長度為 l 之繩和質量為 m_B 之滑輪（trolley）連接，如從 θ = 0°開始放下單擺試求當 θ = 90°時之滑輪之瞬時速度為何？

【地特機械三等】

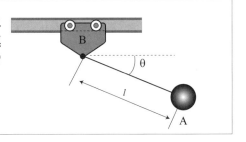

答：(1) 取系統運動自由體圖：

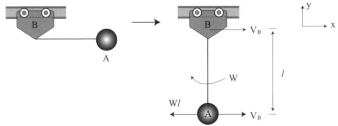

　　x方向無外力作用，線動量守恆　$\sum mV'_x = \sum mV_x$

$$m_B V_B + m_A (V_B - W\ell) = 0 \Rightarrow w\ell = \frac{m_A + m_B}{m_A} v_B$$

(2) 利用功能原理機械能守恆：

$$\frac{1}{2} m_B V_B^2 + \frac{1}{2} m_A (V_A - w\ell)^2 = m_A g\ell \qquad = \sqrt{\frac{2m_A^2 g\ell}{(m_A m_B + m_B^2)}}$$

8. 某移動式拆除起重機，如圖所示，以等速 9km/h行駛，由於接近拆除物目標A，緊急停止，其重錘B擺動之週期為5s。試回答下列問題：

（已知重錘500kg得以質點計算，且忽略摩擦影響。）

(1)緊急停止時鋼索長度（即長度CB）為多少？

(2)起重機至少應靠近被拆除物多遠（即d），重錘才夠得到目標A。【108關務四等】

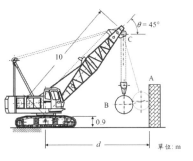

：T＝S

(1)

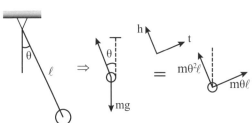

由牛頓第二運動定律　$\Sigma F_t = ma_t$

$-mg \sin\theta = m\ddot{\theta}\ell \Rightarrow m\ddot{\theta}\ell + mg\sin\theta = 0$　θ 非常小 $\Rightarrow \ell\ddot{\theta}+ \Rightarrow g\theta = 0$

$w = \sqrt{\dfrac{g}{\ell}} \Rightarrow WT = 2\pi$

$T = 2\pi\sqrt{\dfrac{\ell}{g}} = 5 \Rightarrow \ell = 6.2(m)$

(2) $V_1 = 9(km/h) = 2.5(m/s)$

由功能原理

$0 = (2.5)^2 - 2 \times 9.8 \times H \Rightarrow H = 0.3189(m)$

$\cos\phi = \dfrac{5.881}{6.2} \Rightarrow \phi = 14.46°$

$d = 10 \times \cos45° + 6.2 \times \sin(14.46°)$
$\quad = 8.62(m)$

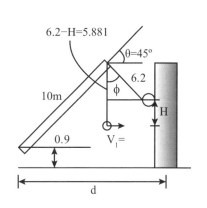

---

9. 圖中所示為一起重裝置之滑輪組，已知重物A以速度1.8m/s上升之瞬間，馬達之輸出功率為2.2kW，試求此瞬間重物A之加速度？$m_A = 150kg$，$m_B = 200kg$。

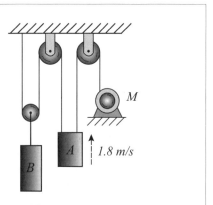

答：將重物A、B之自由體圖繪出，
如圖所示，其中F為馬達拉繩索之張力，
且$a_A = 2a_B$。

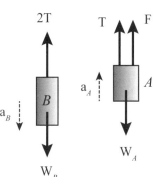

則由 $P_M = \dfrac{FV_A}{1000}$ ， $F = \dfrac{1000P_M}{v_A} = \dfrac{1000(2.2)}{1.8} = 1222N$

根據牛頓第二定律：

A重物：$T + 1222 - 150(9.81) = 150a_A$..........①

B重物：$200(9.81) - 2T = 200a_B = 100a_A$........②

解①②兩式，得$a_A = 3.66m/s^2$

---

10. 小質點在一光滑的半圓碗上，在距離垂直中心線的半徑r_0之位置A，以初速度V_0相切於碗的水平邊緣。當質點滑至B點時，位於A下方距離h且離垂直中心現r，此時速度V與B點之水平切線夾θ角。試求θ。

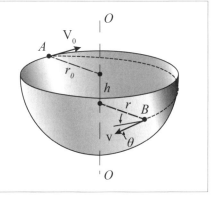

答：質點所受作用力為其重量與光滑碗面的正向力。各力均不對O-O軸產生力矩，故對於此軸的角動量守恆。因此

$[(H_O)_1 = (H_O)_2]$ $mV_0r_0 = mVr\cos\theta$

同樣，能量也守恆，所以$E_1 = E_2$。可得

$[T_1 + V_1 = T_2 + V_2]$ $\dfrac{1}{2}mV_0^2 + mgh = \dfrac{1}{2}mV^2 + 0$

$V = \sqrt{V_0^2 + 2gh}$

消去V，並代入$r_2 = r_0^2 - h^2$後可得

$V_0r_0 = \sqrt{V_0^2 + 2gh}\sqrt{r_0^2 - h^2}\cos\theta$

$\theta = \cos^{-1}\dfrac{1}{\sqrt{1 + \dfrac{2gh}{V_0^2}}\sqrt{1 - \dfrac{h^2}{r_0^2}}}$

Chapter **04**　剛體運動學

⚙ 4-1　剛體運動公式

1. 平面剛體平移與旋轉

(1) 平面剛體的平移：
當物體上任意兩質
點所產生的運動路
徑為平行的直線，
如圖所示，稱為直
線平移 (rectilinear
translation)。如果
運動路徑為平行的
曲線，稱為曲線平

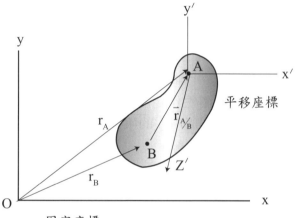

平移座標

固定座標

移，如圖所示，以直線平移為例：

運動方程式：$\vec{r}_A = \vec{r}_B + \vec{r}_{A/B}$ 且 $\vec{r}_{A/B}$ 大小方向不變

速度：$\dot{\vec{r}}_A = \dot{\vec{r}}_B + \dot{\vec{r}}_{A/B} \Rightarrow \dot{\vec{r}}_{A/B} = 0\,(\vec{r}_{A/B}$ 大小方向不變$) \Rightarrow \vec{v}_B = \vec{v}_A$

加速度 $\ddot{\vec{r}}_B = \ddot{\vec{r}}_A \Rightarrow \vec{a}_A = \vec{a}_B$

(2) 平面剛體定軸轉動：當剛體繞著某固定軸旋轉時，除了轉軸上的質
點外，物體上所有的質點均作圓形路徑的移動，如圖所示，平面剛
體若為定軸旋轉，轉角 θ 可表示為時間連續函數 $\theta = \theta\,(t)$，則

剛體角速度：$w = \lim\limits_{\triangle t \to 0} \dfrac{\triangle \theta}{\triangle t} = \dfrac{d\theta}{dt} = \dot{\theta}$　　　A點切向速度：$V = \omega r$

切向角加速度：$\alpha = \lim\limits_{\triangle t \to 0} \dfrac{\triangle \omega}{\triangle t} = \dfrac{d\omega}{dt} = \ddot{\theta} = \dot{w}$　　A點切向加速度：$a_t = \alpha r$

A點向心加速度：$a_n = \omega^2 r = \dfrac{V^2}{r}$

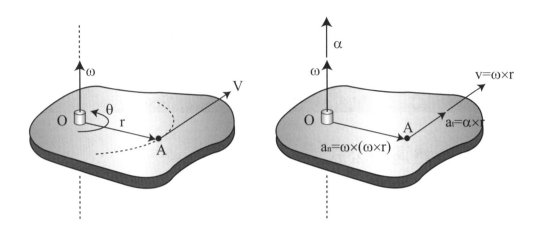

(3) 平面剛體定軸轉動(以向量來表示)

　A.平面剛體作定軸轉動時,其上各點均作圓周運動,圓心在軸線
　　上,圓周所在的平面與軸線垂直,圓周的半徑R等於圓心到軸線
　　的垂直距離。

　B.如圖所示,剛體的角速度為 $\vec{\omega} = \omega\vec{k}$ (右手定則),P點的速度為
　　$\vec{v} = \vec{\omega} \times \vec{r}$。

　C.角速度與角加速度之方向可使用右手定則來判斷,右手的四指代
　　表轉動的方向,拇指代表角速度與角加速度的指向,剛體的角速

　　度為 $\vec{\omega} = \omega\vec{k}$ (右手定則),剛體的角加速度為

　　$$\vec{\alpha} = \alpha\vec{k} = \frac{d\omega}{dt}\vec{k} = \frac{d\vec{\omega}}{dt} \text{ (右手定則)}$$

　D.P點加速度:

　　$$\vec{a} = \frac{d\vec{v}}{dt} = \frac{d}{dt}(\vec{\omega} \times \vec{r}) = \frac{d\vec{\omega}}{dt} \times \vec{r} + \vec{\omega} \times \frac{d\vec{r}}{dt} = \vec{\alpha} \times \vec{r} + \vec{\omega} \times \vec{v}$$

　　$$\Rightarrow \vec{a} = \vec{a}_t + \vec{a}_n = \alpha\vec{k} \times \vec{r}(\text{切向加速度}) + \vec{\omega} \times (\vec{\omega} \times \vec{r})(\text{向心加速度})$$

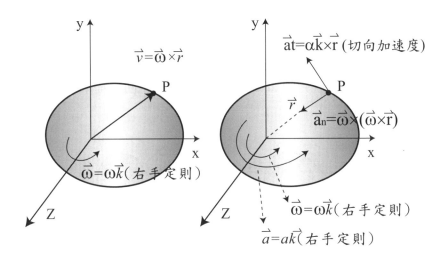

2. 平面剛體運動公式(平面剛體平移+旋轉)

一般剛體在平面上運動時,同時有平移與旋轉的現象,可視為先對某一點作平移,然後整個剛體再針對此點作旋轉。

(1) 平面剛體之速度運動公式(平面剛體平移+旋轉)

假設B點為剛體之質心,剛體在運動時針對B點作旋轉:

運動方程式: $\vec{r}_A = \vec{r}_B + \vec{r}_{A/B}$ ($\vec{r}_B$: 平移部分、$\vec{r}_{A/B}$: 旋轉部分)

速度: $\dot{\vec{r}}_A = \dot{\vec{r}}_B + \dot{\vec{r}}_{A/B} \Rightarrow \vec{V}_A = \vec{V}_B + \vec{\omega} \times \vec{r}_{A/B}$

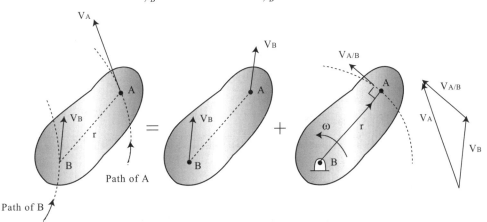

(2) 平面剛體之加速度運動公式(平面剛體平移+旋轉)

　　加速度：$\ddot{\vec{r}}_A = \ddot{\vec{r}}_B + \ddot{\vec{r}}_{A/B}$

　　$\Rightarrow \vec{a}_A = \vec{a}_B + \alpha \times \vec{r}_{A/B}$ (切向加速度) $+ \vec{\omega} \times (\vec{\omega} \times \vec{r}_{A/B})$ (向心加速度)

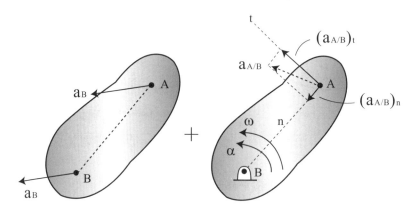

3. 瞬心法

(1) 瞬心：剛體在平面上運動瞬時速度為零的點稱為速度瞬心，瞬時加速度為零的點稱為加速度瞬心，除剛體作定軸轉動這類特殊的平面運動外，一般來說，瞬時轉動中心的加速度不會為零。

(2) 只要剛體任意二點之速度方向知道了，則僅要過此二速度方向劃垂線，其交點即為零速度點了。

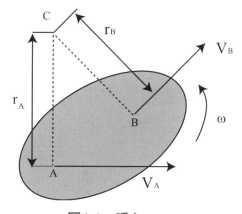

圖4.1　瞬心

　　如圖4.1所示找瞬心的方法：

　　A. 若已知剛體上任意兩點A與B的速度方向，則速度A與速度B的垂直線交點即為瞬心C。

　　B. 若剛體A點的速度大小V_A，已知旋轉的角速度時，則取與速度垂直 V_A 方向，且與A點距離為 $r_A = \dfrac{V_A}{\omega}$ 的位置，與B點距離為 $r_B = \dfrac{V_B}{\omega}$ 的位置。

⚙ 焦點命題 ⚙

1. 如圖所示的滾動圓柱體（rolling cylinder），其運動瞬間的角速度（angular velocity）為順時針2 rad/sec。試問：(1)E 點的速度(m/s)？(2) 承上題若圓柱體角加速度（angular acceleration）為逆時針1.5rad/ sec²。試問：E 點的加速度值(m/s)

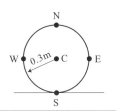

答：(1) $\vec{V}_C = (2 \times 0.3)\vec{i} = 0.6\vec{i}$

利用剛體運動公式

$\vec{V}_E = \vec{V}_C + \vec{w} \times \vec{r}_{E/C} = 0.6\vec{i} + (-2\vec{k}) \times 0.3\vec{i} = 0.6\vec{i} + (-0.6)\vec{j}$

$|\vec{V}_E| = \sqrt{(0.6)^2 + (-0.6)^2} = 0.848(m/s)$

(2) $\vec{a}_C = (-1.5 \times 0.3)\vec{i} = -0.45\vec{i}$

利用剛體運動公式

$\vec{a}_E = \vec{a}_C + \vec{\alpha} \times \vec{r}_{E/C} + \vec{w} \times (\vec{w} \times \vec{r}_{E/C}) = -0.45\vec{i} + (1.5\vec{k}) \times (0.3\ )$

$+ (-2\vec{k}) \times (-2\vec{k}) \times (0.3\vec{i}) = -1.65\vec{i} + 0.45\vec{j}$

$|\vec{a}_E| = \sqrt{(-1.65)^2 + (0.45)^2} = 1.71(m/s^2)$

2. 如圖所示之轉輪，內輪作水平面繞滾動，已知0點的速度與加速度分別為 $V_0 = 10cm/s$ (向左)，$a_0 = 20m/s^2$ (向右)，則(1)A點的速度大小為？(m/s)　(2)承上題，B點的加速度大小為？(m/s²)

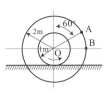

答：(1) $\vec{w}_O = \dfrac{10}{1}\vec{k} = 10\vec{k}$　利用剛體運動公式

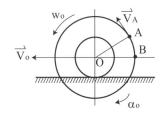

$\vec{V}_A = \vec{V}_O + \vec{w} \times \vec{r}_{A/O}$

$= -10\vec{i} + 10\vec{k} \times (2 \times \cos 30°i + 2 \times \sin 30°\vec{j})$

$= -20\vec{i} + 17.32\vec{j}$

$|\vec{V}_A| = \sqrt{(-20)^2 + (17.32)^2} = 26.5$

(2) $\vec{a}_B = \vec{a}_O + \vec{w}_O \times \vec{w}_O \times \vec{r}_{B/O} + \vec{\alpha} \times \vec{r}_{B/O} = 20\vec{i} + 10\vec{k} \times 10\vec{k} \times 2\vec{i} +$

$(-20\vec{k}) \times (2\vec{i}) = -180\vec{i} - 40\vec{j}$

$|\vec{a}_B| = \sqrt{(-180)^2 + (40)^2} = 184.4(m/s^2)$

3. 如圖所示之圓盤剛體運動，假設用一繩子以速度1.5m/s朝x方向作動，使圓盤在平台F上產生滾動，求(1)圓盤的角速度。(2)圓盤質心A的速度。(3)圓盤上D點的加速度。

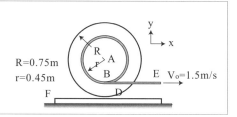

答：(1) 如圖所示得知

$$\vec{V}_B = \vec{V}_E = 1.5\,\vec{i} \quad \text{又D點速度為零，圓柱角速度}$$

$$w = \frac{V_B}{R-r} = 5(\circlearrowright) \Rightarrow \vec{w} = -5\,\vec{k}$$

(2) 由剛體運動公式：$\vec{V}_A = \vec{V}_D + \vec{w} \times \vec{r}_{A/D} = 0 + (-5)\vec{k} \times (0.75\,\vec{j}) = 3.75\,\vec{i}$

(3) 由剛體運動公式：$\vec{a}_B = \vec{a}_A + \vec{\alpha} \times \vec{r}_{B/A} + \vec{w} \times \vec{w} \times \vec{r}_{B/A} = 0 + 0 + 11.25\,\vec{j}$

$$\vec{a}_D = \vec{a}_B + \vec{\alpha} \times \vec{r}_{D/B} + \vec{w} \times \vec{w} \times \vec{r}_{D/B} = 11.25\,\vec{j} + 0 + 7.5\,\vec{j} = 18.75\,\vec{j}$$

4. 一連桿構造如下圖，CD之角速度為 $\omega_{CD} = 6\text{rad/s}$，則BC中點E之速度為多少 m/s？

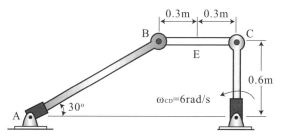

答：如圖所示利用瞬心法先求BC桿之角速度及桿件幾何長度

$$|\vec{V}_C| = 6 \times 0.6 = 3.6\,(\text{m/s})$$

$$w_{BC} = \frac{3.6}{0.346} = 10.4\,(\text{rad/s})$$

由BC桿之剛體運動公式

$$\vec{V}_E = \vec{V}_C + \vec{w}_{BC} \times \vec{r}_{CE}$$

$$= -3.6\,\vec{i} + (-10.4\vec{k}) \times (-0.3\,\vec{i})$$

$$= -3.6\,\vec{i} + 3.12\,\vec{j} \Rightarrow |\vec{V}_E| = 4.76\,(\text{m/s})$$

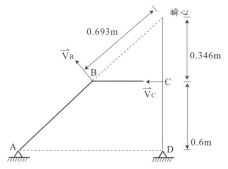

5. 無偏置（Zero offset）曲柄滑件機構中，$A_0A = 10\,cm$，$AB = 20\,cm$，桿2之角速度 $\omega_2 = 10\,rad/s$ 逆時針方向，當 $A_0A \perp A_0B$ 時：

(1)試求桿3之角速度 ω_3。

(2)試求滑件4的速度 V_4 和方向。【普考】

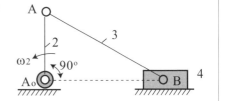

答：$\vec{V}_A = \vec{V}_O + \vec{\omega} \times \vec{r}_{A/O} = 0 + 10\vec{k} \times (10\vec{j}) = -100\vec{i}\,(cm/sec)$

$\vec{V}_A = \vec{V}_B + \vec{\omega_3} \times \vec{r}_{A/B} = V_B\vec{i} + \omega_3\vec{k} \times \left(-\sqrt{20^2 - 10^2}\,\vec{i} + 10\vec{j}\right)$

$\Rightarrow -100\vec{i} = V_B\vec{i} - 17.32\omega_3\vec{j} - 10\omega_3\vec{i} \Rightarrow \omega_3 = 0\,(rad/sec)$

$\Rightarrow V_B = -100\,(cm/sec) \Rightarrow V_4 = 100\,(cm/sec)\,(\leftarrow)$

6. 曲柄BC繞C轉動並帶動曲柄OA繞O轉動，當連桿通過下圖中所示CB水平且OA鉛直的位置時，CB的角速度為 2 rad/sec（逆時針），求此瞬間OA與AB的角速度。【機械高考】

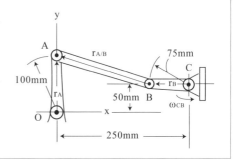

答：(1) 取BC自由體圖

$$\vec{V}_B = \vec{V}_C + \vec{W}_{BC} \times \vec{r}_B = 0 + 2\vec{k} \times (-0.075\vec{i}) = -0.15\vec{j}$$

(2) 取AB自由體圖

$$\vec{V}_A = \vec{V}_B + \vec{W}_{AB} \times \vec{R}_{A/B}$$

$$= -0.15\vec{j} + W_{AB}\vec{k} \times [-(0.25 - 0.075)\vec{i} + (0.1 - 0.05)\vec{j}]$$

$$= (-0.15 - 0.175W_{AB})\vec{j} + (-0.05W_{AB})\vec{i}$$

(3) 取OA桿

$$\vec{V}_A = (W_{OA} \times 0.1)\vec{i}$$

故 $-0.15 - 0.175W_{AB} = 0 \Rightarrow \vec{W}_{AB} = -0.857\vec{k}$ (rad/s)

$$\vec{W}_{OA} = (-0.4285)\vec{k}$$

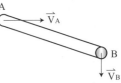

⚙4-2 ▌極座標公式

1. **極座標的建立**：當質點在作平面曲線運動時，與同一固定點之連線角度變化率或連線長度為已知時，我們可以極座標R與θ定義此質點的位置，極座標的建立：如圖4.2極座標的單位向量$\bar{e}_r$、$\bar{e}_\theta$；r 極半徑，θ 幅角，M點位置的確定M(r,θ)，運動方程式：$\begin{cases} r = r(t) \\ \theta = \theta(t) \end{cases}$

2. **極座標公式**

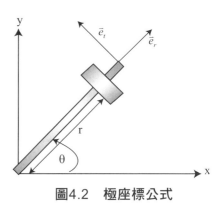

極座標公式	
速度	$\vec{v} = \dfrac{d\vec{r}}{dt} = \dot{r}\vec{e}_r + r\dfrac{d\vec{e}_r}{dt} = \dot{r}\vec{e}_r + r\dot{\theta}\,\vec{e}_\theta$
加速度	$\vec{a} = \dfrac{d\vec{v}}{dt} = \ddot{r}\vec{e}_r + \dot{r}\dfrac{d\vec{e}_r}{dt} + \dot{r}\dot{\theta}\,\vec{e}_\theta + r\ddot{\theta}\,\vec{e}_\theta + r\dot{\theta}\dfrac{d\vec{e}_\theta}{dt}$ $= (\ddot{r} - r\dot{\theta}^2)\vec{e}_r + (r\ddot{\theta} + 2\dot{r}\dot{\theta})\vec{e}_\theta$ $a_r = \ddot{r} - r\dot{\theta}^2$ (徑向加速度)， $a_\theta = r\ddot{\theta} + 2\dot{r}\dot{\theta}$ (切向加速度) $\Rightarrow a = \sqrt{a_r{}^2 + a_\theta{}^2}$

圖4.2　極座標公式

◉ 焦點命題 ◉

7. 如圖所示之桿OA長0.9m，繞著O轉動，$\theta = 0.15t^2$，其中θ的單位是徑度（radian），t的單位是秒。滑塊B沿著桿身運動，距離O為 r = 0.9 − $0.12t^2$，其中r的單位是公尺。當OA轉到$\theta = 30°$時，試問：滑塊B的速度值？【台電】

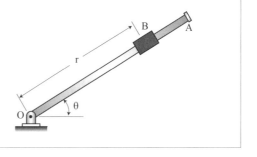

答：由極座標公式

$$\vec{V}_B = \dot{r}\vec{e}_r + r\dot{\theta}\vec{e}_\theta \quad 又\ \theta = 30° = \frac{\pi}{6} = 0.15\,t^2 \Rightarrow t = 1.868$$

$$\dot{r} = -0.24t = -0.4484 \quad r\dot{\theta} = (0.9 - 0.12\,t^2) \times 0.3t = 0.2697$$

$$\vec{V}_B = -0.4484\,\vec{e}_r + 0.2697\,\vec{e}_\theta$$

$$|\vec{V}_B| = \sqrt{(-0.4484)^2 + (0.2697)^2} = 0.524(\text{m/s})$$

8. 如圖所示，已知桿件AB的角速度及角加速度，試求此時桿件CD之角速度及角加速度，滑塊C係銷接於桿件CD並可於桿件AB上滑動。【機械地特三等】

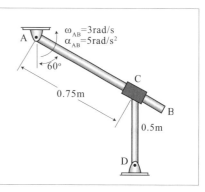

$\omega_{AB} = 3\text{rad/s}$
$\alpha_{AB} = 5\text{rad/s}^2$
A
60°
0.75m
C
B
0.5m
D

答：(1) 如圖所示CD桿中，C進行圓周運動：

$$\vec{V}_C = w_{CD} \times 0.5 \times (\cos 30°\vec{e}_r + \sin 30°\vec{e}_\theta)$$

AC桿中利用極座標公式

$$\vec{V}_C = \dot{r}\vec{e}_r + r\dot{\theta}\vec{e}_\theta$$

$$= \dot{r}\vec{e}_r + 0.75 \times 3\,\vec{e}_\theta$$

$$\Rightarrow w_{CD} \times 0.5 \times \sin 30°$$

$$= 0.75 \times 3$$

$$\Rightarrow w_{CD} = 9 \text{ rad/s}(\curvearrowright)$$

(2) CD桿中：

$$\vec{a}_C = |\vec{a}_{Cx}| \times (\cos 30°\vec{e}_r + \sin 30°\vec{e}_\theta)$$

$$+ |\vec{a}_{Cy}| \times (\cos 60°\vec{e}_r - \sin 60°\vec{e}_\theta)$$

AC桿中利用極座標公式

$$\vec{a}_C = (\ddot{r} - \quad)\vec{e}_r + (r\ddot{\theta} + 2\dot{r}\dot{\theta})\vec{e}_\theta$$

$$\Rightarrow r\ddot{\theta} + 2\dot{r}\dot{\theta} = |\vec{a}_{Cy}| \times (-\sin 60°) + |\vec{a}_{Cx}| \times \sin 30°$$

其中 r = 0.75，$\dot{r} = 9 \times 0.5 \times \cos 30° = 3.897$，

$|\vec{a}_{Cy}| = 9^2 \times 0.5 = 40.5$，$|\vec{a}_{Cy}| = 0.5\,\alpha_{CD}$

$\ddot{\theta} = \alpha_{AB} = 5(\text{rad/s})$，$\dot{\theta} = w_{AB} = 3(\text{rad/s})$　得 $\alpha_{CD} = 248.8\text{rad/s}^2(\curvearrowright)$

🔧 4-3 平移旋轉座標運動公式

1. 相對運動的概念

(1) 絕對運動：質點相對於在空間不動的慣性座標系統的運動；絕對速度：質點相對於空間不動的慣性座標系統的速度；絕對加速度：質點相對於空間不動的慣性座標系統的加速度。

(2) 相對運動：質點相對於動點的運動；相對速度：質點相對於動點的速度；相對加速度：質點相對於動點的加速度。

2. 平移旋轉座標運動公式

(1) 如圖4.3所示，在圖中假設 $x'y'z'$ 為平移座標系，則 $\vec{i'}$、$\vec{j'}$、$\vec{k'}$ 的大小，方向均不變，相對運動方程式：

$$\vec{r}_{M/O'} = x'\vec{i'} + y'\vec{j'} + z'\vec{k'} \Rightarrow (\vec{v}_{M/O'})_{x'y'z'} = \dot{x}'\vec{i'} + \dot{y}'\vec{j'} + \dot{z}'\vec{k'}$$

(於動座標所測得M點的速度，亦即附著於剛體所測得的速度)

$$\Rightarrow (\vec{a}_{M/O'})_{x'y'z'} = \ddot{x}'\vec{i'} + \ddot{y}'\vec{j'} + \ddot{z}'\vec{k'}$$

(於動座標所測得M點的加速度，亦即附著於剛體所測得的加速度)

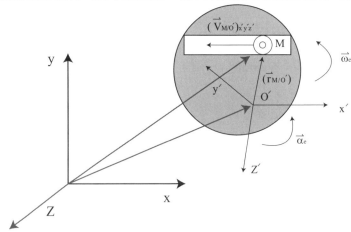

圖4.3　平移旋轉運動公式

(2) 求速度與加速度

$$\vec{v}_M = \vec{v}_o + \dot{x}\vec{i}' + \dot{y}\vec{j}' + \dot{z}\vec{k}' = \vec{v}_o + (\vec{v}_{M/O'})_{x'y'z'}$$

對時間 t 求一階導數 $\Rightarrow \dfrac{d\vec{v}_M}{dt} = \dfrac{d\vec{v}_o}{dt} + \ddot{x}\vec{i}' + \ddot{y}\vec{j}' + \ddot{z}\vec{k}'$

已知 $\dfrac{d\vec{v}_o}{dt} = \vec{a}_o$ 且 $\ddot{x}\vec{i}' + \ddot{y}\vec{j}' + \ddot{z}\vec{k}' = (\vec{a}_{M/O'})_{x'y'z'} \Rightarrow \dfrac{d\vec{v}_M}{dt} = \vec{a}_M$

$$= \vec{\alpha}_e \times \vec{r}_{M/O'} + \vec{\omega}_e \times \dfrac{d\vec{r}_{M/O'}}{dt} + \ddot{x}\vec{i}' + \ddot{y}\vec{j}' + \ddot{z}\vec{k}' + \dot{x}\dfrac{d\vec{i}'}{dt} + \dot{y}\dfrac{d\vec{j}'}{dt} + \dot{z}\dfrac{d\vec{k}'}{dt}$$

(3) 經運算可得平移旋轉運動座標公式：

速度：$\vec{v}_a = \vec{v}_e + \vec{v}_r = \vec{v}_o + \vec{w}_e \times \vec{r}_{M/O'} + (\vec{v}_{M/O'})_{x'y'z'}$

加速度：$\vec{a}_a = \vec{a}_{o'} + \vec{\alpha}_e \times \vec{r}_{M/O'} + \vec{\omega}_e \times (\vec{\omega}_e \times \vec{r}_{M/O'}) + 2\vec{\omega}_e \times (\vec{v}_{M/O'})_{x'y'z'}$

$\qquad + (\vec{a}_{M/O'})_{x'y'z'}$

(4) 式中 $2\vec{\omega}_e \times (\vec{v}_{M/O'})_{x'y'z'}$ 為柯氏加速度，產生的原因為相對運動改變了暫態動系上與動點相重合牽連點與牽連速度的大小而所致。

◉ 焦點命題 ◉

9. 如圖所示，物件A在一輸送帶上向左移動（速度與加速度如圖所示），輸送帶上方利用一以O為圓心轉動之圓盤裝置攝影機B以觀測A之移動，其中攝影機B當時之速度與加速度如圖所示，假設攝影機B距離圓盤中心距離為0.5m，(1)試求在物件A上所測得之攝影機B速度及加速度；(2)試求在攝影機B上所測得之A物件速度及加速度。【普考】

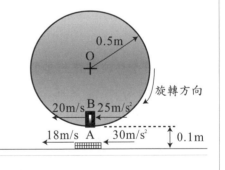

答：(1) 由於A並沒有轉動

$$(\vec{V}_B)_{byA} = \vec{V}_B - \vec{V}_A = -20\vec{i} - (-18\vec{i}) = -2\vec{i}$$

$$(\vec{a}_B)_{byA} = \vec{a}_B - \vec{a}_A = [-25\vec{i} + (\frac{20^2}{0.5})\vec{j}] - (-30\vec{i}) = 5\vec{i} + 800\vec{j}$$

(2) 由平移旋轉運動公式求B看A

$$\vec{V}_A = \vec{V}_B + \vec{W} \times \vec{r}_{A/B} + (\vec{V}_A)_{byB} \Rightarrow -18\vec{i} = -20\vec{i} + (\frac{-20}{0.5})\vec{k} \times (-0.1\vec{j}) + (\vec{V}_A)_{byB}$$

$$\Rightarrow (\vec{V}_A)_{byB} = 24\vec{i} - 18\vec{i} = 6\vec{i}$$

$$\vec{a}_A = \vec{a}_B + \vec{\alpha} \times \vec{r}_{A/B} + \vec{W} \times (\vec{W} \times \vec{r}_{A/B}) + (\vec{a}_A)_{byB} + 2\vec{W} \times (\vec{V}_A)_{byB}$$

$$\Rightarrow -30\vec{\tau} = [-25\vec{i} + (\frac{20^2}{0.5})\vec{j}] + (\frac{-20}{0.5})\vec{k} \times (-4\vec{i}) + (\vec{a}_A)_{byB} + 2 \times (\frac{-20}{0.5}\vec{k}) \times (6\vec{i})$$

$$+(-\frac{25}{0.5}\vec{k}) \times (-0.1\vec{j}) \Rightarrow (\vec{a}_A)_{byB} = -480\vec{j}$$

---

10. 一個滑塊沿著軌道以 v＝2m/s 的速度前進，當 θ＝60° 且剛體以 w=5rad/s 的角速度進行運轉，當 r＝3m、h＝2m 時，求此滑塊的速度及加速度。

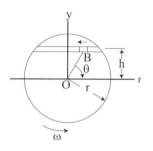

答：(1) 利用平移旋轉運動座標公式，取圓盤為參考體：

$$\vec{V}_B = \vec{V}_O + \vec{w} \times \vec{r}_{B/O} + (\vec{V}_{B/O})_{xyz} = 0 + 5\vec{k} \times (h\cot 60°\vec{i} + h\vec{j}) + (-2\vec{i})$$

$$= -12\vec{i} + 5.77\vec{j}$$

(2) $\vec{a}_B = \vec{a}_O + \vec{\alpha} \times \vec{r}_{B/O} + \vec{w} \times \vec{w} \times \vec{r}_{B/O} + 2\vec{w} \times (\vec{V}_{B/O})_{xyz} + (\vec{a}_{B/O})_{xyz}$

$$= 0 + 0 + 5\vec{k} \times [5\vec{k} \times (h\cot 60°\vec{i} + h\vec{j})] + 2 \times 5\vec{k} \times (-2\vec{i}) = -28.9\vec{i} - 70\vec{j}$$

|精選試題|

📝 基礎試題演練

1. 輪子的初始順時針角速度10rad/s及等角加速度3rad/s²。試求輪子的順時針角速度為15rad/s時，所經歷的轉數及時間。

答：$\omega = 10 \text{rad/s}$　　$\omega = 3 \text{rad/s}^2$　　$\omega_f = 15 \text{rad/s}$　　$\omega_f^2 = \omega^2 + 2\alpha\theta$

$\theta = \dfrac{\omega_f^2 - \omega^2}{2\alpha}$　　$\theta = 3.32 \text{ rev}$　　$\omega_f = \omega + \alpha t$　　$t = \dfrac{\omega_f - \omega}{\alpha}$　　$t = 1.67s$

2. 圓盤的角速度 $\omega = (5t^2 + 2)\text{rad/s}$ ，其中t的單位為秒。試求 $t = 0.5\,\text{s}$ 時圓盤上A點的速度與加速度大小。

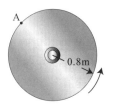

答：$\omega = 5 \times (0.5)^2 + 2 = 3.25 (\text{rod/s})$

$\alpha = 10 \times 0.5 = 5 (\text{rad/s}^2)$

$V = \omega r$　　$V = 2.60 \text{m/s}$　　$a = \sqrt{(ar)^2 + (\omega^2 r)^2}$　　$a = 9.35 \text{m/s}^2$

3. 如圖所示之圓板凸輪以固定角速度 $\omega = 1.5\text{rad/s}$ 順時針方向旋轉，試求當 $\theta = 2\pi/3$ 時，凸輪從動件AB之速度及加速度。

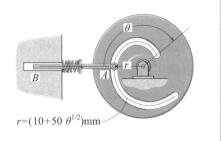

$r = (10 + 50\,\theta^{1/2})\text{mm}$

答：$r = (10 + 50\theta^{\frac{1}{2}})$

$\dot{r} = 25\theta^{-\frac{1}{2}} \cdot \dot{\theta}$

$$\ddot{r} = -12.50\theta^{-\frac{3}{2}} \cdot \dot{\theta}^2 + 250\theta^{-\frac{1}{2}} \cdot \ddot{\theta}$$

其中$\theta = \dfrac{2\pi}{3}$，$\dot{\theta} = 1.5$，$\ddot{\theta} = 0$代入

$r = 82.36$，$\dot{r} = 25.91$，$\ddot{r} = -9.28$

$$V_A = \dot{r}\vec{e}_r + r\dot{\theta}\vec{e}_\theta$$

$$a_A = (\ddot{r} - r\dot{\theta}^2)\vec{e}_r + (r\ddot{\theta} + 2\dot{r}\dot{\theta})\vec{e}_\theta$$

從動件AB桿運動方向為$\vec{e}_r$方向，

故$V_{AB} = \dot{r}\,\vec{e}_r = 25.91(\text{mm}/\text{s})\vec{e}_r$

$$a_{AB} = (\ddot{r} - r\dot{\theta}^2) = -9.25 - 82.36 \times 1.5 = -195(\text{mm}/\text{S}^2)$$

---

4. 小齒輪在兩齒條上滾動。若B以4m/s向右移動，而C以2m/s向左移動，試求小齒輪的角速度及中心點A的速度。

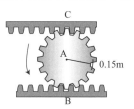

答：$V_C = V_B + V_{C/B}$ $\omega = \dfrac{V_C - V_B}{2r}$ $\omega = 20\text{rad}/\text{s}$

$V_A = V_B + V_{A/B}$ $V_A = V_B + (-\omega)r$ $V_A = 1\text{m/s}$

---

5. 如圖所示之剛體，一剛體桿件固定於O旋轉，且$\theta = 30°$、$w = 3(\text{rad/s})$、$\alpha = 14(\text{rad/s}^2)$，求(1)A點之速度及加速度。(2)B點的速度及加速度。

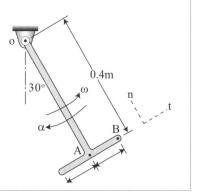

答：(1) $V_A = w \times r_{A/O} = 3k(-0.4e_n) = 1.2e_t \, m/s$

$a_A = \alpha \times r_{A/O} - w^2 r_{A/O} = -14k \times (-0.4e_n) - 3^2(-0.4e_n)$

$= -5.6e_t + 3.6e_n \, m/s^2$

(2) $V_B = w \times r_{B/O} = 3k(-0.4e_n + 0.1e_t) = 1.2e_t + 0.3e_n$

$a_B = \alpha \times r_{B/O} - w^2 r_{B/O} = -14k \times (-0.4e_n + 0.1e_t) - 3^2(-0.4e_n + 0.1e_t)$

$= -6.5e_t + 2.2e_n m/s^2$

---

6. 如圖所示，一桿件於接觸地方為光滑平面，且 $\theta = 60°$、$V_A = 5(m/s)$、$a_A = 7(m/s^2)$、L = 10m，求(1)AB桿之角速度、角加速度。(2)B 點的速度及加速度。

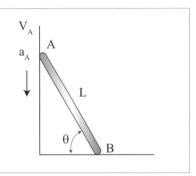

答：利用瞬心法

(1) $W_{AB} = \dfrac{|\vec{V}_A|}{10 \times \cos 60°}$

$= \dfrac{5}{10 \times \cos 60°} = \dfrac{|\vec{V}_B|}{10 \times \sin 60°}$

$\Rightarrow W_{AB} = 1$，$|\vec{V}_B| = 8.66(m/s)$

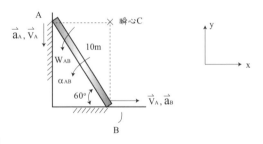

(2) 根據剛體運動公式

$\vec{a}_B = \vec{a}_A + \vec{w}_{AB} \times \vec{w}_{AB} \times \vec{r}_{B/A} + \vec{\alpha}_{AB} \times \vec{r}_{B/A}$

$= -7\vec{j} + 1\vec{k} \times [1\vec{k} \times (10\cos 60°\vec{i} - 10\sin 60°\vec{j})] + \alpha_{AB}\vec{k} \times (10\cos 60°\vec{i} - 10\sin 60°\vec{j})$

$\Rightarrow a_B\vec{i} = (-5 + 8.66\alpha_{AB})\vec{i} + (-7 + 8.66 + 5\alpha_{AB})\vec{j} - 7 + 8.66 + 5\alpha_{AB} = 0$

$\Rightarrow \alpha_{AB} = -0.332(rad/s^2) \Rightarrow a_B = -7.88m/s^2$

7. 有一圓盤之半徑為100mm，繞其中心軸旋轉，由靜止開始作等角加速度圓周運動，其角加速度為5rad/sec^2，試求在5秒時，圓盤周緣上任一點之加速度與速度各若干。【機械關務四等】

答：$w = w_o + \alpha t = 0 + 5 \times 5 = 25(\text{rad/s})$；$V = w \times r = 25 \times 0.1 = 2.5\text{m/s}$

$$a = \sqrt{a_n^2 + a_t^2} = \sqrt{[\frac{v^2}{r}]^2 + (\alpha r)^2}$$

$$= \sqrt{[\frac{(2.5)^2}{0.1}]^2 + (5 \times 0.1)^2} = 62.5\text{m/s}^2$$

8. 右圖中槽臂OA轉動時帶動銷子沿著一固定的曲線導槽運動，此曲線導槽為一螺線（spiral），其方程式r＝Kθ。當θ＝π／3時，槽臂由靜止開始以α之等角加速度轉動，試求θ＝3π／4時銷子的加速度。【100普考】

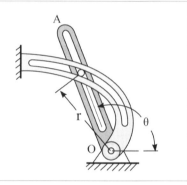

答：由極座標公式加速度：$\bar{a} = (\ddot{r} - r\dot{\theta}^2)\bar{e}_r + (r\ddot{\theta} + 2\dot{r}\dot{\theta})\bar{e}_\theta$

$r = k\theta \Rightarrow \dot{r} = k\dot{\theta} \Rightarrow \ddot{r} = k\ddot{\theta}$

(1) 當 $\theta = \dfrac{\pi}{3}$ 時 $\Rightarrow \dot{\theta} = 0 \Rightarrow \ddot{\theta} = \alpha$

(2) 當 $\theta = \dfrac{3\pi}{4}$ 時 $\Rightarrow \dot{\theta} = \ddot{\theta}t = \alpha t \Rightarrow t = \sqrt{\dfrac{5\pi}{6\alpha}}$

$\dot{\theta} = \alpha t = \sqrt{\dfrac{5\pi\alpha}{6}}$ 帶回加速度

$\bar{a} = \left(k\alpha - r \times \dfrac{5\pi\alpha}{6}\right)\bar{e}_r + \left(r\alpha + \dfrac{k5\pi\alpha}{3}\right)\bar{e}_\theta$

$\Rightarrow \bar{a} = (-5.17k\alpha)\bar{e}_r + (7.59k\alpha)\bar{e}_\theta$

$a = k\alpha\sqrt{(-5.17)^2 + (7.59)^2} = 9.1835k\alpha$

進階試題演練

1. 如右圖所示,輪A(半徑3m)固定於地面,輪B
(半徑1m)與輪A以連桿R連結於圓心,輪B可在
輪A的輪緣上繞輪A圓心滾動。已知連桿R繞輪A
圓心順時針旋轉之角速度$\omega r = 60rpm$(或2π rad/
s),輪B與輪A之瞬時接觸點為C。試求:(1)輪
B圓心之切線速度與輪B之角速度。(2)輪B邊緣上
點P之加速度。【機械技師】

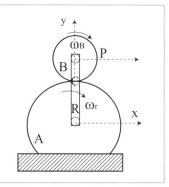

答:(1) 由桿 A_0B_0 之剛體運動公式

$$\vec{V}_{Bo} = wr \times (3+1)\vec{i} = 8\pi\vec{i} \qquad 由B物體可知$$

$$\vec{V}_{Bo} = w_B \times 1\vec{i} \Rightarrow w_B = 8\pi \;(\circlearrowleft)$$

(2) 由桿 A_0B_0 之剛體運動公式可知

$$\vec{a}_{Bo} = \frac{-|\vec{V}_{BO}|^2}{3+1}\vec{j} = -16\pi^2\vec{j}$$

由B物體之剛體運動公式

$$\vec{a}_P = \vec{a}_{Bo} + \vec{w_B} \times (\vec{w_B} \times \vec{r}_{P/_{Bo}}) + \vec{\alpha}_B \times \vec{r}_{P/_{Bo}}$$

$$= -16\pi^2\vec{j} + (-8\pi\vec{k}) \times (-8\pi\vec{k} \times 1\vec{i}) + 0 = -64\pi^2\vec{i} - 16\pi^2\vec{j}$$

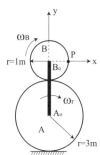

2. 如圖所示,求出BC桿與CD桿之角速度與角加速度。

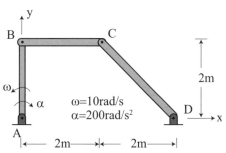

答:(1) 由AB桿得知B點之速度與加速度

$$\vec{V}_B = -2w\vec{i} = -20\vec{i}$$

$$\vec{a}_B = 2\alpha\vec{i} - 2w^2\vec{j} = 400\vec{i} - 200\vec{j}$$

由CD桿之剛體運動公式

$$\vec{V}_C = -2w_{CD}\vec{i} - 2w_{CD}\vec{j} \quad \vec{a}_C = (-2\alpha_{CD} + 2W_{CD}^2)\vec{i} - (2\alpha_{CD} + 2w_{CD}^2)\vec{j}$$

(2) 由BC桿之剛體運動公式

$$\vec{V}_C = \vec{V}_B + \vec{w}_{BC} \times \vec{r}_{C\!/\!B} = -20\vec{i} + 2w_{BC}\vec{j}$$

$$\Rightarrow -2w_{CD} = -20 \Rightarrow w_{CD} = 10\text{rad/s}(\curvearrowright) \quad W_{BC} = -10\text{rad/s}(\curvearrowleft)$$

$$\vec{a}_C = \vec{a}_B + \vec{\alpha}_{BC} \times \vec{r}_{C\!/\!B} + \vec{w}_{BC} \times (\vec{w}_{BC} \times \vec{r}_{C\!/\!B}) = (400 - 2w_{BC}^2)\vec{i} + (-200 + 2\alpha_{BC})\vec{j}$$

$$\Rightarrow \begin{cases} -2\alpha_{CD} + 2w_{CD}^2 = 400 - 2w_{BC}^2 \\ -2\alpha_{CD} - 2w_{CD}^2 = -200 + 2\alpha_{BC} \end{cases} \quad 解得 \quad _{CD} = \alpha_{BC} = 0$$

---

3. 如圖所示，連桿AB之銷（pin）A，被限制在另一根連桿AC內的滑槽中滑動。已知在 $\beta = 60°$ 之瞬間，銷A於滑槽以等速率 $\dot{r} = 5\text{mm/s}$ 離開C點滑動。試求此瞬間連桿AC之角速度 θ 及角加速度 $\ddot{\theta}$。【機械鐵路特考三等】

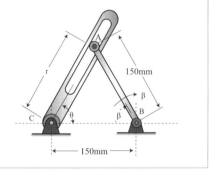

答：(1) 由AC桿取極座標

$$\vec{V}_A = \dot{r}\vec{e}_r + r\dot{\theta}\vec{e}_\theta = 5 \times 10^{-3}\vec{e}_r + r\dot{\theta}\vec{e}_\theta \text{ (m/s)}$$

於AB桿中A點為圓周運動，

且 $\beta = 60°$，則 $\theta = 60°$，$\alpha = 30°$

$$\vec{V}_A = \dot{\beta} \times 0.15 \times \cos 30°\vec{e}_r + (-\dot{\beta} \times 0.15 \times \sin 30°)\vec{e}_\theta$$

$$\dot{\beta} = 0.0385\text{rad/s}，\dot{\theta} = -0.01925\text{rad/s}(\curvearrowright)$$

(2) 由AC桿取極座標

$$\vec{a}_A = (\ddot{r} - r\dot{\theta}^2)\vec{e}_r + (r\ddot{\theta} + 2\dot{r}\dot{\theta})\vec{e}_\theta$$

A點於AB桿圓周運動中僅有向心加速度

$$\vec{a}_A = \frac{|\vec{V}_A|^2}{0.15} \times [-\cos 60°\vec{e}_r + (-\sin 60°)\vec{e}_\theta]$$

$$= -1.11 \times 10^{-4}\vec{e}_r + (-1.925 \times 10^{-4})\vec{e}_\theta$$

$$r\ddot{\theta} + 2\dot{r}\dot{\theta} = -1.925 \times 10^{-4}$$

$$\Rightarrow 0.15\ddot{\theta} + 2 \times 5 \times 10^{-3} \times (-0.01925) = -1.925 \times 10^{-4} \quad \ddot{\theta} = 0$$

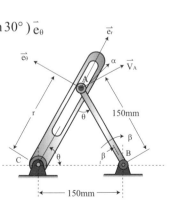

Chapter 05 剛體力動學

✿ 5-1 質量慣性矩

1. 質量慣性矩

(1) 物理意義：質量慣性矩又稱為轉動慣量，為描述剛體繞 z 軸時慣性大小的度量，所有組成物體的質量元素 dm 對某一軸之二次矩的積分式，稱為慣性矩 (moment of inertia)。

(2) 定義：$I_z = \sum m_i r_i^2 = mk^2$ (k：迴轉半徑)

$\Rightarrow$ 剛體對 z 軸的質量慣性矩

或 $I_z = \int r^2 dm = \sum m_i (x_i^2 + y_i^2)$

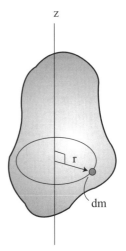

圖5.1　質量慣性矩

2. 常見質量慣性矩

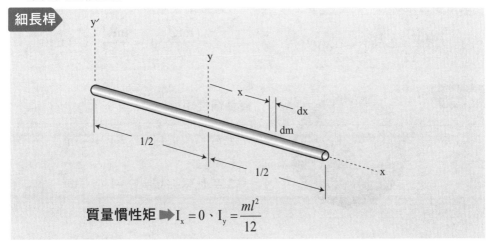

細長桿

質量慣性矩 ➡ $I_x = 0$、$I_y = \dfrac{ml^2}{12}$

矩形板

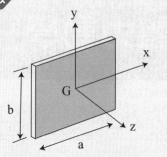

質量慣性矩➡

$$I_x = \frac{mb^2}{12} \cdot I_y = \frac{ma^2}{12} \cdot I_z = \frac{m(a^2 + b^2)}{12}$$

均質薄圓板

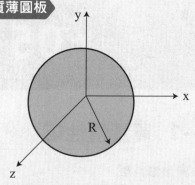

質量慣性矩➡

$$I_x = \frac{mR^2}{4} \cdot I_y = \frac{mR^2}{4} \cdot I_z = \frac{1}{2}mR^2$$

圓柱體

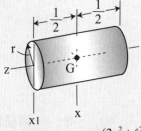

質量慣性矩➡ $I_x = \frac{m(3r^2 + \ell^2)}{12} \cdot I =$

$$I_y = \frac{m(3r^2 + \ell^2)}{12} \cdot I_z = \frac{1}{2}mR^2$$

圓 環

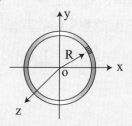

質量慣性矩➡

$$I_x = \frac{mR^2}{2} \cdot I_y = \frac{mR^2}{2} \cdot I_z = mR^2$$

圓 環

質量慣性矩➡

1.實心球：$I_z = I_x = I_y = \frac{2}{5}mr^2$

2.空心球：$I_z = I_x = I_y = \frac{2}{3}mr^2$

✿ 5-2 平面剛體力動學

1. **平移運動方程式**：物體的平移運動可用由x, y慣性參考座標測得的質心加速度來定義，對於物體在x-y平面的運動，平移運動方程式可寫成兩獨立的純量方程式，即 $\sum F_x = m(a_G)_x$、$\sum F_y = m(a_G)_y$

2. **旋轉運動方程式**：作用在質點系統(包含於剛體)的所有外力對固定點O的力矩總和等於物體對O點的總角動量的時間變化率，若將作用在所有質點上的所有外力對系統質心G取力矩和，可得力矩和 $\sum M_G$ 與角動量 H_G 的關係 $\sum M_G = \dot{H}_G = I_G \alpha$

3. **平面剛體運動方程式**：綜合上述的分析，如圖所示可知對稱剛體的一般平面運動可由二個獨立的向量方程式來描述，即

運動方程式	圖示
1.尤拉第一定律：作用於剛體的合外力等於剛體質量×質心加速度 $\sum F = m\overline{a}$	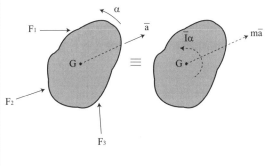
2.尤拉第二定律：剛體對某固定點之角動量的微分，等於作用於剛體的各外力對點之合力矩 $\sum M_G = \dot{H}_G = I_G \alpha$	

4. **平面剛體運動方程式的應用**

   (1) **繞固定軸旋轉**：繪出剛體的自由體圖，以便計算所有作用於剛體上的外力與力偶矩，如圖所示

   A.尤拉第一定律：$\sum F_n = m(a_G)_n = mw^2 r_G$
   $\sum F_t = m(a_G)_t = m\alpha r_G$

   B.尤拉第二定律：$\sum M_O = r_G m(a_G)_t + I_G \alpha$

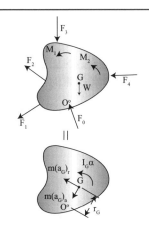

(2) **平面運動問題**：在平面運動力學的問題中，有一類的問題特別值得
　　說明，即滾輪、圓柱或類似形狀的物體在粗糙表面上滾動。
　　a_G 指向右方且 α 為順時針方向，得

$$\xrightarrow{+}\sum F_x = m(a_G)_x \,;\, P - F = ma_G$$

$$+\uparrow \sum F_y = m(a_G)_y \,;\, N - mg = 0$$

$$+\sum M_G = I_G\alpha \,;\, Fr = I_G\alpha$$

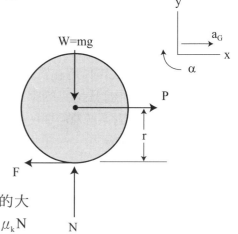

A.無滑動 (純滾動)
　　可利用 $a_G = \alpha r$ 帶入上面三
　　式求解

B.發生滑動
　　此時 $a_G \neq \alpha r$，需找出摩擦力的大
　　小與正向力之間的關係即 $F = \mu_k N$
　　帶入上面三式求解

焦點命題

1. 有一均質樑（uniform
　beam），長度為L，重量為
　W，如圖所示。 該樑的A端
　為支持銷（pin），B端被纜
　繩（cable）所懸吊支持。
　若該纜繩突然斷裂，重力加
　速度為g，試求：

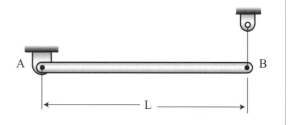

(1) 端點B的加速度（acceleration）及方向
(2) A端銷處的反應力（reactionforce）及方向。

（提示：樑的質心慣性矩為 $\dfrac{1}{12}mL^2$，其中m 表示質量）【土木普考】

答：(1) 取A、B受力自由體圖

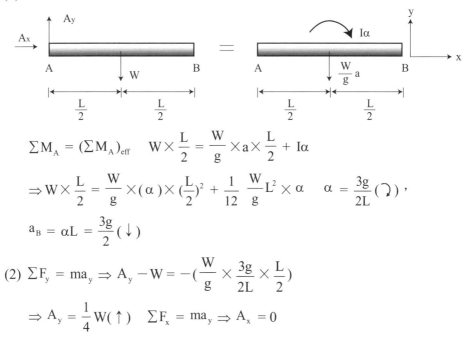

$$\sum M_A = (\sum M_A)_{eff} \quad W \times \frac{L}{2} = \frac{W}{g} \times a \times \frac{L}{2} + I\alpha$$

$$\Rightarrow W \times \frac{L}{2} = \frac{W}{g} \times (\alpha) \times (\frac{L}{2})^2 + \frac{1}{12}\frac{W}{g}L^2 \times \alpha \quad \alpha = \frac{3g}{2L}(\curvearrowright),$$

$$a_B = \alpha L = \frac{3g}{2}(\downarrow)$$

(2) $\sum F_y = ma_y \Rightarrow A_y - W = -(\frac{W}{g} \times \frac{3g}{2L} \times \frac{L}{2})$

$$\Rightarrow A_y = \frac{1}{4}W(\uparrow) \quad \sum F_x = ma_y \Rightarrow A_x = 0$$

---

2. 汽車車輪在滾動時受力之情況，如圖所示。車輪重量為60公斤，車輪對其中心C的迴轉半徑為0.3m，車輪和地面的動摩擦係數為0.2，靜摩擦係數為0.25，試求車輪中心C的加速度及車輪的角加速度。【機械普考】

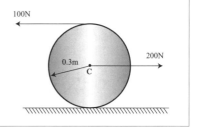

答：(1) 假設底不滑動($a = 0.3\alpha$)：$\sum M_A = (\sum M_A)_{eff}$

$$200 \times 0.3 - 100 \times 0.6 = 60 \times (0.3)^2 \alpha + 60 \times \alpha \times (0.3)^2 \Rightarrow \alpha = 0，a = 0$$

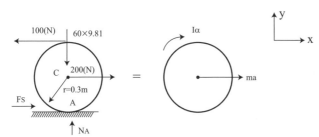

(2) $\sum F_x = 0 : -100 + 200 + F_S = 60 \times a$　$F_S = -100(N) = 100N(\leftarrow)$

$\mu \times N_A = 147.15(N)$　$F_S < 147.15$與假設相符，所以車輪不滑動

且$a = 0(m/s^2)$

---

3. 一均勻細長桿件OA，其質量為0.5kg，長度2.0m，而桿件O端具有一無質量之滑輪並靜置於一傾斜角度 $\theta = 30°$ 之斜板上，不考慮滑輪之尺寸，重力加速度 $g = 9.81m/s^2$。(1)若斜板為光滑斜面，試決定桿件頂端O之加速度；(2)若斜板之動摩擦係數為 $\mu_k = 0.2$，試求上題結果。【機械普考】

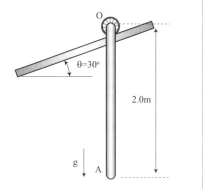

答：(1) 斜板為光滑斜面(0.2N=0)

$$\sum M_A = \left(\sum M_A\right)_{eff}$$

$$0 = \frac{1}{12} \times 0.5 \times 2^2 \times \alpha + 0.5 \times \frac{2}{2} \times \alpha \times \frac{2}{2} - 0.5 \times a \times \frac{2}{2} \times \cos 30° \cdots\cdots ①$$

$$\sum F_x = ma_x \quad 0.5 \times 9.81 \times \sin 30° = 0.5 \times (a - \frac{2}{2}\alpha \times \cos 30°) \cdots\cdots ②$$

由①②解得a=11.2(m/s^2)、 α =7.27(m/s^2)

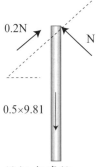

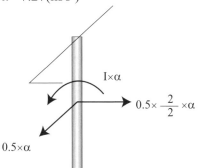

(2) 斜板有摩擦

$$\sum M_A = \left(\sum M_A\right)_{eff}$$

$$0 = \frac{1}{12} \times 0.5 \times 2^2 \times \alpha + 0.5 \times \frac{2}{2} \times \alpha \times \frac{2}{2} - 0.5 \times a \times \frac{2}{2} \times \cos 30° \cdots\cdots ③$$

$$\sum F_x = ma_x \quad 0.5 \times 9.81 \times \sin 30° - 0.2N = 0.5 \times (a - \frac{2}{2}\alpha \times \cos 30°) \cdots\cdots ④$$

$$\sum F_y = ma_y \quad -0.5 \times 9.81 \times \cos 30° + N = -0.5 \times (\frac{2}{2}\alpha \times \sin 30°) \cdots\cdots ⑤$$

由③④⑤解得a=8.6(m/s^2)、α=5.58(m/s^2)、N=2.85

⚙ 5-3 剛體功－能定理

1. 剛體的動能

(1) 剛體的平移運動：剛體作平移時，各點的速度都相同，以質心速度V$_G$為代表得平移剛體的動能：

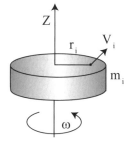

$$T = \sum \frac{1}{2}m_i V_i^2 = \frac{1}{2}(\sum m_i)V^2 = \frac{1}{2}mV^2 = \frac{1}{2}mV_G^2$$

($m = \sum m_i$ 剛體的質量)

圖5.2　剛體繞軸旋轉

(2) 定軸旋轉剛體：如圖5.2所示剛體繞定軸z轉動時，其中任一點m_i的速度為V$_i$＝r$_i\omega$。式中ω是剛體的角速度，r_i是質點m_i到轉軸的垂距。

於是繞定軸轉動剛體的動能為 $T = \sum \frac{1}{2}m_i V_i^2 = \frac{1}{2}(\sum m_i r_i^2)\omega^2 = \frac{1}{2}I_z\omega^2$

其中 $I_z = \sum m_i r_i^2$ ：剛體對於z軸的質量慣性矩。

(3) 平面剛體平移旋轉運動：如圖5.3 取剛體質心G所在的平面圖形，假設圖形中的點O是平面剛體在運動時某暫態的瞬心，且剛體以角速度 ω ，質心速度 v_G 進行平移旋轉運動，則剛體上各點速度的分佈與繞點O轉動的剛體相同，於是平面運動的剛體的動能為 T 　$-I\omega$

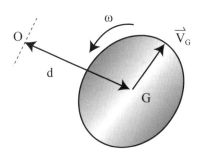

圖5.3　平面剛體平移旋轉運動

式中 I_o 是剛體對於瞬心軸的轉動慣量,然而在不同時刻,剛體以不同的點作為瞬心,因此用上式計算動能在有些情況下是不方便的,根據計算慣性矩的平行軸定理有 $I_o = I_G + md^2$

式中 m 為剛體的質量,$V_G = \omega d$,I_G 為對於質心的慣性矩(轉動慣量),代入計算動能的公式中,得 $T = \dfrac{1}{2}mv_G^2 + \dfrac{1}{2}I_G\omega^2$

2. 剛體的功-能原理:

(1) 作用力作用於剛體時,使剛體由某一狀態 A 變化至另一狀態 B,外力所作的總功 $W_{A \to B}$,與前後兩狀態動能之差的關係稱作功能定理(work and energy theorem),以下式表示:

$W_{A \to B} = T_B - T_A$(T_A、T_B:剛體在狀態A與狀態B時之動能)

(2) 只有保守力作功的狀況下,系統動能與位能的總和(即機械能)維持不變,可以用位能差來取代上述外力所作的總功 $W_{A \to B}$,稱之作機械能守恒原理(principle of conservation of mechanical energy),以下式表示:$W_{A \to B} = T_B - T_A \Rightarrow W_{A \to B} = U_A - U_B = T_B - T_A$

其中 T_A、T_B:剛體在狀態A與狀態B時之動能;其中 U_A、U_B:剛體在狀態A與狀態B時之位能。

(3) 剛體與質點的「功能定理」與「機械能守恆定理」的型式相同。

$W_{nc} = \Delta(T + U)$

━━━━━━━ ◎ **焦點命題** ◎ ━━━━━━━

4. 如圖所示，一個60kg的方板在角落A受
　　到一垂直力P=500N。如果初始此方板
　　的姿態為θ=0°，且為靜止。請求出
　　當θ=45°時此方板之角速度。假設重
　　力方向為垂直向下，且不考慮運動時
　　之摩擦力。【110地四】

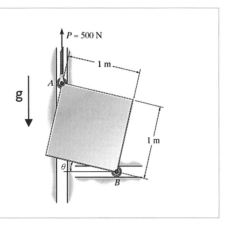

答：

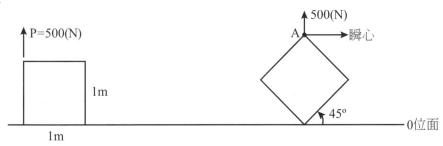

位置1：

$T_1 = 0$

$\forall g_1 = 60 \times 9.8 \times 0.5 = 294$

位置2：

$\forall g_2 = 60 \times 9.8 \times \dfrac{\sqrt{2}}{2} = 415.78$

$T_2 = \dfrac{1}{2} \times I_A W^2$

$\quad = \dfrac{1}{2} \times \dfrac{1}{3} \times 60 \times (1^2 + 1^2) W^2$

$\quad = 20W^2$

由功能原理

$500 \times [\sqrt{2} - 1] = [415.78 + 20W^2]_2 - 294$

$\Rightarrow W = 2.07$（rad/s）

5. 一長度為L質量為m的均勻直桿在靜止狀態由水平位置自由擺動到如圖所示的位置，若重力的方向為垂直向下，g表示重力加速度，試求在圖示的位置時，(1)該桿件的角速度。(2)角加速度。(3)該桿件A點在X方向作用力及Y方向的反作用。【土木高考】

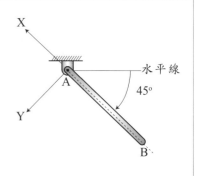

答：(1) 取桿件擺動後之自由體圖

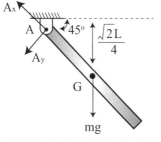 =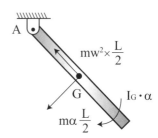

桿件由水平位置移動到 45° 位置，機械能守恆

$$0 = \Delta (T + W) \Rightarrow 0 = \frac{1}{2} I_G \omega^2 + \frac{1}{2} mV_G^2 - mg(\frac{\sqrt{2}L}{4})$$

$$I_G = \frac{1}{12} mL^2 \,,\, V_G = \frac{L}{2} \times \omega \Rightarrow \omega = 1.456 \sqrt{\frac{g}{L}}$$

(2) $\sum M_A = 0$ $mg \times \frac{L}{2} \times \cos 45° = m\alpha \times \frac{L}{2} \times \frac{L}{2} + \frac{1}{12} \times m \times L^2 \times \alpha$

$\Rightarrow \alpha = \frac{3\sqrt{2}g}{4L}$ (↻)

(3) $\sum F_x = ma_x$

$$A_x = mg\cos 45° + mw^2 \times \frac{L}{2} = \frac{5\sqrt{2}mg}{4}$$

$$\sum F_y = ma_y + A_y = -mg\sin 45° + m\alpha \times \frac{L}{2} = \frac{\sqrt{2}mg}{8}$$

| 精選試題 |

基礎試題演練

1. 在如圖所示的位置，一個由細繩纏繞、半徑為r、質量為m 的均勻實心圓盤由靜止狀態被釋放。該細繩的一端固定在天花板上，若不計細繩的質量，試求在釋放t 秒時該細繩的張力、該圓盤的質心速度。【土木高考】

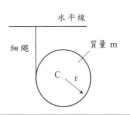

答：

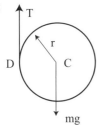 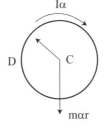 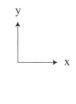

(1) $I = \frac{1}{2}mr^2$ 　$\sum M_D = (\sum M_D)_{eff}$ 　$mgr = I\alpha + mdr^2$

$\Rightarrow mgr = (\frac{1}{2}mr^2 + mr^2)\alpha$ 　其中 $\alpha t = w$ 代入上式

得 $w = \frac{2gt}{3r}$ ，$V_C = wr = \frac{2gt}{3}$ ，$\alpha = \frac{2g}{3r}$

(2) $\sum F_y = 0 \Rightarrow T - mg = -m\alpha r$ 　$\Rightarrow T = \frac{mg}{3}$

2. 質量10kg的桿件銷接於A，在圖示水平位置的角速度 $\omega = 4$rad/s。試求此時的角加速度和插銷作用在桿件的水平與垂直反作用力。

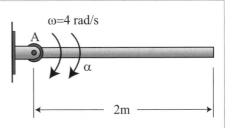

答：$\omega = 4\text{rad/s}$ $m=10\text{kg}$ $a=4m$ $g=9.81\text{m/s}^2$

$$A_X = m\omega^2\left(\frac{a}{2}\right) \Rightarrow A_X = 320N$$

$$mg\frac{a}{2} = \frac{1}{3}ma^2\alpha \qquad \alpha = \frac{3}{2a}g \qquad \alpha = 3.68\text{rad/s}^2$$

$$mg - Ay = m\alpha\left(\frac{a}{2}\right)\cdots① \qquad Ay = mg - m\alpha\left(\frac{a}{2}\right)\cdots②$$

由①②可得 $Ay = 24.49N$

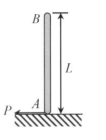

---

3. 如圖所示，一根瘦長棒AB的質量為m、長度為L，其端點A站立於平滑地板。若水平力P突然作用於端點A，繪出必要之自由體圖（free body diagram）及動力圖（kinetics diagram），試求：

(1)棒AB的瞬間角加速度。

(2)頂點B的線性加速度a_B。【106地特四等】

答：由牛頓第二運動定律

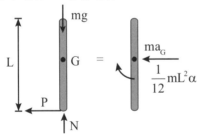

(1) 因 $\Sigma M_G = (\Sigma M_G)_{\text{eff}}$

$$P \times \frac{L}{2} = \frac{1}{12}mL^2\alpha \Rightarrow \alpha = \frac{6P}{mL}$$

$$\overset{+}{\rightarrow}\sum F_x = ma_x \qquad P = ma_G \Rightarrow a_G = \frac{P}{m}$$

(2) $\overrightarrow{a_B} = \overrightarrow{a_G} + \overrightarrow{W} \times \overrightarrow{W} \times \overrightarrow{r_{B/G}} + \overrightarrow{\alpha} \times \overrightarrow{r_{B/G}}$

$$= (-\frac{P}{m}\vec{i}) + (\alpha \times \frac{L}{2}\vec{i}) = (\frac{2P}{m}\vec{i})$$

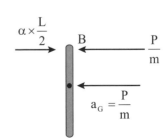

4. 質量15kg的均勻矩形板在A點銷接。
若以角速度3rad/s轉動，
試求平板的動能。

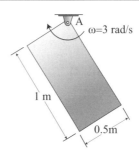

答：$T = \frac{1}{2}mv_G^2 + \frac{1}{2}IG\omega^2$

$T = \frac{1}{2}m(\omega\frac{\sqrt{1^2 + 0.5^2}}{2})^2 + \frac{1}{2}\left[\frac{1}{12}m(1^2 + 0.5^2)\right]\omega^2$ $T = 28.13J$

5. 有一18kg質量之梯子於$\theta = 10°$時由靜止
釋放，如圖所示，牆面與地面皆為平滑表
面（無摩擦），假設梯子可視為一均質之
細長桿件，試求$\theta = 40°$時，梯子之角速
度及質心速度。重力加速度為9.81m/s^2。
【103地四】

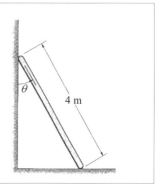

答：

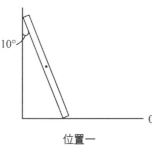

位置一   位置二

$T_1 = 0$ $T_2 = \frac{1}{2} \times \frac{1}{3} \times 18 \times 4^2 \times W^2$

$V_{g1} = 2 \times \cos 10° \times 18 \times 9.81$ $V_{g2} = 2 \times \cos 40° \times 18 \times 9.81$

由功能原理機械能守恆

$$0 = [2 \times \cos 40° \times 18 \times 9.81 + \frac{1}{2} \times \frac{1}{3} \times 18 \times 4^2 \times W^2]_2 - [2\cos 10° \times 18 \times 9.81]_1$$

$$\Rightarrow W = 1.269 (\text{rad/s})$$

---

6. 如下圖所示，A、B兩滑塊質量均為
3 kg，以長度為0.5m的細桿連接並可
在光滑的導槽中滑動，細桿的質量
忽略不計。今於細桿中點施加一向
左水平定力P＝30N，使系統在 θ＝
0°之位置由靜止開始運動，試求 θ＝
90°（即滑塊A撞及水平導槽）時，
滑塊A的速度。【地特四等】

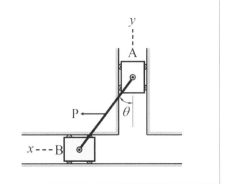

答：$U_{1 \to 2} = \Delta(T+V)$

$$30 \times 0.25 = \frac{1}{2} \times 3 \times V_A^2 - 14.715$$

$$V_A = 3.848$$

---

7. 質量m、長度ℓ之桿件OA以插銷支承於O，
如圖所示，由A處自由落下，若支承O處之
摩擦阻抗可忽略不計，試求當桿件到達水平
位置B處，即θ=90°時：

(1)桿件OA之角速度為多少rad/s？

(2)桿件OA之角加速度為多少rad/s^2？

(3)O處之支承力為何？

參考公式：長ℓ、質量m之長形桿件的質量慣性矩

$$J = \frac{m\ell^2}{12} \quad（質心，非軸向）【地特四等】$$

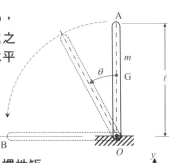

答：(1)

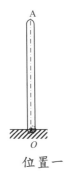

位置一　　　　　　　　　　　　　　　　　　　位置二

$T_1 = 0$

$V_{g_1} = m \times g \times \dfrac{\ell}{2}$

$V_{g_2} = 0$

$T_2 = \dfrac{1}{2} \times I_o \times w^2$

$= \dfrac{1}{2} \times (\dfrac{1}{3} \times m\ell^2) \times w^2 = \dfrac{1}{6} m\ell^2 w^2$

由功能原理

$0 = \left[\dfrac{1}{6} m\ell^2 w^2\right]_2 - \left[mg \times \dfrac{\ell}{2}\right]_1 \Rightarrow w = \sqrt{\dfrac{3g}{\ell}}$

(2) 取OB之F.B.D

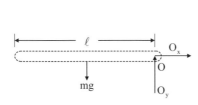
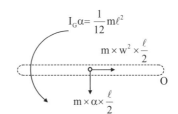

$\sum M_0 = (\sum M_0)_{eff}$

$mg \times \dfrac{\ell}{2} = \dfrac{1}{3} m\ell^2 \times \alpha \Rightarrow \alpha = \dfrac{3g}{2\ell}$

(3) $\overset{+}{\uparrow} \sum F_y = a_y \Rightarrow O_y - mg = -m \times -\dfrac{3g}{2\ell} \times \dfrac{\ell}{2} \Rightarrow O_y = \dfrac{1}{4} mg$

$\overset{+}{\to} \sum F_x = a_x \Rightarrow O_x = mw^2 \times \dfrac{\ell}{2} = \dfrac{3}{2} mg$

進階試題演練

1. 如圖所示，一根均質的瘦長桿件靜置於平滑的水平面，承受一水平施加的集中力P作用。桿件全長2L，施力點距離最近的末端L／3。已知桿件旋轉中心的絕對速度為零，試求旋轉中心R至質量中心G的距離。【110普考】

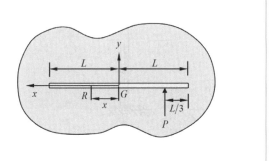

答：由動量衝量原理

Y方向動量衝量原理

$I_P = mV_G = m(wx)$

對R點取角動量

$I_P \times [\frac{2}{3}L + x] = [\frac{1}{12}m(2L)^2 + mx^2]w \Rightarrow mwx \times [\frac{2}{3}L + x] = [\frac{1}{3}mL^2 + mx^2]w$

$\Rightarrow \frac{2mwL}{3}x + mwx^2 = \frac{1}{3}mL^2w + mwx^2 \Rightarrow x = \frac{L}{2}$

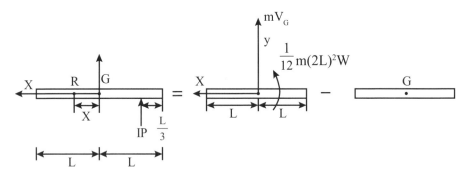

2. 質量為8kg、長度為750mm之均勻桿件AB，以一滑塊A與垂直桿件連接(不考慮摩擦力)，另一端點B與垂直之繩子相連，若AB桿由圖示之位置自由釋放(released from rest)，試求在釋放瞬間：(1)AB桿之角加速度。(2)A點之反作用力。
【110關務機械三等】

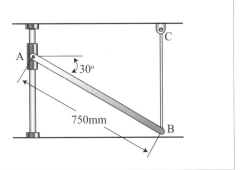

答：(1) 由桿AB利用剛體運動公式($\vec{a}_A = a_A\vec{j}$)

$$\vec{a}_B = \vec{a}_A + \vec{\alpha}_{AB} \times \vec{r}_{B/A} + \vec{w}_{AB} \times (\vec{w}_{AB} \times \vec{r}_{B/A})$$

$$= \frac{0.75\alpha_{AB}}{2}\vec{i} + (\frac{\sqrt{3}\times0.75\alpha_{AB}}{2} - a_A)\vec{j}$$

又B點加速度只有水平方向 $\frac{\sqrt{3}\times0.75\alpha_{AB}}{2} = a_A$ ……①

(2) 在瞬放瞬間，其自由體圖如下所示

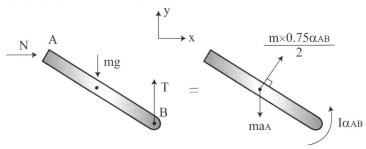

$\sum F_x = ma_x$

$\Rightarrow N = \frac{m\alpha(0.75)^2}{4}$

$\sum F_y = ma_y$

$\Rightarrow T - mg = \frac{m\times0.75\times\alpha_{AB}}{2} \times \frac{\sqrt{3}}{2} - ma_A$ ……②

$\sum M_A = (\sum M_A)_{eff}$

$$T \times (\frac{\sqrt{3}}{2} \times 0.75) - mg \times (\frac{\sqrt{3}}{4} \times 0.75) = \frac{m \times 0.75\alpha_{AB}}{2} \times (\frac{0.75}{2}) +$$

$$I\alpha_{AB} - ma_A \times [\frac{\sqrt{3}(0.75)}{4}] \cdots\cdots③$$

由①②③可得 $\alpha_{AB} = 17(m/s^2)$，$T = 34.34(N)$，$N = 25.49(N)$

---

3. 有一斜桿質量為10kg，上面承
受彎矩50N・m及一永遠垂直
斜桿自由端之作用力80N，同
時有一彈簧原長為0.5m並保
持與滾輪B垂直，如圖所示，
求當 θ 角從 θ=0° 到 θ=90° 時
斜桿上所有作用力所作之功。
【機械高考】

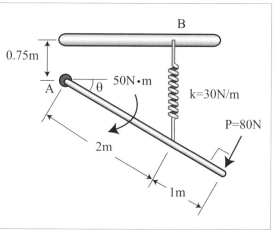

答：(1) 重量所作的功 $V_W = 10 \times 9.81 \times 1.5 = 147.2$ (J)

力偶矩M所作的功 $V_M = 50 \times \frac{\pi}{2} = 78.5$ (J)

彈簧功 $V_S = -[\frac{1}{2} \times 30 \times (2.25)^2 - \frac{1}{2} \times 30 \times (0.25)^2] = -75$ (J)

作用力 $V_P = 80 \times \frac{\pi}{2} \times 3 = 377$ (J)

(2) 功總和 $V = 147.2 + 78.5 - 75 + 377 = 528$ (J)

第三篇 材料力學

Chapter 01 應力與應變

⚙ 1-1 正向應力與應變

1. 張應力與壓應力

如圖1.1所示,我們可由兩端承受軸向負載P的等剖面桿來說明,當我們施加一拉力作用於桿件時,桿件在外力的作用下,桿件內部各部分之間的因外力作用而引起的附加相互作用力,此種在桿件內部產生之抗力稱為內力,而此力的強度,也就是單位面積的正向力,稱之為應力(stress),且由於此應力作用方向和剖面垂直,故稱為正向應力(normal stress),通常以希臘字母σ(sigma)表示,σ > 0稱之為張應力(Tensile Stress),σ < 0稱之為壓應力(Compressive Stress),其中該應力是均勻分佈整個截面,其合力等於應力σ乘上截面積A,又物體呈平衡狀態,內力之合力將等於拉力P的大小,但方向相反其分別說明如下:

(1) 如圖1.1當作用於構件的外力,合力的作用線與構件的軸線重合,構件將產生軸向拉伸或壓縮變形,橫截面上的內力稱為軸力,軸力用N表示,方向與軸線重合。

(2) 欲求某一截面處a-a處的內力時,可利用截面法沿該截面假想地把構件切開使其分為兩部分,此時橫截面所受到的應力強度可表示為 $\sigma_x = \dfrac{P}{A}$,其中A可表示橫截面積,一般拉伸應力視為正(拉應力),壓縮應力(壓應力)視為負。

(3) 桿件應滿足下列假設:

　　A. 桿件須為直桿,且為均質材料(即桿件內部各部位置之性質均相同)。

　　B. 軸向拉力之作用線需通過桿件橫斷面之形心。

　　C. 所考慮之斷面需遠離桿端之施力點,或遠離斷面積有突然變化之處。

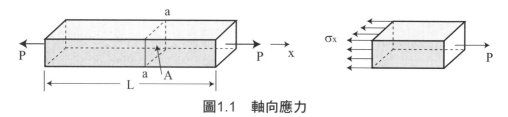

圖1.1　軸向應力

2.應變及蒲松比

在材料力學當中，桿件不再假設為剛體，故當桿件受到軸向負載作用時，桿件若受拉力時則會伸長；若受壓力時則會縮短，桿件之變形是沿軸線方向的伸長和縮短，此一伸長或縮短之變形量，通常以符號 δ 表示，變形量 δ 與桿之原長度有關，將此一伸長或縮短之變形量 δ 與桿之原長L 之比值稱為應變(strain)亦即單位長度之變形量，以希臘字母 ε (epsilon)來表示，其說明如下所示：

(1) 如圖1.2所示當桿件軸向拉伸（或壓縮）時，桿件會產生變形，其變形主要表現在沿軸向的伸長（或縮短），假設一等截面直桿原長為L，橫截面面積為A，在軸向拉力P的作用下，長度由L變為L_1，桿件沿軸線方向的伸長為 $\delta = L_1 - L$(拉伸時 δ 為正，壓縮時 δ 為負)。

(2) 桿件的伸長量與桿的原長有關，將 δ 除以L，即以單位長度的伸長量來表徵桿件變形的程度，稱為線應變，用 ε 表示：$\varepsilon = \dfrac{\delta}{L}$ 。

(3) 徑向應變：在軸向力作用下，桿件沿軸向的伸長（縮短）的同時，徑向尺寸也將縮小（增大），假設橫向尺寸由b變為b_1 $\Rightarrow$ $\Delta b = b_1 - b$ 則徑向線應變為 $\varepsilon' = \dfrac{\Delta b}{b}$ 。

(4) 蒲松比：當桿件為同一種材料，其所受應力不超過比例極限時，徑向線應變與縱向線應變之比的絕對值為常數，比值 ν 稱為蒲松比，即 $\nu = \left| \dfrac{\varepsilon'}{\varepsilon} \right|$ ，由於這兩個應變的符號恒相反，故有 $\varepsilon' = -\nu \cdot \varepsilon$ 。當軸

向應變為正值時；橫向應變為負值，因此在上式中加一負號，使蒲松比值 ν 恆為正值，其值介於 $0 \sim 0.5$ 之間，一般金屬材料大約在 $1/4 \sim 1/3$ 之間。

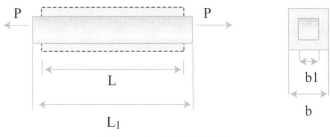

圖1.2　桿件軸向拉伸

3. 應力及其單位

(1) 應力：材料在單位面積上所承受的內力。

$$\sigma = \frac{P}{A}$$

(2) 單位：　A. 重力單位：kgf/cm^2
　　　　　　B. 絕對單位：$N/m^2(Pa)$、MPa、GPa
　　　　　　C. 換算單位：$1MPa = 10^6 Pa = 10^6 N/m^2 = 1N/mm^2$
　　　　　　　　　　　　$1GPa = 10^9 Pa = 10^3 N/mm^2 = 1kN/mm^2$

4. 容許應力及安全係數

在工程設計上為確保結構物的安全，並滿足強度、剛度及穩定度之要求，故結構實際所能支持的負載必須大於操作時所需承受的負載，在設計結構物時，使材料在安全範圍內所能承受的最大工作應力，稱為工作容許應力(allowable stress)，當材料受外力而至發生降伏或斷裂的情形，此時材料所受的應力稱為破壞應力，將結構實際可承受之破壞應力與容許應力之比值稱為安全係數或安全因數，通常以n表示：

$$n = \frac{破壞應力}{容許應力}$$

為避免結構的損壞，安全因數必須大於1，且安全因數愈大結構愈安全，通常在1～10之間，一般如果是延性材料的話，材料維持在線彈性區域內，避免負載卸除時產生永久變形的破壞，因此是以材料的降伏應力為破壞應力，脆性材料的話，材料在破壞時並沒有明顯的降伏情況，則以材料的極限應力為破壞應力。

◎ 焦點命題 ◎

1. 一均質桿件受到5600N之軸向拉力，若桿件本身之重量不計，且其容許拉應力為400MPa，則桿件之斷面積最少需為多少mm^2

答：P=5600N，σ=400MPa

$$\because \sigma = \frac{P}{A} \quad \therefore A = \frac{P}{\sigma} = \frac{5600N}{400MPa} = 14(mm^2)$$

2. 有一吊車之吊索，其斷面積為5cm^2，吊索之極限強度為360N/mm^2，設安全因數為3，則此吊車吊起重物之最大容許重量為：

答：$\sigma_w = \dfrac{\sigma_y}{n} = \dfrac{360}{3} = 120$ $\quad \sigma_w = \dfrac{P}{A} \Rightarrow 120 = \dfrac{P}{500} \Rightarrow P=60000(N)=60(kN)$

⚙ 1-2 正向應力與應變的相互影響

當一物體同時承受數個負荷作用時，其數個負荷所產生的效應會等於各個負荷單獨作用所生的效應之和，此原理稱之為重疊原理(method of superposition)。

1. 二軸向平面應力應變

如圖1.3所示，在二軸向平面應力應變中，當物體受到相互正交的二軸應力σ_x與σ_y作用時，會同時在X與Y方向產生相對應的應變ε_x與ε_y，在X方向的應力會在X方向產生一伸長的應變，但在Y方向則會產生一縮短的應變，為說明方便，對於連續均質各向同性線彈性材料，可以將這種應力狀態，視為二個單向應力狀態疊加來求主應變，在 σ_x 單獨作用下，沿主應力 σ_x、σ_y 方向的線應變分別為：

$$\varepsilon'_x = \frac{\sigma_x}{E} \quad, \quad \varepsilon'_y = -\frac{\nu\sigma_x}{E}$$

式中 E、ν 為材料的彈性模數及蒲松比（Poisson ratio）。

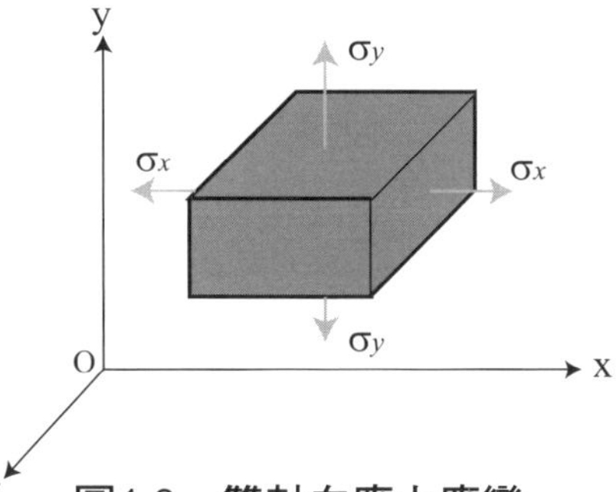

同理，在 σ_y 單獨作用時，上述應變分別為：

$$\varepsilon''_x = -\frac{\nu\sigma_x}{E} \quad, \quad \varepsilon''_y = \frac{\sigma_y}{E}$$

故 $\varepsilon_x = \varepsilon'_x + \varepsilon''_x = \dfrac{\sigma_x}{E} - \dfrac{\nu\sigma_y}{E}$ ；$\varepsilon_y = \varepsilon'_y + \varepsilon''_y = \dfrac{\sigma_y}{E} - \dfrac{\nu\sigma_x}{E}$

圖1.3　雙軸向應力應變

2. 三軸向平面應力應變

在三向應力狀態下主單元體同時受到主應力 σ_x、σ_y 及 σ_z 作用，如圖1.4所示，我們把沿單元體主應力方向的線應變稱為主應變（principal strain），習慣上分別用 ε_x、ε_y 及 ε_z 來表示，對於連續均質各向同性線彈性材料，可以將這種應力狀態，視為三個單向應力狀態疊加來求主應變，將同方向的線應變疊加得三向應力狀態下主單元體的主應變為：

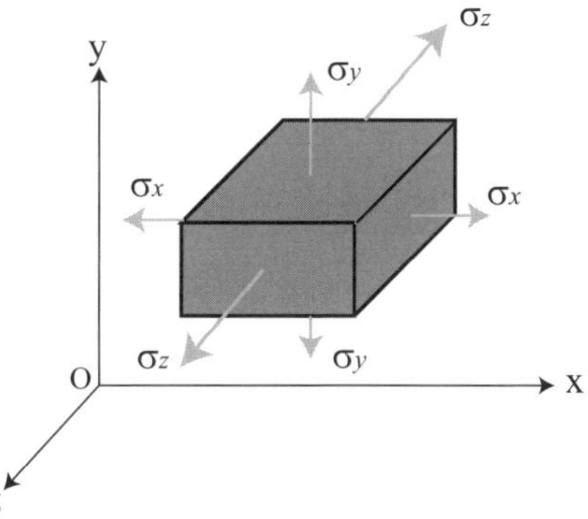

圖1.4　三軸向應力應變

$$\begin{cases} \varepsilon_x = \dfrac{1}{E}\Big[\sigma_x - \nu(\sigma_y + \sigma_z)\Big] \\[2mm] \varepsilon_y = \dfrac{1}{E}\Big[\sigma_y - \nu(\sigma_x + \sigma_z)\Big] \\[2mm] \varepsilon_z = \dfrac{1}{E}\Big[\sigma_z - \nu(\sigma_x + \sigma_y)\Big] \end{cases}$$

3. 體積應變及體積彈性係數

材料的單位體積 $V = dx \cdot dy \cdot dz$，若該單位體積受力變形後，其體積

$$V_1 = (dx + \varepsilon_x dx) \cdot (dy + \varepsilon_y dy) \cdot (dz + \varepsilon_z dz)$$

體積應變為

$$\varepsilon_v = \frac{V_1 - V}{V} = (1+\varepsilon_x)(1+\varepsilon_y)(1+\varepsilon_z) - 1 \approx \varepsilon_x + \varepsilon_y + \varepsilon_z$$

$$\Rightarrow \frac{1-2v}{E}(\sigma_x + \sigma_y + \sigma_z) = \frac{3(1-2v)}{E}\left(\frac{\sigma_x + \sigma_y + \sigma_z}{3}\right) = \frac{\sigma_m}{K}$$

其中 $K = \dfrac{E}{3(1-2v)}$ 為體積彈性模數，$\sigma_m = \dfrac{\sigma_x + \sigma_y + \sigma_z}{3}$ 是三個主應力的平均值。

4. 溫度效應

(1) 總應變＝應力應變＋熱應變

$$\begin{cases} \varepsilon_x = \dfrac{1}{E}\left[\sigma_x - \nu(\sigma_y + \sigma_z)\right] + \alpha \Delta T \\[2mm] \varepsilon_y = \dfrac{1}{E}\left[\sigma_y - \nu(\sigma_x + \sigma_z)\right] + \alpha \Delta T \\[2mm] \varepsilon_z = \dfrac{1}{E}\left[\sigma_z - \nu(\sigma_x + \sigma_y)\right] + \alpha \Delta T \end{cases}$$

其中 α 為熱膨脹係數、ΔT 為升高之溫度

(2) 應變能密度＝$\dfrac{1}{2}$ 應力×應力應變＝$\dfrac{1}{2}\sigma(\varepsilon_x - \alpha \Delta T)$

◎ 焦點命題 ◎

---

3. 桿件在比例限度以內，受軸向拉力P作用產生軸向應變為 $\dfrac{1}{1000}$，若蒲松氏比 $\nu = 0.30$，其體積應變為：

答：若材料僅單方向受力，則其體積應變為

$$\in_v = \frac{\sigma}{E}(1-2v) = \in(1-2v) = \frac{1}{1000}(1-2\times0.3) = 4\times10^{-4}$$

---

4. 某機械零件在互相垂直之三軸向均承受相等的軸向應力，若應力不變而材質改變，使其彈性係數由E變成1.2E，蒲松氏比由0.3變成0.2，則各軸向所產生之應變會變成原來的多少倍？

答：三軸向均承受相等的軸向應力，各軸向之應變為 $\varepsilon = \sigma\left(\dfrac{1-2v}{E}\right)$

原來 $\varepsilon_1 = \sigma\left(\dfrac{1-2\times0.3}{E}\right) = 0.4\left(\dfrac{\sigma}{E}\right)$ 後來

$\varepsilon_2 = \sigma\left(\dfrac{1-2\times0.2}{1.2E}\right) = 0.5\left(\dfrac{\sigma}{E}\right)$，故 $\dfrac{\varepsilon_2}{\varepsilon_1} = \dfrac{0.5}{0.4} = 1.25$（倍）

---

5. 如圖所示，物體置於兩平行的光滑剛性壁之間，材料在z方向不受拘束，若頂部施加壓力 P_0 且材料彈性模數為E、蒲松比 v，試以 P_0、E、v 求出 (1)此物體與光滑剛性壁之間的側向壓力。(2)若應變很小求出單位體積應變。

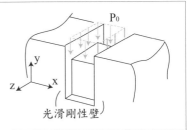
光滑剛性壁

答：(1) 如圖所示
在z方向之應力 = 0且x方向之應變 = 0

$\Rightarrow \sigma_z = 0$，$\varepsilon_x = 0$，$\sigma_y = -P_o$ $\varepsilon_x = \dfrac{1}{E}[\sigma_x - v(\sigma_y + \sigma_z)] = 0$
$\Rightarrow \sigma_x = v\sigma_y = -P_o v$

(2) $\varepsilon_\forall = \varepsilon_x + \varepsilon_y + \varepsilon_z$

$$= \frac{\sigma_y}{E} - \frac{v}{E}(\sigma_x + \sigma_z) + \frac{\sigma_z}{E} - \frac{v}{E}(\sigma_x + \sigma_y) = \frac{1}{E}(-P_o + v^2 P_o + v^2 P_o + v P_o)$$

$$= \frac{-P_o}{E}(1+v)(1-2v)$$

⚙ 1-3 剪力、剪應力及剪應變

1. 剪力及剪應力

(1) 剪力及剪應力定義：**一物體受作用力作用時，使該物體其中一部份與另一部份產生沿外力作用方向，發生相對滑動或剪斷的趨勢時，我們稱此種作用力為剪力**(shear force)，分佈於與剪力平行之平面上的應力稱為剪應力，亦即是單位面積內所受的剪力，通常以希臘符號 τ 表示，兩個力之間的截面沿作用面積相對錯動，可能被剪斷的截面稱為剪切面，如圖1.5所示，該物體受到P作用力，則其作用面積所受的剪力為V，其中V＝P，則**剪應力為** $\tau = \dfrac{V}{A}$ (A：作用面積)。

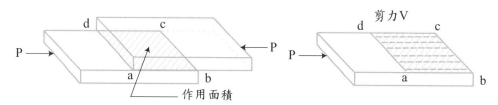

圖1.5　剪力及剪應力

(2) 剪力的形式

受力型式		破壞模式
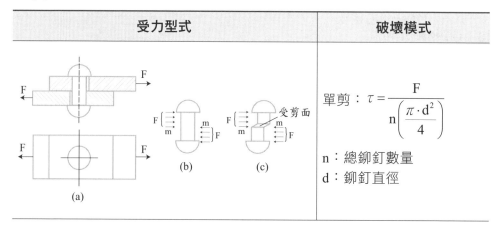		單剪：$\tau = \dfrac{F}{n\left(\dfrac{\pi \cdot d^2}{4}\right)}$ n：總鉚釘數量 d：鉚釘直徑

受力型式	破壞模式
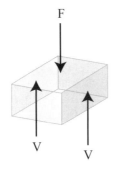	雙剪：$\tau = \dfrac{P}{2n\left(\dfrac{\pi \cdot d^2}{4}\right)}$ n：總鉚釘數目 d：鉚釘直徑
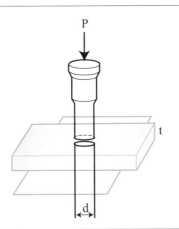	$F = 2V$ $\Rightarrow$ 剪應力 $\tau = \dfrac{V}{A} = \dfrac{F}{2A}$ A：作用面積
	1. 剪床剪切時的撕裂剪應力 　剪應力：$\tau = \dfrac{P}{\pi \, dt}$ 　d：衝頭直徑 　t：板厚度 2. 衝頭所受的壓應力 　壓應力：$\sigma = \dfrac{P}{\dfrac{\pi}{4} \times d^2}$

受力型式	破壞模式
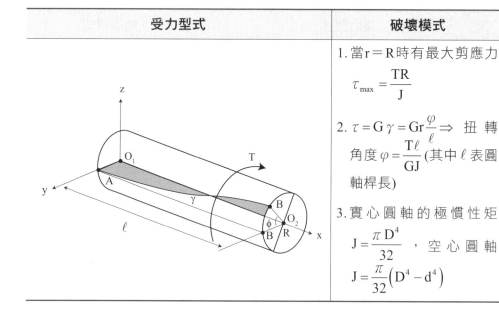	1. 當 $r = R$ 時有最大剪應力 $\tau_{max} = \dfrac{TR}{J}$ 2. $\tau = G\gamma = Gr\dfrac{\varphi}{\ell} \Rightarrow$ 扭轉角度 $\varphi = \dfrac{T\ell}{GJ}$ (其中 ℓ 表圓軸桿長) 3. 實心圓軸的極慣性矩 $J = \dfrac{\pi D^4}{32}$，空心圓軸 $J = \dfrac{\pi}{32}\left(D^4 - d^4\right)$

2. 剪應變

由剪力所引起該元素扭曲的一種量度稱剪應變，也就是角度的改變，如圖1.6所示，當物體承受剪力作用時，與剪力平行之平面，會發生相對平行之移動，當上端平面直接剪力V承受作用時，彈性材料會變形，物體受在水平方向由左而右的剪力，產生 δ 變形量，稱為橫向位移或總變形量，變形後產生 γ 角度的變化，此角度的變化 γ 即稱為剪應變，其單位為弳度(rad)，剪應變在介於平面間的角度減小，稱正剪應變，反之則稱為負剪應變。

如圖所示我們得知 $\tan\gamma = \dfrac{\delta}{L}$，但是因為剪應變很小，可視 $\tan\gamma = \gamma$，因此可將剪應變改寫為 $\gamma = \dfrac{\delta}{L}$，根據虎克定律，即 $\tau = G\gamma$，**其中G稱之為剪割彈性係數**

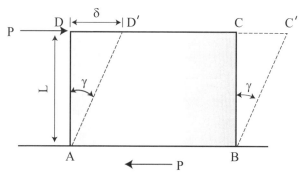

圖1.6　剪應變

(shear modulus of elasticity)或剛性係數(modulus of rigidity)，為一常數，依材料不同而有所不同，剪割彈性係數與彈性皆為材料的常數，其關係為 $G = \dfrac{E}{2(1+\upsilon)}$ (υ：蒲松比)

◎ **焦點命題** ◎

6. 軛桿連結用來支撐一張力5kN。求每根桿的平均正向應力及構件間之銷A的平均剪應力。

答：(1) 桿40mm受正向應力 $\sigma_{40} = \dfrac{P}{A} = \dfrac{5(10^3)}{\dfrac{\pi}{4}(0.04)^2} = 3.98\,\mathrm{MPa}$

(2) 桿30mm受正向應力 $\sigma_{30} = \dfrac{V}{A} = \dfrac{5(10^3)}{\dfrac{\pi}{4}(0.03)^2} = 7.07\,\mathrm{MPa}$

(3) 銷A受剪應力 $\therefore P = \dfrac{5}{2}\mathrm{KN} = 2.5 \times 10^3\,\mathrm{N}$

$\tau_{avg} = \dfrac{P}{A} = \dfrac{2.5(10^3)}{\dfrac{\pi}{4}(0.025)^2} = 5.09\mathrm{MPa}$

7. 右圖所示有一沖頭用來在鋼板上沖製圓孔，該沖頭之直徑為20mm，鋼板之厚度為6.5mm。假設沖頭之出力為P＝125kN，請求出鋼板所受之平均剪應力及沖頭所受之平均壓應力（不考慮該沖頭之衝擊影響）。

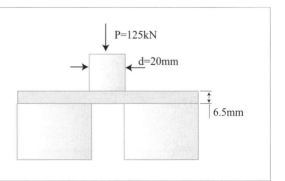

答：(1)鋼板所受之平均剪應力

$$\tau = \frac{P}{A} = \frac{125 \times 10^3}{\pi \times (0.02) \times (0.0065)} = 306067198.25\,Pa = 306.07(MPa)$$

(2) 平均壓應力：$\sigma = \frac{P}{A} = \frac{125 \times 10^3}{\frac{\pi}{4} \times (0.02)^2} = 397887357.73\,Pa = 397.89(MPa)$

---

8. 如圖所示之軟鋼方塊其剪割彈性係數G＝90GPa，則其剪應變為若干？

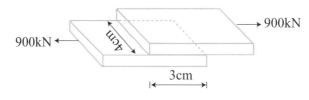

答：$\tau = \frac{P}{A} = \frac{900}{3 \times 4} = 75\,kN/cm^2 = 0.75GPa$

$\tau = G \times \gamma \rightarrow 0.75 = 90 \times \gamma$　　　　　$\therefore \gamma = 8.3 \times 10^{-3}$

⚙ 1-4 應力與應變分析

1. 單軸向負荷之應力

(1) 如圖1.7所示垂直之橫截面上的正應力：$\sigma = \frac{P}{A}$

(2) 斜截面上的應力：$\sigma_p = \frac{P}{A_a} = \frac{P}{A/\cos\alpha} = \sigma\cos\alpha$ （A_a：斜面面積、α：傾斜角）

(3) 斜截面上的正應力 σ_a 和剪應力 τ_a 為

$$\sigma_a = \sigma_p \cos\alpha = \sigma\cos^2\alpha$$

$$\tau_a = \sigma_p \sin\alpha = \frac{\sigma}{2}\sin 2\alpha$$

角度	受力狀況
α	$\sigma_a = \sigma_p \cos\alpha = \sigma\cos^2\alpha$ $\tau_a = \sigma_p \sin\alpha = \frac{\sigma}{2}\sin 2\alpha$
$\alpha = 0°$	$\sigma_a = \sigma\cos^2\alpha = \sigma$ $\tau_a = \frac{\sigma}{2}\sin 2\alpha = 0$
$\alpha = 45°$	$\sigma_a = \sigma\cos^2\alpha = \dfrac{\sigma}{2}$ $\tau_a = \dfrac{\sigma}{2}\sin 2\alpha = \dfrac{\sigma}{2}$

備註：

不與外力垂直之任意截面上，必有正交應力與剪應力同時作用於該截面上，該正交應力與剪應力的值與傾斜角 α 有關，當傾斜角度 $\alpha = 0°$ 時，$\cos\alpha = 1$，亦即外力P與截面正交，此時會有最大的正交應力，且剪應力 $\tau = 0$。當傾斜角度 $\alpha = 45°$ 時，亦即外力與截面成45°斜角，將會產生最大剪應力，故 $\tau_{max} = \dfrac{\sigma}{2}$，此時正交應力 $\sigma_{max} = \dfrac{\sigma}{2}$，材料的抗剪強度小於抗拉強度，所以材料在破壞時會沿45°之傾斜面斷裂。

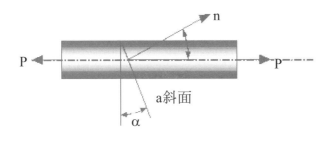

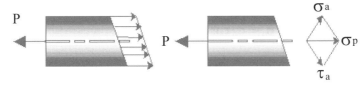

圖1.7　斜截面上之應力

2. 雙軸向負荷之應力

前節已談過材料承受單軸向應力，本節則討論雙軸向應力（biaxial stress）之情形，即材料內之任一點同時承受兩互相垂直之軸向應力，如圖1.8(a)所示一應力元素，在x及y軸方向僅受軸向應力，而無剪應力，則斜截面pq之法線方向與X軸之夾角為θ，茲取斜截面pq左側自由體圖，如圖1.8(b)所示，假設σ_θ作用面上之面積為A，則σ_x作用面上之面積為$A\cos\theta$，σ_y作用面上之面積為$A\sin\theta$，則斜截面pq上之正交應力σ_θ與剪應力τ_θ，由自由體圖上n與t方向之平衡方程式可得：

$$\sum F_{x'} = 0 \Rightarrow \sigma_\theta A = \sigma_y \sin\theta + \sigma_x \cos\theta \times A\cos\theta$$

$$\Rightarrow \sigma_\theta = \sigma_y \times \sin^2\theta + \sigma_x \times \cos^2\theta$$

$$\sum F_{y'} = 0 \Rightarrow \tau_\theta A = -\sigma_y \cos\theta \times A\sin\theta + \sigma_x \sin\theta \times A\cos\theta$$

$$\Rightarrow \tau_\theta = -\sigma_y \times \cos\theta\sin\theta + \sigma_x \times \cos\theta\sin\theta$$

由三角關係

$$\cos^2\theta = \frac{1}{2}(1 + \cos 2\theta) \quad , \quad \sin^2\theta = \frac{1}{2}(1 - \cos 2\theta)$$

$$\sin\theta\cos\theta = \frac{1}{2}\sin 2\theta$$

最後可得：

$$\sigma_\theta = \frac{\sigma_x + \sigma_y}{2} + \frac{\sigma_x - \sigma_y}{2}\cos 2\theta \qquad \tau_\theta = \frac{\sigma_x - \sigma_y}{2}\sin 2\theta$$

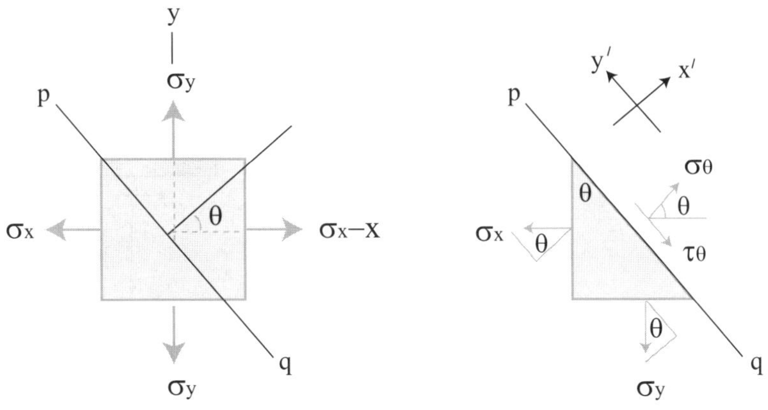

圖1.8　雙軸向負荷之應力

3. 平面應力分析

(1) 任意斜截面上的應力：如圖1.9所示，於應力元素上取任一截面位置，針對斜線部份的應力元素面在外法線n和切線t上列平衡方程，

$$\sum Fn=0 \Rightarrow \sigma_\alpha dA - (\tau_{xy}dA\cos\alpha)\sin\alpha - (\sigma_x dA\cos\alpha)\cos\alpha$$
$$-(\tau_{yx}dA\sin\alpha)\cos\alpha - (\sigma_y dA\sin\alpha)\sin\alpha = 0$$

$$\sum Fn=0 \Rightarrow \tau_a dA - (\tau_{xy}dA\cos\alpha)\cos\alpha - (\sigma_x dA\cos\alpha)\sin\alpha$$
$$-(\sigma_y dA\sin\alpha)\cos\alpha + (\tau_{yx}dA\sin\alpha)\sin\alpha = 0$$

根據剪應力 $\tau_{xy} = \tau_{yx}$ 且

$$\cos^2\alpha = \frac{1+\cos 2\alpha}{2} \ , \ \sin^2\alpha = \frac{1-\sin 2\alpha}{2} \ , \ 2\sin\alpha\cos\alpha = \sin 2\alpha$$

得 $\sigma_\alpha = \dfrac{\sigma_x + \sigma_y}{2} + \dfrac{\sigma_x - \sigma_y}{2}\cos 2\alpha + \tau_{xy}\sin 2\alpha$

$\tau_\alpha = -\dfrac{\sigma_x - \sigma_y}{2}\sin 2\alpha + \tau_{xy}\cos 2\alpha$

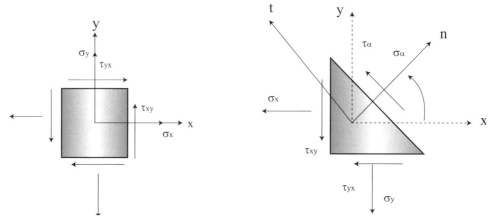

圖1.9　平面應力分析

(2) 主應力及角度

　　將正應力公式對 α 取導數，得

$$\frac{\mathrm{d}\,\sigma_\alpha}{\mathrm{d}\,\alpha} = 2\left[-(\frac{\sigma_x - \sigma_y}{2})\sin 2\alpha + \tau_{xy}\cos 2\alpha\right]$$

　　若 $\alpha = \alpha_0$ 時，能使導數 $\dfrac{\mathrm{d}\,\sigma_\alpha}{\mathrm{d}\,\alpha} = 0$ ，則

$$-\frac{\sigma_x - \sigma_y}{2}\sin 2\alpha_0 + \tau_{xy}\cos 2\alpha_0 = 0$$

$$\tan(2\alpha_0) = \frac{2\tau_{xy}}{\sigma_x - \sigma_y} \Rightarrow \alpha_0 = \frac{1}{2}\tan^{-1}(\frac{2\tau_{xy}}{\sigma_x - \sigma_y})$$

上式有兩個解：即 α_0 和 $\alpha_0 \pm 90°$ 表示兩個互相垂直平面上，所對應的最大正應力及最小正應力所在的平面，求得最大或最小正應力爲

$$\sigma_{1,2} = \frac{\sigma_x + \sigma_y}{2} \pm \sqrt{(\frac{\sigma_x - \sigma_y}{2})^2 + \tau_{xy}^2}$$

α_0 代入剪力公式 $\Rightarrow \tau_{\alpha 0} = 0$ 稱之爲主平面，亦即表示正應力爲最大或最小所在的平面，因此最大或最小的正應力亦可稱爲主應力。

(3) 最大剪應力及角度

　　將剪應力公式對 α 求導，

　　令 $\dfrac{\mathrm{d}\,\tau_\alpha}{\mathrm{d}\,\alpha} = -(\sigma_x - \sigma_y)\cos 2\alpha - 2\tau_{xy}\sin 2\alpha = 0$

若 $\alpha = \alpha_1$ 時，能使導數 $\dfrac{\mathrm{d}\tau_\alpha}{\mathrm{d}\alpha} = 0$ ，則在 α_1 所確定的截面上，剪應力取得極值。通過求導可得

$-(\sigma_x - \sigma_y)\cos 2\alpha_1 - 2\tau_{xy}\sin 2\alpha_1 = 0$

$\tan(2\alpha_1) = -\dfrac{\sigma_x - \sigma_y}{2\tau_{xy}} \Rightarrow \alpha_1 = \dfrac{1}{2}\tan^{-1}(\dfrac{\sigma_y - \sigma_x}{2\tau_{xy}})$

求得剪應力的最大值和最小值是：

$\tau_{max} = \sqrt{(\dfrac{\sigma_x - \sigma_y}{2})^2 + \tau_{xy}^2} = \dfrac{\sigma_1 - \sigma_2}{2}$

且 $\sigma_1 + \sigma_2 = \sigma_x + \sigma_y$

因此主平面與最大剪應力平面夾角為 $45° \Rightarrow \tau_{max1} = \sigma_1 \pm 45°$

4. 莫爾圓求斜面之應力

(1) 莫爾圓方程式

將公式 $\begin{cases} \sigma_\alpha = \dfrac{\sigma_x + \sigma_y}{2} + \dfrac{\sigma_x - \sigma_y}{2}\cos 2\alpha - \tau_{xy}\sin 2\alpha \\ \tau_\alpha = \dfrac{\sigma_x - \sigma_y}{2}\sin 2\alpha + \tau_{xy}\cos 2\alpha \end{cases}$ 中的 α 消掉，得

$\left(\sigma_\alpha - \dfrac{\sigma_x + \sigma_y}{2}\right)^2 + \tau_\alpha^{\,2} = \left(\dfrac{\sigma_x - \sigma_y}{2}\right)^2 + \tau_{xy}^{\,2}$

由上式確定的以 σ_α 和 τ_α 變數的圓，這個圓稱作應力圓。圓心的橫坐標為 $\dfrac{1}{2}\left(\sigma_x + \sigma_y\right)$ ，縱坐標為零，圓的半徑為 $\sqrt{\left(\dfrac{\sigma_x + \sigma_y}{2}\right)^2 + \tau_{xy}^{\,2}}$ 。

(2) 應力圓的畫法

A. 建立 σ – τ 應力坐標系在坐標系內畫出點 $\left(\sigma_x, \tau_{xy}\right)$ 和 $\left(\sigma_y, \tau_{yx}\right)$ ，如圖1.10(b)所示。

B. 此兩點的連線與軸的交點O便是圓心，以O為圓心， $\left(\sigma_x, \tau_{xy}\right)$ 到O點距離為半徑畫一應力圓。

C.如圖1.10(a)所示，若應力元素逆時針旋轉 α 角，則表現在莫爾圓上為以 $\left(\sigma_x, \tau_{xy}\right)$ 座標點逆時針旋轉2 α，得到 $\left(\sigma_{x1}, \tau_{x1y1}\right)$、$\left(\sigma_{y1}, \tau_{y1x1}\right)$ 兩座標點，此為 α 平面上之正向應力與剪應力 $\left(\sigma_\alpha, \tau_\alpha\right)$。

D.圓心為 $(\dfrac{\sigma_x + \sigma_y}{2}, 0)$，半徑為 $\dfrac{\sigma_1 - \sigma_2}{2} = R$

E.最大剪應力=莫爾圓半徑 (R)，最大剪應力面與主平面夾45°

(3) 在應力圓上標出極值應力

$$\begin{cases} \sigma_1 \\ \sigma_2 \end{cases} = \frac{\sigma_x + \sigma_y}{2} \pm \sqrt{\left(\frac{\sigma_x - \sigma_y}{2}\right)^2 + \tau_{xy}^2}$$

$$\begin{cases} \tau_{max} \\ \tau_{min} \end{cases} = \pm R = \pm \frac{\sigma_1 - \sigma_2}{2} = \pm \sqrt{\left(\frac{\sigma_x - \sigma_y}{2}\right)^2 + \tau_{xy}^2}$$

(4) 公式法與莫爾圓法方向

A.本書公式解中剪應力 τ_{xy} 向上為正、 τ_{yx} 向右為正、 σ_x 向右為正、 σ_y 向上為正。

B.本書莫爾圓中 τ_{xy} 以向下為正，角度 α 以逆時針方向為正。

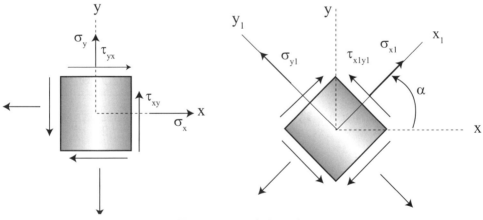

圖1.10(a) 應力元素

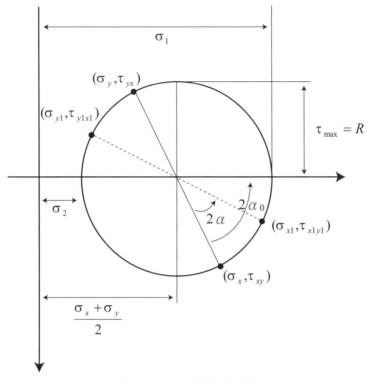

圖1.10(b)　莫爾圓分析

5. 平面應變轉換：平面應變公式與平面應力公式相似，其要訣為將平面應力公式中 σ 轉換成 ε，τ 轉換成 $\dfrac{\gamma}{2}$，其相關公式如下所示：

(1) 任意斜截面上的應力：

$$\begin{cases} \varepsilon_\alpha = \dfrac{\varepsilon_x + \varepsilon_y}{2} + \dfrac{\varepsilon_x - \varepsilon_y}{2}\cos 2\alpha + \dfrac{\gamma_{xy}}{2}\sin 2\alpha \\[2mm] \dfrac{\gamma_{xy}}{2} = -\dfrac{\varepsilon_x - \varepsilon_y}{2}\sin 2\alpha + \dfrac{\gamma_{xy}}{2}\cos 2\alpha \end{cases}$$

(2) 主應變及最大剪應變：

A. 主應變：$\varepsilon_{1,2} = \dfrac{\varepsilon_x + \varepsilon_y}{2} \pm \sqrt{(\dfrac{\varepsilon_x - \varepsilon_y}{2})^2 + (\dfrac{\gamma_{xy}}{2})^2}$

B.主軸方向的角度：$\tan(2\alpha_0) = \dfrac{\gamma_{xy}}{\varepsilon_x - \varepsilon_y}$

C.最大剪應變：$\dfrac{\gamma_{max}}{2} = \sqrt{(\dfrac{\varepsilon_x - \varepsilon_y}{2})^2 + (\dfrac{\gamma_{xy}}{2})^2}$

D.最大剪應變的方向角：$\tan(2\alpha_1) = \dfrac{\varepsilon_y - \varepsilon_x}{\gamma_{xy}}$

⚙ 焦點命題 ⚙

9. 兩鋼構件使用一$60°$嵌焊結合在一起，求在焊接面的平均正向應力和平均剪應力。

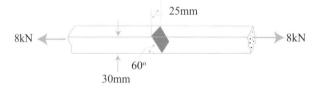

答： $^+\nearrow \sum F_x = 0$ ；$N - 8\sin60° = 0$ ；$N = 6.928kN$

$\searrow^+ \sum F_y = 0$ ；$V - 8\cos60° = 0$ ；$V = 4kN$

$A = (25)(\dfrac{30}{\sin60°}) = 866.03mm^2$

$\sigma = \dfrac{N}{A} = \dfrac{6.928(10^3)}{0.8860°(10^{-3})} = 8MPa$

$\tau_{avg} = \dfrac{V}{A} = \dfrac{4(10^3)}{0.8660(10^{-3})} = 4.62MPa$

10. 如圖顯示一力量P加諸於一柱中心，已知圖中a－a斷面所受到之壓應力為$100MPa$、剪應力為$35MPa$，請問a－a與水平面的夾角β為何？而該柱所受到之最大壓應力又為何？【鐵路員級】

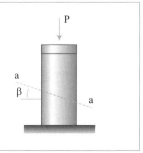

答：$\tau_a = \dfrac{\sigma_x}{2}\sin 2\beta = 35 \cdots\cdots \text{①}$

$\quad\quad \sigma_a = \sigma_x (\cos\beta)^2 = 100 \cdots\cdots \text{②}$

$\quad\quad$由①②可得 $\sigma_x = 112.2\ (\text{MPa})$；$\beta = 19.3°$

---

11. 如下圖所示，一長方形鋼板，厚度 $t = 6.5\text{mm}$，受到均勻未知之正應力 σ_x 和 σ_y。兩應變規A和B分別沿著x方向和y方向於應力施加前貼於鋼板上，應力施加後，應變規A和B之應變讀數分別為 $\varepsilon_x = 0.00062$（伸長）和 $\varepsilon_y = -0.00045$（縮短）。已知鋼板之楊氏模數 $E = 210\text{GPa}$，波松比（Poisson's ratio）$\nu = 0.3$。

(1) 試求正應力 σ_x 和 σ_y。

(2) 試求鋼板厚度之變化量 Δt。

(3) 試求最大剪應力並繪製對應之應力元素圖。【105地特四等】

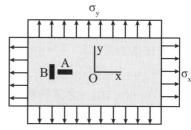

答：已知應變求應力。

(1) $\sigma_x = \dfrac{E}{1 - \upsilon^2}(\varepsilon_x + \nu\varepsilon_y) = 111.9(\text{Mpa})$

$\quad\quad \sigma_y = \dfrac{E}{1 - \upsilon^2}(\nu\varepsilon_x + \varepsilon_y) = -60.9(\text{Mpa})$

(2) $\varepsilon_z = \dfrac{-\upsilon}{E}(\sigma_x + \sigma_y) = -72.86\mu$

$\quad\quad \Delta z = \varepsilon_z \times t = -473.57\mu(\text{mm})$ 負號表示矩形鋼板厚度變薄

(3) $\tau_{max} = \sqrt{(\dfrac{\sigma_x - \sigma_y}{2})^2 + \tau_{xy}^2} = 86.4(\text{Mpa})$

$\quad\quad \sigma_s = \dfrac{\sigma_x + \sigma_y}{2} = 25.5(\text{Mpa})$

$\quad\quad$由式 $\tau_\theta = -\dfrac{\sigma_x - \sigma_y}{2}\sin 2\theta + \tau_{xy}\cos 2\theta$

$\quad\quad$知當 $\sin 2\theta = -1$ 時 τ_θ 存在最大值此時

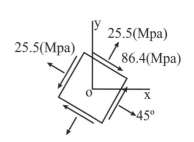

$$\theta = -45° \text{(順轉45度)}$$

$$\tau_{\theta=45} = -\frac{\sigma_x - \sigma_y}{2} \sin 2\theta = 86.4 \text{(Mpa)}$$

12. 一物體在某一點之平面壓力狀態示於右圖元素中，則此點之主力值 σ_1，σ_2 = ？【台電】

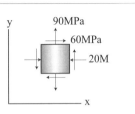

答：$\sigma_{1,2} = \dfrac{\sigma_x + \sigma_y}{2} \pm \sqrt{(\dfrac{\sigma_x - \sigma_y}{2})^2 + \tau_{xy}^2} = \dfrac{90 + (-20)}{2} \pm \sqrt{[\dfrac{90 - (-20)}{2}]^2 + 60^2}$

$\sigma_1 = 116 \text{(MPa)}$　$\sigma_2 = -46.4 \text{(MPa)}$

13. 有一10cm×10cm之薄鋼鈑承受雙軸向應力（biaxial stress）如圖所示，若已知此鋼材之彈性模數為$2 \times 10^{11}\text{N/m}^2$，蒲松比（Poission's ratio）為0.25，則此鈑受力後在x向及y向之變形量為何？又此鈑所受之最大剪應力為何？

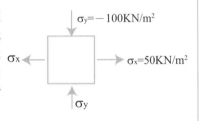

答：(1) 由虎克定律

$$\varepsilon_x = \frac{\sigma_x}{E} - \frac{\nu\sigma_y}{E} = \frac{50 \times 10^3}{2 \times 10^{11}} - \frac{0.25 \times (-100 \times 10^3)}{2 \times 10^{11}} = 3.75 \times 10^{-7}$$

$$\varepsilon_x = \frac{\Delta L_x}{L_x} = \frac{\Delta L_x}{10} = 3.75 \times 10^{-7} \Rightarrow \Delta L_x = 3.75 \times 10^{-6} \text{cm(伸長)}$$

同理

$$\varepsilon_y = \frac{\sigma_y}{E} - \frac{\nu\sigma_x}{E} = \frac{(-100 \times 10^3)}{2 \times 10^{11}} - \frac{0.25 \times (50 \times 10^3)}{2 \times 10^{11}} = -5.625 \times 10^{-7}$$

$$\varepsilon_y = \frac{\Delta L_y}{L_y} = \frac{\Delta L_y}{10} \Rightarrow \Delta L_y = -5.625 \times 10^{-6} \text{cm(縮短)}$$

(2) 由於 $\sigma_x = \sigma_1$，$\sigma_y = \sigma_2$

$$\tau_{max} = \frac{\sigma_1 - \sigma_2}{2} = \frac{50 \times 10^3 - (-100 \times 10^3)}{2} = 75 \text{(kN/m}^2)$$

14. 材料上某點之平面應力狀態為 $\sigma_x =$ 71MPa、$\sigma_y = 16$MPa 及 $\sigma_{xy} = 24$MPa，如圖所示。試求該點之主應力大小及方向，並以應力元素圖表示其應力狀態。最大剪應力之大小及方向，並以應力元素圖表示其應力狀態。

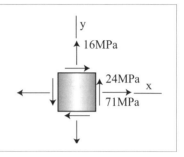

答：(1) 求主應力大小及方向

$$\sigma_{1,2} = \frac{\sigma_x + \sigma_y}{2} \pm \sqrt{(\frac{\sigma_x - \sigma_y}{2})^2 + (\sigma_{xy})^2}$$

$$= \frac{71 + 16}{2} \pm \sqrt{(\frac{71 - 16}{2})^2 + (24)^2}$$

$$\sigma_1 = 80(\text{MPa}) \, , \, \sigma_2 = 7(\text{MPa})$$

$$\tan(2\theta_P) = \frac{\sigma_{xy}}{(\frac{\sigma_x - \sigma_y}{2})} = \frac{24}{(\frac{71 - 16}{2})} \qquad \theta_P = 20.56°$$

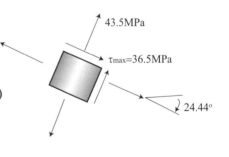

(2) 求最大剪應力之大小及方向

$$\tau_{\max} = \sqrt{(\frac{\sigma_x - \sigma_y}{2})^2 + (\sigma_{xy})^2}$$

$$= \sqrt{(\frac{71 - 16}{2})^2 + (24)^2} = 36.5(\text{MPa})$$

$$\tan 2\theta = -\frac{(\sigma_x - \sigma_y)}{2\sigma_{xy}} = -\frac{(71 - 16)}{2 \times 24}$$

$$\theta = -24.44°$$

$$\sigma_{\text{aver}} = \frac{\sigma_x + \sigma_y}{2} = 43.5(\text{MPa})$$

15. 實驗時在鋼材表面某點貼如圖所示a,b,c三組應
變計。分別測得各應變值為 $\varepsilon_a = 0.0008$，$\varepsilon_b = 0.00096$，$\varepsilon_c = 0.0006$。求該點之主應變與最大剪應變。【土木高考】

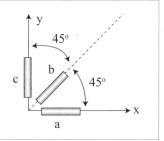

答： 如圖所示

$\varepsilon_x = \varepsilon_a = 0.0008 \quad \varepsilon_y = \varepsilon_c = 0.0006$

$\varepsilon_b = \dfrac{\varepsilon_x + \varepsilon_y}{2} + \dfrac{\varepsilon_x - \varepsilon_y}{2}\cos(2 \times 45°) + \dfrac{\gamma_{xy}}{2}\sin(2 \times 45°) \Rightarrow \gamma_{xy} = 2\varepsilon_b - \varepsilon_x - \varepsilon_y$

將 $\varepsilon_b = 0.00096$，$\varepsilon_x = \varepsilon_a = 0.0008$，$\varepsilon_y = \varepsilon_b = 0.0006$代入

可得 $\gamma_{xy} = 5.2 \times 10^{-4}$

$\varepsilon_{1,2} = \dfrac{\varepsilon_x + \varepsilon_y}{2} \pm \sqrt{(\dfrac{\varepsilon_x - \varepsilon_y}{2})^2 + (\dfrac{\gamma_{xy}}{2})^2}$

$\Rightarrow \varepsilon_1 = 9.786 \times 10^{-4}$，$\quad = 4.214 \times 10^{-4} \quad \dfrac{\gamma_{max}}{2} = 2.786 \times 10^{-4}$

$\Rightarrow \gamma_{max} = 5.572 \times 10^{-4}$

｜精選試題｜

基礎試題演練

1. 一外徑15cm之金屬中空圓柱用來支持30000N重之機器，若材料之許可壓應力為5N/mm²，則在最小的材料重量考慮下，此中空圓柱之內徑為何？

答：$\sigma_C = \dfrac{P_C}{\dfrac{\pi}{4}(d_o{}^2 - d_i{}^2)}$ $\Rightarrow 500 = \dfrac{30000}{\dfrac{\pi}{4}(15^2 - d_i{}^2)}$ 　 $\therefore d_i \fallingdotseq 12.2(\text{cm})$

2. 如圖所示之接頭由兩支螺栓固定，假設板厚皆為12mm，材料之剪力強度為350MPa，抗拉、抗壓強度皆為600MPa，並可忽略摩擦之影響。在設計安全係數(factor of safety)要求為2.5，且在下列各設計考量下，試求螺栓所需之直徑：

(1)螺栓剪壞。

(2)板孔承壓(bearing)破壞。

(3)板拉壞。

(4)整體(overall)接頭設計安全。

【103地四】

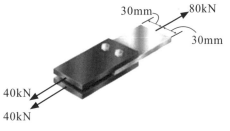

答：(1) $\tau = \dfrac{V}{As} \le \dfrac{Ss}{Fs}$

$\dfrac{40 \times 10^3}{\dfrac{\pi}{4}d^2 \times 2} \le \dfrac{350}{2.5} \Rightarrow d \ge 13.48(\text{mm})$

(2) $\sigma_b = \dfrac{P}{Ac} \le \dfrac{Sc}{Fs}$

$\dfrac{80 \times 10^3}{d \times 12 \times 2} \le \dfrac{600}{2.5} \Rightarrow d \ge 13.88(\text{mm})$

(3) $\sigma_t = \dfrac{P}{At} \le \dfrac{St}{Fs}$

$\dfrac{80 \times 10^3}{(60-2d)12} \le \dfrac{600}{2.5}$ $d \le 16.11$

(4)由上計算可知，$13.88 \le d \le 16.11$

3. 如圖所示，在水平桿CBD的端點D處，承受一負荷P，如垂直桿AB之截面積為500mm²，其所生之應力為20MPa，試求此負荷P為若干N？

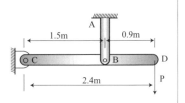

答：$\sigma_{ab} = \dfrac{T_{ab}}{A}$

$\therefore T_{ab} = \sigma_{ab} \times A = (2 \times 10^7)(5 \times 10^{-4})$

$= 10000N$

$\sum M_C = 10000 \times 1.5 - P \times 2.4 = 0$

$\therefore P = 6250N$

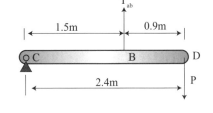

4. 如圖有一螺栓承受3140N之負荷，已知容許拉應力為1000N/cm²，容許剪應力為500N/cm²則螺栓頭高度h為若干cm？

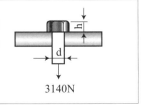

答：(1) 容許剪應力 $\tau = \dfrac{\sigma_x}{2} \to 500$ ——

$\therefore \sigma_x = 1000 =$ 容許拉應力表示材料由剪力或拉力同時破壞

故 $\sigma = \dfrac{P}{A} \to 1000 = \dfrac{3140}{\dfrac{\pi}{4} \times d^2}$ $\therefore d = 2cm$

(2) 螺栓頭由剪力破壞 $\tau = \dfrac{P}{A} \to 500 = \dfrac{3140}{\pi \times 2 \times h}$ $\therefore h = 1cm$

5. 某板厚度20mm，以直徑200mm的衝頭衝孔，若板料剪應力強度 τ = 800MPa，請算出：負荷P值為何？若安全係數為1.5，衝頭之抗壓強度最少需多少。【機械關務四等】

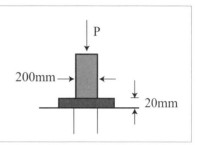

答：(1) 板材受到剪力 V = P

剪應力 $\tau = \dfrac{P}{\pi \times (200 \times 10^{-3}) \times (20 \times 10^{-3})} = 800 \times 10^{6}$

$\Rightarrow P = 10053096.49(N)$

(2) $n = \dfrac{\sigma_L}{\sigma_W} \Rightarrow \sigma_L = 1.5 \times \dfrac{P}{\dfrac{\pi}{4} \times D^2}$

$= 1.5 \times \dfrac{10053096.49}{\dfrac{\pi}{4} \times (200 \times 10^{-3})^2} = 480000000\,\text{Pa} = 480(MPa)$

6. 有個應力狀態為 $\sigma_x = -15\text{MPa}$，$\sigma_y = 9\text{MPa}$ 及 $\tau_{xy} = 5\text{MPa}$。

(1) 求解主應力（principal stresses）及其方向。

(2) 繪製主應力元素（principal stress element）。【106普考】

答：圓心C：$\sigma_{x1} = \sigma_{aver} = \dfrac{\sigma_x + \sigma_y}{2} = \dfrac{-15 + 9}{2} = -3(MPa)$

半徑R： $R = \sqrt{(\dfrac{\sigma_x + \sigma_y}{2})^2 + (\tau_{xy})^2} = \sqrt{(\dfrac{-15-9}{2})^2 + (5)^2} = 13(MPa)$

在莫耳圓上其主應力是由 σ_1 與 σ_2 表示

1. 較大的主應力 σ_1：$\sigma_1 = \sigma_{av} + R = -3 + 13 = 10(MPa)$

2. 較小的主應力 σ_2：$\sigma_2 = \sigma_{av} - R = -3 - 13 = -16(MPa)$

3. $\tan 2\theta_P = \dfrac{-5}{12}$ $\therefore \theta_P = -22.62° \Rightarrow \theta_P = -11.31°$

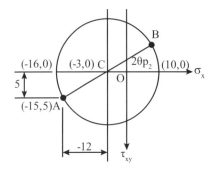

A點座標：$\sigma = -15$MPa及$\tau = 5$MPa；
B點座標：$\sigma = 9$MPa及$\tau = -5$MPa

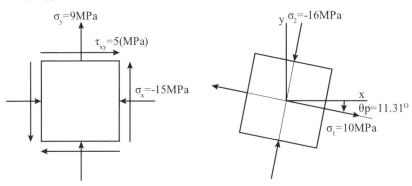

---

7. 在平面應力狀況下 $\sigma_x = 34$psi，$\sigma_y = 41$psi，若已知最小主應力為25psi，則最大主應力為？【台電】

答：$\sigma_x + \sigma_y = \sigma_1 + \sigma_2 \quad \Rightarrow 34 + 41 = \sigma_1 + 25 \quad \Rightarrow \sigma_1 = 50$(Psi)

---

8. 有一長方體，長、寬、高分別為 b=250mm、a=125mm、t=50mm，底部面固定於地上且頂部面移動8mm，如圖所示，今以12KN之V力推之，試求剪力彈性係數G為多少？

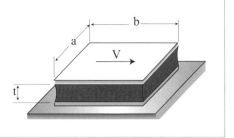

答： $\gamma_{ave} = \dfrac{d}{t}$　　$\gamma_{ave} = 0.16$

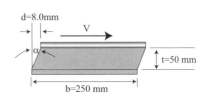

$G = \dfrac{\tau_{ave}}{\gamma_{ave}} = \dfrac{0.384}{0.16} = 2.4\text{MPa}$

$T_{av} = \dfrac{12000}{125 \times 250} = 0.384(\text{MPa})$

---

9. 如圖所示，有一螺栓接頭受外力P作用，請問該接頭有那些可能之破壞方式。另若P＝5000公斤，螺栓之直徑為2.5 公分，螺栓所受之剪應力為若干？【機械地特四等】

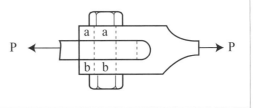

答：(1) 取螺栓受力圖如圖所示

A. 接頭於a、b、c受到壓力而破壞

B. 接頭於m－m、n－n截面受到剪力而破壞

(2) 板材受到壓力而破壞

(3) P = 5000kg , d = 2.3cm

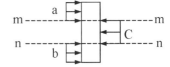

$$\tau = \frac{P}{2A} = \frac{P}{[\frac{\pi}{4}d^2] \times 2} = \frac{5000}{[\frac{\pi}{4} \times (2.5 \times 10^{-2})^2] \times 2} = 5092958.2(\text{kg}/\text{m}^2)$$

---

10. 木塊的木紋與水平 20° 角如圖所示。若木塊承受一軸向負載250N，求作用垂直於木紋的正向和剪應力。

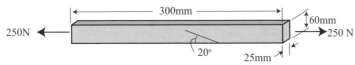

答： $\sigma_x = \dfrac{P}{A} = \dfrac{250}{(0.06)(0.025)} = 166.67\text{k Pa}$　　$\sigma_y = 0$　　$\tau_{xy} = 0$　　$\theta = 70°$

$$\sigma_{x'} = \frac{\sigma_x + \sigma_y}{2} + \frac{\sigma_x - \sigma_y}{2}\cos 2\theta + \tau_{xy}\sin 2\theta$$

$$= \frac{166.67+0}{2} + \frac{166.67-0}{2}\cos 140° + 0 = 19.5\,\mathrm{kPa}$$

$$\tau_{x'y'} = -\left(\frac{\sigma_x - \sigma_y}{2}\right)\sin 2\theta + \tau_{xy}\cos 2\theta = -\left(\frac{166.67-0}{2}\right)\sin 140° + 0 = 53.6\,\mathrm{kPa}$$

11. 支架上點A的應變具有分量
$\varepsilon_x = 300(10^{-6})$，$\varepsilon_y = 550(10^{-6})$。假設支
架之楊氏係數（Young's modulus）
E＝250GPa和蒲松氏比（Poisson's
ratio）v＝0.30，試求點A的：
(1)應力σ_x和σ_y。
(2)最大剪應力值τ_{max}。【109普考】

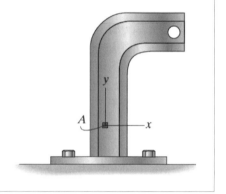

答：(1) 由廣義虎克定律

$$\varepsilon_x = 300\mu = \frac{1}{250\times 10^3}[\sigma_x - 0.3\sigma_y]\cdots\cdots(1)$$

$$\varepsilon_y = 550\mu = \frac{1}{250\times 10^3}[\sigma_y - 0.3\sigma_y]\cdots\cdots(2)$$

由(1)(2)$\Rightarrow \sigma_x = 127.75(\mathrm{MPa})$，$\sigma_y = 175.82(\mathrm{MPa})$

(2) $\sigma_{1,2} = \frac{\sigma_x + \sigma_y}{2} \pm \sqrt{\left(\frac{\sigma_x - \sigma_y}{2}\right)^2 + \tau_{xy}^2}$

$\Rightarrow \sigma_1 = 175.82(\mathrm{MPa})$，$\sigma_2 = 127.82(\mathrm{MPa})$

$(\tau_{max})_{平面} = \frac{\sigma_1 - \sigma_2}{2} = 24(\mathrm{MPa})$

$(\tau_{max})_{abs} = \frac{175.82}{2} = 87.91(\mathrm{MPa})$

12. 如右圖所示，為一均勻方桿
受到軸向拉力P的作用。已
知方桿的截面積為A、長度
為L、楊氏係數為E，試回答
下列問題：

(1)若以δ代表方桿受P力作
用產生的長度伸長量，試
推導δ和P的關係式；亦即，$\delta = \dfrac{PL}{AE}$ 。

(2)試推導下列兩式 $\sigma' = \dfrac{P}{A}\cos^2\theta$ 及 $\tau' = -\dfrac{P}{2A}\sin^2\theta$

其中σ'及τ'分別代表作用在b－b截面上的正向應力及剪應力，θ代表
b－b截面的法線方向x'和軸向x的夾角。【普考】

答：(1) $\sum F_y = 0$

$\sigma_\theta A_W = P \times \cos\theta$ ，

其中 $A_W\cos\theta = A$

$\sigma_\theta = \dfrac{P \times \cos^2\theta}{A} = \sigma'$

(2) $\sum F_X = 0$

$\tau_\theta A_W = -P \times \sin\theta \Rightarrow \tau_\theta = \dfrac{-P \times \cos\theta \times \sin\theta}{A} = \dfrac{-P\sin 2\theta}{2A} = \tau'$

13. 一立方體體積3000cm³丟入水中，若水壓為600MPa，立方體材料之蒲松比
（Poisson's ratio）為0.25，彈性係數（modulus of elasticity）為250GPa，
試求三軸向應變各為多少？體積應變為多少？變形後的體積為多少？【101
關四】

答：(1) $\varepsilon_x = \varepsilon_y = \varepsilon_z = \dfrac{1}{E}[\sigma_x - \nu(\sigma_y + \sigma_z)]$

其中 $\sigma_x = \sigma_y = \sigma_z = P = 600(MPa)$

故 $\varepsilon_x = \varepsilon_y = \varepsilon_z = \dfrac{-600}{250 \times 10^3} \times [1 - 2 \times 0.25]$

$= -1.2 \times 10^{-3}$

(2) $\varepsilon_\lor = \varepsilon_x + \varepsilon_y + \varepsilon_z = -1.2 \times 10^{-3} \times 3 = -3.6 \times 10^{-3}$

(3) $\forall' = 3000 - 3000 \times (3.6 \times 10^{-3}) = 2989.2(cm^3)$

---

14. 如圖所示，ab長度為170mm，bc長度為150mm，在a端施加一垂直向下之力量2000N，在d端則有一水平力F保持平衡，b銷裝置如圖之右邊小圖，b銷直徑為6mm，試求b銷所受之平均剪應力為多少？【101關四】

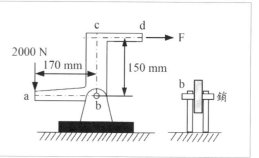

答：$\sum M_b = 0$

$F \times 150 = 2000 \times 170 \Rightarrow F = 2216.67(N)$

$\sum F_x = 0 \Rightarrow b_x = 2266.67(N)$

$\sum F_y = 0 \Rightarrow b_y = 2000(N)$

$R_b = \sqrt{(2266.67)^2 + (2000)^2} = 302288$

雙剪 $\tau = \dfrac{R_b}{2 \times A} = \dfrac{3022.88}{2 \times \dfrac{\pi}{4} \times (6)^2} = 53.456(MPa)$

進階試題演練

1. 如圖所示，有一受平面應力（Plane Stress）作用之平板元素，其在x軸與y軸方向之應力分別為＋80MPa 及＋52MPa，剪應力為＋48MPa，試求出其主應力（Principal Stresses）之大小與方向為何？【機械高考】

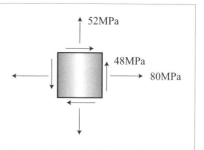

答 : $\sigma_{1,2} = \dfrac{\sigma_x + \sigma_y}{2} \pm \sqrt{(\dfrac{\sigma_x - \sigma_y}{2})^2 + \tau_{xy}^2} = \dfrac{80+52}{2} \pm \sqrt{(\dfrac{80-52}{2})^2 + 48^2}$

$\sigma_1 = 116(MPa)$, $\sigma_2 = 16(MPa)$ $\tan 2\alpha_0 = \dfrac{\tau_{xy}}{\dfrac{1}{2}(\sigma_x - \sigma_y)} = \dfrac{48}{\dfrac{1}{2}(80-52)} = 3.43$

$\alpha_0 = 36.87°$

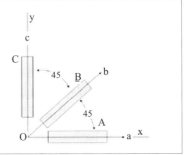

---

2. 一菊花型應變規含三枚電阻式應變規，安排如圖所示。A、B及C規對O_a、O_b及O_c軸所測得之正向應變分別為ε_a、ε_b及ε_c，試求對xy軸的應變ε_x、ε_y及γ_{xy}。【機械高考】

答 : $\varepsilon_a = \varepsilon_x$, $\varepsilon_c = \varepsilon_y$

$\varepsilon_b = \varepsilon_{45°} = \dfrac{\varepsilon_x + \varepsilon_y}{2} + \dfrac{\varepsilon_x - \varepsilon_y}{2}\cos(2 \times 45°) + (\dfrac{r_{xy}}{2})\sin(2 \times 45°)$

$\Rightarrow \varepsilon_b = \dfrac{\varepsilon_a + \varepsilon_c}{2} + (\dfrac{r_{xy}}{2})$ $\Rightarrow r_{xy} = 2\varepsilon_b - \varepsilon_a - \varepsilon_c$

---

3. 材料上某點之平面應力狀態為$\sigma_x = -50MPa$ $\tau_{xy} = 42$ MPa、及最大主平面應力$\sigma_1 = 33$ MPa，如圖所示。試求該點之σ_y大小及主平面應力之大小及方向。

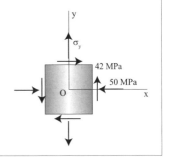

答：$\sigma_1 = 33\,\text{MPa}$

$\sigma_1 = \dfrac{\sigma_x + \sigma_y}{2} + \sqrt{\left(\dfrac{\sigma_x - \sigma_y}{2}\right)^2 + \tau\,xy^2}$ 解得 $\sigma_y = 11.7\,\text{MPa}$

$\tan(2\theta_{p2}) = \dfrac{2\tau_{xy}}{\sigma_x - \sigma_y} \qquad \theta_{p2} = \dfrac{\tan\left(\dfrac{2\tau_{xy}}{\sigma_x - \sigma_y}\right)^{-1}}{2} \qquad \theta_{p2} = -26.85°$

$\theta_{p1} = 90° + \theta_{p2} \qquad \theta_{p1} = 63.15°$

$\sigma_1 = \dfrac{\sigma_x + \sigma_y}{2} + \dfrac{\sigma_x - \sigma_y}{2}\cos\left(2\theta_{p1}\right) + \tau_{xy}\sin\left(2\theta_{p1}\right)$

$\sigma_2 = \dfrac{\sigma_x + \sigma_y}{2} + \dfrac{\sigma_x - \sigma_y}{2}\cos\left(2\theta_{p2}\right) + \tau_{xy}\sin\left(2\theta_{p2}\right)$

解得 $\theta_{p1} = 63.2°$ ： $\sigma_1 = 33.0\,\text{MPa}$ $\qquad \theta_{p2} = -26.8°$ ： $\sigma_2 = -71.3\,\text{MPa}$

---

4. 材料上某點之平面應力狀態為 $\sigma_y = 716.2\,\text{kPa}$ 及 $\tau_{xy} = 198.9\,\text{kPa}$，如圖所示。試利用莫耳圓求該點之主應力大小及方向並以應力元素圖表示其主平面應力狀態。

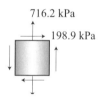

答：主應力利用莫爾圓可解得主應力，

如圖圓心C位於點 $\sigma_{avg} = \dfrac{0 + 716.2}{2} = 358.1\,\text{kPa}$

繪 C(358.1,0) 與參考點 A(0,198.9)，

可知圓的半徑 R＝409.7。主應力由B與D點代表，因此

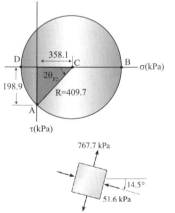

$\sigma_1 = 358.1 + 409.7 = 767.8\,\text{kPa}$

$\sigma_2 = 358.1 - 409.7 = -51.6\,\text{kPa}$

順時鐘角度 $2\theta_{p2}$ 可由圓上 $2\theta_{p2} = 29.1°$ 求得。

元素定位成x'軸或 σ_2 由x軸順時鐘 $\theta_{p1} = 14.5°$

(e)

Chapter **02** 桿構件軸向負載分析

⚙ 2-1 材料拉伸試驗

1. **材料的機械性質及虎克定律**：使用標準試片，材料在拉伸作用力下，所表現出來的變形和破壞等方面的機械特性，可表現在應力-應變圖中，如圖2.1所示，分析如下：

(1) 比例限與彈性限：

    A.在拉伸（或壓縮）的初始階段應力 σ 與應變為直線關係，如圖中對應的應力值 σ_{pl} 稱為比例極限，亦即比例限以下之應力值與應變成正比，表示為 $\sigma = E\varepsilon$。

    B.應力-應變曲線上當應力增加到某一應力值時，再將應力降為零，則應變隨之消失；一旦超過該應力值，卸載後，有一部分應變不能消除，則此應力值定義為彈性限。

(2) 材料的降伏(yielding)與破壞：

    A.當受力超過某一應力值時，應力與應變不再成正比，當應力超過該應力值時，在應力增加很少或不增加時，應變會很快增加，這種現象叫降伏，則該應力值稱之為降伏應力。

    B.材料經過降伏階段以後，因塑性變形使其組織結構得到調整，若需要增加應變則需要增加應力，曲線又開始上升，此過程稱為材料硬化過程，到最高點的強度是材料能承受的極限應力 σ_u。

    C.當拉伸到強度極限時，在試件的某一局部範圍內橫截面急劇縮小，曲線開始下降，此過程稱為材料縮頸過程，形成縮頸現象。

斷面收縮率：$f = \dfrac{A_1 - A_0}{A_0} \times 100\%$

伸長率：$\delta = \dfrac{l_1 - l_0}{l_0} \times 100\%$

(3) 虎克定律

　　A.對大部份材料而言,皆具有這種線彈性之性質,我們稱該材料
　　　為線彈性體,在線彈性範圍下,當應力不超過比例極限時,則
　　　正應力與縱向線應變成正比 ⇒ $\sigma = E \cdot \varepsilon$,即是著名的虎克定律
　　　(Hooke's law),表示成 $\sigma = E\varepsilon$,其中E為彈性係數(modulus of
　　　elasticity),又稱為楊氏模數(Young's modulus),為材料之常數,
　　　其單位與應力相同,在SI 制為Pa,而英制則為psi,彈性模數為
　　　應力應變曲線中線彈性區中斜直線之斜率,對於同一種材料其值
　　　為定值,不會因製程不同而改變。

　　B.當桿件受力,橫截面上的正應力不超過比例極限時,桿件的伸
　　　長量 δ 與軸力P及桿原長L成正比,與橫截面面積A成反比,即
　　　$\delta \propto \dfrac{PL}{A}$,引入比例常數E,則可寫為 $\delta = \dfrac{PL}{EA}$ ⇒ 虎克定律。

　　C.材料的彈性模數是經由實驗測定出來的,彈性模數表示在受拉
　　　(壓)時,材料抵抗彈性變形的能力,EA越大,桿件的變形就
　　　越小,故稱EA為桿件抗拉(壓)剛度。

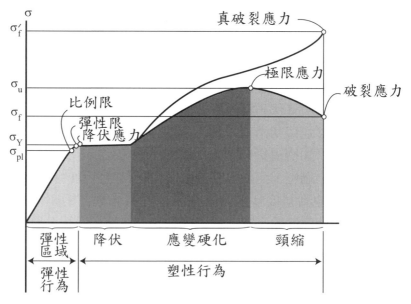

圖2.1　材料拉伸試驗分析

⚙ **2-2** 靜定桿構件軸力變形分析

1. 靜定桿構件變形分析：在彈性範圍內，軸向拉伸或壓縮桿件受力P且伸長量為 ΔL ，由虎克定律可得 $\Delta L = \delta = \dfrac{PL}{EA}$ ，通常用 δ 表示桿件伸長量，如圖2.2(a)2.2(b)所示一階梯形截面桿，其彈性模數E，截面面積A_1、A_2、A_3，分析每段桿的內力、應力、伸長量及全桿的總伸長量，如下所示：

(1) 取3-3截面之自由體圖可求得cd段截面上的內力$P_{cd} = -P$(壓)；取2-2截面之自由體圖可求得bc段截面上的內力$P_{bc} = 2P - P = P$(拉)；取1-1截面之自由體圖可求得ab段截面上的內力$P_{ab} = 5P - P = 4P$(拉)。

(2) 計算各段應力：

ab段 $\sigma_{ab} = \dfrac{P_{ab}}{A_1} = \dfrac{4P}{A_1}$ (拉應力)、bc段 $\sigma_{bc} = \dfrac{P_{bc}}{A_2} = \dfrac{P}{A_2}$ (拉應力)

cd段 $\sigma_{cd} = \dfrac{P_{cd}}{A_3} = \dfrac{-P}{A_3}$ (壓應力)

(3) 計算各段伸長量：

ab段 $\delta_{ab} = \dfrac{4PL_1}{EA_1}$ 、bc段 $\delta_{bc} = \dfrac{P L_2}{EA_2}$ 、cd段 $\delta_{CD} = \dfrac{-PL_3}{EA_3}$ 。

(4) 全桿總伸長量： $\delta = \dfrac{4PL_1}{EA_1} + \dfrac{P L_2}{EA_2} + \dfrac{-P L_3}{EA_3}$ 。

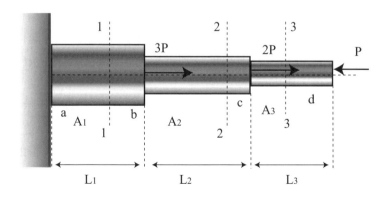

圖2.2(a)　階梯形截面桿

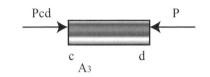

3-3   截面自由體圖

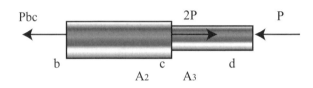

2-2   截面自由體圖

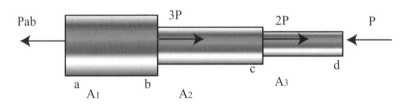

1-1   截面自由體圖

圖2.2(b)   階梯形截面桿自由體圖

2. 靜定桿構件結構分析：桁架結構之每一構件均為兩端點受力的構件，可稱之為二力構件，若所有的受力狀況均在同一平面上，我們稱之為平面桁架(planar trusses)，無論是空間或平面上，均可將構件視為二力構件，在分析時構件僅在兩端點受力，作用力方向為沿著構件軸線傳遞，若兩端點受拉伸力，可視為張力(T)，若兩端點受到壓縮力，可視為為壓力(C)，一般計算以拉力(T)為正，壓力(C)為負。

如圖2.3所示，桿構件系由兩根端點鉸接鋼桿所組成，兩桿與垂直線成α角度，長度均為L，直徑均為d，鋼的彈性模數為E，假設節點A處受力P，節點A的位移 δ_A 是由於兩桿受力後伸長引起的，故應先求出各桿的軸力後再利用變位諧和條件求得伸長量，可由以下方式求得：

(1) 列平衡方程

　　$\sum F_x=0 \Rightarrow N_{BC} \sin\alpha - N_{AB} \sin\alpha=0$

　　$\sum F_y=0 \Rightarrow N_{AB} \cos\alpha + N_{BC} \cos\alpha - P=0$

　　解上兩式得$N_{AB} = N_{BC} = \dfrac{P}{2\cos\alpha}$（拉力為正）

(2) 求兩桿的伸長：由題意可知

　　$\delta_{AB} = \delta_{AC} = \dfrac{N_{AB}L}{EA} = \dfrac{PL}{2EA\cos\alpha}$　式中$A= \pi d^2/4$為桿的橫截面面積。

(3) 求節點的位移：如圖所示兩桿在點A為鉸接，變形後仍應鉸結在一

　　起，即應滿足變形的幾何諧和條件可得$\delta_A = \dfrac{\delta_{AB}}{\cos\alpha} = \dfrac{\delta_{AC}}{\cos\alpha} = \dfrac{PL}{2EA\cos^2\alpha}$

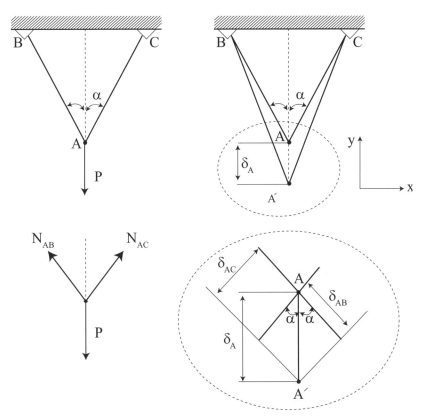

圖2.3　靜定桿構件結構分析

🔘 焦點命題 🔘

1. 如右圖所示，一矩形鋼桿的截面尺寸為 60mm×40mm，若該桿件材料的容許張應力為

120MPa，容許剪應力為55MPa，則該桿件容許的軸向張力負荷P為：

答：$\tau_{max} = \dfrac{1}{2}\sigma$ ， $55 = \dfrac{1}{2}\sigma$ ， $\sigma = 110(MPa)$ $110 = \dfrac{P}{60 \times 40}$ $\therefore P = 264(kN)$

---

2. 一等截面圓桿，其截面積為 $100mm^2$，彈性係數E為200GPa，其受力情形如圖所示，則點C會向左偏移多少mm？

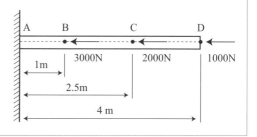

答：[AB段]在AB中任取一截面作自由體圖

$P_{AB} \longrightarrow$ [A B C D] $\longleftarrow 1000N$
3000N 2000N

$P_{AB} = 3000 + 2000 + 1000$ $P_{AB} = 6000(N)$

[BC段]同理

$P_{BC} \longrightarrow$ [C D] $\longleftarrow 1000N$
2000N

$P_{BC} = 2000 + 1000$ $P_{BC} = 3000(N)$

$\delta_{AC} = \delta_{AB} + \delta_{BC} = \dfrac{6000 \times 1 \times 1000}{200 \times 10^3 \times 100} + \dfrac{3000 \times 1.5 \times 1000}{200 \times 10^3 \times 100} = 0.6(mm)$

3. 如圖所示之圓柱體，係由一銅材製成的圓筒，於其內部填充混凝土所構成。設若作用於圓柱體中心之荷重 P = 100 KN，試求圓筒和混凝土的軸向應力，以及圓柱體的壓縮量。已知鋼材的楊氏係數為200GPa，混凝土的楊氏係數為24GPa。【關務四等】

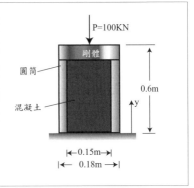

答：取剛體自由體圖，下標S為混凝土，O為圓筒

$P_o + P_s = 100$ (N)……①

$$\delta_o = \frac{P_o \times L}{E_o \times A_o} = \frac{P_o \times 0.6}{200 \times 10^9 \times \frac{\pi}{4} \times (0.18^2 - 0.15)^2} = 3.8583 \times 10^{-10} P_o$$

$$\delta_s = \frac{P_s \times L}{E_s \triangle A_s} = \frac{P_s \times 0.6}{24 \times 10^9 \times \frac{\pi}{4} \times (0.15)^2} = 1.4147 \times 10^{-9} P_s$$

$\delta_o = \delta_s \Rightarrow P_s = 0.2727 P_o$

代回① $P_o = 78.57$ (KN)，$P_s = 21.47$ (KN)

$$\sigma_o = \frac{P_o}{A_o} = \frac{78.57}{\frac{\pi}{4} \times (0.18^2 - 0.15^2)} = 10104.89 \,(\text{kpa})$$

$$\sigma_s = \frac{P_s}{A_s} = \frac{21.47}{\frac{\pi}{4} \times 0.15^2} = 1214.95 \,(\text{kpa})$$

$$\delta_o = \delta_s = \frac{21.47 \times 10^3 \times 0.6}{24 \times 10^9 \times \frac{\pi}{4} \times (0.15)^2} = 3.037 \times 10^{-5} \,(\text{m})$$

4. 如圖所示，2100N垂直外力施於C點，BC段為一繩索，AC段為二力桿件其斷面積為100mm²，則AC桿件所承受之壓應力為多少。

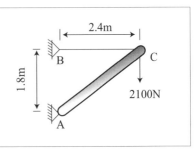

答：取自由體圖，利用 $\sum M_A = 0$
$\therefore 1.8 T_B = 2100 \times 2.4$　$T_B = 2800$
當 $\sum F_x = 0$　$\therefore A_x = T_B = 2800N(\rightarrow)$
當 $\sum F_y = 0$　$\therefore A_y = 2100N(\uparrow)$
$R_A = \sqrt{(2100)^2 + (2800)^2} = 3500(N)$

$\therefore \sigma_{AC} = \dfrac{3500}{100} = 35(N/mm^2)$

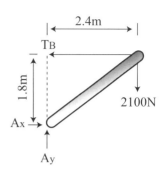

5. 如圖顯示一長度為2L之水平剛性桿件藉三條繩索分別於A、B、C三處懸掛著，三條繩索之材料性質相同，但中間繩索之斷面積僅為兩邊繩索斷面積之一半，令桿件在A點右邊0.75L處(D)受到一大小為P之向下外力，假設繩索之變形在線彈性範圍內，請問各繩索所受到之拉力為何？【鐵路特考員級】

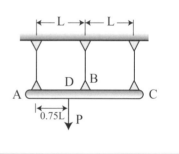

答：(1) 取剛性桿之自由體圖

$\sum M_A = 0$　$F_B \times L + F_C \times 2L - P \times 0.75L = 0$
$\Rightarrow F_B + 2F_C = 0.75P \cdots\cdots$①
$\sum F_y = 0$　$\Rightarrow F_A + F_B + F_C = P \cdots\cdots$②

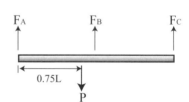

(2) $\dfrac{\delta_B - \delta_C}{L} = \dfrac{\delta_A - \delta_C}{2L}$　$\Rightarrow 2\delta_B = \delta_A + \delta_C$

$\Rightarrow \dfrac{2F_B \times h}{(\frac{A}{2}) \times E} = \dfrac{F_A \times h}{E \times A} + \dfrac{F_C \times h}{E \times A}$

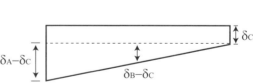

$\Rightarrow 4F_B = F_A + F_C \cdots\cdots$③

由①②③得

$F_B = \dfrac{P}{5}$，$F_C = 0.275P$，$F_A = 0.525P$

6. 如圖所示的均質水平衡桿長度為 $3\,m$，兩端分別
以長度 $4\,m$ 的鋼索與鋁索繫之。若鋼的彈性係數
$E_{St} = 2 \times 10^{11}\,Pa$ ，鋁的彈性係數 $E_{Al} = 7 \times 10^{10}\,Pa$ ，鋼
索的截面積為 $1cm^2$ ，鋁索的截面積為 $2cm^2$ ，若此橫
桿在一3000N的負荷作用下仍保持水平，請問此負荷
應作用於距離鋼索多遠的位置上？【鐵路特考】

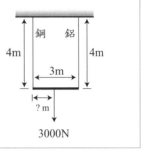

答：$\sum M_{鋼} = 0 \qquad 3,000 \cdot x - P_{Al}(3) = 0\cdots\cdots\cdots$①
$\sum F_y = 0 \qquad 3,000 - P_{St} - P_{Al} = 0\cdots\cdots\cdots\cdots$②
$\because$ 保持水平　　$\therefore \delta_{st} = \delta_{Al}$
$\left(\dfrac{Pl}{AE}\right)_{st} = \left(\dfrac{Pl}{AE}\right)_{Al} \Rightarrow \dfrac{P_{st} \times 4}{10^{-4} \times 2 \times 10^{11}} = \dfrac{P_{Al} \times 4}{2 \times 10^{-4} \times 7 \times 10^{10}}$
$\therefore 7P_{st} - 10P_{Al} = 0\cdots\cdots\cdots\cdots$③
由②、③示得 $P_{st} = 1,764.706\,(N)$
$P_{Al} = 1,235.294\,(N)\cdots\cdots\cdots\cdots$④
④代入①式得 $x = 1.235m$

7. 如圖，AB為一剛性桿，在C、D點各
以一鋼線支撐，兩鋼線之截面積均為
A，彈性係數E，求(1)各鋼線之受力？
(2)B點變位大小？【台電】

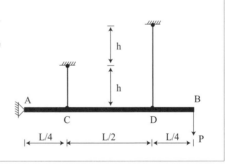

答：(1) 如圖所示
$\qquad \sum M_A = 0 \quad P \times L = F_C \times \dfrac{L}{4} + F_D \times \dfrac{3}{4}L\cdots\cdots$①

(2) 由幾何關係可得
$\qquad \delta_B = 4\delta_C , \delta_D = 3\delta_C \Rightarrow \dfrac{F_D \times 2h}{EA} = \dfrac{(F_C \times h) \times 3}{EA} \Rightarrow F_D = \dfrac{3}{2}F_C\cdots\cdots$②

由①②可得 $F_C = \dfrac{8}{11}P$，$F_D = \dfrac{12}{11}P$

$$\delta_B = 4\delta_C = \dfrac{4 \times \dfrac{8P}{11} \times h}{EA} = \dfrac{32Ph}{11EA}$$

---

8. 兩段式棒材中AB段長度為0.2公尺，截面積為20mm²；BC段長度為0.25公尺，截面積為10mm²，若棒材之彈性係數為50GPa，P=50KN 時，試計算：AB段與BC段分別應力為何？AB段與BC段分別變形量為何？【關務四等】

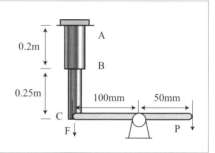

答：(1) 取AC自由體圖

如題目圖所示

$F \times 100 = 50 \times P \Rightarrow F = \dfrac{1}{2}P = 25kN(壓)$

(2) 由虎克定律

$$\delta_{BC} = \dfrac{F \times 0.25}{EA} = \dfrac{25 \times 10^3 \times 0.25}{50 \times 10^9 \times (10 \times 10^{-6})} = 0.0125(m)$$

$$\delta_{AB} = \dfrac{F \times 0.2}{50 \times 10^9 \times (20 \times 10^{-6})} = \dfrac{25 \times 10^3 \times 0.2}{50 \times 10^9 \times (20 \times 10^{-6})} = 5 \times 10^{-3}(m)$$

(3) 由虎克定律

$\sigma_{BC} = \dfrac{25000}{10mm^2} = 250(MPa)$ $\sigma_{AB} = \dfrac{25000}{20mm^2} = 125(MPa)$

---

9. 有一空心之鋼鐵製圓管受到P的壓力作用如圖所示，此管內徑 $d_1 = 8cm$，外徑 $d_2 = 10cm$。當P力由零增至400kN時，管之外徑成為10.002126cm。請計算此時管之內徑為何？管之厚度為何？管之柏松比（Poisson's ratio）為何？（鋼鐵彈性模數為200GPa）【土木地特四等】

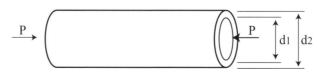

答：$A = \dfrac{\pi}{4}\left(10^2 - 8^2\right) = 28.274\text{cm}^2 \qquad E = 200\text{GPa} = 20000\text{kN/cm}^2$

(1)（外力）→（應力）$\sigma_x = \dfrac{400}{28.274} = 14.147\text{kN/cm}^2 \qquad \sigma_y = \sigma_z = 0$

(2)（應力）→（應變）

$$\varepsilon_x = \dfrac{\sigma_x}{E} = \dfrac{14.147}{20000} = 7.074 \times 10^{-4}$$

$$\varepsilon_y = \varepsilon_z = \dfrac{d'_2 - d_2}{d_2} = \dfrac{0.002126}{10} = 2.126 \times 10^{-4}$$

$$v = \left|\dfrac{\varepsilon_y}{\varepsilon_x}\right| = \dfrac{2.126 \times 10^{-4}}{7.074 \times 10^{-4}}$$

(3)（應變）→（變形）

$$\varepsilon_y = \dfrac{d'_1 - 8}{8} = 2.126 \times 10^{-4} \text{，} \quad d'_1 = 8.001701\text{cm}$$

$$t' = \dfrac{1}{2} \times \left(d'_2 - d'_1\right) = \dfrac{1}{2}(10.002126 - 8.001701) = 1.0002125\text{cm}$$

✿ 2-3　軸向負載靜不定結構

1. 靜不定問題的概念

(1) 對於桿構件結構分析時，當未知力數目多於平衡方程的數目，若僅利用靜力平衡方程$\sum F_x = 0$、$\sum F_y = 0$、$\sum M = 0$無法解出全部未知力，這類問題稱為靜不定問題。

(2) 求解靜不定問題的關鍵在於使未知力數目和方程式數目相等，本章節只介紹常考之一度靜不定問題。

(3) 一度靜不定之桿構件結構，可先假設一贅力，再將結構釋放成靜定結構，利用靜力平衡方程及桿件的受力或位移之變位諧和條件，建立平衡方程求解。

(4) 桿構件結構之靜不定判定：

　　n度靜不定數＝桿件數b＋反力數r－2×節點數j

(5)靜不定問題解法：

A.柔性法(flexibility method)：

a.如圖2.4桿構結構中間受P
力作用，因一個靜力平衡
方程式無法解二個未知
數，故選擇未知桿內力之
一作為贅力，將該桿分解
使贅力除去，使結構為靜
定和穩定的，後將真正負

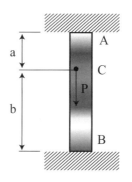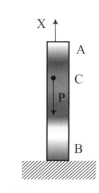

圖2.4　靜不定桿

荷和贅力加上去，計算由此所產生的位移量，再合併成為位移
諧和方程式(equation of compatibility of displacements)。

b.將位移以力的函數方式代入上述位移諧和方程式中，即能解得
贅力，再利用靜力學平衡方程式解得其餘未知數。

c.此法又稱為力法(force method)，僅材料特性在彈性範圍內有效。

B.剛性法 (stiffness method)：

a.將桿中力作用點的位移設為一未知數，並將桿內力利用此位移
量來表示，利用靜力平衡方程式可解得此未知位移量，代入可
得桿內力值。

b.此法取位移為未知量，又稱位移法(displacement)，亦需材料特
性在彈性範圍內。

2.靜不定問題的應用：如圖2.4所示桿的上、下兩端都有固定約束，若抗拉
剛度EA已知，試求兩端反力：

(1)桿的平衡方程

如圖2.4所示桿為一度靜不定，需假設1個贅力X，假設A端受力為
X，靜定釋放結構後：

AC段軸力$N_{AC}=X$(拉)，對BC段軸力$N_{BC}=X-P$

(2)變形幾何關係

由於桿的上、下兩端均已固定，故桿的總變形為零，即
$\delta_{AB}=\delta_{AC}+\delta_{CB}=0$，$\delta_{AC}$等於AC段變形，$\delta_{BC}$等於BC段變形

(3) 力與變形的關係

AC段其軸力$N_{AC}=X$(拉)，對BC段軸力$N_{BC}=X-P$

由虎克定律 $\delta_{AC}=\dfrac{N_{AC}a}{EA}=\dfrac{Xa}{EA}$、$\delta_{BC}=\dfrac{N_{BC}b}{EA}=\dfrac{(X-P)b}{EA}$

代入變形幾何關係 $\delta_{AB}=\dfrac{Xa}{EA}+\dfrac{(X-P)b}{EA}=0$

(4) 聯立方程和平衡方程求解未知力

解得：$X=N_{AC}=\dfrac{b}{a+b}P$、$N_{BC}=\dfrac{a}{a+b}P$

◎ 焦點命題 ◎

10. 如圖所示，兩端均固定之桿受一外力P為1000N作用。桿之截面積為$0.01m^2$，材料彈性模數E為200GPa，求解A點與B點之反應力大小？【109關四】

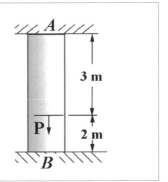

答：(1) 內力分析

$R_A+R_B=1000$(N)

$N_{AC}=R_A$

$N_{BC}=-R_B=R_A-1000$

(2) 變形相合條件

$\delta_{AC}+\delta_{BC}=0\Rightarrow\dfrac{N_{AC}\cdot L_{AC}}{EA}+\dfrac{N_{BC}\cdot L_{BC}}{EA}=0$

$\Rightarrow\dfrac{R_A\cdot3}{200\times10^9\times0.01}+\dfrac{(R_A-1000)\cdot2}{200\times10^9\times0.01}=0$

$\Rightarrow R_A=400$(N)、$R_B=600$(N)

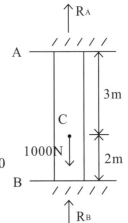

11. 鋼桿直徑為5mm。一端固定於牆壁上A點，且在負載前，右壁B'點與此桿間存在一間隙1mm。若此桿如圖示承受一軸向力P＝20kN，試求在A點及B'點之反作用力。忽略C處軸環的尺寸。取 $E_{st}=200GPa$ 。

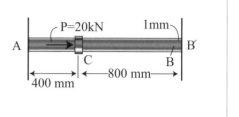

答：此問題為靜不定的。

桿件平衡需 $\sum F_x=0$ ；$-F_A-F_B+20(10^3)N=0$

負載導致B點移動至B'點，而再無其他位移。

$$\delta_{B/A}=0.001m \qquad \delta_{B/A}=0.001m=\frac{F_A L_{AC}}{AE}-\frac{F_B L_{CB}}{AE}$$

$$0.001m=\frac{F_A(0.4m)}{\pi(0.0025m)^2\left[200(10^9)\right]N/m^2}-\frac{F_B(0.8m)}{\pi(0.0025m)^2\left[200(10^9)N/m^2\right]}$$

$$F_A(0.4m)-F_B(0.8m)=3927.0\,N\cdot m \qquad F_A=16.6kN \qquad F_B=3.39kN$$

⚙ 2-4 熱效應與衝擊效應

1. 熱效應

(1) 一具有均勻斷面之均質桿件，若桿中溫度升高 ΔT ，則桿件伸長量為 δ ，膨脹為正，收縮為負，其中 δ 與溫度變化 ΔT 及長度L成正比；$\delta=\alpha\Delta TL$，α 與溫度變化的倒數相同，稱之為熱膨脹係數 (coefficient Of thermal expansion)。

(2) 對一均質具等向性且無拘束之線彈性物體，溫度升高，物體會膨脹但無拘束力拘束，所以有熱應變而無熱應力，因熱應變在等向性線彈性物體係正應變，故會使物體體積改變。

(3) 當桿構件受到均勻溫度變化作用時，在靜定結構中不會造成應力；靜不定結構由於約束限制了溫度變化，引起的物體的膨脹和收縮，產生桿件的應力，稱之為熱應力。但是若元件受到非均勻狀態的熱時，無論結構為靜定或靜不定，都會產生應力。

2. 衝擊載重

(1) 如圖2.5所示，假設有重量爲M的重物自高度 h 處自由下落撞擊軸上1點，則重物與樑接觸時的動能與重力勢能的關係：

$$T_0 = \frac{mV^2}{2} = mgh$$

(2) 重物至最低點時，位能減少 $W\delta_d$，失去總能量

$$E = \frac{mV_0^2}{2} = mg(h + \delta)$$

(3) 假設重物靜置在樑上的靜變形爲 δ_{st}，樑的彈性剛度係數爲 $K = \frac{mg}{\delta_{st}} = \frac{P_d}{\delta}$

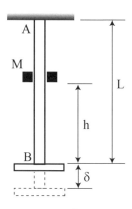

圖2.5　衝擊效應

(4) 樑獲得的彎曲應變能爲 $U = \frac{P_d \delta}{2} = \frac{K\delta_d^2}{2} = \frac{mg\delta^2}{2\delta_{st}}$

(5) 利用U=E，得 $\delta^2 - 2\delta_{st}\delta - 2\delta_{st}h = 0$

$$\delta = \delta_{st}\left(1 + \sqrt{1 + (\frac{2h}{\delta_{st}})}\right) = k_d\delta_{st}$$

k_d 爲撞擊係數，其值爲 $1 + \sqrt{1 + \frac{2h}{\delta_{st}}} = k_d$

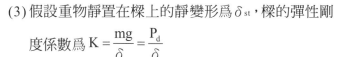

焦點命題

12. 有一鋼棒長1m，斷面積A=160mm²，從20°C加熱至80°C後再承受一拉力 P=160KN，試求此鋼棒之伸長量。（熱膨脹係數 α=12×10⁻⁶/°C，彈性模數E=200GPa，題目之單位中K=103，G=109）【機械地特四等】

答： $\delta = \frac{PL}{EA} + \alpha\Delta TL = \frac{160 \times 10^3 \times 1}{200 \times 10^9 \times 160 \times 10^{-6}} + 12 \times 10^{-6} \times (80-20) \times 1 = 5.72 \times 10^{-3}m$

13. 如圖有一均質金屬桿件，$E = 10 \times 10^6$ psi，斷面積 $A = 20$ in^2，兩端固定，假設不考慮自重之影響，溫度升高35°F，若溫度膨脹係數 $\alpha = 13 \times 10^{-6}/°F$，則桿件內最終軸向應力為何？【台電】

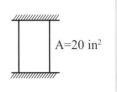

A=20 in^2

答：$\dfrac{P \times L}{EA} = \alpha \Delta T \times L$ $\quad \Rightarrow \dfrac{\sigma}{10 \times 10^6} = 13 \times 10^{-6} \times 35$ $\quad \sigma = 4550$ (psi)

14. ACB桿有兩個截面，AC段截面積為10mm^2，CB段截面積為30mm^2，長度AC=200mm，BC=300mm，兩者為同材質E=10^{9}N/mm^2，溫度膨脹係數 $\alpha = 10^{-4}$／℃，如圖所示，A端有一段縫隙 Δ，此桿溫度上升30℃後：(1)若Δ=0時，試求A、B兩端點所承受的力量為何？ (2)若Δ=1mm時，試求A、B兩端點所承受的力量為何？【土木普考】

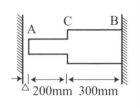

200mm 300mm

答：(1) $\Delta = 0$時假設A端之贅力為x，
結構靜定釋放後，如圖(a)所示：
(2) 取m－m截面左半部之自由體圖(b)

$$\delta_{AC} = \dfrac{-x \times (0.2)}{EA} + \alpha \Delta T \times (0.2)$$

$$= \dfrac{-x \times (0.2)}{10^9 \times (10 \times 10^{-6})} + 10^{-4} \times 30 \times 0.2$$

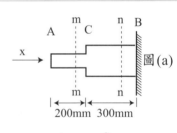

圖(a)

200mm 300mm

(3) 取n－n截面之左半面自由體圖(c)

$$\delta_{BC} = \dfrac{-x \times (0.3)}{EA} + \alpha \triangle T \times (0.3)$$

$$= \dfrac{-x \times (0.3)}{10^9 \times (10 \times 10^{-6})} + 10^{-4} \times 30 \times 0.3$$

圖(b)

200mm

(4) 當 $\Delta = 0$時
$\delta_{AC} + \delta_{BC} = 0$ 可求得x $= 5 \times 10^7$ N(壓)
(5) 當 $\Delta = 1$mm
$\delta_{AC} + \delta_{BC} = 1 \times 10^{-3}$ (m) 可求得x $= 16666666.67$N(壓)＝16.67(MN)

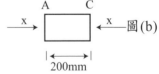

圖(c)

300mm

15. 一滑動軸環質量80kg，從高度h自由落下到一垂直桿底部凸緣的上方，使垂直桿產生一最大的軸向應力350MPa，假設垂直桿與凸緣的質量可以忽略不計，試求高度h為多少？已知垂直桿長度，截面積，楊氏係數GPa。【關務特考四等】

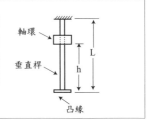

答：(1) 將軸環靜置於底部凸緣上之桿伸長量

$$\delta_{st} = \frac{P \times L}{EA} = \frac{80 \times 9.81 \times 2}{105 \times 10^9 \times 250 \times 10^{-6}} = 5.98 \times 10^{-5}\,(m)$$

(2) 軸環從高h自由落下之桿伸長量

$$\delta_{max} = \delta_{st} + \sqrt{\delta_{st}^2 + 2\delta_{st}h} = \frac{\sigma_{max} \times L}{E}$$

$$\Rightarrow \frac{350 \times 10^6 \times 2}{105 \times 10^9} = 5.98 \times 10^{-5} + \sqrt{(5.98 \times 10^{-5}) + 2 \times 5.98 \times 10^{-5} \times h}$$

$$h = 0.365\,(m)$$

✿ 2-5 | 柱之挫曲

1. **基本觀念**：當短塊受壓，材料中的平均壓應力可由負荷除以剖面面積求得。然而，當受壓件細而長，則有產生側向挫曲（buckling）的可能，使情況變得複雜。當桿為直桿，且作用於中心的負荷小於臨界值時，將不會產生挫曲，該柱是穩定的（stable）。若給予該柱側向變形，則於卸除負荷後，柱將回至其原始的直桿狀態。

(1) 壓桿穩定：桿構件若處於平衡狀態，當受到一微小的干擾力後，桿構件偏離原平衡位置，而干擾力解除以後，又能恢復到原平衡狀態時，這種平衡稱爲穩定平衡。

(2) 臨界壓力：桿構件為不穩定平衡的壓力的臨界值稱爲臨界壓力（或臨界力）以P_{cr}表示。

(3) 柱之挫曲：受壓桿構件在某一平衡位置受到一微小的干擾力，轉變到其他平衡位置的過程叫挫曲或失穩。

2.各種挫曲之有效長度：幾種常見的桿端約束情況的臨界力和彈性曲線形式，都是由微分方程法推導而得，它們的臨界力運算式可統一寫成

$$P_{cr} = \frac{\pi^2 EI}{L_e^2} = \frac{\pi^2 EI}{(\mu L)^2}$$

L_e 稱為壓桿構件的有效長度，L 是實際長度，μ 叫做長度係數。

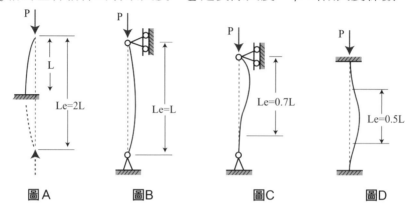

圖A　　　　　　圖B　　　　　　圖C　　　　　　圖D

(1)一端自由一端固定壓桿構件，圖A：$\mu = 2 \Rightarrow L_e = 2L$

(2)兩端銷鉸接壓桿構件，圖B：$\mu = 1 \Rightarrow L_e = L$

(3)一端固定一端銷鉸接支承壓桿構件，圖C：$\mu = 0.7 \Rightarrow L_e = 0.7L$

(4)二端固定壓桿構件，圖D：$\mu = 0.5 \Rightarrow L_e = 0.5L$

⚙ 焦點命題 ⚙

16. 如圖所示之構件系統，其A點為鉸接(hinge)支承，C點及D點係由兩根相同的鉸接端細長柱所支持，且每根柱之撓曲剛度為EI，試問B點之載重F為何值時將使此構件系統崩壞？【機械關務三等】

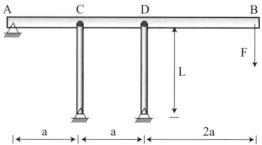

答：構件系統崩壞表示C、D構件均崩壞，其所受桿力均為 P_{cr}

$\sum M_A = 0 \quad (P_{cr})_C \times a + (P_{cr})_D \times 2a = F \times 4a$

$$\Rightarrow F = \frac{(P_{cr})_C + 2(P_{cr})_D}{4} = \frac{\dfrac{\pi^2 EI}{L^2} + 2\dfrac{\pi^2 EI}{L^2}}{4} = \frac{3\pi^2 EI}{4L^2}$$

---

17. 如圖所示，承壓垂直圓管AB底端A為固定端，頂端B為鉸接(hinge)，用以支一水平剛體桿CD，C端為鉸接端，自由端D點受一垂直荷重P作用。已知a=2m，圓管外徑d=12cm，管厚t=1cm，管長L=12m，材料彈性係數E=210GPa，降伏應力 σ y=400MPa。若結構設計安全係數為n=2.5，試求其允許荷重P值為多少。【土木地特三等】

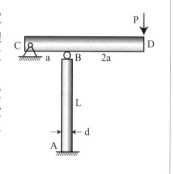

答：$\sum M_C = 0 \quad (P_{cr})_B \times a = P_1 \times 3a \quad P_1 = \dfrac{(P_{cr})_B}{3} = \dfrac{\dfrac{\pi^2 EI}{(0.7L)^2}}{3}$

$$= \frac{\pi^2 \times 210 \times 10^9 \times \dfrac{\pi}{64} \times [0.12^4 - 0.11^4]}{3 \times (0.7 \times 12)^2} = 29294.28(N)$$

又安全係數 $n = 2.5 \quad P = \dfrac{P_1}{2.5} = 11717.71(N)$

---

18. 如圖桿件AB為實心圓斷面，半徑為20mm，彈性模數E=14GPa，F力逐漸增加，當F力達到多大時，桿件AB會發生側潰(buckling)？

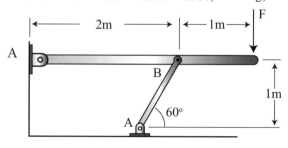

答：$\sum M_A = 0 \quad \Rightarrow F \times 3 = {}_{cr} \times \sin 60° \times 2 \quad \Rightarrow F = \dfrac{2 \times \sin 60° \times P_{cr}}{3}$

其中 $P_{cr} = \dfrac{\pi^2 EI}{L^2} = \dfrac{\pi^2 \times 14 \times 10^9 \times \dfrac{\pi}{4} \times (0.02)^4}{(\dfrac{1}{\sin 60°})^2} = 13022.64$

$\Rightarrow F = 7518.62N = 7.52kN$

|精選試題|

基礎試題演練

1. 一鋁柱截面積A=250mm2受到P₁=7560N，P₂=5340N，及P₃=5780N之作用力。其各段長度分別為a=1525mm，b=610mm，及c=910mm。

(1)若鋁材之彈性模數（modulus of elasticity）為E=72GPa，試求鋁柱之長度改變量（並註明伸長或縮短）。

(2)若僅改變P₃值，試問P₃應為多少，才會導致鋁柱總長度不變？【108普考】

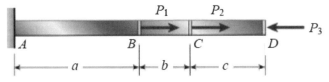

答：(1)

$$\delta = \delta_{AB} + \delta_{BC} + \delta_{CD}$$

$$= \frac{7120 \times 1525}{72 \times 10^3 \times 250} - \frac{440 \times 610}{72 \times 10^3 \times 250} - \frac{5780 \times 910}{72 \times 10^3 \times 250}$$

$$= 0.2961 \text{(mm)(伸長)}$$

(2) $$\frac{(7560 + 5340 - P_3) \times 1525}{72 \times 10^3 \times 250} + \frac{(5340 - P_3) \times 610}{72 \times 10^3 \times 250} - \frac{P_3 \times 910}{72 \times 10^3 \times 250} = 0$$

$$\Rightarrow P_3 = 7530.34 \text{(N)}$$

2. 圓桿ABC是由2種材料
所組成，直徑均為50
mm，如圖所示。其中
AB部分為鋼

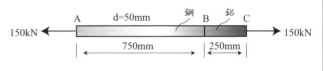

（$E_s = 210$ GPa），長度為750mm，BC部分為鋁（$E_a = 70$ GPa），長度為250mm。
若圓桿承受一軸向拉力150kN，則圓桿ABC之總伸長量為何？【台電】

答： $\delta = \dfrac{150 \times 10^3 \times 0.75}{210 \times 10^9 \times \dfrac{\pi}{4} \times (0.05)^2} + \dfrac{150 \times 10^3 \times 0.25}{70 \times 10^9 \times \dfrac{\pi}{4} \times (0.05)} = 0.000546 \, \text{m} = 0.546 \, (\text{mm})$

3. 如圖所示之均質水平桿，長度為
5m，兩端分別以長3m之黃銅索及
2m之鋁索繫之，水平桿本身重量不
計，且承受一400kg之負荷，黃銅
之彈性係數$E_{Br} = 1.05 \times 10^6 \text{kg/cm}^2$，
鋁之彈性係數$E_{A\ell} = 0.7 \times 10^6 \text{kg/cm}^2$，且已知鋁之截面積為$2 \text{cm}^2$，如欲使此桿
於承受負荷後仍保持水平，則黃銅索之斷面積應為多少？

答： $\Sigma M_銅 = 0$ 　 $\therefore 400 \times 2 - P_鋁 \times 5 = 0$

$\therefore P_鋁 = 160\text{kg}$

$\therefore P_銅 = 400 - 160 = 240\text{kg}$

$\delta = \dfrac{P_銅 L_銅}{A_銅 E_銅} = \dfrac{P_鋁 L_鋁}{A_鋁 E_鋁} \Rightarrow \dfrac{240 \times 300}{A_銅 \times 1.05 \times 10^6} = \dfrac{160 \times 200}{2 \times 0.7 \times 10^6}$

$\therefore A_銅 = 3.00 \text{cm}^2$ (如圖所示)

4. 如圖所示，長度為6m，重量
不計之水平剛性構件（rigid
bar）AB，左端為鉸接端，
於三等分點D與F，分別由完
全相同之垂直彈性繩CD與EF
支撐，並假設彈性繩長度為

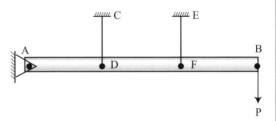

50cm，斷面積為5cm^2，楊氏係數為$E = 20 \times 10^9 \text{N/m}^2$。今於右端施加垂直力
$P = 50\text{kN}$，求(1)兩彈性繩之拉力為何？(2)兩彈性繩之伸長量為何？【土木
地特四等】

答：(1) 取AB自由體圖

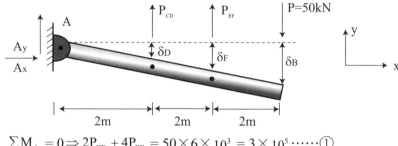

$$\sum M_A = 0 \Rightarrow 2P_{CD} + 4P_{EF} = 50 \times 6 \times 10^3 = 3 \times 10^5 \cdots\cdots ①$$

依幾何關係 $\delta_F = 2\delta_D$, $\delta_B = 3\delta_D$

$$\delta_F = 2\delta_D \Rightarrow \frac{P_{EF}L}{EA} = \frac{2P_{CD}L}{EA} \Rightarrow P_{EF} = 2P_{CD} \cdots\cdots ②$$

由①②可求得 $P_{CD} = 30000N \quad P_{EF} = 60000N$

(2) $\delta_D = \dfrac{P_{CD} \times L}{EA} = \dfrac{30000 \times 0.5}{20 \times 10^9 \times 5 \times 10^{-4}} = 1.5 \times 10^{-3}(m)$

$\delta_F = 2\delta_D = 3 \times 10^{-3}(m)$

---

5. 如圖所示，桿件AD為片段均勻，AB段與CD段之長度均為L、斷面積均為A，BC段之長度為2L、斷面積為2A。各段之楊氏係數均為E，於A、D二點施加拉力2P，於B、C二點施加壓力P。求整段桿件之伸長量。【土木普考】

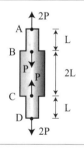

答：(1) 取m−m截面上半部之自由體圖

$$\delta_{AB} = \frac{2P \times L}{EA} = \frac{2PL}{EA}$$

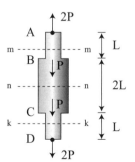

(2) 取n－n截面上半部之自由體圖

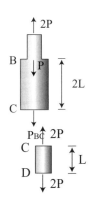

$$P_{BC} = 2P - P = P \quad \delta_{BC} = \frac{P_{BC} \times 2L}{E2A} = \frac{PL}{EA}$$

B、C二點相對位移量 $\delta_{BC} = \dfrac{PL}{EA}$

(3) 取k－k截面下半部自由體圖

$$\delta_{CD} = \frac{2P \times L}{EA} = \frac{2PL}{EA}$$

$$\delta = \delta_{AB} + \delta_{BC} + \delta_{CD} = \frac{(2+1+2)PL}{EA} = \frac{5PL}{EA}$$

---

6. 兩段線彈性桿件結合在一起，端點A固定支撐（fixed support）於剛性牆面，端點C與另一剛性牆面間有一微小間隙δ，如圖所示。兩段材料具有相同的彈性常數E及長度L，截面積分別為 $A_1 = A$、$A_2 = 1.5A$。若施加於接

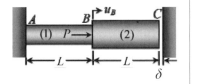

點B的軸力負載P使得端點A、C的支撐反力相等，求解間隙δ的長度。【106地特四等】

答：由 $R_A + R_C = P$

當 $\delta_C = 0$

$$\frac{R_A L}{AE} + \frac{(P - R_A)L}{1.5AE} = 0 \Rightarrow R_A = 0.4P$$

$$\Rightarrow R_C = 0.6P$$

且 $R_A = R_C$（題意）

$$\delta = \frac{R_C L}{A_2 E} = \frac{0.2PL}{1.5AE} = \frac{2PL}{15AE}$$

---

7. 直徑為8mm的黃銅桿，其彈性模數 $E_{br} = 100 GPa$。若桿長3m並承受軸向負載2kN，求其伸長量。若直徑為6mm，在同樣的負載下，其伸長量為何？

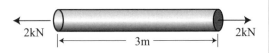

答：$\sigma = \dfrac{P}{A} = \dfrac{2(10^3)}{\dfrac{\pi}{4}(0.008^2)} = 39.789\,\text{MPa}$　　　$\varepsilon = \dfrac{\sigma}{E} = \dfrac{39.789(10^6)}{100(10^9)} = 0.00039789$

$\delta = \varepsilon L = 0.00039789(3000) = 1.19\,\text{mm}$　　$\sigma' = \dfrac{P}{A} = \dfrac{2(10^3)}{\dfrac{\pi}{4}(0.006^2)} = 70.735\,\text{MPa}$

$\varepsilon' = \dfrac{\sigma}{E} = \dfrac{70.735(10^6)}{100(10^9)} = 0.00070735$　　$\delta' = \varepsilon' L = 0.00070735(3000) = 2.12\,\text{mm}$

---

8. 如圖所示一個1500N之重物用兩條不同材料之金屬線a、b懸掛之。設a、b原長相同，掛上重物後二線之長度仍然相同。已知線a之截面積為6mm²，線a、b之彈性係數分別為$E_a=600\text{N/mm}^2$，$E_b=1200\text{N/mm}^2$，則線b中之應力為多少？

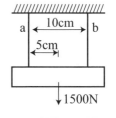

答：$\because \delta_a = \delta_b = \dfrac{P_a \ell_a}{A_a E_a} = \dfrac{P_b \ell_b}{A_b E_b}$ ，

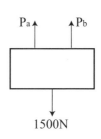

$P_a + P_b = 1500$　　　$\Sigma M_a = 0$　　　$1500 \times 5 = 10 \times P_b$

$P_b = 750\text{N}$　　　　$P_a = 1500 - P_b = 750\text{N}$

因 $\ell_a = \ell_b$ ，故 $\dfrac{1}{A_a E_a} = \dfrac{1}{A_b E_b}$

$\dfrac{1}{6 \times 600} = \dfrac{1}{A_b \times 1200}$　　$\therefore A_b = 3(\text{mm}^2)$

$\sigma_b = \dfrac{P_b}{A_b} = \dfrac{750}{3} = 250(\text{N/mm}^2)$

---

9. 如圖所示之黃銅棒具有90mm邊長之正方形截面，長度為2.25m，承受1500kN之軸向負載，若材料之楊氏係數E=110GPa、波松比v=0.34，試求黃銅棒受力所產生之體積變化量。【104地四】

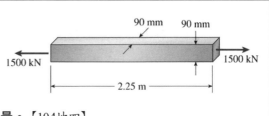

答：$\varepsilon_\forall = \dfrac{1-2V}{E}(\sigma_x + \sigma_y + \sigma_z) = \dfrac{1-2(0.34)}{110\times 10^3} \times (\dfrac{1500\times 10^3}{90\times 90})$

$\qquad = 5.3872\times 10^{-4}$

$\qquad \varepsilon_\forall = \dfrac{\forall'}{\forall} = 5.3872\times 10 - 4 \Rightarrow \forall' = 5.3872\times 10^{-4}\times 90\times 90\times 2250$

$\qquad = 9818.18(\text{mm}^3)$

---

10. 右圖所示的均質水平橫桿長度為3m，兩端分別以長度4m的鋼索與鋁索繫之。若鋼的彈性係數 $E_{St}=2\times 10^{11}$Pa，鋁的彈性係數 $E_A=7\times 10^{10}$Pa，鋼索的截面積為1cm^2，鋁索的截面積為2cm^2，若此橫桿在一3000 N的負荷作用下仍保持水平，請問此負荷應作用於距離鋼索多遠的位置上？【鐵員】

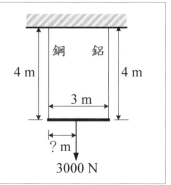

答：取桿自由體圖

$\sum F_y = 0 \Rightarrow P_{Al} + P_{st} = 3000$ ....①

$S_{Al} = S_{st} \Rightarrow \dfrac{P_{Al}\times 4}{7\times 10^{10}\times 2} = \dfrac{Pst\times 4}{2\times 10^{11}\times 1} \Rightarrow P_{Al} = 0.7P_{st}$ ....②

由①②可得

$P_{st} = 1764.7(N)$，$P_{Al} = 1235.29(N)$

$\sum M_A = 0 \Rightarrow 300\times x = 1235.29\times 3 \Rightarrow x = 1.235(\text{m})$

11. 一根5公尺長的鋼材圓棒（E＝
190GPa）受軸向力20kN、15kN、
12kN，如右圖所示，該圓棒的截
面積為2000mm²。(1)試求在B端的
長度伸長量δ。(2)從A端算起x公
尺處，其長度伸長量為0，試求x
為多少？【100普考】

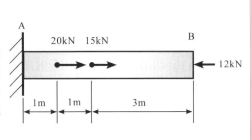

答：(1)

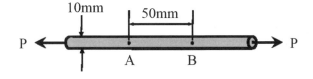

$$BD段 \ \delta_{BD} = \frac{-12 \times 3}{190 \times 2000} = -9.47368 \times 10^{-5}$$

$$CD段 \ \delta_{CD} = \frac{3 \times 1}{190 \times 2000} = 7.8947 \times 10^{-6}$$

$$AC段 \ \delta_{AC} = \frac{23 \times 1}{190 \times 2000} = 6.0526 \times 10^{-5}$$

$$\delta_B = \delta_{BD} + \delta_{CD} + \delta_{AC} = -2.632 \times 10^{-5} \text{(m)} \ (向左)$$

$$(2) \ \delta_{CD} + \delta_{AC} = \frac{12 \times (x-2)}{190 \times 2000} = 6.842 \times 10^{-5} \Rightarrow x = 4.167 \text{(m)}$$

12. 將一根直徑為10mm的黃銅圓棒進行拉伸試驗，圓棒上相距50mm的A、B
兩點各做一記號，如下圖所示，假設黃銅的Poisson's ratio υ＝0.34。當拉
力P達到22kN時，A、B間的距離增加了0.138mm。試求黃銅的彈性係數
（modulus of elasticity, E）為多少？圓棒的直徑減少多少？【100地四】

答：(1) $\delta = \dfrac{PL}{EA} \Rightarrow 0.138 \times 10^{-3} = \dfrac{22 \times 10^3 \times 50 \times 10^{-3}}{E \times \dfrac{\pi}{4} \times (0.01)^2}$

　　　E=101490108638Pa=101.49GPa

　　(2) $\upsilon = \dfrac{\varepsilon_t}{\varepsilon_l} = 0.34 = \dfrac{\varepsilon_t}{0.138/50}$

　　　　$\Rightarrow \varepsilon_t = 9.384 \times 10^{-4} = \dfrac{\delta}{10}$

　　　　$\Rightarrow \delta = 0.009384$ (mm)

13. 已知桿件截面積為A、楊氏係數為E，在線彈性的假設下：

　　(1)如果下圖所示桿件左端B固定，右端D為自由端，在距左端L/3處之C點
　　　受一集中力P作用下，桿件C點與D點的位移各為何？請以A、E、P、L
　　　符號表示之。

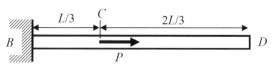

　　(2)如果下圖桿件左、右端皆固定，則在距左端L/3處之C點受一集中力P作用
　　　下，桿件C點與D點的位移各為何？D點的反力為何？【101鐵員】

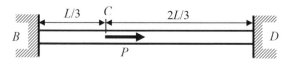

答：(1) $\delta_{BC} = \dfrac{PL}{EA} = \dfrac{P \times \dfrac{L}{3}}{EA} = \dfrac{PL}{EA}$　　故C點與D點位移 $= \dfrac{PL}{3EA}$

　　(2)

取CDF、B、D

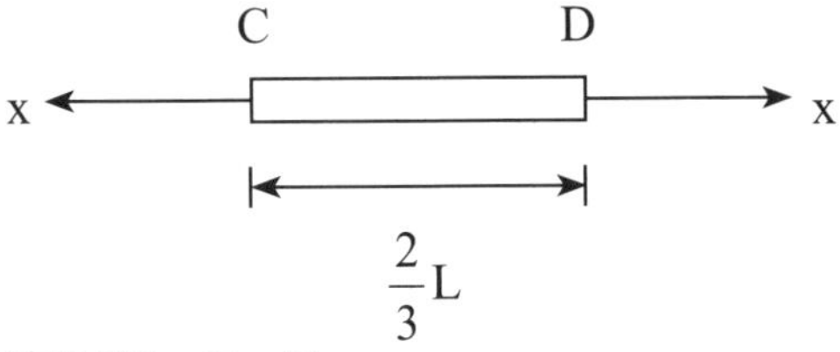

C　　　　　　　D

x ← □□□□□□□□ → x　　$\delta_{CD} = \dfrac{x \times \dfrac{2}{3}L}{EA}$

|←————————→|

$\dfrac{2}{3}L$

取BCF、B、D

(P + x) ← □□□□□□□□ → (P + x)

　　　　B　　　　　C

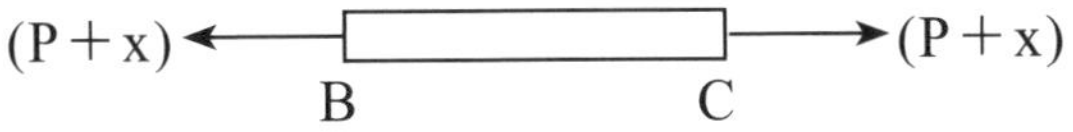

$\delta_{BC} = \dfrac{(P + x) \times \dfrac{2}{3}L}{EA}$

$\delta_{BC} + \delta_{CD} = 0 \Rightarrow x = \dfrac{-P}{3}$ (D點反力)　　故 $\delta_{CD} = \dfrac{-2PL}{9EA}$　　$\delta_{CD} = \dfrac{2PL}{9EA}$

故C點位移 $\dfrac{2PL}{9EA}$　　D點位移＝0

---

14. 如圖示，考慮一單位重為γ，截面積為A，長為 l 之懸掛棒，其底端處承受外力P之載重。試求該懸掛棒任意橫截面處之應力為何？【101普考】

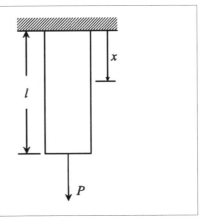

答：$N(x) = P + \gamma(1 - x)A$

$\sigma = \dfrac{P + \gamma(1 - x)A}{A}$

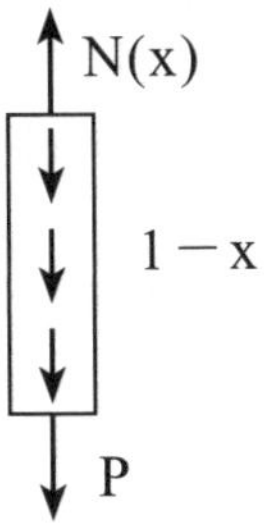

15. 如圖所示，一垂直負荷P=460kg，懸掛於二傾斜鋼線AC及BC相交於圓環C上，試求兩鋼線之最小截面積A應為若干？（請繪製自由體圖）

（假設鋼線之拉伸容許工作應力σ_w=730kg/cm²，θ=30°）【103鐵員】

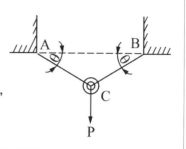

答：取C之F.B.D

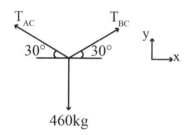

$$\underset{\rightarrow}{+}\Sigma F_x = 0 \Rightarrow T_{AC} = T_{BC}$$

$$+\uparrow \Sigma F_y = 0$$

$$T_{AC}\sin30°+T_{BC}\sin30°=460 \Rightarrow T_{AC}=T_{BC}=460kg$$

$$\sigma_w = 730(^{kg}\!/\!_{cm^2}) = \frac{460}{A} \Rightarrow A = 0.63(cm^2)$$

進階試題演練

1. 如圖所示，一質量為M的環圈，起始處於靜止狀態，自高度h處落下，掉在桿AB下端的翼緣上，假設桿的長度為L，截面積為A，彈性係數為E，重力加速度為g，試求桿AB之伸長量δ？【機械技師】

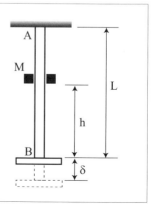

破題分析 重物至最低點時，位能減少 $W\delta_d$

$$失去總能量\ E = \frac{k\delta_d^2}{2} = W(h + \delta_d)$$

答：(1) 假設質量M之環圈靜置於桿AB下端：

$$\delta_{st} = \frac{(M \times g) \times L}{EA} \quad 且桿件彈性剛度 k = \frac{EA}{L}$$

(2) 若質量M之環圈自高度h落下利用功能原理：

$$mg(h + \delta) = \frac{1}{2}k\delta^2 \quad \Rightarrow mg(h + \delta) = \frac{1}{2} \times \frac{EA}{L} \times \delta^2$$

$$\Rightarrow \frac{EA}{2L}\delta^2 - mg\delta - mgh = 0 \Rightarrow \delta^2 - \frac{mg \times 2L}{EA}\delta - \frac{mgh \times 2L}{EA} = 0$$

$$\Rightarrow \delta^2 - 2\delta_{st}\delta - 2\delta_{st}h = 0$$

$$\Rightarrow \delta = \delta_{st}\left[1 + \sqrt{1 + (\frac{2h}{\delta_{st}})}\right] = \frac{(m \times g \times L)}{EA}\left[1 + \sqrt{1 + (\frac{2EAh}{mgL})}\right]$$

---

2. 如v圖所示，一桿件AB長度為L，其軸向剛度（axial rigidity）為EA，固定於A 端，B端與一固定表面間存在一空隙s，如圖所示。一負載P作用於桿件C點上，若A、B兩端產生之反作用力大小相等，試求空隙s之大小。【機械關務特考三等】

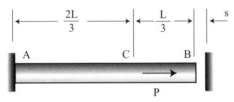

答：AB端產生作用力大小相等：

$$P_A = P_B \quad 又\ P_A + P_B = P \quad \Rightarrow P_A = \frac{P}{2},\ P_B = \frac{P}{2}$$

取BC段自由體圖

$$\delta_{BC} = \frac{(-P_B) \times \frac{L}{3}}{EA} = \frac{(-\frac{P}{2}) \times \frac{L}{3}}{EA} = \frac{-PL}{6EA}$$

取AC之自由體圖

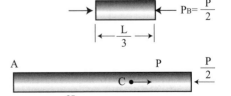

$$\delta_{AC} = \frac{P_A \times (\frac{2L}{3})}{EA} = \frac{\frac{P}{2}(\frac{2L}{3})}{EA} = \frac{PL}{3EA}$$

$$\delta_{AC} + \delta_{BC} = S \quad \Rightarrow S = \frac{PL}{3EA} - \frac{PL}{6EA} = \frac{PL}{6EA}$$

---

3. 一重 W 的剛板由三根原長 L 及斷面積 A 的柱子（BC,DK,GH）支撐著，其中 BC 和 DK 的楊氏係數為 E，GH 的楊氏係數為 2E。若要維持剛板水平，需施垂直力 P 在剛板上。試求 P 與剛板中心的距離 x（請用 P,W,L,A,E 來表示）。【109地四】

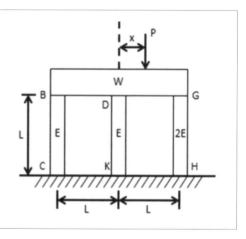

答：(1) 內力分析

$$+\uparrow \ \Sigma F_y = 0$$

$$F_B + F_D + F_G = P + W \cdots \cdots (1)$$

$$\Sigma M_D = 0$$

$$Px + F_B \times L - F_G \times L = 0 \cdots \cdots (2)$$

(2) 變形分析

$$\frac{F_B \times L}{EA} = \frac{F_D \times L}{EA} = \frac{F_G \times L}{2EA}$$

$$\Rightarrow F_B = F_D \ \text{、} \ F_G = 2F_D \text{代回}(1)$$

$$F_D = \frac{P + W}{4} \ \text{代回}(2)$$

$$Px + \frac{P + W}{4} \times L - (\frac{P + W}{2}) \times L = 0$$

$$x = \frac{(P + W)L}{4P}$$

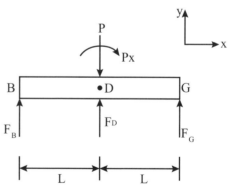

4. 如圖所示之桁架由桿件FD、BD及CD所組成，並於節點D受一垂直力P，桿件FD、BD及CD之截面積均為A，楊氏模數則均為E。桿重不計，試求節點D之位移。【機械高考】

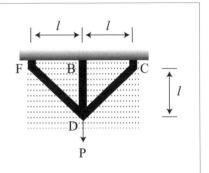

答：(1) 取桁架之位移圖

由位移幾何關係 $\delta_D \cos 45° = \delta_{FD}$

(2) 取D點自由體圖

$\sum F_x = 0 \Rightarrow N_{FD} = N_{DC}$

$\sum F_y = 0 \Rightarrow N_{FD} \cos 45° + N_{BD} + N_{DC} \times \cos 45° = P$

$\Rightarrow 2N_{FD} \cos 45° + N_{BD} = P \cdots\cdots ①$

又因為 $\delta_D \cos 45° = \delta_{FD}$

$\Rightarrow \dfrac{N_{BD} \times \ell}{EA} \times \cos 45° = \dfrac{N_{FD} \times \sqrt{2}\,\ell}{EA}$

$\Rightarrow N_{BD} = 2N_{FD} \cdots\cdots ②$

可得 $N_{FD} = 0.293P$　　$N_{BD} = 0.586P$　　$\delta_D = \dfrac{N_{BD} \times \ell}{EA} = \dfrac{0.586P\ell}{EA}$

---

5. 於室溫(20°C)下，於牆壁與桿件右端間存在一間隙 Δ 如圖所示。試求(1)當溫度達到140°C時，桿件間的軸向壓縮力。(2)鋁製桿件長度之相對改變量。

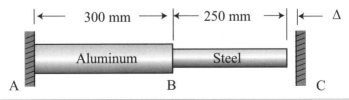

答：因溫度上升所造成之伸長量為(不受限制下)

$\delta_t = \sum \alpha(\Delta T)L = (12 \times 10^{-6})(120°)(250) + (23 \times 10^{-6})(120°)(300) = 1.188\,\text{mm}$

(1) 軸向壓縮力P

又 $\delta_P = \delta_t - 1 = 1.188 - 1 = 0.188 \, \text{mm}$ .... ①

$\delta_P = \sum \dfrac{PL}{AE} = \dfrac{P(0.25)}{500(10^{-6})(210 \times 10^9)} + \dfrac{P(0.3)}{1000(10^{-6})(70 \times 10^9)}$ ..... ②

將方程式①與②聯立，則可得：

$0.188(10^{-3}) = 2.381(10^{-9})P + 4.286(10^{-9})P$

或 $P = 28.2 \, kN$

(2) 鋁桿之長度改變量

$\delta_a = (\delta_t)_a - (\delta_P)_a = \alpha_a(\Delta T)L_a - 4.286(10^{-9})P$

$\qquad = (23 \times 10^{-6})(120^\circ)(0.3) - 4.28(10^{-9})(28.2 \times 10^3) = 0.707 \, \text{mm}$

Chapter 03 扭轉

⚙ 3-1 軸的扭轉剪應力及扭轉角度

1. 扭轉的意義

扭矩(torque)為一力矩,可使構建繞著其軸心扭轉,此效應主要是應用在機械的傳動中,軸藉由扭矩之作用,將動力傳達至機械的另一部份,軸在力偶作用下(作用面垂直於桿軸),任意兩橫截面將發生繞著軸心的相對轉動,這種形式的變形稱為扭轉變形,如圖3.1所示,傳動軸桿的一端受一對作用面垂直於桿軸線的力偶T,桿兩端之斷面發生繞桿軸線的相對轉動,使徑向直線維持直線,縱向直線被扭轉;簡而言之,即當結構受力偶的負載時,所產生對其縱軸旋轉的扭曲。

2. 扭轉剪應力及角度

(1) 圓軸扭轉應力公式推導:

　　A. 由虎克定律橫截面上任意一點的扭轉剪應力,與該點到圓心的距離成正比,即表示同半徑圓周上各點處的剪應力都相等

$$\gamma \cong \tan\gamma = r\frac{\phi}{l} \Rightarrow \tau = G\gamma = Gr\frac{\phi}{l}$$

　　B. 施加於圓軸的總扭矩T會等於作用在圓軸截面積上各微力之力矩和,由圖3.2中,每個微小的剪應力τ_1、τ_2、……、τ_{max},其相對應之中心距離為r_1、r_2、……、R,相對應之各微小面積為$\triangle A_1$、$\triangle A_2$……,則其力矩和為發生扭轉變形時,橫截面上分佈內力的合力偶矩T,根據定義:

$$T = \tau_1\triangle A_1 r_1 + \tau_2\triangle A_2 r_2 + \cdots\cdots$$

又因為 $\dfrac{\tau_1}{r_1} = \dfrac{\tau_2}{r_2} = \dfrac{\tau_3}{r_3}\cdots\cdots = \dfrac{\tau}{r}$　故 $T = \dfrac{\tau}{r}(\triangle A_1 r_1^2 + \tau_2\triangle A_2 r_2 + \cdots\cdots) = \dfrac{\tau J}{r}$

$$\Rightarrow \tau = \frac{Tr}{J} \text{ (r表示離圓心之距離、J表極慣性矩)}$$

C.扭矩T的方向規定：按右手螺旋法則把T表爲向量，向量的方向與截面的外法線方向一致時爲正，反之爲負。

D.當r＝R時有最大剪應力 $\tau_{max} = \dfrac{TR}{J}$

E. $\tau = G\gamma = Gr\dfrac{\phi}{\ell} \Rightarrow$ 扭轉角度 $\phi = \dfrac{T\ell}{GJ}$ (其中ℓ表圓軸桿長)

F. 實心圓軸的極慣性矩 $J = \dfrac{\pi D^4}{32}$ ，空心圓軸 $J = \dfrac{\pi}{32}\left(D^4 - d^4\right)$

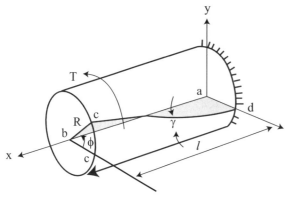

圖3.1　圓軸扭轉

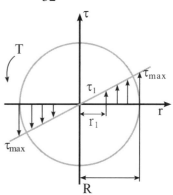

圖3.2　圓軸扭轉剪應力

◉ 焦點命題 ◉

1. 如圖所示，一圓剖面之實心鋼軸，軸長L＝2m，直徑d＝5mm，G＝80GPa，若一端相對於另一端之剖面旋轉角爲0.06 rad，則軸中之最大剪應力 τ_{max} ＝ ？【台電】

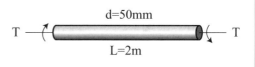

答： $\theta = \dfrac{TL}{GJ} = \dfrac{T \times 2}{80 \times 10^9 \times \dfrac{\pi}{2} \times \left(\dfrac{0.05}{2}\right)^4} = 0.06$　　T = 1472.62 (N-m)

$\tau = \dfrac{16T}{\pi d^3} = \dfrac{16 \times 1472.62}{\pi \times (0.05)^3} = 60 \times 10^6 \,(Pa) = 60\,(MPa)$

2. 如圖所示，空心圓軸，r_2=30mm，r_1=20mm，長度1.5m，J=102cm^4，剛性模數8.5×10^{5}kg/cm^2，將軸固定於一端，若欲在軸另一端產生3.0×10^{-2}rad之扭轉，需在軸端施加以扭矩約為？

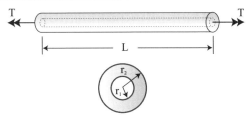

答：長度L=1.5m=150cm

$$\phi = \frac{T\ell}{GJ} \Rightarrow 3.0 \times 10^{-2} = \frac{T \times 150}{8.5 \times 10^5 \times 102} \Rightarrow T = 17340 \text{(kg-cm)}$$

3. 如下圖，管AB的內徑為70mm，外徑為86mm。在B處用扭矩扳手CD將此管緊固定於支撐A處。當施予70N的力於扭矩扳手時，管AB與扭矩扳手之受力自由體圖亦表示於圖中。求解：

(1) 管AB所承受之扭矩T？

(2) 管AB的極慣性矩（polar moment of inertia）？

(3) 管中之內壁及其外壁上所造成的剪應力為若干MPa？【109關四】

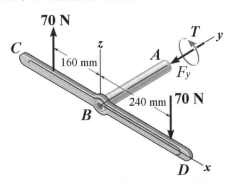

答：(1) T = 70×240 + 70×160 = 28000(N-mm)

(2) $J = \frac{\pi}{2} \times [(\frac{86}{2})^4 - (\frac{70}{2})^4] = 3013063.82 \text{(mm}^4\text{)}$

(3) $\tau_{內} = \frac{28000 \times 3S}{3013063.82} = 0.325 \text{(MPa)}$ $\tau_{外} = 0.325 \times \frac{86}{75} = 0.373 \text{(MPa)}$

4. 有一中空軸其內徑為外徑之半,此軸材料之容許剪應力為40MPa,若該中空
軸需傳遞1000N-m之扭矩,試求此中空軸之最小外徑為何?【鐵路特考員級】

答:$\tau_{max} = \dfrac{Tr}{J} = \dfrac{T\left(\dfrac{d}{2}\right)}{\dfrac{\pi}{32}\left[d^4 - \left(\dfrac{d}{2}\right)^4\right]} = \dfrac{256T}{15\pi d^3}$

$40 = \dfrac{256 \times 1000 \times 10^3}{15\pi d^3}$ $\quad \therefore d = 51.4\,\text{mm}$

5. 有外徑相等之實心鐵圓軸與空心鋼圓軸,鋼軸之內徑為外徑之半,鐵與鋼剪
應力之比為3:4,則鋼軸與鐵軸所能承受扭矩之比為?

答:空心鋼軸 $T_1 = \tau_1 \times \dfrac{\pi}{16D}\left[D^4 - \left(\dfrac{D}{2}\right)^4\right] = \tau_1 \times \dfrac{15}{256}\pi D^3$;

實心鐵軸 $T_2 = \tau_2 \times \dfrac{\pi D^3}{16} \Rightarrow \dfrac{T_1}{T_2} = \dfrac{\tau_1 \times \dfrac{15}{256}\pi D^3}{\tau_2 \times \dfrac{\pi D^3}{16}} = \dfrac{4}{3} \times \dfrac{15}{16} = 1.25:1$

6. 圖中之複合圓棒,以高溫之鋼套管套
入銅棒,由於鋼套管溫度降低後收縮
而成為一體,鋼和銅的剪力模數分別
為75GPa及39GPa。鋼套管及銅棒的
外徑分別為40mm及25mm,請計算在
960N-m扭力下鋼套管及銅棒的最大剪
應力。【土木第二次地特四等】

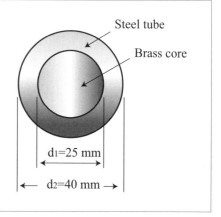
Steel tube
Brass core
d₁=25 mm
d₂=40 mm

答：(1) $T = T_B + T_S = 960$

(2) 扭轉角相同：

$$\theta_B = \frac{T_B \times L}{G_B J_B} = \theta_S = \frac{T_S \times L}{G_S J_S}$$

$$\Rightarrow T_B = \frac{T_S \times G_B J_B}{G_S J_S}$$

$$= T_S \times \left[\frac{39 \times \dfrac{\pi}{2} \times \left(\dfrac{25}{2}\right)^4}{75 \times \dfrac{\pi}{2} \times \left[\left(\dfrac{40}{2}\right)^4 - \left(\dfrac{25}{2}\right)^4\right]}\right] = 0.0936 \ T_S$$

可得 $T_S = 877.81 \ \text{N} \cdot \text{m}$　　$T_B = 82.19 \ \text{N} \cdot \text{m}$

$$(\tau_S)_{max} = \frac{T_s \times r_s}{J_s} = \frac{877.81 \times \left(\dfrac{40}{2}\right) \times 10^{-3}}{\dfrac{\pi}{2}\left[\left(\dfrac{40}{2}\right)^4 - \left(\dfrac{25}{2}\right)^4\right] \times 10^{-12}} = 82423029.85$$

Pa= 82.423MPa

$$(\tau_B)_{max} = \frac{T_B \times r_B}{J_B} = \frac{82.19 \times \left(\dfrac{25}{2}\right) \times 10^{-3}}{\dfrac{\pi}{2} \times \left(\dfrac{25}{2}\right)^4 \times 10^{-12}} = 26789774.89 \ \text{Pa} = 26.79 \ \text{MPa}$$

---

7. 一力矩 T＝4.0kN-m 施於外徑 80mm，內徑60mm之圓管，圓管的材料為鋁(E＝72GPa，G＝27GPa)。(1)請計算圓管內最大剪切、拉伸與壓縮應力分別為何。(2)承上，此時圓管內最大剪切、拉伸與壓縮應變分別為何。【機械高考】

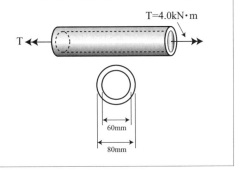

答：(1) 由純扭矩作用產生之剪應力

$$\tau_{xy} = \frac{T \cdot c}{J} = \frac{4 \times 1000 \times 1000 \times 40}{\dfrac{\pi}{2} \times \left(40^4 - 30^4\right)} = 58.2 \ \text{MPa}$$

$\sigma_x = 0 , \sigma_y = 0$（因純扭矩作用，無軸向力與彎曲力矩）

由莫爾圓知其最大主應力及最大剪應力如下：
最大剪應力：

$$\tau_{max} = \pm\sqrt{\left(\frac{\sigma_x - \sigma_y}{2}\right)^2 + \tau_{xy}^2} = \pm\sqrt{0 + \tau_{xy}^2} = \pm 58.2\,\text{MPa}$$

最大主應力：

$$\sigma_{p1} = \frac{\sigma_x - \sigma_y}{2} + \sqrt{\left(\frac{\sigma_x - \sigma_y}{2}\right)^2 + \tau_{xy}^2} = 0 + \sqrt{0 + \tau_{xy}^2} = \tau_{xy} = 58.2\,\text{MPa}$$

（拉應力）

$$\sigma_{p2} = \frac{\sigma_x - \sigma_y}{2} - \sqrt{\left(\frac{\sigma_x - \sigma_y}{2}\right)^2 + \tau_{xy}^2} = 0 - \sqrt{0 + \tau_{xy}^2} = -\tau_{xy} = -58.2\,\text{MPa}$$

（壓應力）

(2) 最大剪切應變 $\gamma_{max} = \dfrac{\tau_{max}}{G} = \dfrac{58.2}{27\times 10^3} = 0.002$

$27 = \dfrac{72}{2(1+\nu)} \Rightarrow \nu = 0.33$

$\varepsilon_1 = \dfrac{1}{E}[\sigma_1 - \nu\sigma_2] = \dfrac{1}{72\times10^3}[58.2 - 0.33\times(-58.2)] = 0.00108$

$\varepsilon_2 = \dfrac{1}{E}[\sigma_2 - \nu\sigma_1] = -0.00108$

✿ 3-2 扭轉負載靜不定結構

1. 靜不定問題的概念

(1) 對於桿構件結構扭轉分析時，與桿構件軸向負載一樣，當未知力數目多於平衡方程的數目，無法解出全部未知力，這類問題稱為靜不定問題。

(2) 求解靜不定問題的關鍵在於使未知力數目和方程式數目相等，本章節只介紹常考之一度靜不定問題。

(3) 一度靜不定之桿構件結構，可先假設一贅力，再將結構釋放成靜定結構，利用靜力平衡方程及桿件的受力或位移之變位諧和條件，建立平衡方程求解。

(4) 桿構件結構之靜不定判定：

　　n度靜不定數＝桿件數b＋反力數r－2×節點數j

2. 靜不定問題解法

(1) **柔性法**(flexibility method)

　　A.桿構結構中間受扭力矩T作用，因一個靜力平衡方程式無法解二
　　　個未知數，故選擇未知桿內力之一作為贅力，將該桿分解使贅力
　　　除去，使結構為靜定和穩定的，後將真正負荷和贅力加上去，計
　　　算由此所產生的位移量，再合併成為位移諧和方程式(equation of
　　　compatibility of displacements)。

　　B.將位移以力的函數方式代入上述位移諧和方程式中，即能解得贅
　　　力，再利用靜力學平衡方程式解得其餘未知數。

　　C.此法又稱為力法(force method)，僅材料特性在彈性範圍內有效。

(2) **剛性法**(stiffness method)

　　A.將桿中力作用點的位移設為一未知數，並將桿內力利用此位移量
　　　來表示，利用靜力平衡方程式可解得此未知位移量，代入可得桿
　　　內力值。

　　B.此法取位移為未知量，又稱位移法(displacement)，亦需材料特
　　　性在彈性範圍內。

◎ 焦點命題 ◎

8. 一中空鋼管ACB其外徑（outside
diameter）do = 50mm 及內徑（inside
diameter）di = 40mm，兩端A及B均為
固定端。兩水平力P分別作用於垂直臂
之兩端如圖所示，若鋼管之容許剪應力
（allowable shear stress）為45MPa，試
求水平力P之最大值為多少？【機械專利
特考】

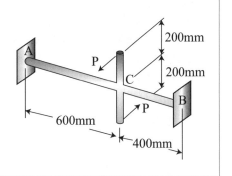

答：(1) $T_{max} = \dfrac{\tau_{max} \times J}{r} = \dfrac{45 \times 10^6 \times \dfrac{\pi}{32} \times [(0.05^4 - 0.04^4)]}{(\dfrac{0.05}{2})} = 652.077(N \cdot m)$

(2) 如圖所示：

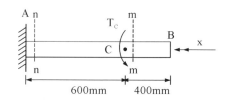

$T_C = [(200+200) \times 10^{-3} \times P] = 0.4P$

假設B端為贅力x，靜定釋放後如圖所示

A. 取m－m截面右半邊之自由體圖

$\theta_{BC} = \dfrac{-x \times (0.4)}{GJ}$

B. 取n－n截面右半邊之自由體圖

$\theta_{AC} = \dfrac{T_A \times 0.6}{GJ} = \dfrac{(T_C - x) \times 0.6}{GJ} = \dfrac{(0.4P - x) \times 0.6}{GJ}$

$\theta_{AC} + \theta_{BC} = 0 \Rightarrow x = 0.24P$　$T_A = 0.4P - 0.24P = 0.16P$

故B處受力最大

$T_{max} = T_B = 0.24P = 652.077$，$P = 2716.99(N)$

---

9. 如圖所示，一截面為圓形的軸AB，係利用一長度250mm、直徑20mm的圓柱狀鋼材，從B端鑽一長度125mm、直徑16mm的內孔所構成。該軸被固定支持在A、B兩端，並且在中央處受到扭矩120N·m的作用。試求該軸在兩端受到的扭矩作用各為若干？
【105普考】

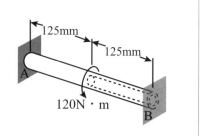

答：設實心部份為桿(1)，空心部分為桿(2)，

$T_1 = T_A$　$T_2 = T_B$

平衡方程式：$T_A + T_B = 120 \cdots$(a)

$I_{P1} = \dfrac{\pi}{32}(20)^4 = 15.71 \times 10^3$　　$I_{P2} = \dfrac{\pi}{32}(20^4 - 16^4) = 9.247 \times 10^3$

諧和方程式：$\phi_1 = \phi_2$

$$\frac{T_A}{T_B} = \frac{I_{P1}}{I_{P2}} = \frac{15.71}{9.247} \cdots(b)$$

由(a)(b)兩式解得 $T_A = 75.5(N-m)$ ， $T_B = 44.5(N-m)$

⚙ 3-3 動力與扭轉的關係

1. 軸受單一負載之情況

軸負載	1.扭矩負載	2.彎曲負載	3.軸向負載
應力公式	$\tau_{max} = \dfrac{Tr}{J} = \dfrac{16T}{\pi d^3}$	$\sigma_{max} = \dfrac{My}{I} = \dfrac{32M}{\pi d^3}$ $\tau_{max} = \dfrac{1}{2}\sigma_{max} = \dfrac{16M}{\pi d^3}$	$\sigma_{max} = \dfrac{F}{A} = \dfrac{4F}{\pi d^3}$ $\tau_{max} = \dfrac{1}{2}\sigma_{max} = \dfrac{2F}{\pi d^2}$

2. 傳動功率之推導

軸最大的用途就是動力的傳遞，例如汽車的傳動軸，馬達的轉動軸等，我們在計算軸所傳送的動力大小時，通常是以功率來表示，在基本力學中，我們知道**扭矩T所作的功W會等於扭矩與扭轉角 φ 的乘積**，可表示為W=Tφ，而功對時間的變化率即是功率(power)，以P來表示：P(功率)=T(扭矩)×ω(角速度)

$$\omega(角速度) = \frac{2\pi N(rpm)}{60}$$

3. 旋轉軸轉動功率

功率P	應用公式	常用單位
公制(kW)	$P(kW) = \dfrac{T \times 2\pi N}{60 \times 1000} = \dfrac{T \times N}{9550}$	T：扭矩(N-m) N：轉速(rpm)
英制馬力(HP)	$P(HP) = \dfrac{2\pi NT}{60 \times 550}$	T：扭矩(lb-ft) N：轉速(rpm)

功率P	應用公式	常用單位
英制馬力(HP)	$P(HP) = \dfrac{T \times N}{63025.4}$	T：扭矩(lb-in) N：轉速(rpm)
公制馬力(PS)	$P(PS) = \dfrac{2\pi NT}{60 \times 75}$	T：扭矩(kg-m) N：轉速(rpm)

備註：1HP＝0.746W、1PS＝0.736kW、1PS＝75(kg-m/sec)、1HP＝550(ft-lb/s)

✎ **觀念說明**

功率有時在公制馬力及英制馬力都寫成HP，若題目出現HP時，則需判斷為公制馬力或英制馬力，由觀看力及力矩單位來決定，若力及力矩單位為kg、kg-m則此HP為公制馬力，力及力矩單位為lb、ft-lb則此HP為英制馬力。

⚙ **焦點命題** ⚙

10. 如圖所示有一圓管斷面之卡車傳動軸以2500rpm旋轉，若該傳動軸之容許剪應力為30MPa，試求出傳動軸所能承受之最大扭矩為多少N-m？

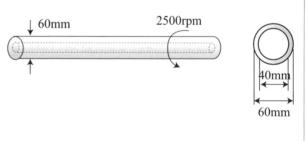

答：$\tau_{max} = \dfrac{T_{max} \times r}{J}$ ：$\Rightarrow 30 \times 10^6 = \dfrac{T_{max} \times (\frac{60}{2}) \times 10^{-3}}{\frac{\pi}{2} \times [(\frac{60}{2})^4 - (\frac{40}{2})^4] \times 10^{-12}}$

$\Rightarrow T_{max} = 1021.018 N \cdot m$

11. 有一直徑3公分（cm）的實心圓鋼軸，在900rpm之轉速下，能傳送多少動力？假設此鋼軸之容許剪應力為400牛頓／平方公分。

答：$\tau = \dfrac{Tr}{J} = \dfrac{16T}{\pi d^3} \Rightarrow T = \dfrac{\tau \pi d^3}{16} = \dfrac{400 \times \pi \times 3^3}{16} = 2120.58\,(N-cm) = 21.2058(N\text{-}m)$

$P = \dfrac{2\pi NT}{60 \times 1000} = \dfrac{2\pi \times 900 \times 21.2058}{60 \times 1000} = 2\,(KW)$

12. 如圖所示，有一馬達及一組齒輪帶動一圓軸，以轉速600rpm轉動，馬達傳至A的動力為 $20\dfrac{N \cdot m}{s}$ ，傳至C的動力為 $80\dfrac{N \cdot m}{s}$ ，容許剪應力為400kg/cm²，若該軸的直徑在AB與BC之間均為相等，試求該直徑至少需若干？【關務四等】

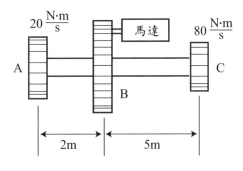

答：以BC段，傳遞功率 $80\dfrac{N-m}{s}$ 設計 $\Rightarrow 80 = T \times \dfrac{2\pi \times 600}{60}$

$T = 1.27\,N-m = 1.27 \div 9.8 = 0.1296\,kg-m = 12.96\,kg-cm$

考慮軸外表面，且軸重及齒輪重皆不考慮

$400 = \dfrac{16 \times 12.96}{\pi d^3} \Rightarrow d = 0.548\,cm$ ，軸直徑至少需0.548cm。

| 精選試題 |

📝 基礎試題演練

1. 如圖所示有一軸，若該軸 $d = 4.0\,\text{mm}$；$T = 0.3\,\text{N}\cdot\text{m}$；$G=75\,\text{GPa}$，試求(1)此軸之最大扭轉剪應力為何？(2)每單位長度的扭轉角度為何？

答：(1) $\tau_{max} = \dfrac{16T}{\pi d^3} \Rightarrow \tau_{max} = \dfrac{16(0.3\,\text{N}\cdot\text{m})}{\pi(4.0\,\text{mm})^3}$

$\Rightarrow \tau_{max} = 23.8\,\text{MPa}$

(2) $\theta = \dfrac{T}{G\,I_p} \Rightarrow \theta = \dfrac{0.3\,\text{N}\cdot\text{m}}{(75\,\text{GPa})\left(\dfrac{\pi}{32}\right)(4.0\,\text{mm})^4}$

$\Rightarrow \theta = 0.1592\,\text{rad}/\text{m} = 9.12^\circ/\text{m}$

2. 如圖所示有一中空軸，若該中空軸需傳遞 $600\,\text{N-m}$ 之扭矩，其中中空軸外半徑r，r=80mm、內半徑r'，r'=20mm，試求此中空軸之最大扭轉剪應力為何？

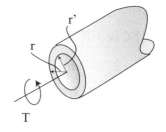

答：$\tau_{max} = \dfrac{T\,r}{J} = \dfrac{600(0.08)}{\dfrac{\pi}{2}\left(0.08^4 - 0.02^4\right)} = 738964\,\text{Pa}$

3. 一圓軸側視圖如圖所示,請求出其直徑d_1/d_2比值,而讓AC及CB這兩段的最大剪應力(maximum shear stress)相等。

注意:圖中的"T"為此圓軸受扭力矩T的示意圖,並非給定的值,因此,答案不應包含"T"。【102地四】

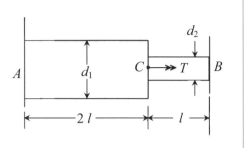

答:$\theta_{BC} = \dfrac{T_{BC}\ell}{GJ_{BC}}$ $\qquad \theta_{AC} = \dfrac{T_{AC}\ell}{GJ_{AC}}$ $\qquad \theta_{AC} + \theta_{AB} = 0$

由上面三式得$T_{BC} = \dfrac{2Td_2^4}{2d_2^4 + d_1^4}$

由剪應力相同條件

$$\dfrac{T_{BC} \times (\dfrac{d_2}{2})}{J_{BC}} = \dfrac{T_{AC} \times (\dfrac{d_1}{2})}{J_{AC}} \Rightarrow \dfrac{d_1}{d_2} = 2$$

4. 一實心傳動軸以轉速1200rpm傳遞動力40馬力,假設最大容許剪應力為4000psi,試求傳動軸之最小外徑?【104普考】

答:$\dfrac{T \times 1200}{63025} = 40 \Rightarrow T = 2100.83(\ell b - in)$

$\tau = \dfrac{16T}{\pi d^3} = \dfrac{16 \times 2100.83}{\pi d^3} = 4000(\text{psi})$

$d = 1.388(\text{in})$

5. 直徑20mm鋼軸使用一銅連結環連結,若鋼的降伏點$(\tau_Y)_{st} = 100\text{MPa}$,求使鋼降伏所需施加的扭矩T。若$d = 40\text{mm}$,求在銅的最大剪應力。環的內直徑為20mm。

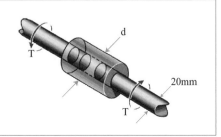

答：(1) $(\tau_Y)_{st} = \dfrac{Tr}{J}$; $100(10^6) = \dfrac{T(0.01)}{\dfrac{\pi}{2}(0.01)^4}$; $T = 157.08 \mathrm{N \cdot m} = 157 \mathrm{N \cdot m}$

(2) $(\tau_{max})_{br} = \dfrac{Tr}{J} = \dfrac{157.08(0.02)}{\dfrac{\pi}{2}\left[0.02^4 - 0.01^4\right]} = 13.3 \mathrm{MPa}$

6. 鋼管外直徑40mm，內直徑37mm。若其緊固定
於牆上A處，其上施加三個扭矩如圖所示，求
在管上的絕對最大剪應力。

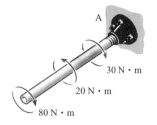

答：$\tau_{max} = \dfrac{T_{max} r}{J}$

$= \dfrac{90(0.02)}{\dfrac{\pi}{2}\left(0.02^4 - 0.0185^4\right)} = 26.7 \mathrm{MPa}$

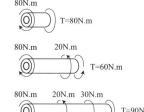

7. A, B, C, D 4個皮帶輪，所受之扭矩如圖所
示，則BC軸的扭矩為多少？(kip・in) 【台電】

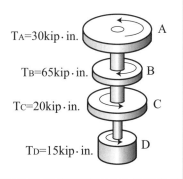

答：切BC桿截面，取BC桿上方之自由體圖

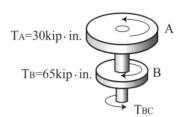

$T_A = 30$　$T_B = 65$

自由體扭力平衡 $\Sigma T = 0$

$T_A + (-T_B) + T_{BC} = 0$

$\Rightarrow 30 - 65 + T_{BC} = 0$

$\Rightarrow T_{BC} = 35\text{kip} - \text{in}(\circlearrowleft)$

---

8. 一外徑為20cm之實心圓軸，與同一外徑而有10cm內孔之空心圓軸，如允許剪應力相同，則空心圓軸的扭轉強度與實心圓軸扭轉強度比為何？

答：τ_1表空心軸　τ_2表實心軸 $\tau_1 = \tau_2 \Rightarrow \dfrac{T_1 R_1}{J_1} = \dfrac{T_2 R_2}{J_2}$

$\therefore \dfrac{T_1}{T_2} = \dfrac{J_1 R_2}{J_2 R_1} = \dfrac{\dfrac{\pi(20^4 - 10^4)}{32} \times 10}{\dfrac{\pi \times 20^4}{32} \times 10} = \dfrac{20^4 - 10^4}{20^4} = \dfrac{150000}{160000} = \dfrac{1.5}{16}$

---

9. 如圖所示，請決定作用在該鋁合金軸（剪力模數G=28GPa）之扭矩T_A、T_B及T_C。該軸目前為處在平衡狀態，且在AB段的最大剪應力為80MPa，其扭轉角為0.02rad（方向為由A看入時為順時鐘方向）。【110地四】

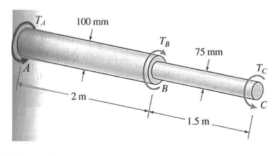

答：$T_{AB} = T_C - T_B$

$\sigma_{AB} = \dfrac{16 T_{AB}}{\pi \times 100^3} = 80$

$\Rightarrow T_{AB} = 15707963.27$（N-mm）

$= T_C - T_B$

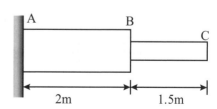

$$\phi_{C/A} = \frac{T_C \times 1.5 \times 10^3}{28 \times 10^3 \times \frac{\pi}{2} \times (\frac{75}{2})^4} + \frac{(T_C - T_B) \times 2 \times 10^3}{28 \times 10^3 \times \frac{\pi}{2} \times 50^4} = 0.02$$

$$\Rightarrow 2.45 \times 10^{-8} T_C - 7.276 \times 10^{-9} T_B = 0.02$$

$T_C = -5474404.36$（N-mm）$\Rightarrow T_C = 5474404.36$（N-mm）

$T_B = -21182367.63$（N-mm）$\Rightarrow T_B = 21182367.63$（N-mm）

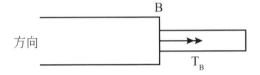

進階試題演練

1. 如圖所示，二端固定之圓形桿件受T_1和T_2扭矩（Torque）作用，試求端點之反應扭矩T_a和T_b？【機械地方特考三等】

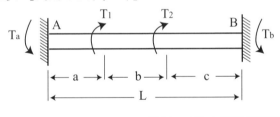

答：(1)如題目圖示之靜不定結構，假設A端受扭矩為贅力x，靜定釋放結構後如下所示：

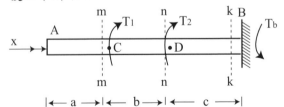

(2)取m－m截面左半邊之自由體圖：

$$\theta_{AC} = \frac{-xa}{GJ}$$

(3) 取 n－n 截面左半邊之自由體圖：

$$\theta_{CD} = \frac{T_{CD} \times b}{GJ} = \frac{(T_1 - x)b}{GJ}$$

(4) 取 k－k 截面左半邊之自由體圖：

$$\theta_{BD} = \frac{T_b \times C}{GJ} = \frac{(T_1 + T_2 - x)C}{GJ} \qquad \theta_{AC} + \theta_{CD} + \theta_{CD} = 0$$

$$\Rightarrow (-xa) + (T_1 - x)b + (T_1 + T_2 - x)C = 0$$

$$T_a = x = \frac{T_1 b + (T_1 + T_2)C}{a + b + c} = \frac{T_1 b + (T_1 + T_2)C}{L}$$

---

2. 如圖所示，一圓管與一方管均用同一材料製成。兩支管的長度、厚度與橫斷面積均相同，且兩者均承受同一轉矩。問兩管的剪應力與扭角的比值各為何？註：位在方管角隅的應力集中影響可略去不計。【機械高考】

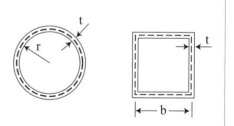

答：(1) 圓管

　　A. 橫剖面的中位線所圍之面積：$A_{m1} = \pi r^2$

　　B. 橫剖面面積：$A_1 = 2\pi r t$

　　C. 扭轉常數：$J_1 = 2\pi r^3 t$

　　(2) 正方形管

　　A. 橫剖面的中位線所圍之面積：$A_{m2} = b^2$

　　B. 橫剖面面積：$A_2 = 4bt$

　　C. 扭轉常數：$J_2 = b^3 t$

(3) 因為圓管與正方形管之橫剖面積相同

$A_1 = 2\pi r t = A_2 = 4bt \Rightarrow b = -$ 　則 $A_{m2} = (\frac{\pi}{2}r)^2$, $J_2 = (\frac{\pi}{2}r)^3 t$

(4) 圓管與正方形管之剪應力比：$\dfrac{\tau_1}{\tau_2} = \dfrac{A_{m2}}{A_{m1}} = \dfrac{(\frac{\pi}{2}r)^2}{\pi r^2} = \dfrac{\pi}{4}$

(5) 扭轉角比：$\dfrac{\theta_1}{\theta_2} = \dfrac{J_2}{J_1} = \dfrac{(\frac{\pi}{2}r)^3 t}{2\pi r^3 t} = \dfrac{\pi^2}{16}$

---

3. 如圖所示，一支彈性薄壁錐形圓管AB的末端A固定於剛性牆面，施加集中扭矩T_0於另一端B。錐形圓管全長L、薄壁厚h，A與B端的平均半徑分別為$2r_0$及r_0，其間各截面的半徑呈線性分布。已知剪應變γ與扭轉角ϕ的關係式為$\gamma = \rho(d\phi/dx)$，其中ρ及x為截面的半徑及軸心坐標。

(1) 請推導出錐形圓管各截面x的剪應力分布表示式$\tau(x)$。

(2) 請推導出錐形圓管各截面x的扭轉角分布表示式$\phi(x)$。【110普考】

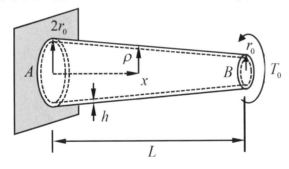

答：(1) k：$r_0 = (L-x) : L$

$k = \dfrac{(L-x)}{L} 2r_0$

$2\rho = k + 2r_0 = 2r_0(1 + \dfrac{L-x}{L})$

$\Rightarrow \rho = r_0[1 + \dfrac{L-x}{L}]$

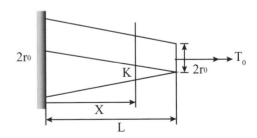

(2) $\tau = rG = \rho \dfrac{d\phi}{dx} G \Rightarrow T_0 = \int \rho \cdot \tau dA = \int \rho^2 dAG \dfrac{d\phi}{dx} = J(x)G\dfrac{d\phi}{dx}$

$\Rightarrow \phi = \int \dfrac{T_0 dx}{GJ(x)}$ ，其中 $J(x) = \rho^3 \cdot h2\pi$

$\Rightarrow \phi = \dfrac{T_0}{Gh \cdot 2\pi} \displaystyle\int_0^L \dfrac{dx}{r_0^3[1+\dfrac{L-x}{L}]^3} = \dfrac{T_0}{2Gh\pi r_0^3} \displaystyle\int_0^L \dfrac{dx}{[1+\dfrac{L-x}{L}]^3}$

令 $u = (1+\dfrac{L-x}{L})$ ，$du = -\dfrac{dx}{L} \Rightarrow \begin{cases} x=0 \Rightarrow u=2 \\ x=L \Rightarrow u=1 \end{cases}$

$\phi = \dfrac{1T_0}{2Gh\pi r_0^3} \times \displaystyle\int_2^1 \dfrac{-du \times L}{u^3} = \dfrac{3T_0 L}{16Gh\pi r_0^3}$

故 $\phi(x) = \dfrac{T_0}{2Gh\pi r_0^3} \displaystyle\int \dfrac{dx}{(1+\dfrac{L-x}{L})^3}$

$\tau(x) = \dfrac{T\rho}{J} = \dfrac{T\rho}{\rho^3 h2\pi} = \dfrac{T}{\rho^2 h2\pi} = \dfrac{T}{\{r_0[1+\dfrac{(L-x)}{L}]\}^2 2\pi h}$

Chapter **04** 樑之應力與變形

⚙ **4-1** 樑的種類及負載

1. 樑的種類與常見的負載：我們把一細長結構件經適當之支承，在其軸向平面施加縱向負荷，該負荷所產生之彎曲力矩使得該結構件以彎曲為主要變形形式，則該結構件稱之為樑（Beam），在許多的結構或機件上，均應用到樑，例如橋樑、建築物的橫樑、車輛的車軸及機器的傳動軸等，靜定樑可分為下列幾種：

名稱	圖示	名稱	圖示
簡支樑	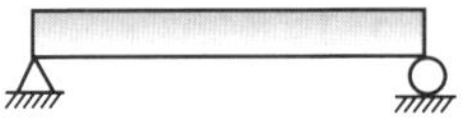	集中負荷	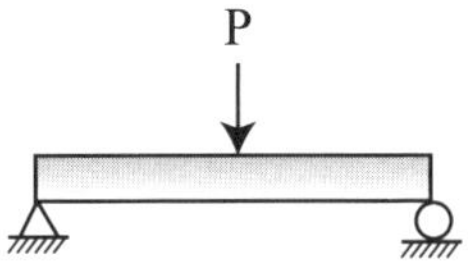 P
外伸樑	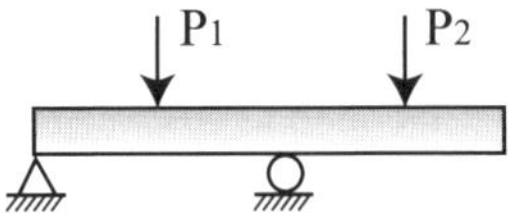 P_1 P_2	均布負荷	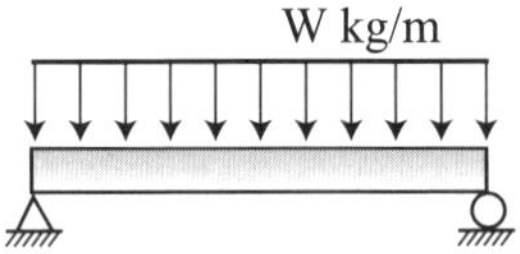 W kg/m
連續樑	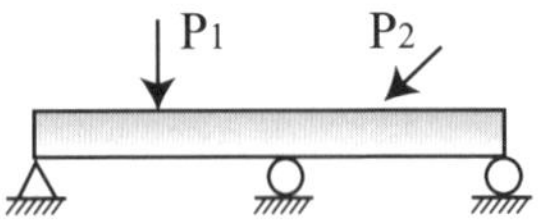 P_1 P_2	均變負荷	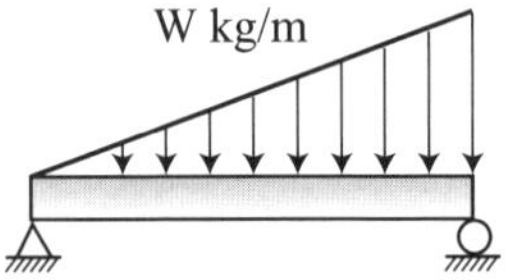 W kg/m
懸臂樑	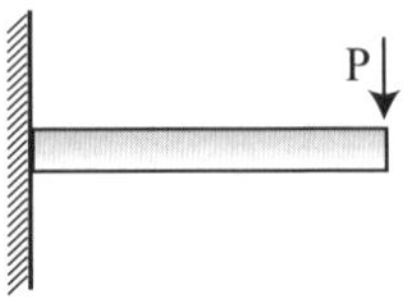 P	非均變負荷	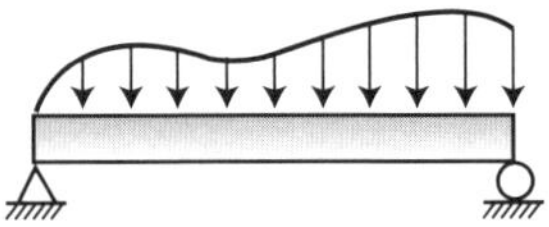
固定樑	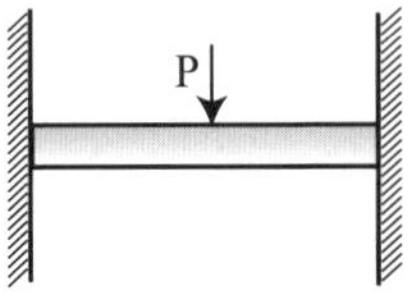 P	彎矩	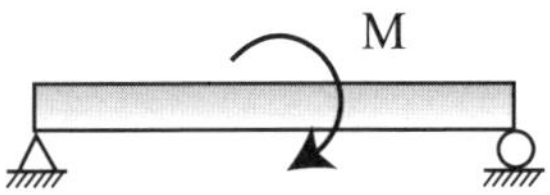 M

2.樑之負荷以及支承反力的運算

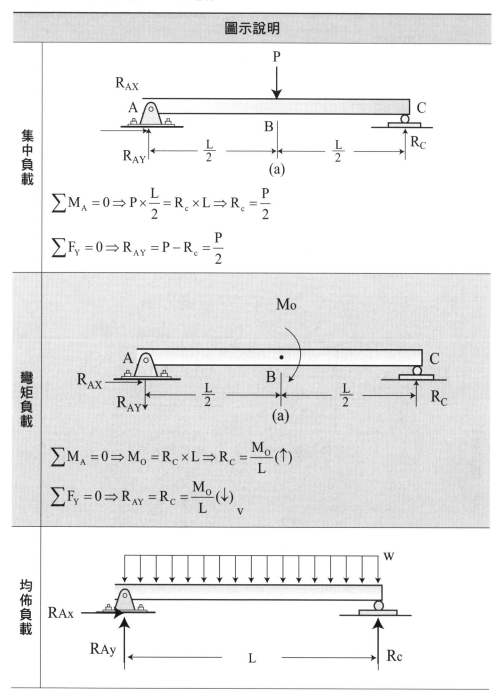

	圖示說明

集中負載

$$\sum M_A = 0 \Rightarrow P \times \frac{L}{2} = R_c \times L \Rightarrow R_c = \frac{P}{2}$$

$$\sum F_Y = 0 \Rightarrow R_{AY} = P - R_c = \frac{P}{2}$$

彎矩負載

$$\sum M_A = 0 \Rightarrow M_O = R_C \times L \Rightarrow R_C = \frac{M_O}{L}(\uparrow)$$

$$\sum F_Y = 0 \Rightarrow R_{AY} = R_C = \frac{M_O}{L}(\downarrow)_v$$

均佈負載

圖示說明

均佈負載	上圖可等效成 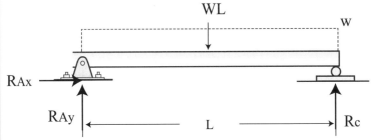 $$\sum M_A = 0 \Rightarrow WL \times \frac{L}{2} = R_C \times L \Rightarrow Rc = \frac{WL}{2}$$ $$\sum F_Y = 0 \Rightarrow R_{AY} = WL - Rc = \frac{WL}{2}$$
均變負載	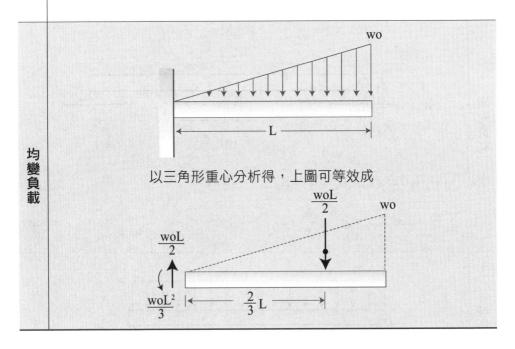 以三角形重心分析得，上圖可等效成

 焦點命題

---

1. 如下圖所示，(1)若A的支承反力為360N試求B的支承反作用力及d的距離。
(2)若B的支承反力為360N試求A的支承反作用力及d的距離。

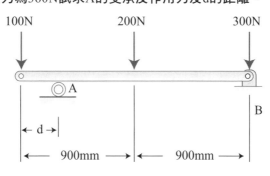

答：$\sum F_y = 0$ ： $A + B - (100 + 200 + 300)N = 0 \Rightarrow A + B = 600N$

(1) 若A的支承反力為360N，B=240N

$^+\nearrow M_B = 0$ ： $(100N)(1.8) - A(1.8 - d) + (200N)(0.9) = 0$

$$d = \frac{1.8A - 360}{A} \Rightarrow d = \frac{1.8(360) - 360}{360} = 0.800m$$

(2) 若B的支承反力為360N，A=240N

$^+\nearrow M_A = 0$ ：

$(100N)(d) - (200N)(0.9 - d) - (300N)(1.8 - d) + B(1.8 - d) = 0$

$$d = \frac{720 - 1.8B}{600 - B} \Rightarrow d = \frac{720 - 1.8(360)}{600 - 360} = 0.300m$$

---

2. 試求支承的反作用力。

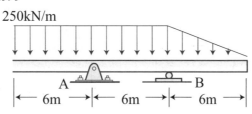

答：$A_x = 0$

$A_y + B_y - w \cdot (a+b) - \dfrac{1}{2} \cdot w \cdot c = 0$

$\Sigma M_A = 0$

$\Rightarrow w \cdot a \cdot \dfrac{a}{2} - w \cdot b \cdot \dfrac{b}{2} - \dfrac{1}{2} \cdot w \cdot c \cdot \left(b + \dfrac{c}{3}\right) + B_y \cdot b = 0$

其中a＝b＝c＝6帶入方程式

求得$A_y = 2.75(kN)$ $B_y = 1(kN)$

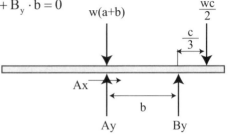

---

3. 試求支承的反作用力。

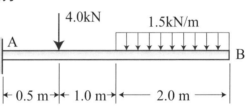

答：$\Sigma F = 0$：

$V = 4.0\,kN + (1.5\,kN/m)(2.0m)$
$\quad = 4.0kN + 3.0kN = 7.0kN$

$M_A = -(4.0kN)(0.5m) - (1.5kN/m)(2.0m)(2.5m)$

$\quad = -2.0\,kN \cdot m - 7.5\,kN \cdot m = -9.5\,kN \cdot m$

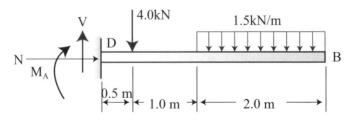

4. 試求D支承的反作用力。

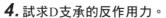
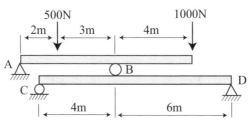

答：(1) 作AB桿之自由體圖

$$\left[\sum M_A = 0 \right]$$

$$500 \times 2 + 1000 \times 9 = R_B \times 5$$

$$\therefore R_B = 2000 \left(N \uparrow \right)$$

(2) 作CD桿之自由體圖

$$\left[\sum M_C = 0 \right]$$

$$2000 \times 4 = R_D \times 10$$

$$\therefore R_D = 800 \left(N \uparrow \right)$$

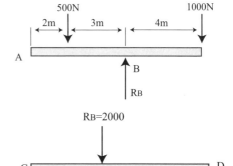

5. 如圖示之一過懸樑(a simple beam with an overhang)簡支撐(simply supported) 於A、B兩點，承受一均勻分佈負荷(a uniformly distributed load)q=6kN/m 及 一集中負荷(a concentrated load)P=28 kN。試求圖中D點之剪力(shear force)及 彎距(bending moment)。【機械關務三等】

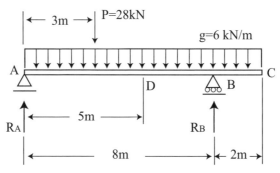

答：(1) 先求支承反力

$\sum M_A = 0 \Rightarrow R_B$

$\qquad = \frac{1}{8} \times [28 \times 3 + 6 \times 10 \times 5]$

$\qquad = 48kN(\uparrow)$

$\sum M_B = 0 \Rightarrow R_A = 40kN(\uparrow)$

(2) 取AD自由體圖

$\sum F_y = 0 \Rightarrow V_D = 28 + 6 \times 5 - 40 = 18kN(\uparrow)$

$\sum M_D = 0 \Rightarrow M_D = -28 \times 2 - 6 \times 5 \times 2.5 + 40 \times 5 = 69kN \cdot m(\circlearrowleft)$

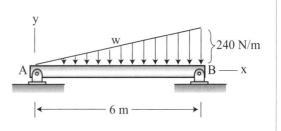

6. 一簡支樑受分佈力w=40xN/m 如圖所示，梁內受最大力矩 之處離A端多少m？

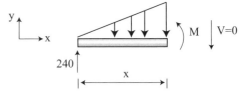

答：最大力矩發生在剪力V＝0之處，先求支承反力

$R_A = \frac{1}{6}[6 \times 240 \times \frac{1}{2} \times 6 \times \frac{1}{3}] = 240(N)$ 　取A至V＝0自由體圖

$\sum F_y = 0$

$\Rightarrow 240 = (\frac{x}{6})^2 \times 240 \times 6 \times \frac{1}{2}$

$\Rightarrow x = 3.46(m)$

✿4-2 剪力及彎曲力矩的計算及圖解

1. 樑之內力

(1) 樑之內力（剪力、軸力及彎曲力
矩符號）
如圖所示樑之任一點切開，其斷
面所包含之內力有
A. 彎矩(M)：使樑產生彎曲或旋
轉之力。
B. 剪力(V)：與樑斷面相垂直之力。

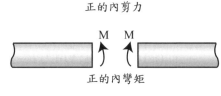

正的內剪力

正的內彎矩

剪力 (V)	剪力之正負，係對材料之自由體圖取力矩，順時針為"＋"，逆時針為"－"，如圖所示。
彎矩 (M)	彎矩之正負，當彎矩使材料"凹向上"者為"＋"，使材料"凹向下"者為"－"，如圖所示。

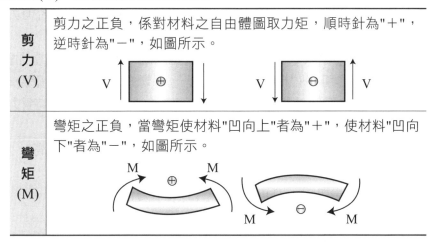

2. 剪力與彎矩圖

(1) 剪力方程式和彎矩方程式：
A. 樑受力時，橫截面上的剪力和彎矩是隨截面的位置不同而變化
的，如果沿樑軸線方向選取座標x表示橫截面的位置，則樑的各
截面上的剪力和彎矩都可表示為x的函數，即
$V = V(x)$ 樑的剪力方程，$M = M(x)$ 樑的彎矩方程
B. 如果以x為橫座標軸，以V或M為縱座標軸，分別繪製$V = V(x)$，
$M = M(x)$ 的函數曲線，則分別稱為剪力圖和彎矩圖。
C. 從剪力圖與彎矩圖上可以很容易確定樑的受力狀況，且能了解樑
受力之最大剪力和最大彎矩位置。

(2)剪力圖(V-dia)與彎矩圖(M-dia)繪製步驟：

A.畫樑的自由體圖，並求樑的支承反力，由左邊畫至右邊。

B.剪力V與彎矩均由零開始，從左向右畫，因為平衡的關係，合力與合力矩在平衡狀態下為零，故最後亦回到零。

C.若是懸臂樑，最好由自由端開始然後推進至全樑。

D.樑受外力無載重部份：

　(A)剪力圖為一水平直線⇒彎矩圖為一次線性曲線。

　(B)若剪力圖作用力為零⇒彎矩圖為一水平直線。

E.集中負載：剪力圖為垂直跳躍線⇒彎矩圖為一折線轉點。

F. 均布負載：剪力圖為一次曲線，為一向下直線，若負載向上時，剪力圖為一上升的直線；彎矩圖為二次拋物線，若剪力V＞0則拋物線開口向上，若剪力V＜0時，拋物線開口向下。

G.一次均變載重：剪力圖為二次拋物線⇒彎矩圖為三次曲線。

H.力矩作用:剪力圖為水平沒有變化⇒彎矩圖為垂直跳躍線,若遇樑上有外加順時針力矩作用時,彎矩圖為向上跳躍;反之逆時針力矩,彎矩圖為向下跳躍。

I. 彎矩值的大小為剪力圖的面積,彎矩圖為剪力圖之高一次函數。

J. 絕對值最大的彎矩總是出現在：

(1)剪力為零的截面上　　　(2)集中力作用處

(3)集中力偶作用處。

K.綜合上述說明，荷重、剪力及彎矩之關係表：

負載 圖形	沒有 負載	集中 負載	均布負載	力矩	均變負載
剪力圖	水平 直線	鉛直 直線	一次直線	水平直線	N次曲線
彎矩圖	一次 直線	轉點 折線	二次 拋物線	鉛直直線	(N+1)次 曲線

3. 基本常見的剪力圖與彎矩圖

懸臂梁

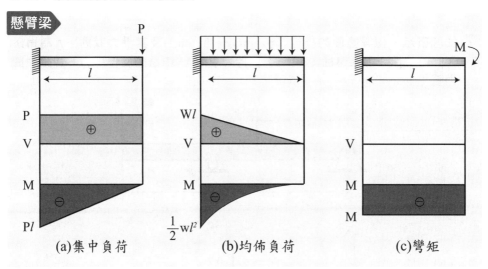

(a)集中負荷　(b)均佈負荷　(c)彎矩

簡支梁

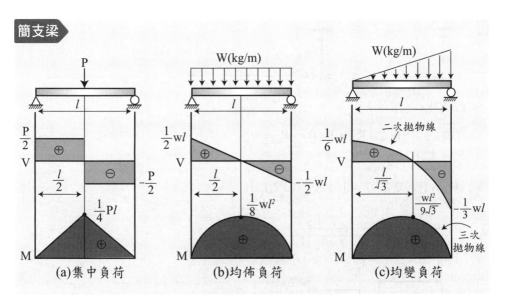

(a)集中負荷　(b)均佈負荷　(c)均變負荷

◎ 焦點命題 ◎

7. 如圖表示一個等截面的橫樑（prismatic beam）及其受力狀態，A為銷接（pin）支持，B為滾柱（roller）支持。求解A與B處的反作用力，並繪製剪力圖（shear diagram）。【106普考】

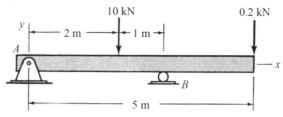

答：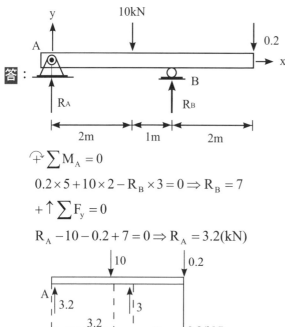

$$\curvearrowright \sum M_A = 0$$

$$0.2 \times 5 + 10 \times 2 - R_B \times 3 = 0 \Rightarrow R_B = 7$$

$$+\uparrow \sum F_y = 0$$

$$R_A - 10 - 0.2 + 7 = 0 \Rightarrow R_A = 3.2\,(kN)$$

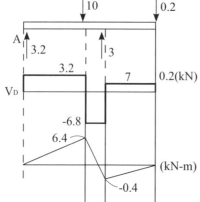

8. 試繪出如圖所示之剪應力和力矩圖

(shear and moment diagram)。

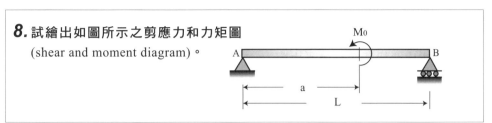

答：

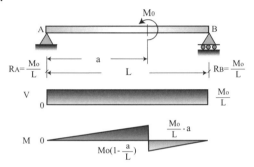

9. 試繪出如圖所示之剪應力和力矩圖(shear and moment diagram)。

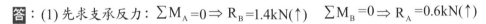

答：(1) 先求支承反力：$\sum M_A = 0 \Rightarrow R_B = 1.4\text{kN}(\uparrow)$　　$\sum M_B = 0 \Rightarrow R_A = 0.6\text{kN}(\uparrow)$

(2) 剪力圖與彎矩圖：

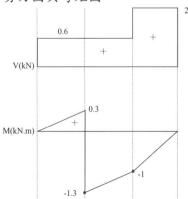

10. 右圖所示的樑受到均佈負載w，
　　請求出此樑所受到的最大剪力
　　及最大彎矩(樑的重量不考慮)。
　　【機械普考】

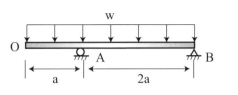

答：(1) 先求支承反力

$$\sum M_B = 0 \Rightarrow 3Wa \times \frac{3}{2}a = R_A \times 2a \quad \Rightarrow R_A = \frac{9}{4}W \cdot a$$

$$\sum M_A = 0 \Rightarrow R_B = \frac{3}{4}Wa$$

以上利用自由體$\sum F=0$，可求得$R_B = \frac{3}{4}Wa$

(2) 畫剪力圖及彎矩圖

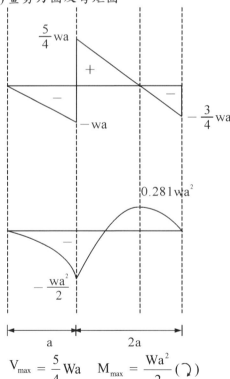

$$V_{max} = \frac{5}{4}Wa \quad M_{max} = \frac{Wa^2}{2} (\circlearrowleft)$$

11. 如圖所示，試繪出樑(Beam)之剪力圖與彎矩圖，並標示最大剪力與最大彎矩為何？

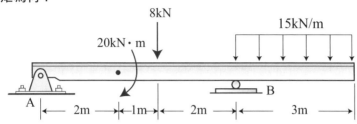

答：(1)

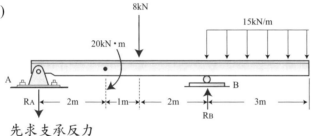

先求支承反力

$$\sum M_B = 0 \Rightarrow 5\,R_A = 20 \times 10^3 + 15 \times 10^3 \times 3 \times 1.5 - 8 \times 10^3 \times 2$$

$$R_A = 14300N = 14.3kN(\downarrow) \qquad \sum F_y = 0 \Rightarrow R_B = 67300N = 67.3kN(\uparrow)$$

(2)畫剪力圖與彎矩圖：

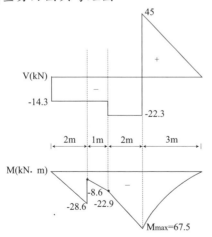

(3)$|M_{max}|$值為剪力圖正面積之值或負面積和：

$$M_{max} = \frac{1}{2} \times 45 \times 3 = 67.5kN \cdot m$$

12. 如圖所示，試繪出樑(Beam)之剪力圖與彎矩圖。

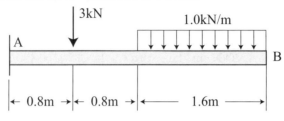

答：(1) 先求支承反力

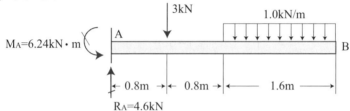

$$\sum M_A = 0 \Rightarrow M_A = 3 \times 0.8 + 1 \times 1.6 \times (0.8 + 0.8 + \frac{1.6}{2}) = 6.24(KN-m)$$

$$\sum F_y = 0 \Rightarrow R_A = 3 + 1 \times 1.6 = 4.6(KN)$$

(2) 畫剪力圖與彎矩圖：

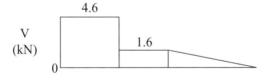

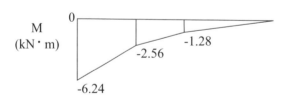

13. 試求圖中樑上之剪力圖、彎矩圖，
並求出在A與B處的反作用力大小。
【機械普考】

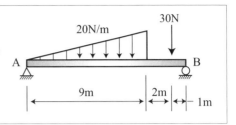

答：(1) 如圖所示：

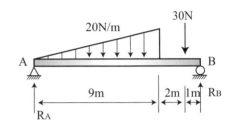

$$\sum M_A = 0$$

$$\Rightarrow 20 \times 9 \times \frac{1}{2} \times (9 \times \frac{2}{3})$$

$$+ 30 \times (9 + 2) = 12\ R_B$$

$$R_B = 72.5(N) \uparrow$$

$$\sum M_B = 0 \Rightarrow 12\ R_A = 20 \times 9 \times \frac{1}{2} \times (3 + 9 \times \frac{1}{3}) + 30 \times 1 \Rightarrow R_A = 47.5(N) \uparrow$$

(2) 剪力圖：

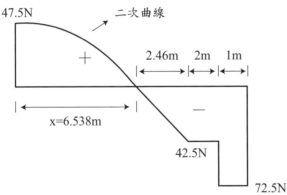

取左半端剪力為零之自由體圖

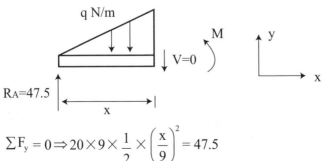

$$\sum F_y = 0 \Rightarrow 20 \times 9 \times \frac{1}{2} \times \left(\frac{x}{9}\right)^2 = 47.5$$

三角形面積

$x = 6.538m$　$q = 20 \times \dfrac{6.538}{9} = 14.529N/m$

$\sum M_A = 0 \Rightarrow M = 14.529 \times 6.538 \times \dfrac{1}{2} \times 6.538 \times \dfrac{2}{3} = 207.01N \cdot m$

(3) 畫彎矩圖：

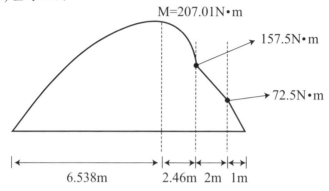

14. 如圖所示之OA簡支樑受線性分布負載（最右端之最大負載強度為10kN/m），其中樑之左端為鉸支撐，右端之下端以一AB物塊作為簡支撐，其中A端與B端之靜摩擦係數分別為 $\mu_A = 0.6$、$\mu_B = 0.4$，若不考慮各構件之重量與厚度，重力加速度 $g = 9.81 m/s^2$

(1) 試繪出OA簡支樑之剪力圖與彎矩圖，並標明剪力為0之位置、彎矩出現最大值之處與其值。

(2) 若將樑下之AB柱推開，試求出推開之最小力F為多少？【機械普考】

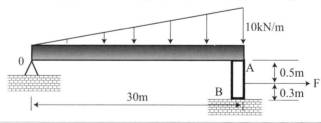

答：(1) 取OA自由體圖

A. $\sum M_o = 0$

　$\Rightarrow R_A = 150 \times 20 \times \dfrac{1}{30} = 100 \,(kN)$

　$\sum F_y = 0 \Rightarrow R_o = 50 \,(kN)$

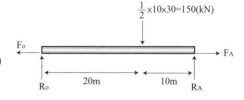

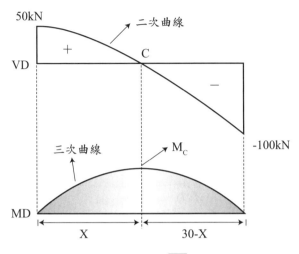

B. C點為剪力 = 0 之處，取 $\overline{OC}$ 自由體圖

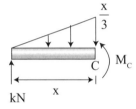

$$\sum F_y = 0 \Rightarrow 50 - V = 0$$

$$50 - \frac{1}{2} \cdot x \cdot \frac{x}{3} = 0 \quad x^2 = 600 \quad x = 17.32m$$

$$\sum M_o = 0 \Rightarrow M_c = (\frac{17.32}{30})^2 \times 150 \times 17.32 \times \frac{2}{3} = 577.3 \,(kN\text{-}m)$$

(2) A. 取 AB 自由體圖

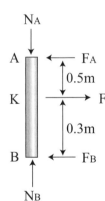

$$\sum F_x = 0 \Rightarrow F - F_A - F_B = 0 \cdots\cdots ①$$

$$\sum F_y = 0 \Rightarrow N_B = 100\,(kN) \cdots\cdots ②$$

$$\sum M_c = 0 \Rightarrow 0.3 = 0.8F_A \cdots\cdots ③$$

B. 若支柱僅在A處滑動 $F_B \le \mu_B N_B$

　$F_A = 0.6 \times 100 = 60\,(kN)$，代入①②③

　$F = 160\,(kN)$，$F_B = 100\,(kN)$，
　故需考慮另一種滑動

C. 若支柱僅在B處滑動 $F_A \le \mu_A N_A$

　$F_B = \mu_B N_B = 0.4 \times 100 = 40$ 　$\sum M_A = 0 \Rightarrow F = 64\,(KN) \Rightarrow F_A = 24$
　故支柱僅在B處滑動之情況先發生

⚙ **4-3** 樑的彎曲應力及剪應力

1. 樑的彎曲：如圖4.1所
示，樑受彎矩M作用時，
該樑會造成彎曲，其中
該曲面向上撓曲，頂部
被壓縮而縮短，底部被拉
伸而伸長，由壓縮到拉伸
之間，伸長量由負到正間
必存在一伸長量為零的直
線，此直線的位置稱為中
性軸(neutral axis)；中性
軸所在垂直於對稱軸的
平面稱為中立面(neutral
surface)，我們設作用於

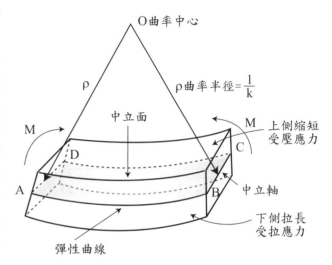

圖4.1　樑的彎曲

樑上面之最大壓應力為 σ_c，作用於下面之最大張應力為 σ_t，因符合虎克
定律，故其應力會與上下表面距中立軸的距離成正比。

2. 樑的彎曲應力

(1) 線應變：如圖4.2樑受彎曲應力後，O點
為樑受彎矩後，相鄰兩個截面延長線的
交點，稱之為曲率中心，由曲率中心到
中性軸的距離，稱之為曲率半徑，如圖
示之符號 ρ，圖中L為中立面與樑縱截
面之交線，稱之彈性曲線，亦即該樑受
彎曲應力後，樑的伸長量為零之曲線，
由圖示可知該橫截面間相對轉過的角
度為 θ，$\overline{OA}$ 曲率半徑為 ρ，距中性面y
處的圓弧曲線為 $\overline{nn'}$，其受力後伸長為

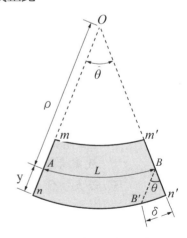

圖4.2(a)　樑的彎矩應力

$$\delta = \overline{nn'} - \overline{nB'} = \overline{nn'} - \overline{AB} = (\rho + y)\theta - L = (\rho + y)\theta - \rho\theta = y\theta$$

線應變：$\varepsilon = \dfrac{\Delta L}{\overline{AB}} = \dfrac{y\theta}{\rho\theta} = \dfrac{y}{\rho}$

(2) 彎曲應力

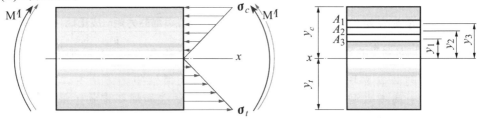

圖4.2(b)　**樑的彎矩應力**

A. 如圖4.2(b)所示樑的x方向只是發生簡單拉伸或壓縮，橫截面上的正應力不超過材料的比例極限時，可由虎克定律得到橫截面上座標為y處各點的正應力為 $\sigma = E\varepsilon = \dfrac{E}{\rho}y$ ，該式表明，橫截面上各點的正應力與點的座標y成正比。

B. 中性軸上部橫截面的各點均為壓應力，而下部各點則均為拉應力。

C. 彎曲應力推導：如圖4.2(b)所示，將此截面以平行中立軸之直線分割成許多微小面積A_1、A_2……，每一個微小面積與中立軸的距離為y_1、y_2、y_3……。我們以σ_1、σ_2、σ_3……表示微小截面上所受之正交應力，則每一微小截面所受之力為$\sigma_1 A_1$、$\sigma_2 A_2$……。我們用M來表示其中立軸所受之力矩代數和為

$M = \sigma_1 A_1 y_1 + \sigma_2 A_2 y_2$ .... (1)

因符合虎克定律，故其應力會與上下表面距中立軸的距離成正比。所以可知 $\dfrac{\sigma}{y} = \dfrac{\sigma_c}{y_c} = \dfrac{\sigma_t}{y_t}$

所以 $\sigma_1 = \dfrac{\sigma_t}{y_t}Y_1$ ， $\sigma_2 = \dfrac{\sigma_t}{y_t}Y_2$ .... (2)

代入(1)式得，上式中括號內之值為該截面對中立軸之慣性矩I來表示，則 $M = \sigma_t \dfrac{I}{y_t}$

同理，則另一側受壓側為 $M = \sigma_c \dfrac{I}{y_c} \Rightarrow$ 正應力計算公式 $\sigma = \dfrac{My}{I}$

✒️ **觀念說明**

我們由彎曲力矩的公式$M = \sigma z$可知，**截面係數z與彎曲力矩M成正比**，意即**截面係數z愈大則可耐受的彎曲應力愈大**，截面係數又可寫為$Z = \dfrac{I}{Y}$，若要使截面係數Z增大，則必需要增大斷面之慣性矩I，要增大慣性矩之方法有二，一為增加面積，一為增大迴轉半徑，若增大面積，則會增加樑之重量，浪費材料與成本，所以一般做法皆是增大迴轉半徑，故斷面遠離中立軸之面積愈多，則迴轉半徑愈大，因此相同面積之截面係數大小順序為：**H形與I形之斷面＞長方形(高長度＞底長度)＞正方形＞圓形**；相同面積值之空心圓軸斷面慣性矩＞實心圓軸斷面慣性矩。

3. 樑的剪應力

(1) 樑截面剪應力：樑受力彎曲時，樑內不僅有彎矩還有剪力，因而橫截面上既有彎曲正應力，又有彎曲剪應力，以下根據不同斷面分析其彎曲剪應力，首先考慮一橫斷面為長方形之樑，如圖4.3所示，此樑某一橫斷面上之剪力為V，將此橫斷面分成許多與Z軸平行之極細長條，在各細長條上由剪力V誘生與X軸平行之剪應力可視作為均佈於此細長條上，在之前章節已說明兩互成正交斷面上之餘剪應力，必等值反向，同理此元件其餘三面上必伴生等值之剪應力，因而樑在各橫斷間具有剪應力外，樑內與中立面平行之各層間亦具等值之剪應力，可以推導出矩形截面上距中性軸為 y 處任意點的剪應力計算公式為：

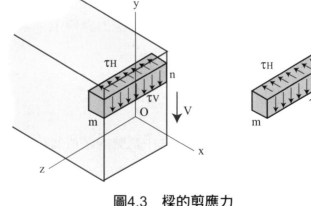

圖4.3　樑的剪應力

$$\tau = \frac{VQ}{I_z b}$$

式中　　V：橫截面上的剪力、I_z：橫截面對中性軸的軸慣性矩

　　　　b：橫截面上所求剪應力點處截面的寬度（即矩形的寬度）

　　　　Q：分離面之面積對中性軸之一次矩

(2) 各種基本斷面剪應力

A.矩型斷面剪應力

在中立軸時，剪應力最大 $\tau_{max} = \dfrac{3V}{2A}$

在中立軸上面，$A = \dfrac{h}{2} \times b$ ，$y = \dfrac{h}{4}$

$Q = A \cdot y = \left(\dfrac{bh}{2}\right) \times \left(\dfrac{h}{4}\right) = \dfrac{bh^2}{8}$ ，$I = \dfrac{bh^3}{12}$ 　$\therefore \tau_{max} = \dfrac{VQ}{Ib} = \dfrac{3V}{2bh} = \dfrac{3V}{2A}$

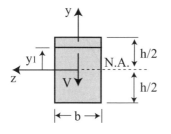
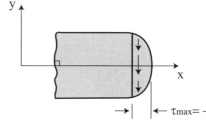

$\tau_{max} = \dfrac{3}{2}\dfrac{V}{A}$

B.圓形斷面剪應力

在中立軸時，剪應力最大 $\tau_{max} = \dfrac{4V}{3A}$
在中立軸上面，

$A = \dfrac{1}{2} \times \dfrac{\pi d^2}{4}$ ，$y = \dfrac{4r}{3\pi} = \dfrac{2d}{3\pi}$

$Q = A \cdot y = \left(\dfrac{\pi d^2}{8}\right) \times \left(\dfrac{2d}{3\pi}\right) = \dfrac{d^3}{12}$ ，$I = \dfrac{\pi d^4}{64}$

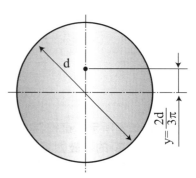

$\therefore \tau_{max} = \dfrac{VQ}{Ib} = \dfrac{16V}{3\pi d^2} = \dfrac{4V}{3A}$

焦點命題

15. 如圖所示，長度為L，斷面寬為b，斷面高為h，楊氏係數為E之均勻桿件，承受純彎矩M_0作用。求(1)桿件彎曲之曲率半徑為何？(2)桿件兩端點之相對轉角為何？(3)桿件最大應力為何？。【土木地特四等】

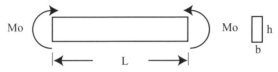

答：(1) $K = \dfrac{1}{\rho} = \dfrac{M}{EI}$

$\rho = \dfrac{EI}{M} = \dfrac{E \times \dfrac{1}{12}bh^3}{M_0} = \dfrac{Ebh^3}{12M_0}$

(2) 如圖所示：

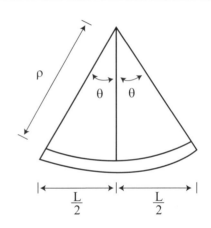

$\sin\theta = \dfrac{L/2}{\rho} = \dfrac{6M_0L}{Ebh^3}$

若 θ 很小則 $\theta \approx \sin\theta = \dfrac{6M_0L}{Ebh^3}$

(3) $\sigma = \dfrac{My}{I} = \dfrac{M_0 \times \dfrac{h}{2}}{\dfrac{1}{12}bh^3} = \dfrac{6M_0}{bh^2}$

16. 如圖所示，直徑為d的鋼索以彎曲方式沿一半徑為r的輪鼓圍繞，試求鋼索的最大彎曲應力以及變曲力矩。假設楊氏係數 E = 200 GPa，d = 4 mm，以及 r = 0.5 m。【關務四等】

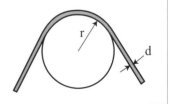

答：$\sigma = \dfrac{yE}{\rho} = \dfrac{(\dfrac{d}{2}) \times E}{\dfrac{d}{2} + r} = \dfrac{\dfrac{4}{2} \times 200 \times 10^9}{\dfrac{4}{2} + 500} = 796812749\,(Pa) = 796.81\,(MPa)$

$\sigma = \dfrac{My}{I} = \dfrac{16M}{\pi d^3} = \dfrac{32 \times M}{\pi \times (4)^3} \Rightarrow M = 5006.5\,(N\text{-}mm)$

17. 如圖所示之簡支梁係由一可容
許彎曲應力為6.5MPa及可容許
剪切應力為500kPa的木材所製
成。
(1)畫出梁之剪力圖及彎矩圖。
(2)假若梁之截面積為一高對寬
比為1.25之矩形，決定其尺
寸。【107普考】

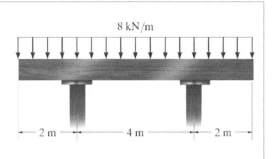

答：(1) $\curvearrowright \Sigma M_B = 0$

$8 \times 8 \times 2 - R_B \times 4 = 0$

$R_B = 32$同理$R_A = 32$(kN)

$M_1 = \dfrac{1}{2} \times 2 \times 16 = 16$(kN－m)$= M_2$

(2) $\sigma = \dfrac{My}{I} = \dfrac{16 \times 10^3 \times 10^3 \times \dfrac{1.25h}{2}}{\dfrac{1}{12}h \times (1.25h)^3} = 6.5$(MPa)

$\Rightarrow h = 211.44$(mm)

$\tau = \dfrac{3}{2}\dfrac{V}{A} = \dfrac{3}{2} \times \dfrac{16 \times 10^3}{1.25h^2} = 0.5$

$\Rightarrow h = 195.95$(mm)

故選$h = 211.44$(mm)

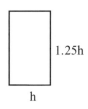

1.25h

h

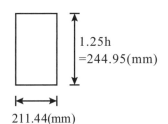

1.25h
=244.95(mm)

211.44(mm)

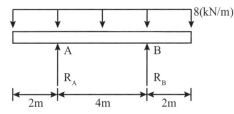

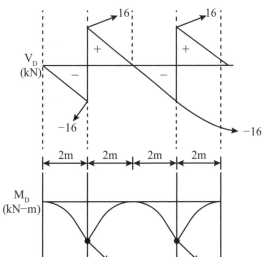

18. 如圖所示之樑長L，斷面積為b×h之矩形，材料之楊氏模數為E，在CB段上受一均勻分布載重q。樑重不計，試求樑內之最大正應力及剪應力及其所在之位置。【機械高考】

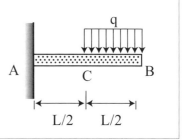

答：(1) 計算支承反力：

$$\sum F_y = 0 \Rightarrow R_A = \frac{qL}{2}$$

$$\sum M_A = 0$$

$$\Rightarrow M_A = \frac{qL}{2} \times (\frac{L}{2} + \frac{1}{2} \times \frac{L}{2}) = \frac{3qL^2}{8} \; (\circlearrowleft)$$

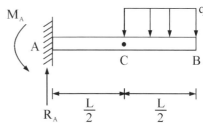

(2) 畫剪力彎矩圖：

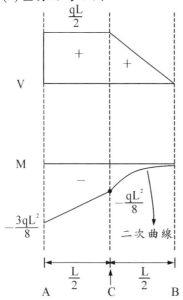

(3) 如圖所示樑內受最大剪應力於AC段內，受最大正應力於A端：

$$\tau_{max} = \frac{V_{max}Q}{Ib} = \frac{3}{2}\frac{V_{max}}{A}$$

$$= \frac{3 \times \frac{qL}{2}}{2 \times b \times h} = \frac{3qL}{4b \times h}$$

$$\sigma_{max} = \frac{M_{max}y}{I} = \frac{\frac{3qL}{8} \times \frac{h}{2}}{\frac{bh}{12}} = \frac{9qL^2}{4bh^2}$$

19. 下圖為一兩端邊界為簡支而寬高均為b之方形樑，求最大彎矩應力。【地方特考四等】

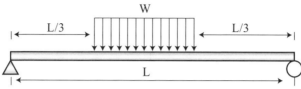

答：$I = \frac{1}{12}b^4$

取自由體圖

$\sum M_A = 0$

$\Rightarrow \frac{1}{2} \times W \times \frac{L}{3} \times (\frac{L}{3} + \frac{1}{4} \times \frac{L}{3}) = M_{max}$

$\Rightarrow M_{max} = \frac{5WL^2}{72}$　　$\sigma_{max} = \frac{M_{max}y}{I} = \frac{\frac{5}{726}WL^2 \frac{6}{2}}{\frac{1}{12}b^4} = \frac{5}{12}\frac{WL^2}{b^3}$

20. 圖顯示一樑承受兩集中荷重，請問該樑沿著長軸(x-軸)所受到之最大剪力及最大彎矩各為何？假設前題所示梁之斷面為200mm邊長之正方形，請問該樑所承受之最大軸向應力與剪應力各為何？【機械第二次地特三等】

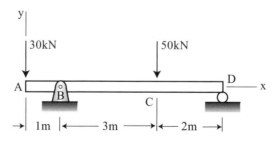

答：(1) 先求支承反力

$\sum M_B = 0 \Rightarrow R_D = \frac{1}{5} \times [50 \times 3 - 30 \times 1] = 24kN(\uparrow)$

$\sum M_D = 0 \Rightarrow R_B = 56kN(\uparrow)$

(2) 畫剪力圖及彎矩圖：

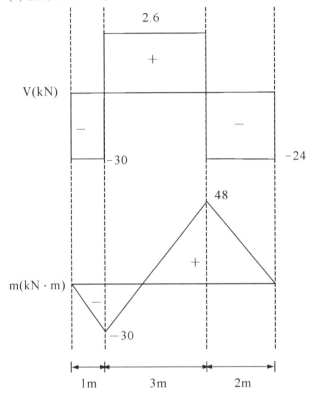

(3) $V_{max} = 30kN(\uparrow)$；$M_{max} = 48kN \cdot m(\curvearrowright)$

$$\tau_{max} = \frac{3}{2}\frac{V}{A} = \frac{3}{2} \times \frac{30 \times 10^3}{0.2 \times 0.2} = 1125000Pa = 1.125MPa$$

$$\sigma_{max} = \frac{M_{max}y}{I} = \frac{48 \times 10^3 \times 0.1}{\frac{1}{12} \times 0.2 \times 0.2^3} = 36000000Pa = 36MPa$$

21. 如圖所示之延伸樑，已知其截面積為均勻：(1)試繪剪力圖及彎曲力矩圖；(2)請找出發生最大彎曲應力及最大剪應力的截面位置，並說明其理由。【普考】

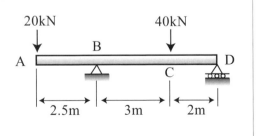

答：

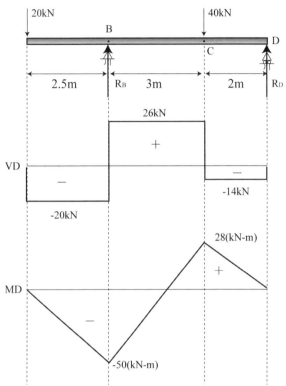

(1) 先求R_B、R_D後再繪製剪力圖(V_D)及彎矩圖(M_D)

　　$\sum M_B = 0 \Rightarrow 20 \times 2.5 + R_D \quad 5 = 40 \times 3 \Rightarrow R_D = 14 \,(N)$

　　$\sum F_g = 0 \Rightarrow R_B = 46 \,(N)$

　　$M_B = -20 \times 2.5 = -50 \,(kN\text{-}m) \quad M_C = -50 + 26 \times 3 = 28 \,(kN\text{-}m)$

(2) 由於最大彎距M_B發生於B處，因此發生最大彎曲應力為B處，上下邊
　　緣處最大剪力R_B發生於B處，因此發生最大剪應力的截面位置為B處
　　截面中心處。

22. 簡支梁受兩個1kN集中力作用如下右圖，梁之截面如I形，截面尺寸如下左圖。試求：

(1)梁之截面對x軸之面積慣性距。

(2)梁之剪力圖。

(3)梁之彎矩圖。

(4)梁中最大之彎曲應力。

(5)如該梁之I形截面改為同面積之正方形截面，則梁中最大之彎曲應力會如何變化，請說明原因。【107地特四等】

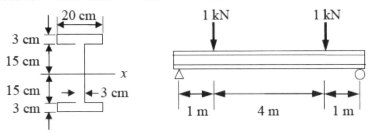

答：(1) $I = \dfrac{bh^3}{12} = \dfrac{1}{12}\left[20 \times (36)^3 - 17 \times (30)^3\right] = 39510(\text{cm}^4) = 39510 \times 10^4 (\text{mm}^4)$

(2)

(3)

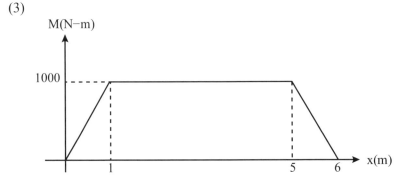

(4) $\sigma = \dfrac{My}{I} = \dfrac{106 \times 18 \times 10}{39510 \times 10^4} = 0.4556(MPa)$

(5) 因同面積條件下，正方形之慣性矩小於I形截面之慣性矩，故最大彎曲應力會增加。

---

23. 如圖所示，一截面為T形的樑由兩片200mm×30mm的板材所組成。已知樑的最大容許彎曲應力 $\sigma_{allow} = 12MPa$ 以及最大容許剪應力 $\tau_{allow} = 0.8MPa$，試問該樑能否安全地承受如圖所示的負荷？（備註：1.樑的重量可忽略不計。2.請繪出剪力圖及彎矩圖。）【105普考】

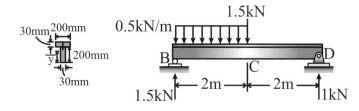

答：　$\sigma = \dfrac{My}{I} = \dfrac{2(kN-m)(0.1575)}{60.125 \times 10^{-6}}$

　　　$= 5.24(Mpa) < 12(Mpa)$

　　$\tau = \dfrac{VQ}{It} = \dfrac{1.5(kN-m)(0.372 \times 10^{-3})}{60.125 \times 10^{-6} \times 0.03}$

　　　$= 0.309(Mpa) < 0.8(Mpa)$

負載可以承載圖式負載

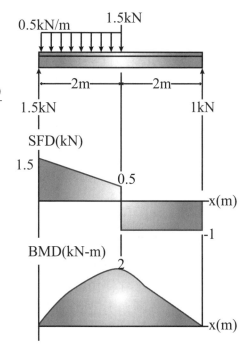

⚙ 4-4 樑的彎曲變形

1. 撓曲線方程式

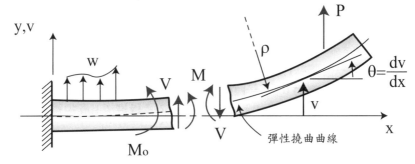

圖4.4 撓曲微分方程式

(1) 撓曲線方程式

A. 如圖4.4所示一根任意懸臂樑，以變形前直樑的軸線為x軸，垂直向上的軸為y軸，當樑在xy面內發生彎曲時，樑的軸線由直線變為xy面內的一條光滑連續曲線，稱為樑的撓曲曲線，樑彎曲後橫截面仍然垂直於樑的撓曲線，樑發生彎曲時，各個截面不僅發生了線位移，而且還產生了角位移。

B. 直樑中橫截面的形心在垂直於 x 軸方向的線位移，稱為直樑的撓度，用符號 v 表示，在圖示座標系下，撓度向上為正，向下為負，各個截面的撓度是截面形心座標 x 的函數，即可表示為 $v = v(x)$，此式稱之為撓曲曲線方程式。

C. 一線性彈性樑之撓度v與其內部彎矩M的關係，可推導出下列微分方程式，其中樑之斷面須對稱於受力平面，其中EI稱為彎曲剛度。$\dfrac{d^2 v}{dx^2} = \dfrac{M}{EI}$

D. 橫截面的角位移，稱為截面的旋轉角度，用符號 θ 表示，於座標系中從 x 軸逆時針轉到撓曲線的切線形成的轉角 θ 為正的；反之為負的，旋轉角度也是截面位置 x 的函數，即 $\theta = \theta(x)$，此式稱之為旋轉角方程式，工程實際中，小變形時轉角 θ 是一個很小的量，因此可表示為 $\theta \approx \tan\theta = \dfrac{dv}{dx} = v'$

E. 內剪力 V、彎矩 M 與負載密度 w 之關係，可由上述式子所構成，在EI為定值的前提下，可得下列一連串相當有用之關係式。

$$EI\frac{d^4\upsilon}{dx^4}=-w\left(x\right) \quad EI\frac{d^3\upsilon}{dx^3}=V\left(x\right) \quad EI\frac{d^2\upsilon}{dx^2}=M\left(x\right)$$

2.撓曲線方程式之邊界條件

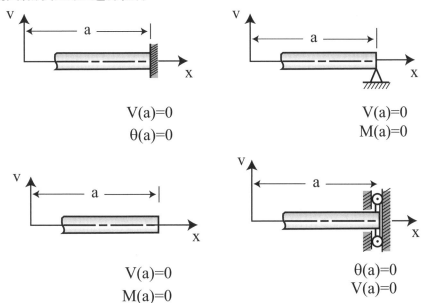

V(a)=0
θ(a)=0

V(a)=0
M(a)=0

V(a)=0
M(a)=0

θ(a)=0
V(a)=0

=== 焦點命題 ===

24. 如圖所示懸臂樑AB受到集中力 *P* 作用，求(1)彈性曲線方程式。(2)求樑之最大撓度。

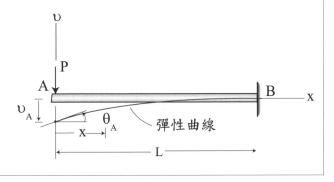

答：彈性曲線：負載將使樑彎曲成如圖，整根樑的內部彎矩可用單一x座標表示。彎矩函數：從自由物體圖，M作用在正方向，得M＝－Px

斜率與彈性曲線：

$$EI\frac{d^2\upsilon}{dx^2} = -Px \quad\text{......................} ①$$

$$EI\frac{d\upsilon}{dx} = -\frac{Px^2}{2} + C_1 \quad\text{.................} ②$$

$$EI\upsilon = -\frac{Px^3}{6} + C_{1x} + C_2 \quad\text{...........} ③$$

利用邊界條件在x＝L，$d\upsilon/dx = 0$ 及在x＝L，$\upsilon = 0$，②及③式變成

$$0 = -\frac{PL^2}{2} + C_1 \qquad 0 = -\frac{PL^3}{6} + C_1 L + C_2$$

因此，$C_1 = PL^2/2$ 及 $C_2 = -PL^3/3$。將此結果代入②及③式

及 $\theta = d\upsilon/dx$，得 $\theta = \dfrac{P}{2EI}\left(L^2 - x^2\right)$ $\quad \upsilon = \dfrac{P}{6EI}\left(-x^3 + 3L^2 x - 2L^3\right)$

最大斜率及位移發生在A(x＝0)，即

$$\theta_A = \frac{PL^2}{2EI} \quad\text{.................} ④ \qquad \upsilon_A = -\frac{PL^3}{3EI} \quad\text{.....................} ⑤$$

---

25. 如圖所示，長度為2L的彈性伸臂（over－hanging）梁ABC，端點A受鉸接支撐（hinge support），中點B受滾柱支撐（roller support），BC 段承受線性分布荷載（distributed loading），梁的重量可忽略不計，撓曲剛度（flexural rigidity）EI為常數。試求：

(1)梁AB段的撓度曲線（deflection curve）。

(2)梁在支撐點A、B處的傾角（slope）。【106地特四等】

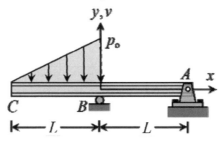

答：(1) $R_B = \dfrac{2}{3}P_oL(\uparrow)$　　$R_A = \dfrac{1}{6}P_oL(\downarrow)$

$EIy'' = M = -\dfrac{1}{6}P_o 2x$

$\Rightarrow EIy = -\dfrac{1}{36}P_oLx^3 + Gx + C_2$

B、C₁　y（0）$=0$　$C_2 = 0$

$y(L) = 0 \Rightarrow C_1 = \dfrac{P_o}{36}L^3$

$\Rightarrow y = \dfrac{P_o}{36EI}(L^3x - Lx^3)$

(2)

$\theta_A = \dfrac{\dfrac{P_oL^2}{6}L}{6EI} = \dfrac{P_oL^3}{36EI}$ (⤵)

$\theta_B = \dfrac{\dfrac{P_oL^2}{6}L}{3EI} = \dfrac{P_oL^3}{18EI}$ (⤴)

---

26. 以積分法（method of integration）求取圖所示承受一集中力偶矩簡支梁之最大的斜率及最大的撓曲。EI是常數，E為楊氏模數（Young's modulus），I為面積慣性矩（area moment of inertia）。【107普考】

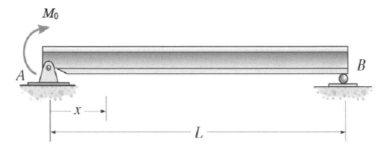

答：(1) 先求支承反力

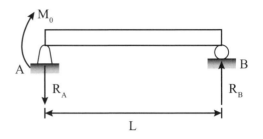

$\curvearrowright \Sigma M_A = 0$

$M_0 - R_B \times L = 0$

$R_B = \dfrac{M_0}{L}$

$R_A = \dfrac{M_0}{L}$

(2) 內力分析

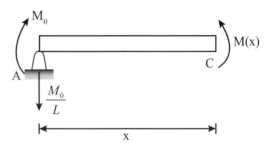

$\curvearrowright \Sigma M_C = 0$

$M(x) - M_0 + \dfrac{M_0}{L} \times x = 0$

$M(x) = -\dfrac{M_0}{L} x + M_0$

(3) $EIy'' = M(x) = -\dfrac{M_0}{L} x + M_0$

$\Rightarrow EIy' = -\dfrac{M_0}{2L} x^2 + M_0 x + C_1$

$\Rightarrow EIy = -\dfrac{M_0}{6L} x^3 + \dfrac{1}{2} M_0 x^2 + C_1 x + C_2$

$x = 0$ 時，$y = 0 \Rightarrow C_2 = 0$

$x = L$ 時，$y = 0 \Rightarrow 0 = -\dfrac{M_0 L^2}{6} + \dfrac{1}{2} M_0 L^2 + C_1 \cdot L \Rightarrow C_1 = -\dfrac{1}{3} M_0 L$

$y' = 0$ 時，有 $y_{max} \Rightarrow 0 = -\dfrac{M L}{2L} x + M_0 x - \dfrac{1}{3} M_0 L \Rightarrow x = 0.42265L$

代回 y

$\Rightarrow y_{max} = \dfrac{0.0642 M_0 L^2}{EI}$

(4) 最大斜率發生在 $x = 0$ 時 $y'_A \Rightarrow \theta_A = \dfrac{-M_0 L}{3EI}$

2. 力矩面積法

(1) 力矩面積法第一定理：

A.在分析直樑變形時，若無須知道其變形曲線函數，僅是要求得某些位置的撓度與偏位角度，可力用「$\dfrac{M}{EI}$圖」下面積來進行分析，此方法稱之為力矩面積法。

B.撓曲曲線之曲率k，其定義為 $k = \dfrac{1}{\rho} = \dfrac{d\theta}{ds}$ ，

若考慮樑之變形單純由彎矩所造成，

則曲率與彎矩具有 $k = -\dfrac{M}{EI}$ 之關係，

此外，撓曲曲線之斜率則為 $\dfrac{dy}{dx} = \tan\theta$ 。

今假設樑之變形非常微小，亦即 $ds \approx dx$、$\theta \approx \tan\theta$

(θ 之單位為徑度)，則可得 $\dfrac{d\theta}{dx} = \dfrac{M}{EI} \Rightarrow d\theta = \dfrac{M}{EI}dx$ ，

兩邊取積分，可得 $\theta = \displaystyle\int \dfrac{M}{EI}dx$ 。

C.由樑上選取A、B二點，由A點積分至B點，此積分值為直樑位於A點的旋轉角度與B點的旋轉角度差，表示彈性直樑上任意兩點的切線夾角差(B點與A點的斜率差)，等於「$\dfrac{M}{EI}$圖」曲線下的面積(由A點至B點)，此即為力矩面積法第一定理。

$$\theta_B - \theta_A = \theta_{B/A} = \int_A^B \dfrac{M}{EI}dx$$

(2) 力矩面積法第二定理：

A.承第一定理所述，若由A點的切線與B點位移方向的交點算起，偏位 Δ_{BA} 為A點拉出切於v(x)之線，切線延伸至B點處時，此線與B點位移的垂直高度差，稱之為「切線偏移量」，其等於由A端至B端 $\dfrac{M}{EI}$ 圖形曲線下的面積(由A點至B點)對B點的一次矩，可表示為：$\Delta_{\overline{BA}} = \displaystyle\int_A^B \dfrac{M}{EI}xdx$

B.由於面積的形心 $\bar{x}\int dA = \int x dA \Rightarrow \Delta_{BA} = \bar{x}\int_A^B \dfrac{M}{EI}dx$ ，式中 $\bar{x}$ 表A點至曲線下區域形心的距離。

C.彈性直樑上一點(A)的切線相對於從另一點(B)所延伸的位移方向切之垂直偏移量，等於由A端至B端 $\dfrac{M}{EI}$ 圖形曲線下的面積(由A點至B點)對B點的一次矩，此稱之為力矩面積法第二定理。

◎ 焦點命題 ◎

27. 如圖所示，試求在B點之角度與撓度。

(EI 為樑的撓度剛性)。

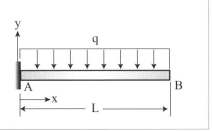

答：(1) 力矩面積法第一定理

$\theta_A = 0$

$\theta_B - 0 = (\dfrac{1}{2})(1)(\dfrac{1}{3})\dfrac{qL^3}{EI}$

$\theta_B = \dfrac{qL^3}{6EI}$(順時針)

(2) 力矩面積法第二定理

$\delta_B = \Delta_{BA} = (\dfrac{1}{6})(\dfrac{3}{4})\dfrac{qL^4}{EI}$

$\delta_B = \dfrac{qL^4}{8EI}(\downarrow)$

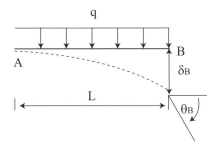

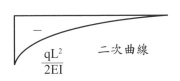

二次曲線

28. 如圖所示，試求在B點之角度與撓度。(EI為樑的撓度剛性)。

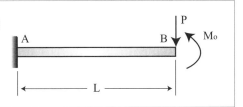

答：(1) 力矩面積法第一定理

$$A_1 = \frac{M_0 L}{EI} \quad \overline{x}_1 = \frac{L}{2} \quad A_2 = -\frac{PL^2}{2EI} \quad \overline{x}_2 = \frac{2L}{3}$$

$$A_0 = A_1 + A_2 = \frac{M_0 L}{EI} - \frac{PL^2}{2EI}$$

$$\theta_{B/A} = \theta_B - \theta_A = A_0 \quad \theta_A = 0$$

$$\theta_B = A_0 = \frac{M_0 L}{EI} - \frac{PL^2}{2EI}$$

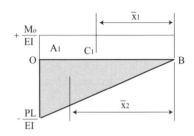

(2) 力矩面積法第二定理

$$Q = A_1 \overline{x}_1 + A_2 \overline{x}_2 = \frac{M_0 L^2}{2EI} - \frac{PL^3}{3EI}$$

$$t_{B/A} = Q = \delta_B \quad \delta_B = \frac{M_0 L^2}{2EI} - \frac{PL^3}{3EI} \quad \theta_B = \frac{PL^2}{2EI} - \frac{M_0 L}{EI} \quad \delta_B = \frac{PL^3}{3EI} - \frac{M_0 L^2}{2EI}$$

---

29. 如圖所示，試求在A點之角度與中間
處最大撓度。(EI為樑的撓度剛性)。

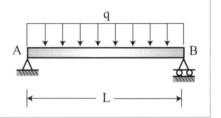

答：(1) 力矩面積法第一定理

$$\theta_A - \theta_C = \theta_A - 0 = (\frac{2}{3})(\frac{1}{2})(\frac{1}{8})\frac{qL^3}{EI}$$

$$\theta_A = \frac{qL^3}{24EI} \, (順時針)$$

$$\theta_B = \frac{qL^3}{24EI} \, (逆時針)$$

(2) 力矩面積法第二定理

$$\delta_C = \Delta_{AC} = (\frac{1}{24})(\frac{1}{2})(\frac{5}{8})\frac{qL^4}{EI}$$

(由C→A之面積矩)

$$\delta_C = \frac{5qL^4}{384EI} (\downarrow)$$

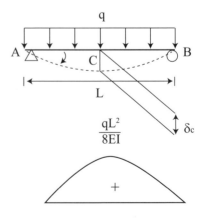

30. 如圖所示，試求在C點之撓度。(EI為樑的撓度剛性)。

【機械地特四等】

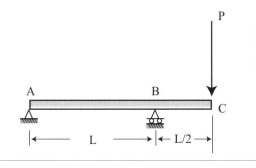

答：(1) 先求支承反力

$$\sum M_A = 0 \Rightarrow R_B = \frac{3}{2}P(\uparrow) \quad \sum F_y = 0 \Rightarrow R_A = \frac{1}{2}P(\downarrow)$$

(2) 畫剪力圖及彎矩圖：

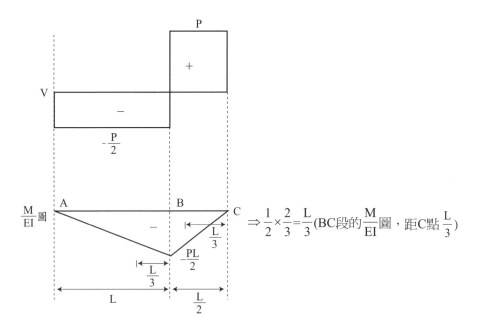

$$\Rightarrow \frac{1}{2} \times \frac{2}{3} = \frac{L}{3}(\text{BC段的}\frac{M}{EI}\text{圖，距C點}\frac{L}{3})$$

(3) 樑之變形如下所示：

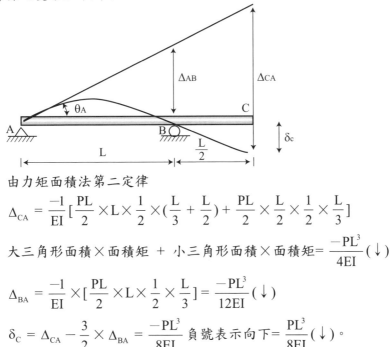

由力矩面積法第二定律

$$\Delta_{CA} = \frac{-1}{EI}[\frac{PL}{2}\times L\times \frac{1}{2}\times(\frac{L}{3}+\frac{L}{2})+\frac{PL}{2}\times \frac{L}{2}\times \frac{1}{2}\times \frac{L}{3}]$$

大三角形面積×面積矩 ＋ 小三角形面積×面積矩＝$\frac{-PL^3}{4EI}(\downarrow)$

$$\Delta_{BA} = \frac{-1}{EI}\times[\frac{PL}{2}\times L\times \frac{1}{2}\times \frac{L}{3}]=\frac{-PL^3}{12EI}(\downarrow)$$

$$\delta_C = \Delta_{CA}-\frac{3}{2}\times \Delta_{BA}=\frac{-PL^3}{8EI}\ 負號表示向下=\frac{PL^3}{8EI}(\downarrow)。$$

3. 線性疊加法

(1) 樑的基本撓度

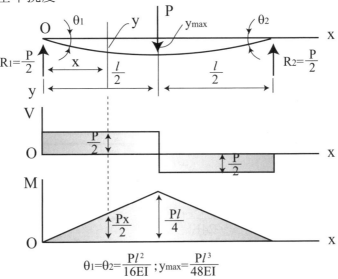

$$\theta_1=\theta_2=\frac{Pl^2}{16EI}\ ; y_{max}=\frac{Pl^3}{48EI}$$

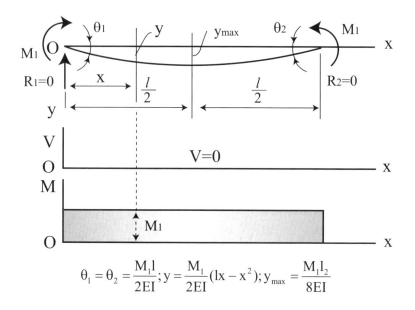

$$\theta_1 = \theta_2 = \frac{M_1 l}{2EI}; y = \frac{M_1}{2EI}(lx - x^2); y_{max} = \frac{M_1 l_2}{8EI}$$

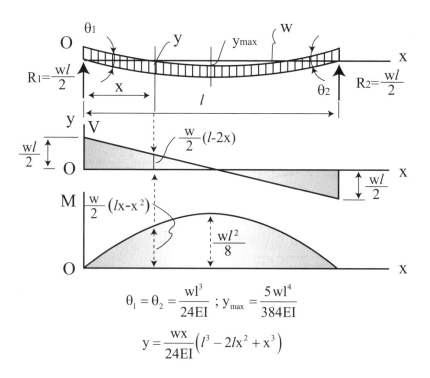

$$\theta_1 = \theta_2 = \frac{wl^3}{24EI} \; ; y_{max} = \frac{5wl^4}{384EI}$$

$$y = \frac{wx}{24EI}\left(l^3 - 2lx^2 + x^3\right)$$

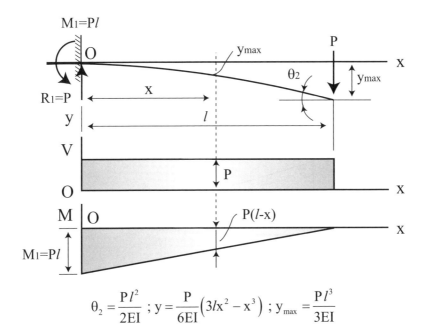

$$\theta_2 = \frac{Pl^2}{2EI} \; ; \; y = \frac{P}{6EI}\left(3lx^2 - x^3\right) \; ; \; y_{max} = \frac{Pl^3}{3EI}$$

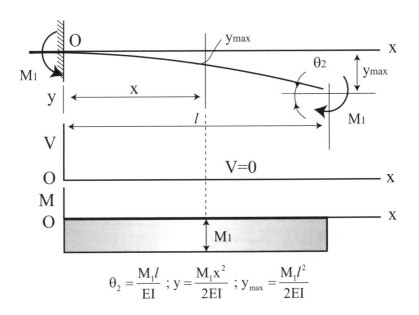

$$\theta_2 = \frac{M_1 l}{EI} \; ; \; y = \frac{M_1 x^2}{2EI} \; ; \; y_{max} = \frac{M_1 l^2}{2EI}$$

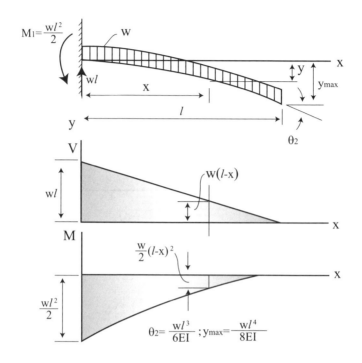

(2)線性疊加原理：小變形前提下，多個負載作用下的彎矩是各個負載
單獨作用下的彎矩之和，在材料依循虎克定律和小變形的條件下，
撓曲線微分方程是線性的。同時由於在小變形下可應用原始尺寸，
彎矩和荷載的關係也是線性的，因此當樑上作用複雜負載時，產生
的彎曲變形可看作幾種簡單荷載的疊加。

⚙ 焦點命題 ⚙

31. 某左端固定之懸臂樑，長度
為L、撓性剛度為EI。其上承
受往下均布負載w作用，且其
右端同時承受一順時針彎矩
$M_o = wL^2 / 2$ 作用。試求(1)樑
最大之旋轉角（撓角），（以
w、L、EI表之）。(2)樑最大
之撓度，（以w、L、EI表之）。【地方特考四等】

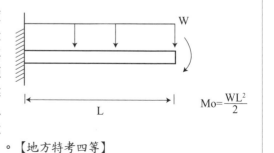

答：(1) 利用基本撓度公式

A. 均布負載W作用之撓角 $M_0 = \dfrac{WL^2}{2}$　$\theta_1 = \dfrac{WL^3}{6EI}$（↻）

B. 彎矩　　作用之撓角 $\theta_2 = \dfrac{M_0 L}{EI} = \dfrac{WL^3}{2EI}$（↻）　$\theta = \theta_1 + \theta_2 = \dfrac{2WL^3}{3EI}$（↻）

(2) A. 均布負載W作用之撓度 $\delta_1 = \dfrac{WL^4}{8EI}$（↓）

B. 彎矩 M_0 作用之撓度 $\delta_2 = \dfrac{M_0 L^2}{2EI} = \dfrac{WL^4}{4EI}$　$\delta = \delta_1 + \delta_2 = \dfrac{3WL^4}{8EI}$

---

32. 如圖所示之懸臂樑，楊氏係數（Young's modulus）為E，斷面面積矩以I表示，試求其在右側自由端B點處之垂向位移。【關務三等】

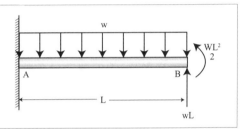

答：利用基本撓度公式

$$\delta_B = \frac{WL^4}{8EI} - \frac{(WL) \times L^3}{3EI} - \frac{(\frac{WL^2}{2}) \times L^2}{2EI} = -0.4583 \times (\frac{L^4}{EI})\,(\uparrow)$$

4. 靜不定樑

(1) 懸臂樑之靜不定結構

A. 樑靜不定度：

n(靜不定度)＝b(桿件數)＋r(反力數)＋s(剛接數)－2j(節點)

B. 解題方式：

(A) 使用力矩面積法求解靜不定樑之未知贅力。

(B) 先將各個分解力繪製分解之彎矩圖($\dfrac{M}{EI}$ 圖)，再利用力矩面積法以疊加的方式計算。

C. 採用每個已知之負載對應於彎矩圖內，利用位移諧和條件求解。

(2)連續樑

解題方式：

A.取內支承處斷面彎矩為贅力，使用力矩面積法求解未知贅力。

B.以疊加的方式繪製彎矩圖($\frac{M}{EI}$ 圖)。

C.採用每個已知之負載對應於彎矩圖內，以內支承左右側旋轉角相同之位移諧和條件求解。

◎ 焦點命題 ◎

33. 如圖所示，一支均勻瘦長的簡支梁（simply supported beam）AB於端點 A、B承受彎矩荷載。梁的長度為L，楊氏係數為E，斷面慣性矩為I。

(1)請繪製梁AB的剪力分布圖及彎矩分布圖。

(2)請推導該梁的撓度曲線（deflection curve）表示式 v(x)。【110普考】

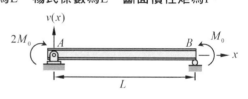

答：(1)先求支承反力

$\circlearrowleft \Sigma M_B = 0$

$R_A \times L + 2M_0 - M_0 = 0 \Rightarrow R_A = \dfrac{M_0}{L}$

$R_B = \dfrac{M_0}{L}$

剪力圖與彎矩圖如圖所示

(2) $M(x) = 2M_0 - \dfrac{M_0 x}{L} = EIv''$

$\Rightarrow EIv' = 2M_0 x - \dfrac{M_0 x^2}{2L} + C_1$

$EIv = M_0 x^2 - \dfrac{M_0 x^3}{6L} + C_1 x + C_2$

$x = 0 \Rightarrow y = 0 \Rightarrow C_2 = 0$

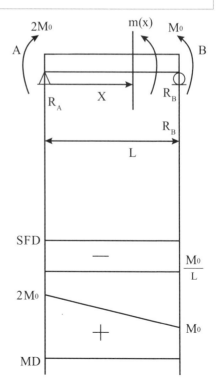

$$x = L，y = 0 \Rightarrow C_1 = -\frac{5M_0L}{6}$$

$$\therefore v(x) = [M_0 x^2 - \frac{M_0 x^3}{6L} - \frac{5M_0}{6}Lx]\frac{1}{EI}$$

---

34. 如下圖所示之懸臂樑AB，長度為L，其楊氏係數為E，斷面慣性矩為I，由中間C點（L/2）起至最右端受一均勻分布負載q。試求C點的撓曲（deflection）δ_C為何？
【102普考】

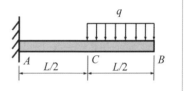

答：靜平衡求固定端反力

$$R_A = \frac{wL}{2}(\uparrow) M_A = \frac{3wL^2}{8}(逆)$$

$$\Delta_{CA} = \delta_C = \left[(\frac{1}{2} \times \frac{1}{2} \times \frac{1}{4} \times (\frac{1}{3} \times \frac{1}{2})) - (\frac{3}{8} \times \frac{1}{2} \times (\frac{1}{2} \times \frac{1}{2})) \right] \frac{wL^4}{EI} = -\frac{7wL^4}{192EI}(\downarrow)$$

（C～A範圍內$\frac{M}{EI}$圖面積對C點一次矩）

其中q=w
故$\delta_C = \frac{7qL^4}{192EI}(\downarrow)$

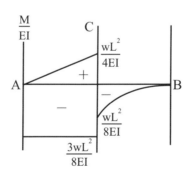

---

35. 一根橫樑受力情形如圖所示。求B處的反作用力為何？已知$E = 200\,GPa$及$I = 100\,cm^4$。註：懸臂樑端點受P力時，端點的撓度及斜率分別為$y = \frac{PL^3}{3EI}$及$\theta = \frac{PL^2}{2EI}$【關務三等】

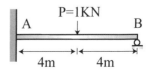

答：假設B點受力為x，靜定釋放

$$\Delta_{BA} = 0 = \frac{1}{EI}\{[-\frac{P\times L}{2}\times \frac{L}{2}\times \frac{1}{2}\times$$

$$(\frac{2}{3}\times \frac{L}{2}+\frac{L}{2})]+[xL\times \frac{1}{2}\times L\times \frac{2}{3}L]\}$$

$$\Rightarrow \frac{xL^3}{3EI}=\frac{5PL^3}{48EI}$$

$$\Rightarrow x = \frac{5}{16}P = \frac{5}{16}\times 1\times 10^3 = 312.5(N)$$

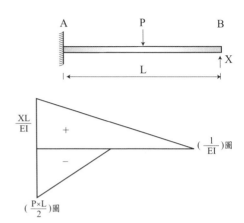

| 精選試題 |

基礎試題演練

1. 一簡支（simply supported）樑長度L=4m承載一均佈力（uniformly distributed load）q=5.8kN/m。已知樑截面寬b=140mm、高h=240mm，試求最大之彎曲應力（bending stress）σmax。【108普考】

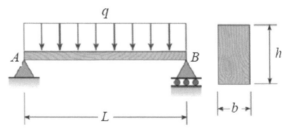

答：$M_{max}=\frac{qL^2}{8}=\frac{5.8\times 4^2}{8}=11.6(kN-m)$

$$\sigma = \frac{11.6\times 10^6 \times 120}{\frac{1}{12}\times 140\times 240^3}=8.63(MPa)$$

2. 試繪出如圖所示之剪應力和力矩圖(shear and moment diagram)。

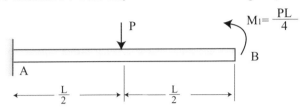

答：(1) 先求支承反力

$$\Sigma \quad =0 \Rightarrow M_A = \frac{PL}{4} \qquad \Sigma F_y = 0 \Rightarrow R_A = P$$

(2) 畫剪力圖與彎矩圖：

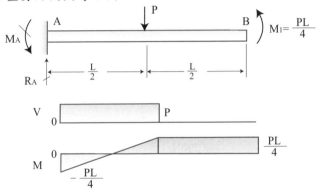

3. 如圖所示，懸臂樑左端插入直立牆內，牆內長度為 a 公尺，牆外長度為 L 公尺，右端有一集中力 P=200N。假設插入牆內端所受的反作用力分布為強度沿樑長度變化，如圖所示。求其最大強度 f_1 和 f_2。畫出牆外部份樑斷面的剪力圖和彎矩圖。【機械普考】

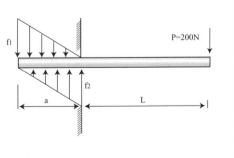

答：

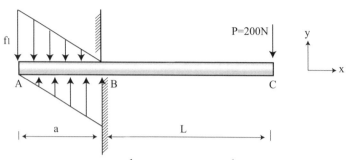

(1) $\sum F_y = 0 \Rightarrow f_1 a \times \dfrac{1}{2} + 200 = f_2 a \times \dfrac{1}{2}$ ……①

$\sum M_B = 0 \Rightarrow f_1 \times a \times \dfrac{1}{2} \times \dfrac{2}{3}a = f_2 \times a \times \dfrac{1}{2} \times \dfrac{1}{3}a + 200 \times L$ ……②

由①②$\Rightarrow f_2 = (\dfrac{1200L + 800a}{a^2})$，$f_1 = (\dfrac{1200L + 400a}{a^2})$

(2) 牆外部樑受力圖及剪力圖與彎矩圖：

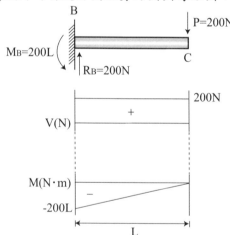

---

4. 試繪出如圖所示之剪應力和力矩圖(shear and moment diagram)。

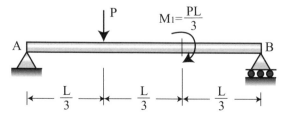

答：

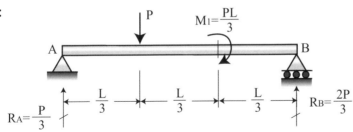

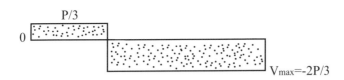

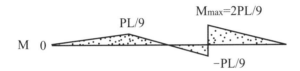

---

5. 有一簡支梁承受如圖之外力，請繪出其剪力圖及彎矩圖。【土木第二次地特四等】

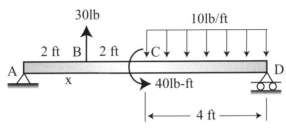

答：(1) 先求支承反力

$\sum M_A = 0 \Rightarrow R_D = 17.5\,\ell b\,(\uparrow)$　$\sum M_D = 0 \Rightarrow R_A = 7.5\,\ell b\,(\downarrow)$

(2) 畫剪力圖及彎矩圖

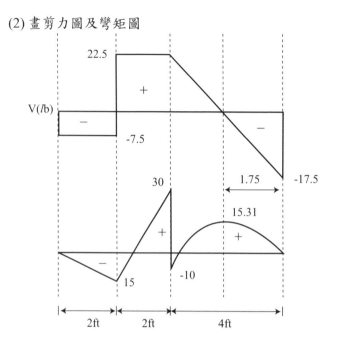

---

6. 如圖所示，試繪出樑(Beam)之剪力圖與彎矩圖。

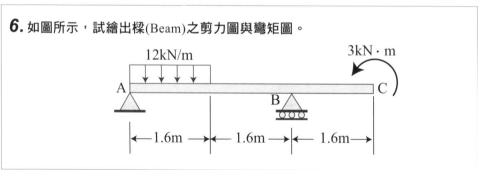

答：(1) 先求支承反力

$$\sum M_A = 0 \Rightarrow$$

$$12 \times 1.6 \times \frac{1.6}{2} - R_B \times 3.2 - 3 = 0$$

$$\Rightarrow R_B = 3.86(KN)$$

$$\sum F_y = 0 \Rightarrow 12 \times 1.6 = R_A + R_B \Rightarrow R_A = 15.34(KN)$$

(2) 畫剪力圖與彎矩圖：

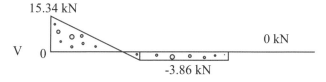

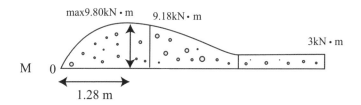

7. 某一工程師以6×90之扁鋼設計結構AB以承受F之負載，如圖(a)，扁鋼的截面如圖(b)所示，完成後才發現該設計無法滿足公司規範要求：1.應力 ≤ ± 180MPa及2.最大變形 ≤（間距/500），所幸，倉庫尚有一塊相同材料可以補強該結構。試回答下列問題：

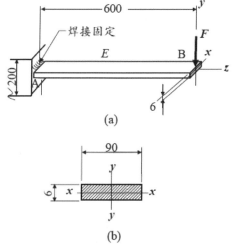

(1) 若負載F＝2～3kN，試分析原設計無法滿足何者規範？
(2) 原設計最大應力會發生在何處？
(3) 應如何用相同材料合理的去補強原設計？請畫出補強後之AB截面圖（加註座標、承載力方向），並計算補強後之總面積慣性矩。
(4) 補強後之AB結構，受F之最大應力為多少？發生在何處？【108關務四等】

答：(1) F＝3000N

$$\sigma = \frac{My}{I} = \frac{3000 \times 600 \times 3}{\frac{1}{12} \times 90 \times 6^3} = 3333.33(MPa) > 180(MPa)$$

無法滿足應力 $\leq \pm 180(MPa)$

$$\delta = \frac{PL^3}{3EI} = \frac{3000 \times (600)^3}{3 \times 200 \times 10^3 \times \frac{1}{12} \times 90 \times 6^3} = 666.66(mm) > \frac{600}{500}$$

無法滿足最大變形 $\leq \dfrac{間距}{500}$

(2) 最大應力發生在A處

(3)

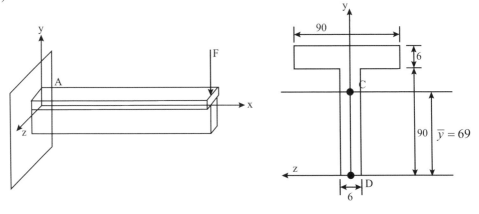

將材料如上圖補強，其斷面積如右圖所示先求形心位置

$90 \times 6 \times 93 + 90 \times 6 \times 45$

$= [90 \times 6 \times 2]\bar{y} \Rightarrow \bar{y} = 69$

面積慣性矩 $I = \dfrac{1}{3} \times 6 \times 69^3 + \dfrac{1}{3} \times 90 \times 27^3 - \dfrac{1}{3} \times 84 \times 21^3 = 988200(mm^4)$

(4) $\delta = \dfrac{My}{I} = \dfrac{3000 \times 600 \times 69}{988200} = 125.68(MPa)$發生於A處之底部D點位置

8. 如圖所示，請繪製剪力圖及彎矩圖，並求其危險截面距左端多遠。【機械地特四等】

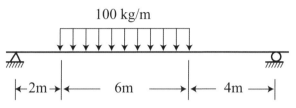

答：(1) 先求支承反力

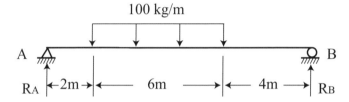

$$\sum M_A = 0 \Rightarrow R_B = 250 (kg) \qquad \sum F_y = 0 \Rightarrow R_A = 350 (kg)$$

(2) 畫剪力圖及彎矩圖：

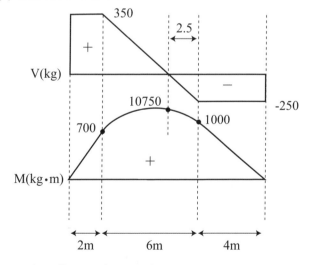

故危險截面距左端距離=2+6-2.5=5.5(m)

9. 試繪出如圖所示之剪應力和力矩圖(shear and moment diagram)。

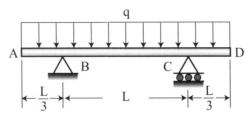

答：

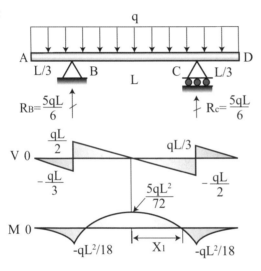

$$x_1 = L\frac{\sqrt{5}}{6} = 0.3727L$$

10. 右圖所示，有一直徑為20mm
的圓軸，其長度為200mm，
該軸以兩組軸承在A、B兩點
支撐，A、B兩點之間距為
80mm，若忽略該軸之重量，
今有一外力800N（牛頓）作用
於C點，試求該軸在A、B兩點
的反作用力各為若干？另，該
軸在A、B兩點之彎矩各為若
干？【關四】

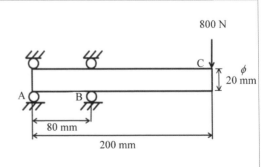

答：(1) $\Sigma M_A = 0$

$R_B \times 80 = 800 \times 200$

$R_B = 2000 \text{ N} \uparrow$

$\Sigma F_y = 0$

$R_B - R_A - 800 = 0$

$R_A = 1200 \text{ N} \downarrow$

(2)由彎矩圖可知

A點$M_A = 0$

B點$M_B = 96000$ N-mm

（凹口向下）

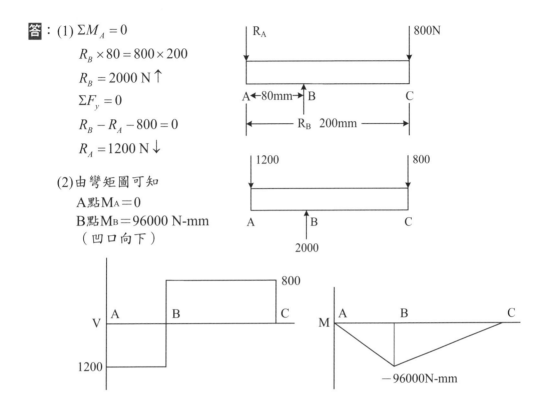

11. 有一簡支梁上受到一個順時針力矩M＝2KN・m以及一個集中負荷P＝4kN如右圖所示。

(1)求支點A、B的反作用力。

(2)繪出該梁的剪力圖與彎矩圖。

(3)求簡支梁內的最大彎曲應力。梁橫截面為矩形，寬0.1m，高0.2m。

【100關四】

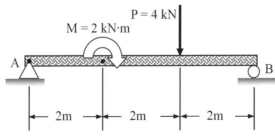

答：(1) 取梁之F、B、D

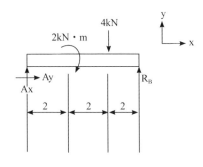

$$\sum M_A = 0 +$$

$$-2-4\times4+R_B\times6=0$$

$R_B = 3(kW)(\uparrow)$

$$\sum F_X = 0 \rightarrow+$$

$A_x = 0$

$$\sum F_y = 0 \uparrow+$$

$A_y - 4+3=0$

$A_y = 1(KN)(\uparrow)$

(2) V－D及M－D圖

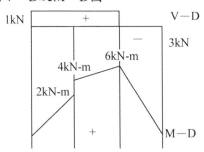

(3) 已知

$M_{max}=6kN-m$

$$\sigma = \frac{My}{I} = \frac{6M}{6h^2}$$

$$\Rightarrow \frac{6\times6\times10^3}{0.1\times0.2^2} = 9 \,(MPa)$$

12. 如下圖所示之簡支樑AB，長度為L，在距離中間（L/2）算起右方x處，受一集中力P。該樑的斷面為長方形，寬度為一固定值b，高度為h，h隨x而變。假設只考慮由彎曲（bending）所造成的垂直應力（normal stresses），而能承受的最大應力值（allowable stress）為σ allow。若要使簡支樑的重量達到最小，h應該為何？【100地四】

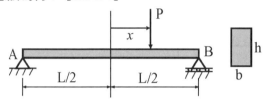

答：$R_A = \dfrac{P \times (\dfrac{L}{2} - x)}{L}$

$M = \dfrac{P \times (\dfrac{L}{2} - x) \times (\dfrac{L}{2} + x)}{L}$

$S = \dfrac{1}{6} \times b \times h^2(x)$

$\sigma = \dfrac{M}{S} = \dfrac{P \times (\dfrac{L}{2} - x) \times (\dfrac{L}{2} + x)}{L \times \dfrac{1}{6} \times b \times h^2(x)}$

$h(x) = [\dfrac{P \times (\dfrac{L}{2} - x) \times (\dfrac{L}{2} + x)}{L \times \dfrac{1}{6} \times b \times \sigma}]^{\frac{1}{2}}$

13. 下圖簡支樑以木頭製成，具矩形截面，因特殊需求，截面寬度須設計成90mm。已知該類木頭所允許的正向應力與剪應力各為$\sigma_{all} = 12MPa$與$\tau_{all} = 0.3MPa$，如僅以線彈性力學的應力考量，請問該矩形梁所需的最小截面高度為多少？

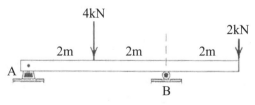

答：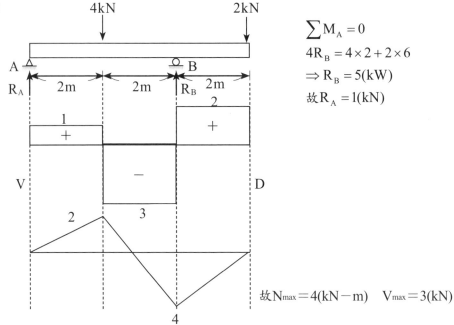

$$\sum M_A = 0$$
$$4R_B = 4 \times 2 + 2 \times 6$$
$$\Rightarrow R_B = 5(kW)$$
$$故 R_A = 1(kN)$$

故 $N_{max} = 4(kN-m)$　$V_{max} = 3(kN)$

$$\sigma = \frac{My}{I} = \frac{4 \times 10^3 \times \frac{n}{2} \times 10^3}{\frac{1}{12} \times 90 \times h^3} = 12 \quad h = 149.07(mm)$$

$$\tau = \frac{3}{2}\frac{V}{A} = \frac{3}{2} \times \frac{3 \times 10^3}{90 \times h} = 0.3 \Rightarrow h = 166.67(mm)$$

---

14. 一正方形截面的橫樑承受單純彎力矩
（pure bending moment）。此橫樑之
截面可以右圖之A或B的方式水平橫
置，以承受單純彎力矩。其材料特性
以線性彈性估算之。

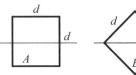

(1)如果此橫樑截面以A的方式橫置，請求出截面A的慣性矩（area moment of inertia）。請將答案以截面邊長"d"表示之。

(2)如果此橫樑截面以B的方式橫置，請求出截面B的慣性矩（area moment of inertia）。請將答案以截面邊長"d"表示之。

(3)請求出以上A、B兩放置的截面情況所能承受的最大彎力矩（M_{max}）的比值。亦即"M_A/M_B"的值為何？

答：(1) $I_A = \dfrac{d^4}{12}$

(2) $I_B = \dfrac{d^4}{12}$

(3) $\dfrac{M_A \times \dfrac{d}{2}}{I_A} = \dfrac{M_B \times \dfrac{\sqrt{2}d}{2}}{I_B} \Rightarrow \dfrac{M_A}{M_B} = \sqrt{2}$

---

15. 如圖(a)之簡支樑在跨距中點承受集中負載P，樑截面如圖(b)由三塊矩形於接合面膠合而成，若膠合處之容許剪應力為600kPa，在不計樑本身自重下，試求在膠合處剪強度(shear strength)考量下所能容許之最大負載P。
【103地四】

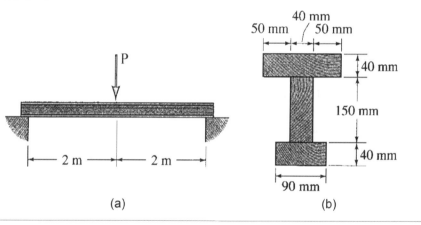

(a)   (b)

答：

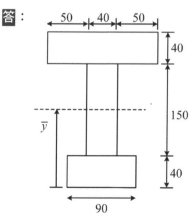

$$\overline{y} = \frac{90 \times 40 \times \frac{40}{2} + 150 \times 40 \times (\frac{150}{2} + 40) + 140 \times 40 \times (190 + \frac{40}{2})}{90 \times 40 + 150 \times 40 + 140 \times 40}$$

$$= \frac{1938000}{15200} = 127.5 (\text{mm})$$

$$\overline{y} = 40 + 40 + 150 - 127.5 = 102.5 (\text{mm})$$

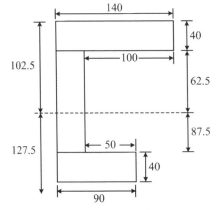

$$I = \frac{1}{3} \times 140 \times 102.5^3 - \frac{1}{3} \times 100 \times 62.5^3 + \frac{1}{3} \times 90 \times 127.5^3 - \frac{1}{3} \times 50 \times 87.5^3$$

$$= 93131666 (\text{mm}^4)$$

上接合面 $Q = 140 \times 40 \times (62.5 + \frac{40}{2}) = 462000 (\text{mm}^3)$

下接合面 $Q = 90 \times 40 \times (127.5 - \frac{40}{2}) = 387000 (\text{mm}^3)$

上接合面

$$\tau = \frac{VQ}{It} \le \tau_{all} \Rightarrow \frac{\frac{P}{2} \times 462000}{93131666 \times 40} \le 0.6 \Rightarrow P \le 9676 (\text{N})$$

下接合面

$$\tau = \frac{VQ}{It} \le \tau_{all} \Rightarrow \frac{\frac{P}{2} \times 387000}{93131666 \times 40} \le 0.6 \Rightarrow P \le 11551 (\text{N})$$

取 $P = 9676 (\text{N})$

16. 吾人使用A，B兩應變計（strain gages）量測橫樑之形變如圖四所示。經量測換算得知A處的軸向應力為 6000N/m^2（受壓力），B處的軸向應力為 2000N/m^2（受拉力）。請求出此橫樑上表面的軸向應力為何（答案請註明受壓力或拉力）。【104鐵員】

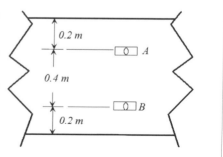

答：$\overline{OA}:\overline{OB}=6000:2000$

且 $\overline{OA}+\overline{OB}=0.4$

$\overline{OB}=0.1(\text{m})$，$\overline{OA}=0.3(\text{m})$

$\overline{OC}:\overline{OD}=0.5:0.3=-\sigma_c:\sigma_t$

且 $\overline{OA}:\overline{OC}=6000=-\sigma_c=0.3:0.5$

$\Rightarrow \sigma_c=-10000(\text{N}/\text{m}^2)$

$\sigma_t=6000(\text{N}/\text{m}^2)$

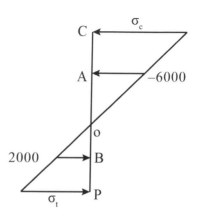

進階試題演練

1. 長L的懸臂梁AB中，A點為固定端，在B點處用插銷（Pin）方式與長2L的柱子BGC連接，其中C點為一鉸支撐（Hinge），在G點有滑輪作側撐。另外，懸臂梁在B點處亦承托著長L簡支梁BD在左端的滑輪，且簡支梁在D點承受一力矩M_D。令所有桿件的楊氏係數為E及彎曲慣性力矩為I，柱子BGC的斷面面積為A。若梁AB的軸向變形可忽略不計，試求當柱子BGC產生挫屈（Buckling）時的最小M_D（用E,A,I,L來表示；忽略所有桿件的重量）。【109地四】

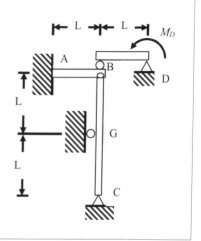

答：(1) 取BD之F.B.D

$\Sigma M_D = 0$

$M_D = R_B \times L \Rightarrow R_B = \dfrac{M_D}{L}$

(2) 取AB之F.B.D

$\delta_B = \dfrac{(R_B - x)L^3}{3EI} = \dfrac{x(2L)}{EA}$

$\Rightarrow \dfrac{(\dfrac{M_D}{L}) \times L^3}{3EI} = x[\dfrac{L^3}{3EI} + \dfrac{2L}{EA}]$

$x = \dfrac{M_D L^2}{3EI[\dfrac{L^3}{3EI} + \dfrac{2L}{EA}]}$

(3) 挫曲分析

桿件出紙面挫曲

$P_{cr} = \dfrac{\pi^2 EI}{(2L)^2} = x \Rightarrow \dfrac{M_D L^2}{3EI[\dfrac{L^3}{3EI} + \dfrac{2L}{EA}]} = \dfrac{\pi^2 EI}{(2L)^2}$

$M_D = \dfrac{\pi^2 EI \times 3EI[\dfrac{L^3}{3EI} + \dfrac{2L}{EA}]}{4L^4}$

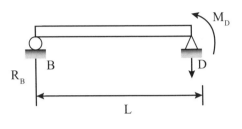

2. 已知某一樑結構之T形截面，截面慣性矩(moment of inertia) I = 69.66 in⁴，如圖所示，其形狀中心的位置 c = 3.045 inch，受到1000lb的剪力(shear force)，試問：該樑在截面的最大剪應力？

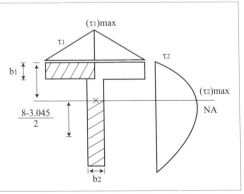

答：$(\tau_1)_{max} = \dfrac{VQ_1}{Ib_1} = \dfrac{10000 \times [1 \times 2 \times (3.045-1)]}{69.66 \times 1} = 587.14(\text{psi})$

$(\tau_2)_{max} = \dfrac{VQ_2}{Ib_2} = \dfrac{10000 \times [1 \times (8-3.045) \times (\dfrac{8-3.045}{2})]}{69.66 \times 1} = 1762.28(\text{psi})$

---

3. 有一懸臂樑如圖所示，在中點有一支點B，在自由端C受到一向下的力P，試問：(1)此樑在此負荷與拘束狀態之下稱為什麼狀態？(2)求各支點之反作用力與力矩。(3)繪出剪力圖與彎曲力矩圖。【機械技師】

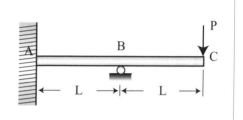

答：(1) 靜不定樑結構。

(2) 假設B為贅力x，釋放結構體：

利用力矩面積法第二定理

$\Delta_{BA} = \delta_B = 0$

$\Rightarrow \dfrac{1}{EI}[-PL \times L \times \dfrac{L}{2} - PL \times L \times \dfrac{1}{2} \times \dfrac{2}{3}L + xL \times L \times \dfrac{1}{2} \times \dfrac{2}{3}L] = 0$

$\Rightarrow \dfrac{5PL^3}{6} = \dfrac{xL^3}{3} \Rightarrow R_B = x = \dfrac{5}{2}P(\uparrow) \sum F_y = 0 \quad R_A = \dfrac{3P}{2}(\downarrow)$

$\sum M_A = 0 \Rightarrow M_A = \dfrac{PL}{2}(\circlearrowleft)$

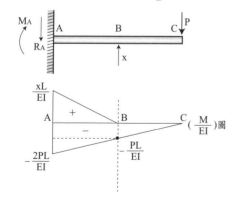

(3) 畫剪力圖與彎矩圖：

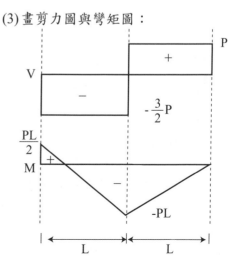

Chapter 05　應力元素應用

⚙ 5-1｜組合應力與變形

1. 基本應力

	圖示	說明	公式
張應力	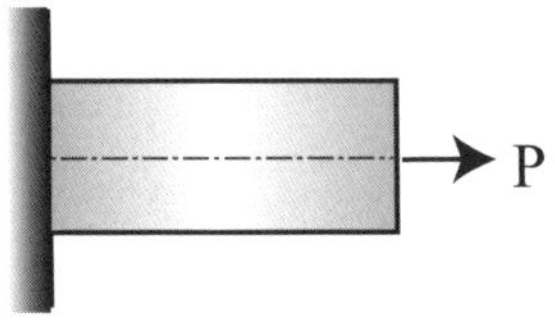 →P	P：通過軸心線之軸向張力 A：截面積 σ_t：軸向張應力	$\sigma_t = \dfrac{P}{A}$
壓應力	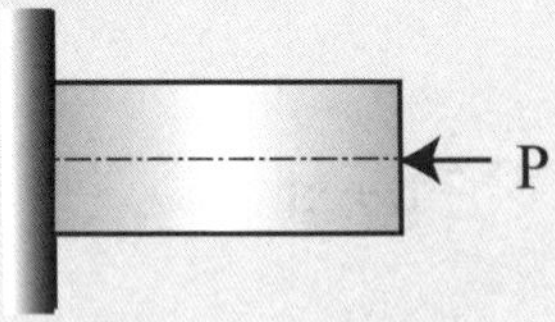 ←P	P：通過軸心線之軸向壓力 A：截面積 σ_c：軸向壓應力	$\sigma_c = \dfrac{P}{A}$
彎曲應力	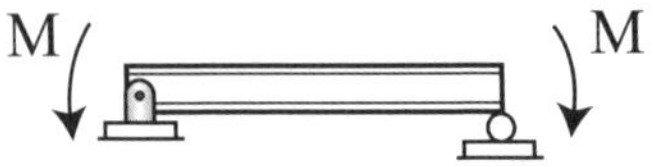 M　M	M：彎曲力矩 I：慣性矩 y：中立軸至兩端之距離 σ：彎曲應力	$\sigma = \dfrac{My}{I}$
扭轉應力	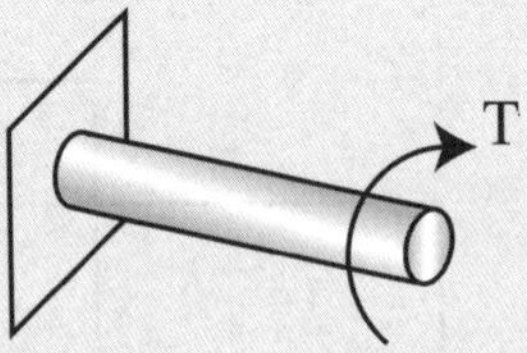 T	T：扭轉力矩 J：極慣性矩 R：圓軸之半徑 τ：扭轉應力	$\tau = \dfrac{TR}{J}$

2. 組合應力變形

(1) 在工程應用上結構中的桿構件，受外力作用產生的變形比較複雜，經分析後均可看成若干種基本變形(彎曲、扭轉、拉伸壓縮)的組合，構件受力後產生的變形是由兩種以上基本變形的組合，稱為組合變形。

(2)對於組合變形的計算,首先按靜力等效原理,將負載進行簡化、分解,使每一種負載產生一種基本變形;其次,分別計算各基本變形的解(內力、應力、變形),最後綜合考慮各基本變形,疊加其應力、變形,進行桿構件受力狀況的分析。

3. 組合變形解題步驟

(1)外力分析:外力向形心簡化並沿主慣性軸分解,並計算支承反力。

(2)內力分析:利用第三至第四章內容所述之基本變形分析方式,求出每個外力分量對應的內力方程,利用自由體圖計算桿構件接觸部位或是桿構件之內力與桿構件之基本變形。

(3)對於線彈性狀態的構件,所有受力狀況分解為基本變形,考慮在每一種基本變形下的應力和變形,然後進行疊加,而得到桿構件之組合變形。

4. 組合應力分析

拉伸與彎曲

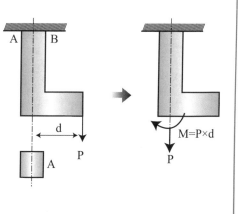

(1)拉力(P):對A、B產生拉應力 $\sigma_t = \dfrac{P}{A}$ 。

(2)彎矩(M):

　A. 對A點:產生壓應力

　　$\sigma_C = \dfrac{M \cdot y}{I}$

　B. 對B點:產生拉應力

　　$\sigma_t = \dfrac{M \cdot y}{I}$

故:最大拉應力產生在B點

$\sigma_{max} = \sigma_B = \dfrac{P}{A} + \dfrac{M \cdot y}{I}$

最小拉應力產生在A點

$\sigma_{min} = \sigma_A = \dfrac{P}{A} - \dfrac{M \cdot y}{I}$

壓縮與彎曲

(1)壓力(P)：對A、B產生壓應力 $\sigma_C = -\dfrac{P}{A}$ 。

(2)彎矩(M)：

    A. 對A點：產生拉應力

        $\sigma_t = \dfrac{M \cdot y}{I}$ 。

    B. 對B點：產生壓應力

        $\sigma_C = -\dfrac{M \cdot y}{I}$ 。

故：最大壓應力產生在B點

$\sigma_{max} = \sigma_B = -\dfrac{P}{A} - \dfrac{M \cdot y}{I}$

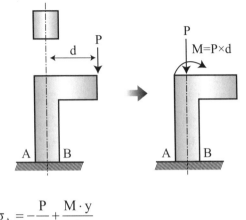

最小壓應力產生在A點 $\sigma_{min} = \sigma_A = -\dfrac{P}{A} + \dfrac{M \cdot y}{I}$

扭轉與彎曲

(1)P、S兩點：P點受到最大彎曲張應力及最大扭轉剪應力；而在S點表面則有最大彎曲壓應力及最大扭轉剪應力。P、S兩點表面無橫向剪應力，故此兩點表面同時受到彎矩及扭矩的作用，通常會產生最大剪應力與主應力。

    A. 最大主應力 $\sigma_{max} = \dfrac{\sigma}{2} + \sqrt{\left(\dfrac{\sigma}{2}\right)^2 + \left(\tau_2\right)^2} = \dfrac{16M}{\pi d^3} + \sqrt{\left(\dfrac{16M}{\pi d^3}\right)^2 + \left(\dfrac{16T}{\pi d^3}\right)^2}$

    令 $\sqrt{M^2 + T^2} = T_C$ ，T_C 稱為相當扭矩或等效扭矩。

    令 $\dfrac{1}{2}\left(M + \sqrt{M^2 + T^2}\right) = \dfrac{1}{2}\left(M + T_C\right) = M_C$ ，M_C 稱為相當彎矩或等

    效彎矩。$\therefore \sigma_{max} = \dfrac{16}{\pi d^3}\left(M + \sqrt{M^2 + T^2}\right)$

    得 $\sigma_{max} = \dfrac{32}{\pi d^3} \cdot M_C = \dfrac{M_C}{Z}$

    B. 最小主應力 $\sigma_{min} = \dfrac{\sigma}{2} - \sqrt{\left(\dfrac{\sigma}{2}\right)^2 + \left(\tau_2\right)^2} = \dfrac{16}{\pi d^3}\left(M - \sqrt{M^2 + T^2}\right)$

(2)R點：R點表面受到剪力產生的橫向剪應力及扭矩產生的扭轉剪
　　應力，所以R點僅受到剪應力（彎曲應力為0）。

$$\therefore \tau_R = \tau_1 + \tau_2 = \frac{4V}{3A} + \frac{16T}{\pi d^3}$$

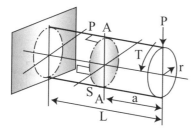

焦點命題

---

1. 一桿直徑為40mm，其受力方
式如圖所示，試求A、B兩點
所受的應力值為多少？

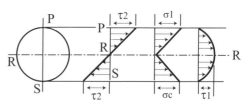

答：$r = \frac{40}{2}$ mm $= 0.02$m　　$I = \frac{1}{4}\pi r^4 = \frac{1}{4}(\pi)(0.02^4) = 0.1256637(10^{-6})\text{m}^4$

$A = \pi r^2 = \pi(0.02^2) = 1.256637(10^{-3})\text{m}^2$

$$\sigma_A = \frac{P}{A} + \frac{M_Z}{I} = \frac{400}{1.256637(10^{-3})} + 0 = 0.318\,\text{MPa}$$

$$\tau_A = \frac{VQ_A}{I_t} = \frac{692.82(5.3333)(10^{-6})}{0.1256637(10^{-6})(0.04)} = 0.735\,\text{MPa}$$

$$\sigma = \frac{}{A} - \frac{}{I} = \frac{400}{1.256637(10^{-3})} - \frac{138.56(0.02)}{0.1256637(10^{-6})} = -21.7\,\text{MPa}$$

2. 如右圖，A點之最大主應力

為多少(以M、T、D表示)？【台電】

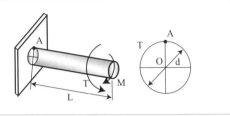

答：$I = \dfrac{\pi r^4}{4} = \dfrac{\pi}{64} d^4$　　$\sigma = \dfrac{My}{I} = \dfrac{M(\frac{d}{2})}{\frac{\pi}{64}(d)^4} = \dfrac{32M}{\pi d^3}$

$\tau = \dfrac{TC}{I} = \dfrac{T \times (\frac{d}{2})}{\frac{\pi}{32}(d^4)} = \dfrac{16T}{\pi d^3}$　　$\sigma_1 = \dfrac{\sigma}{2} + \sqrt{(\dfrac{\sigma}{2})^2 + \tau^2} = \dfrac{16}{\pi d^3}(M + \sqrt{M^2 + T^2})$

3. 有一直徑40mm之圓柱，下端固定，上端承載900N
之軸向拉力及逆時針扭矩2.50N·m，如圖五所
示，求圓周面上P點之主軸應力及其轉角。（註：
圓柱之自重不考慮）【機械高考】

答：$\sigma_x = \dfrac{900}{\frac{\pi}{4} \times (0.04)^2} = 716197.24 \,(Pa)$　　$\tau = \dfrac{2.5 \times (\frac{0.04}{2})}{\frac{\pi}{2} \times (\frac{0.04}{2})^4} = 198943.68 \,(Pa)$

$\sigma_{1,2} = \dfrac{\sigma_x}{2} \pm \sqrt{(\dfrac{\sigma_x}{2})^2 + (\tau)^2}$　$= 358098.62 \pm 409650.1$

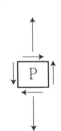

$\Rightarrow \sigma_1 = 767748.73 \,(Pa)$ ，$\sigma_2 = -51551.48$　　$\theta = \dfrac{1}{2} \tan^{-1}(\dfrac{2\tau}{\sigma_x}) = 14.53°$

4. 如圖所示，兩個垂向力分別經由A、B 兩點作用在固定於空心軸DE的齒輪。已知空心軸的內徑及外徑分別為40mm及60mm，試求作用在H點的彎曲應力以及剪應力各為多少？齒輪及空心軸的重量皆可忽略不計。

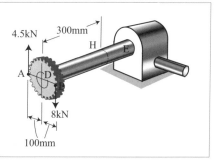

答： $I = \dfrac{\pi}{64}\left(60^4 - 40^4\right) = 510508.8\,\text{mm}^4$ $\quad J = 2I = 1021017.6\,\text{mm}^4$

$M = \left(8 - 4.5\right) \times 10^3 \times 300 = 1050 \times 10^3\,\left(\text{N} - \text{mm}\right)$

$T = \left(8 + 4.5\right) \times 10^3 \times 100 = 1250 \times 10^3\,\left(\text{N} - \text{mm}\right)$

H點彎曲應力 $\sigma = \dfrac{1050 \times 10^3 \times 30}{510508.8} = 61.7\,$（Mpa，拉）

H點剪應力 $\tau = \dfrac{1250 \times 10^3 \times 30}{1021017.6} = 36.7\,$（Mpa）

5. 如圖所示，一靜止軸和一滑輪承受一靜力2000lb作用，試問在圖中直徑1in.上所有可能的應力有哪些？所對應之數值為多少？並求最大應力所在的位置及其所對應之應力值。【普考】

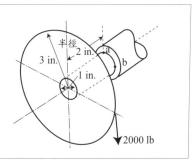

答： (1) 取靜止軸自由體圖

$t = 2000 \times 3 = 6000\,\text{lb} - \text{in}$

(2) a點所受應力

A. 拉應力

$\sigma = \dfrac{My}{I} = \dfrac{2000 \times 2 \times \left(\dfrac{1}{2}\right)}{\dfrac{\pi}{4} \times \left(\dfrac{1}{2}\right)^4} = 40743.66\,$（Psi）

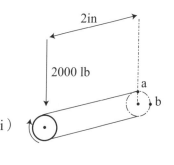

B. 扭轉剪應力

$$\tau = \frac{Tr}{J} + \frac{4}{3}\frac{V}{A} = \frac{6000 \times \left(\dfrac{1}{2}\right)}{\dfrac{\pi}{2} \times \left(\dfrac{1}{2}\right)^4} = 30557.75 \ (\text{Psi})$$

C. 最大主應力

$$\sigma = \frac{\sigma}{2} + \sqrt{\left(\frac{\sigma}{2}\right)^2 + (\tau)^2} = 57096.67 \ (\text{Psi})$$

(3) b點所受之應力

b點僅受扭轉剪應力及直接剪應力

$$\tau = \frac{Tr}{J} + \frac{4}{3}\frac{V}{A} = \frac{6000 \times \left(\dfrac{1}{2}\right)}{\dfrac{\pi}{2} \times \left(\dfrac{1}{2}\right)^4} + \frac{4}{3} \times \frac{2000}{\dfrac{\pi}{4} \times 1^2} = 33953.06 \ (\text{Psi})$$

(4) 比較a、b點,即最大應力位於a點 $\sigma_1 = 57096.67$ (Psi)

---

6. 如圖是一個常見的曲柄扳手尺寸和受力狀況的圖形,尖端A處受到1000N向下的力,扳手末端固定於C處,材料的E=207GPa,試求:(1)B點的撓度及角位移。(2)圖中固定端中何處最容易破壞,且所受彎曲正向應力和扭轉剪應力為何?

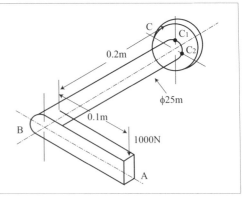

答:(1) B點撓度

$$I = \frac{\pi D^4}{64} = \frac{\pi \times (0.025)^4}{64} = 2 \times 10^{-8} \, \text{m}^4$$

$$y_{max} = \frac{WL^3}{3EL} = \frac{1000 \times (0.2\,\text{m})^3}{3 \times 207 \times 10^9 \times 2 \times 10^{-8}} = 6.4 \times 10^{-4} \, \text{m}$$

BC圓柱部分也受到 $T = 1000\,\text{N} \times 0.1\,\text{m} = 100\,\text{N-m}$ 的扭矩,

扭矩所造成的角位移：

$$J = \frac{\pi D^4}{32} = \frac{\pi \times (0.025)^4}{32} = 3.8 \times 10^{-8}\, m^4$$

$$\theta = \frac{TL}{GJ} = \frac{100 \times 0.2}{80 \times 10^9 \times 3.8 \times 10^{-8}} = 0.0066 \ (rad)$$

(2) 整個結構最大應力顯然發生在C點固定中的C_1處，所以最容易破壞處為C_1處，其受力包括彎曲正向應力和扭轉剪應力兩部份：

$$\sigma_{max} = \frac{MC}{I} = \frac{1000 \times 0.2 \times 0.025 \diagup 2}{2 \times 10^{-8}} = 1.25 \times 10^8\, Pa = 125\, MPa$$

$$\tau_{max} = \frac{TC}{J} = \frac{100 N \cdot m \times 0.025 \diagup 2}{3.8 \times 10^{-8}} = 32.9 \times 10^6\, Pa = 32.9\, MPa \ 。$$

⚙ 5-2 內壓薄壁容器之應力分析

1. 內壓薄壁圓筒的應力分析

(1) 薄壁圓筒在內壓P作用下，圓筒壁上任一點將產生兩個方向的應力，如圖5.1所示，一個是由內壓作用在封頭上的軸向拉應力而引起的軸向應力稱之為徑向應力σ_a；另一個是由於內壓作用使圓筒均勻向外膨脹，在圓周切線方向產生的應力，稱為環向應力σ_θ表示。

(2) 根據截面法，作一垂直於圓筒軸線的橫截面，將圓筒分成兩部分，根據平衡條件，內壓作用於焊接處的軸向外力必須與軸向應力作用於壁厚上的合力相等，即：$\pi R^2 P = \pi 2Rt \sigma_\phi$

其中R：等於內半徑、P：內壓力、t：薄壁厚度

上式簡化後得：$\sigma_a = \frac{PR}{2t} = \sigma_2$，同理可計算出 $\sigma_\theta = \frac{PR}{t} = \sigma_1$

2. 內壓薄壁球形容器的應力分析：

以同樣的分析方法可以求得承受內壓作用下球形容器的應力，因球形容器是中心對稱，故殼體上各處的應力均相等，並且徑向應力σ_ϕ與周向應力σ_θ也相等，根據截面法可推出應力計算

公式為：$\sigma_\varphi = \sigma_\theta = \frac{PR}{2t}$ (球形容器) $= \sigma_1 = \sigma_2$

3. 薄壁容器的組合應力分析：對於組合變形的計算，首先按靜力等效原理，將負載進行簡化、分解，使每一種負載產生一種基本變形；其次，分別計算各基本變形的解（內力、應力、變形），最後綜合考慮各基本變形，疊加其應力、變形，進行桿構件受力狀況的分析。

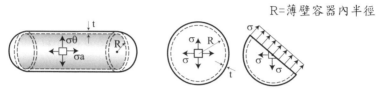

圖5.1　薄壁圓筒在內壓P作用下的應力

焦點命題

7. 一球型氣體儲槽，具內半徑r＝1.5m。若其承受內壓力p＝300kPa，且正向應力不超過12MPa，求其所需厚度。

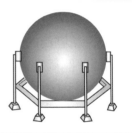

答： $\sigma_{allow} = \dfrac{pr}{2t}$ ； $12(10^6) = \dfrac{300(10^3)(1.5)}{2t}$ 　　　$t = 0.0188\,m = 18.8\,mm$

8. 薄壁圓筒在內壓P作用下且受到F的軸向力，試求該薄壁圓筒表面所受之主平面應力(R ：等於內半徑、 P ：內壓力、 t ：薄壁厚度)

答： $\sigma_\theta (徑向應力) = \sigma_1 = \dfrac{pr}{t}$ 　$\sigma_2 = 軸向應力 = \dfrac{pr}{2t} - \dfrac{F}{A} = \dfrac{pr}{2t} - \dfrac{F}{2\pi rt}$

⚙ 5-3 ┃ 破壞理論

1. 延性材料破壞理論

(1) 最大剪應力理論（maximum shear stress theory）：只適用於延性材料，材料塑性降伏破壞的主要因素是最大剪應力 τ_{max}，只要最大剪應力 τ_{max}達到材料在軸向拉伸時發生塑性降伏破壞的降伏強度 Sy，材料就發生塑性降伏破壞；在材料受到雙軸以上之應力狀態下的 $\tau_{max} = \dfrac{\sigma_1 - \sigma_3}{2}$，容許剪應力通常考慮採用材料的剪力降伏強度（yielding strength in shear）Ssy(Ssy = 0.5Sy)，表示材料在安全範圍，所以最大剪應力理論建立的強度條件：$\tau_{max} = \dfrac{\sigma_1 - \sigma_3}{2} \leq \dfrac{0.5S_y}{n} = \tau$

主應力之一等於零的問題很常見，有三種情況應考量：

A. $\sigma_A \geq \sigma_B \geq 0 \Rightarrow \sigma_1 = \sigma_A$、$\sigma_3 = 0$

B. $\sigma_A \geq 0 \geq \sigma_B \Rightarrow \sigma_1 = \sigma_A$、$\sigma_3 = \sigma_B$

C. $\sigma_A \leq \sigma_B \leq 0 \Rightarrow \sigma_1 = 0$、$\sigma_3 = \sigma_A$

(2) 畸變能理論(von Mises Hencky theory)：只適用於延性材料，當材料受到等效應力時所產生的單位體積應變能，達到材料軸向拉伸時所產生降伏的單位體積應變能，材料即產生降伏破壞，其降伏破壞的條件是 $\sigma_d = \sqrt{\dfrac{1}{2}\left[\left(\sigma_1 - \sigma_2\right)^2 + \left(\sigma_2 - \sigma_3\right)^2 + \left(\sigma_3 - \sigma_1\right)^2\right]} \leq \dfrac{S_y}{n}$

若僅為雙軸向應力，即 $\sigma_1 \neq 0$、$\sigma_2 \neq 0$、$\sigma_3 = 0$

$\sigma_d = \sqrt{\left[\left(\sigma_1\right)^2 + \left(\sigma_2\right)^2 - \left(\sigma_2\sigma_1\right)\right]} \leq \dfrac{S_y}{n}$

或 $\sigma_d = \sqrt{\left[\left(\sigma_x\right)^2 + \left(\sigma_y\right)^2 - \left(\sigma_x\sigma_y\right) + 3\tau_{xy}^2\right]} \leq \dfrac{S_y}{n}$

若構件只受到純剪力則

$\sigma_d = \sqrt{\left[\left(\sigma_1\right)^2 + \left(\sigma_2\right)^2 - \left(\sigma_2\sigma_1\right)\right]} = \sqrt{\left[\left(\tau_{max}\right)^2 + \left(-\tau_{max}\right)^2 - \left(-\tau_{max}\tau_{max}\right)\right]} = \sqrt{3}\tau_{max}$

2. 脆性材料破壞理論

最大正交應力理論（maximum normal stress theory）只適用於脆性材料，若材料所受的最大正應力大於材料的「容許應力（allowable stress）」，材料就發生斷裂破壞，便預測會產生破壞，即材料發生破壞的主要因素是最大拉應力 σ_1，只要最大拉應力 σ_1 達到材料在軸向拉伸時發生斷裂破壞的極限應力值Su，將極限應力Su 除以安全因數（大於或等於1），得到容許應力 σ，表示材料在安全範圍之內。

$$\frac{S_u}{n} = \sigma \geq \sigma_1$$

此理論適用於脆性材料在二向或三向拉伸斷裂時，由於當機件受扭時，材料由試驗得知 $\tau_{max} = 0.65S_y$ 時材料即發生降伏，因此最大正應力理論不適用於延性材料。

觀念說明

圖5.2為脆性材料最大正交應力理論、庫倫-莫爾理論、修正庫倫-莫爾理論的破壞曲線圖，應力值於第一、三象限之情況時，適用於最大正交應力理論，在二、四象限最大正交應力理論使用的誤差較大，正確性不高，可利用庫倫-莫爾理論分析。

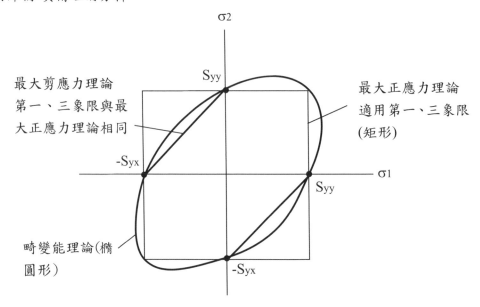

圖5.2　破壞曲線圖

━━━━━ ◉ **焦點命題** ◉ ━━━━━

9. 使用降伏強度為320MPa的硬銅材料,其承受應力情況為 $\sigma_x = -20\,\text{MPa}$, $\sigma_y = -70\,\text{MPa}$, $\tau_y = 30\,\text{MPa}$ (c.c.w),請利用三種常用的靜力破壞理論,分別求其安全係數。【地特四等】

觀念說明:若是構件負載位於第一、三象限中,最大剪應力理論與最大正交應力理論破壞曲線是相同的,表示所求得的安全係數會相同。

答: $\sigma_x = -20\,\text{MPa}$, $\sigma_y = -70\,\text{MPa}$, $\tau_{xy} = 30\,\text{MPa}$

$$\sqrt{\left(\frac{\sigma_x - \sigma_y}{2}\right)^2 + \tau_{xy}^2} = 39.051\ (\text{MPa})$$

$$\sigma_1 = \frac{\sigma_x + \sigma_y}{2} + 39.051 = -5.949\ (\text{MPa})$$

$$\sigma_2 = \frac{\sigma_x + \sigma_y}{2} - 39.051 = -84.051\ (\text{MPa})$$

(1) 最大正交應力理論 $n = \left|\dfrac{S_y}{\sigma_2}\right| = \left|\dfrac{320}{-84.051}\right| = 3.8$

(2) 最大剪應力理論

$$\tau_{max} = \frac{\sigma_2 - \sigma_3}{2} = \frac{-84.051 - 0}{2} = -42.03 \qquad n = \left|\frac{0.5 \times S_y}{\tau_{max}}\right| = 3.8$$

(3) 畸變能理論

$$\sigma = \sqrt{\sigma_1^2 + \sigma_2^2 - \sigma_1\sigma_2}$$

$$= \sqrt{(-5.949)^2 + (-84.051)^2 - (-5.949)\times(-84.051)}$$

$$= 81.24$$

$$n = \left|\frac{S_y}{\sigma}\right| = \frac{320}{81.24} = 3.94$$

10. 如圖所示之中空圓柱是由鋼板以螺旋方式
纏繞、焊接而成,其中焊縫與x軸向之夾
角為55°,圓柱之外徑為320mm、板厚為
8mm,圓柱兩端由剛性(rigid)端板接
合。假設圓柱承受軸向力P=85kN、扭矩
T=40kN-m,試求:

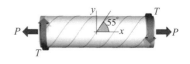

(1)對應x-y軸向之鋼板應力狀態(σ_x、σ_y、τ_{xy}),並繪出應力元素(stress element)。

(2)在沿55°焊縫面上之正向應力(normal stress)與剪應力(shear stress)。【103普考】

答: (1) $\sigma = \dfrac{P}{A} = \dfrac{4P}{\pi(d_o^2 - d_i^2)} = 10.84(\text{Mpa}) = \sigma_x$

$\tau = \dfrac{T}{2A_m t} = \dfrac{2T}{\pi d_m^2 t} = 32.70(\text{Mpa}) = -\tau_{xy} \Rightarrow \tau_{xy} = -32.7(\text{Mpa})$

$\sigma_y = 0(\text{Mpa})$

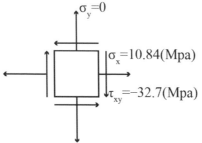

(2) 利用應力轉換公式

$\sigma_{\theta=-35} = \dfrac{\sigma_x + \sigma_y}{2} + \dfrac{\sigma_x - \sigma_y}{2}\cos 2\theta + \tau_{xy}\sin 2\theta = 38(\text{Mpa})$

$\tau_{\theta=-35} = -\dfrac{\sigma_x - \sigma_y}{2}\sin 2\theta + \tau_{xy}\cos 2\theta = -6.023(\text{Mpa})$

說明:

(1)本題須注意到所代入角度值。

(2)應力不變量 $\sigma_x + \sigma_y = \sigma_{-35°} + \sigma_{55°}$ 驗證。

11. 如下圖所示之簡支樑，其材料為結構鋼（降伏強度為250MPa），若樑之截面為正方型，求可支撐P＝1000N之力的最小樑之截面尺寸（安全係數為5）。若材料改為鑄鐵（降伏強度為150MPa），相同截面下且安全係數為5，則最大可承載之外力P為多少？並說明你所使用的破壞預測理論。【高考】

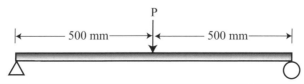

答：(1) 最大剪應力理論、畸變能理論的破壞曲線圖，在第一、三象限若是只承受單軸向應力，最大剪應力理論、畸變能理論與最大正交應力理論破壞曲線相同，本題只受單軸向負載，因此可使用最大正交應力理論，其說明如下：

　　最大正交應力理論（maximum normal stress theory）為若材料所受的最大正應力大於材料的「容許應力」（allowable stress）」，材料就發生斷裂破壞，便預測會產生破壞，即材料發生破壞的主要因素是最大拉應力 σ_1。只要最大拉應力 σ_1 達到材料在軸向拉伸時發生斷裂破壞的極限應力值 S_u，將極限應力 S_u 除以安全因數（大於或等於1），得到容許應力 σ，表示材料在安全範圍之內：$\dfrac{S_u}{n} = \sigma \geq \sigma_1$。

(2) 由於樑只受一方向之應力，故使用最大正應力理論

$$M = \frac{P}{2} \times 0.5 = \frac{P}{4}$$ 且假設正方形截面邊長為h

$$\sigma = \frac{My}{I} = \frac{\dfrac{P}{4} \times \dfrac{h}{2}}{\dfrac{1}{12}h^4} = \frac{\dfrac{1000}{4} \times \dfrac{h}{2}}{\dfrac{1}{12}h^4} = \frac{1500}{h^3}$$

又 $n = \dfrac{S_y}{\sigma} = 5 = \dfrac{250 \times 10^6}{\dfrac{1500}{h^3}} \Rightarrow h = 0.0311\,\text{m}$

若材料改為鑄鐵

$$n = \frac{S_y}{\sigma} = 5 = \frac{250 \times 10^6}{\dfrac{\dfrac{P}{4} \times \dfrac{0.031}{2}}{\dfrac{1}{12} \times (0.031)^4}} \Rightarrow P = 595.82\,(\text{N})$$

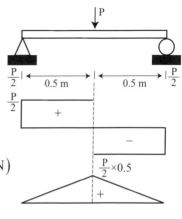

12. **請利用畸變理論**（Distortion energy theory）**計算出右圖A及B兩點的安全係數。該圓棒之材料為AISI 1006，其降伏強度** $S_y = 280\,\text{MPa}$ **，抗拉強度** $S_{ut} = 330\,\text{MPa}$ **。受力F=0.55kN、P= 8.0kN、T=30.0N-m。**

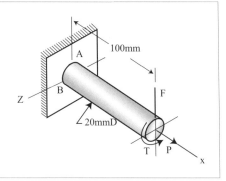

答：(1) A點位置

剪應力： $\tau = \dfrac{Tr}{J} = \dfrac{16T}{\pi \cdot d^3} = \dfrac{16\left(30 \times 10^3\right)}{\pi \times 20^3} = 19.11\,\text{MPa}$

拉應力： $\sigma = \dfrac{P}{a} + \dfrac{My}{I} = \dfrac{4P}{\pi \cdot d^2} + \dfrac{32FL}{\pi \cdot d^3} = \dfrac{4 \times 8000}{\pi \cdot d^2} + \dfrac{32\left(550 \times 100\right)}{\pi \cdot d^3}$
$= 95.56\,\text{MPa}$

$$\sigma_{1,2} = \frac{\sigma_x + \sigma_y}{2} \pm \sqrt{\left(\frac{\sigma_x - \sigma_y}{2}\right)^2 + \tau_{xy}{}^2}$$

$$\sigma_1 = \frac{\sigma}{2} + \sqrt{\left(\frac{\sigma}{2}\right)^2 + \tau^2} = \frac{95.56}{2} + \sqrt{\left(\frac{95.56}{2}\right)^2 + 19.11^2}$$
$= 99.24\,(\text{MPa})$

$$\Rightarrow \sigma = \frac{\sigma}{2} - \sqrt{\left(\frac{\sigma}{2}\right)^2 + \tau^2} = \frac{95.56}{2} - \sqrt{\left(\frac{95.56}{2}\right)^2 + 19.11^2} = -3.68\,(\text{MPa})$$

(2) B點位置

剪應力 $\tau = \dfrac{Tr}{J} + \dfrac{4V}{3A} = \dfrac{16T}{\pi \cdot d^3} + \dfrac{16P}{3\pi \cdot d^2} = \dfrac{16\left(30 \times 10^3\right)}{\pi \times 20^3} + \dfrac{16 \times 550}{3\pi \times 20^2} = 221.43\,\text{MPa}$

軸向拉應力 $\sigma = \dfrac{P}{A} = \dfrac{4P}{\pi \cdot d^2} = \dfrac{4 \times 8000}{\pi \times d^2} = 25.46\,\text{MPa}$

$$\sigma_{1,2} = \frac{\sigma_x + \sigma_y}{2} \pm \sqrt{\left(\frac{\sigma_x - \sigma_y}{2}\right)^2 + \tau_{xy}{}^2}$$

$$\sigma_1 = \frac{\sigma}{2} \pm \sqrt{\left(\frac{\sigma}{2}\right)^2 + \tau^2} = \frac{25.46}{2} + \sqrt{\left(\frac{25.46}{2}\right)^2 + 21.43^2} = 37.66 \, (\text{MPa})$$

$$\Rightarrow \sigma_2 = \frac{\sigma}{2} - \sqrt{\left(\frac{\sigma}{2}\right)^2 + \tau^2} = \frac{25.46}{2} - \sqrt{\left(\frac{25.46}{2}\right)^2 + 21.43^2} = -12.20 \, (\text{MPa})$$

(3) 由以上分析可知A處受到應力較大

$\sigma_1 = 99.24 \, (\text{MPa}) > 37.66 \, (\text{MPa})$

由畸變能理論可知

$$\sigma_d = \sqrt{\sigma_1^2 + \sigma_2^2 - \sigma_1\sigma_2} = \sqrt{99.24^2 + (-3.68)^2 - 99.24 \times (-3.68)}$$
$$= 101.13 \text{MPa}$$

$$n = \frac{S_{yp}}{\sigma_d} = \frac{280}{101.13} = 2.77$$

---

13. 一垂直力100N及一水平力F施加於一等截面之懸臂梁如圖右，同時顯示梁在O點的截面。

(1) 如F＝0，試繪出在此截面上，x方向正應力沿y軸分布的情形，圖中請標出最大及最小的應力各為多少。

(2) 如F＝100N，試繪出在此截面上，x方向正應力沿y軸分布的情形，圖中請標出最大及最小的應力各為多少。【100身四】

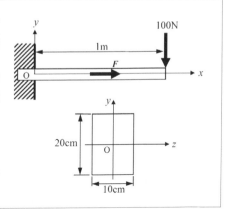

答：(1)

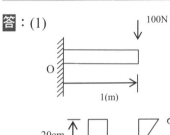

$M_O = 100 \times 1 = 100 \, (\text{N-m})$

$$\sigma_t = \frac{M_O \times \dfrac{0.2}{2}}{\dfrac{1}{12} \times (0.1) \times (0.2)^3} = 150000 \, (\text{Pa})$$

同理 $\sigma_c = -150000 \, (\text{Pa})$

(2)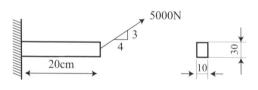

$$\sigma_F = \frac{100}{0.2 \times 0.1} = 5000(Pa)$$

$$\sigma_t' = 150000 + 5000 = 155000(Pa)$$

$$\sigma_c' = -150000 + 5000 = -145000(Pa)$$

| 精選試題 |

基礎試題演練

1. 如圖所示，截面為10mm×30mm之懸臂樑，試求其最大壓應力為若干？

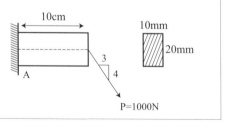

答：$\sigma_{cmax} = \dfrac{P}{A} - \dfrac{M}{Z} = \dfrac{4000}{10 \times 30} - \dfrac{3000 \times 200}{\dfrac{10 \times 30^2}{6}} = -386.7(N/mm^2)$

2. 一懸臂樑如圖所示，長為10cm、斷面為10mm×20mm，為一拉力P=1000N，試求A點所受之應力大小並決定其為拉應力或壓應力。

答：P力可分解為Px=600(→)，Py=800(↓)
　　Py對A點產生彎矩 M=800×100=80000(N-mm)
　　故A點的應力為

$$\sigma_{cmax} = \frac{P_x}{A} - \frac{M}{I} = \frac{600}{10 \times 20} - \frac{8000 \times 10}{\dfrac{10 \times 20^3}{12}} = 3 - 120 = -117(N/mm^2 壓應力)$$

3. 如右圖之應力狀態，若材料降伏應力為
  Sy=650 MPa，利用
  (1)最大剪應力理論。
  (2)最大畸變能理論求材料之安全係數。

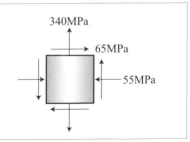

340MPa

65MPa

55MPa

答：(1) 最大剪應力理論

$$\sigma_x = -55\text{MPa}, \sigma_y = 340\text{MPa}, \tau_{xy} = 65\text{ MPa}$$

$$\sigma_{1,2} = \frac{\sigma_x + \sigma_y}{2} \pm \sqrt{(\frac{\sigma_x - \sigma_y}{2})^2 + \tau_{xy}^2} = \frac{-55 + 340}{2} \pm \sqrt{(\frac{-55-340}{2})^2 + 65^2}$$

$$\sigma_1 = 350.42\,(\text{MPa}), \sigma_2 = -65.42\,(\text{MPa})$$

$$\tau_{max} = \frac{\sigma_1 - \sigma_2}{2} = \frac{350.42 - (-65.42)}{2} = 207.92 \quad \text{n} = \frac{0.5S_y}{\tau_{max}} = 1.56$$

(2) 最大畸變能理論

$$\sigma_d = \sqrt{\frac{1}{2}[(\sigma_1 - \sigma_2)^2 + (\sigma_2 - \sigma_3)^2 + (\sigma_3 - \sigma_1)^2]} = \sqrt{\sigma_1^2 - \sigma_1\sigma_2 + \sigma_2^2}$$

$$= \sqrt{350.42^2 - 350.42 \times (-65.42) + (-65.42)^2} = 387.3$$

$$\text{n} = \frac{S_y}{\sigma_d} = 1.678$$

觀念說明：最大剪應力理論較最大畸變能保守，所以安全係數會較小，
       反之若材料通過最大剪應力理論檢驗，必能通過最大畸變能
       檢驗。

4. 以根部埋入地下之圓桿支撐的長方形路牌受風力作用如下右圖。風壓之合力
  可視為一施加於路牌形心之集中力F。下左圖為圓桿在地面之截面示意圖，
  其中x'及y'軸分別平行於x與y軸。圓桿之半徑為3cm。F之大小為2kN。試求
  A、B、C及D各點的合應力。【107地特四等】

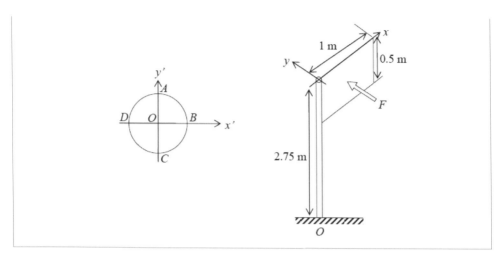

答：內力分析

$T_z = 2(kN) \times 0.5m = 1(kN-m)$

$F_y = 2kN$

$M_x = 2 \times \left[2.75 - \dfrac{0.5}{2} \right] = 5(kN-m)$

$r = 3cm = 30mm$

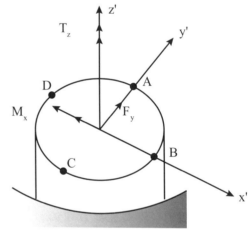

A點應力

$\sigma_z = \dfrac{M_x y}{I} = \dfrac{5 \times 10^6 \times 30}{\dfrac{\pi}{4} \times 30^4} = -235.79(MPa)$

$\tau = \dfrac{T_z r}{J} = \dfrac{1 \times 10^6 \times 30}{\dfrac{\pi}{2} \times 30^4} = 23.58(MPa)$

主應力 $\sigma_{1,2} = \left(\dfrac{-235.79}{2} \right) \pm \sqrt{\left(\dfrac{235.79}{2} \right)^2 + 23.58^2} = -238.12, +2.33$

同理

C點應力

$\sigma_z = 235.79 \text{(MPa)}$

$\tau = 23.58 \text{(MPa)}$

$$\sigma_{1,2} = \left(\frac{235.79}{2}\right) \pm \sqrt{\left(\frac{235.79}{2}\right)^2 + 23.58^2} = 238.12, -2.33 \text{(MPa)}$$

B點應力

$$\tau = 23.58 + \frac{4}{3} \times \frac{2 \times 10^3}{\frac{\pi}{2} \times (60)^2} = 24.52 \text{(MPa)}$$

圓形截面積之最大剪應力

D點應力

$$\tau = 23.58 - \frac{4}{3} \times \frac{2 \times 10^3}{\frac{\pi}{2} \times (60)^2} = 22.64 \text{(MPa)}$$

---

5. 一根懸臂圓桿前端受扭力T及下壓力P。圓桿是由延性材料製造，降伏強度 $S_y = 50 \text{Kpsi}$，下壓力 $P = 500\ell\text{bf}$，扭力 $T = 1000\ell\text{bf}-\text{in}$。圓桿有5英吋長 $l = 5'$，安全係數為2，試依最大剪應力理論（Maximum-Shear-Stress Theory）求出最小的直徑d需求。【郵政升資】

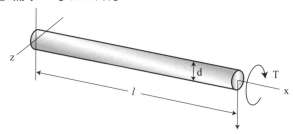

答： $\sigma = \dfrac{My}{I} = \dfrac{32M}{\pi d^3} = \dfrac{32 \times 500 \times 5}{\pi d^3} = \dfrac{25464.79}{d^3}$

$\tau = \dfrac{Tr}{J} = \dfrac{16T}{\pi d^3} = \dfrac{16 \times 1000}{\pi d^3} = \dfrac{5092.96}{d^3}$

$$\tau_{max} = \sqrt{\left(\frac{\sigma}{2}\right)^2 + \tau^2} = \sqrt{\left(\frac{25464.79}{2 \times d^3}\right) + \left(\frac{5092.96}{d^3}\right)^2} = \frac{13713.21}{d^3}$$

利用最大剪應力理論

$$n = \frac{0.5 \times Sy}{\tau_{max}} \Rightarrow 2 = \frac{0.5 \times 50 \times 10^3}{\frac{13713.21}{d_3}} \quad d = 1.031(in)$$

6. 一金屬機械元件的降伏強度為380MPa，它受到靜力負荷所產生的應力狀態為 $\sigma_x = 90\,MPa$ 、 $\sigma_y = 24\,MPa$ 、 $\tau_x = 84\,MPa$ ，試以最大畸變能理論（Maximum distorsion-energy theory）求出其有效應力？（von-Mises stress）與安全係數。【港務升資】

答： $\sigma = \sqrt{\sigma_x^2 + \sigma_y^2 - \sigma_x \sigma_y + 3\tau_{xy}^2} = \sqrt{90^2 + 24^2 - 90 \times 24 + 3 \times 84^2} = 166.385(MPa)$

$N = \dfrac{S_y}{\sigma} = \dfrac{380}{166.385} = 2.283$

7. 右圖所示，皮帶輪直徑為100mm，其兩側之拉力如圖，試問其產生之扭矩為若干？圖中畫斜線部分為圓軸，其直徑為50mm，圓軸與皮帶輪以一鍵相連結，試問作用於該鍵之剪力為若干？【關四】

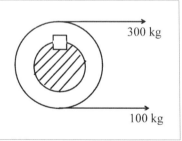

300 kg

100 kg

答： (1) $T = F \times r = (300 - 100) \times \dfrac{100}{2} = 10000$ kg-mm

(2) A.不考慮拉力造成的剪力

$$\Sigma M = 0 \quad 300 \times \frac{100}{2} - 100 \times \frac{100}{2} - P \times \frac{50}{2} = 0$$
$$P = 400\,kg$$

B.考慮拉力造成的剪力 P＝400＋400＝800kg

8. 如右圖所示，兩個垂向力分別
經由 A、B 兩點作用在固定於
空心軸 DE 的齒輪。已知空心軸
的內徑及外徑分別為 40mm 及
60mm，試求作用在 H 點的彎曲
應力以及剪應力各為多少？齒輪
及空心軸的重量皆可忽略不計。
【普考】

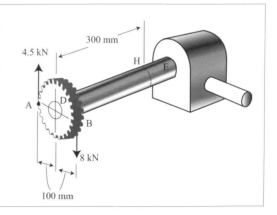

答： $I = \dfrac{\pi}{64}(60^4 - 40^4) = 510508.8 \text{ mm}^4$

$J = 2I = 1021017.6 \text{ mm}^4$

$M = (8 - 4.5) \times 10^3 \times 300 = 1050000 \text{ (N-mm)}$

$T = (8 + 4.5) \times 10^3 \times 100 = 1250000 \text{ (N-mm)}$

$\sigma = \dfrac{My}{I} = \dfrac{1050000 \times 30}{510508.8} = 61.7 \text{ (MPa)}$

$\tau = \dfrac{TC}{J} = \dfrac{1250000 \times 30}{1021017.6} = 36.72 \text{ (MPa)}$

9. 兩直徑分別為 $\Phi 60$mm 與 $\Phi 50$mm 之圓桿件，以填角焊接合於 B、並固定於
A，如圖(a)所示，若 F_1 及 F_2 力之大小分別為 5,000N 及 20,000N，F_1 平行於 z
軸，F_2 作用於桿件軸心且沿 x 軸方向，則：
(1) A 截面上所承受扭矩大小為多少 N-m？
(2) 若 D 位於桿件 z 側外表，且圖(b)為其應力元素，試求 σ_x、σ_y 及 τ_{xy} 分別
為多少？
(3) D 處之最大主應力為多少？
參考公式：直徑 d 之圓形截面桿件的面積慣性矩
$$I_1 = \dfrac{\pi d^4}{64}（非軸向）、 I_2 = \dfrac{\pi d^4}{32}（軸向）【103關四】$$

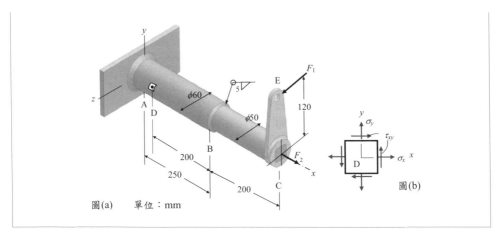

圖(a)　　單位：mm

答：(1) A截面所受扭矩=T_A=5000×0.12=600(N-m)

(2) $\sigma_x = \dfrac{20000}{\dfrac{\pi}{4}\times(60)^2} - \dfrac{5000\times400\times30}{\dfrac{\pi}{4}\times(30)^4} = -87.24$(MPa)

$\sigma_y=0$

$\tau_{xy} = \dfrac{Tr}{J} = \dfrac{600\times10^3\times30}{\dfrac{\pi}{2}\times(30)^4} = 14.147$(MPa)

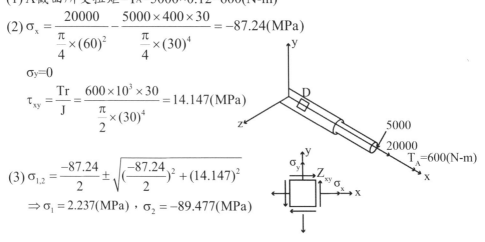

(3) $\sigma_{1,2} = \dfrac{-87.24}{2} \pm \sqrt{(\dfrac{-87.24}{2})^2 + (14.147)^2}$

$\Rightarrow \sigma_1 = 2.237$(MPa)，$\sigma_2 = -89.477$(MPa)

---

10. 如圖所示，一滑輪直徑30cm，圍繞一直徑3cm之圓軸旋轉，受一3cm×0.5cm之鍵所鍵住，阻止其滑動，如T_1=1200kg，T_2=500kg，試求作用於鍵上之剪應力，若鍵之G=0.84×10^6kg/cm^2，其剪應變為若干？

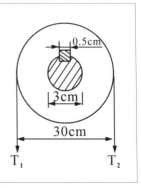

答：滑輪所受之扭矩

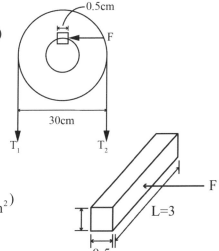

$$T=(T_1-T_2)\times\frac{30}{2}=10500(\text{kg-cm})$$

$$F=\frac{10500}{1.5}=7000(\text{kg})$$

$$\tau=\frac{F}{A}=\frac{7000}{0.5\times3}=4666.67(\text{kg}/\text{cm}^2)$$

$$\tau=G\gamma \Rightarrow 4666.67=0.84\times10^6\times\gamma$$

$$\gamma=5.5\times10^{-3}$$

進階試題演練

1. 薄壁圓筒在內壓P作用下且受到F的軸向力，試求該薄壁圓筒表面所受之主平面應力，其中內半徑r=50mm、內壓力為3.5MPa、薄壁厚度t=3mm、材料降伏強度=72MPa)，試求材料在不降伏的狀態下P之最大值。

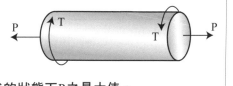

答：$A=2\pi rt=2\pi(50\text{mm})(3.0\text{mm})=942.48\text{mm}^2$

$I_P=2\pi r^3 t=2\pi(50\text{mm})^3(3.0\text{mm})=2.3562\times10^6\text{mm}^4$

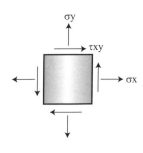

$$\sigma_x=\frac{pr}{2t}+\frac{P}{A}=\frac{(3.5\text{MPa})(50\text{mm})}{2(3.0\text{mm})}+\frac{P}{942.48\text{mm}^2}$$

$$=29.167\text{MPa}+1.0610\times10^{-3}P$$

$$\sigma_y=\frac{pr}{t}=58.333\text{MPa}$$

$$\tau_{xy}=-\frac{Tr}{I_P}=-\frac{(450\text{N}\cdot\text{m})(50\text{mm})}{2.3562\times10^6\text{mm}^4}=-9.5493\text{MPa}$$

$$28.250-0.00053052P=\sqrt{(-14.583+0.00053052P)^2+91.189}$$

$$P=34,080\text{N}$$

2. 如圖所示，一簡支樑AB，其斷面
為矩形(寬b 高h)，長度為L。當負
荷P 作用在長為a 的臂上時，試求
樑的最大拉應力及最大壓應力。
【機械高考、101普考】

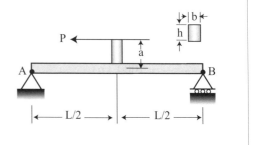

答：(1) 先求支承反力

$$\sum M_A = 0 \Rightarrow R_B = \frac{p.a}{L}(\downarrow)$$

$$\sum M_B = 0 \Rightarrow R_A = \frac{p.a}{L}(\uparrow)$$

畫出彎矩圖

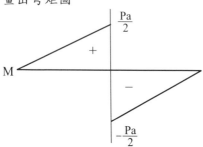

畫軸力圖

(2) 樑於C點有最大之彎矩，取AC段來看

$$\sigma_c = \frac{-My}{I} = \frac{\frac{-Pa}{2}\times\frac{h}{2}}{\frac{1}{12}\times b\times h^3} = \frac{-3Pa}{bh^2}(壓應力)$$

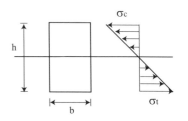

$$\Rightarrow 最大壓應力 = \sigma_c + \frac{-P}{bh} = -(\frac{3Pa}{bh^2}+\frac{P}{bh})$$

$$\sigma_t = \frac{My}{I} = \frac{Pa\times\frac{n}{2}}{\frac{1}{12}\times b\times h^3} = \frac{3Pa}{bh^2}(拉壓力) \Rightarrow 拉應力 = \sigma_t + \frac{-P}{bh} = \frac{3Pa}{bh^2}-\frac{P}{bh}$$

(3) 取BC段來看，則樑底部拉應力 $\sigma_t = \frac{3Pa}{bh^2}$ $\Rightarrow$ 故最大拉應力 $= \frac{3Pa}{bh^2}$

⚙ 112年 | 普考

1. 如圖所示，一繩索纏繞於10kg的圓盤外緣上，若施加一力於繩索上，$F=(\frac{1}{4}\theta^3)N$，其中θ代表圓盤的旋轉角，以弧度表示。試求當圓盤轉2圈時，其角速度為何？圓盤具初始角速度 $\omega_0=1rad/s$，π=3.14159。

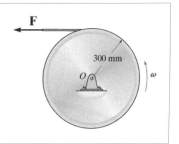

答：由牛二

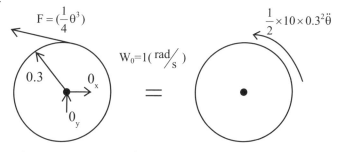

$$\frac{1}{4}\theta^3 \times 0.3 = \frac{1}{2}\times 10\times 0.3^2\ddot{\theta} \Rightarrow \ddot{\theta}=\frac{1}{6}\theta^3$$

$$\int_1^{\dot\theta}\dot\theta d\dot\theta=\int_0^{4\pi}\frac{1}{6}\theta^3 d\theta \qquad \frac{1}{2}\dot\theta^2\Big|_1^{\dot\theta}=1039 \qquad \dot\theta=45.6(rad/s)=W$$

2. 如圖所示，有一圓桿半徑為0.1m，兩端受到扭矩T=100kN-m作用，並有軸力P=1000kN作用在軸的兩側，π=3.14159。請回答以下問題：

(1)請計算出因為扭矩，該桿件所受的最大剪切應力為多少？

(2)在圓桿的最外側之材料所受到的最大主應力（Principal stress）為多少？

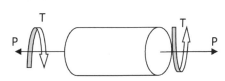

答：(1) $\tau=\dfrac{16T}{\pi d^3}=\dfrac{16\times100\times10^6}{\pi\times(200)^3}$=63.66(Mpa)

(2)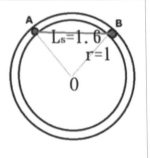

$\sigma=\dfrac{1000\times10^3}{\dfrac{\pi}{4}\times(200)^3}$=31.83(Mpa)

$\sigma_{1,2}=\dfrac{\sigma}{2}\pm\sqrt{(\dfrac{\sigma}{2})^2+\tau^2}=\dfrac{31.83}{2}\pm\sqrt{(\dfrac{31.83}{2})^2+63.66^2}$

σ_1=81.53(Mpa) σ_2=-49.7(Mpa)

σ_1=81.53(Mpa)

σ_2=-49.7(Mpa)

---

3. 如圖所示，有兩個質量為10kg的圓盤A與B被一彈簧AB所相連，彈簧的未拉伸長度為1m，彈簧係數k=1000N/m。現在將彈簧拉伸到長度1.6m，並將圓盤A與B嵌入一在鉛垂面上的圓形（半徑為1m）光滑滑槽中，保持彈簧AB為水平狀態，用手維持靜止狀態。若現在將手鬆開，請問當彈簧回復到非拉伸狀態時，試問圓盤的速度為多少？請用能量守恆定律求解。

cos(30°) = 0.8660，sin(30°) = 0.5。

答：

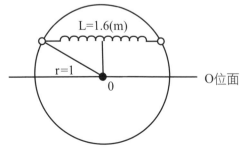

位置1.

$V_{g1}=10\times9.81\times2\times0.6=117.72$

$V_{e1}=\dfrac{1}{2}\times1000\times0.6^2=180$

位置2.

$V_{g2}=10\times9.81\times2\times1\times\sin60°=169.91$

$V_{e2}=0$

$T_2=\dfrac{1}{2}\times10\times V^2\times2=10V^2$

$169.91+10V^2=117.72+180\Rightarrow V=3.575(\dfrac{m}{s})$

---

4. 如圖所示，有一樑在A處為滾支承（Roller support），在C處為鉸支承（Hinge support），請問樑的最左側應該離A處多遠，使得在B處的截面上彎矩為零？

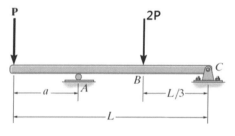

答：(1)

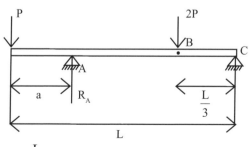

$2P\times\dfrac{L}{3}+P\times L=RA\times(L-a)......(1)$

(2) 取B截面左半邊之F.B.D

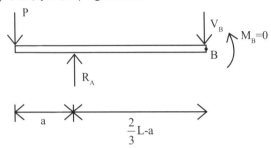

$\Sigma M_B=0$

$P\times\dfrac{2}{3}L=R_A(\dfrac{2}{3}L-a)$......(2)

由(1)(2)　$a=\dfrac{4}{9}L$

🔩 112年 | 地特四等

1. 請分別說明何謂靜力學、動力學、運動學、材料力學。

答：(1) 靜力學：研究物體在平衡狀態下受力作用所生之反力。
　　(2) 運動學：不考慮影響物體運動的因素，研究物體運功之運動狀態。
　　(3) 動力學：研究物體運動時之運動狀態與影響物體運動的關係。
　　(4) 材料力學：研究物體受力作用時所生之內力與變形。

2. 如圖顯示一質量1000kg的吊車吊掛一2400kg重物，吊車鉸鏈支承A、弧狀支承B、吊車重心所在位置G 與重物相對位置如圖所示，請求出吊車各支承所受的水平力與垂直力，並以重力單位N顯示。解題時，請先畫出自由體圖，未畫者不予計分。

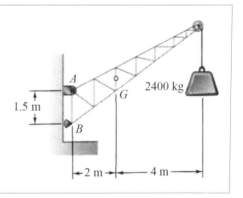

答：

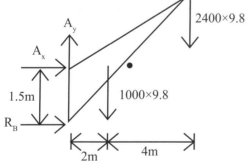

$\Sigma M_A = 0$
$1000 \times 9.8 \times 2 + 2400 \times 9.8 \times 6$
$= R_B \times 1.5$
$\Rightarrow R_B = 107146.67(N)$

$\Sigma F_x = 0$

$A_x = -R_B = -107146.67(N)$

$\Sigma F_y = 0$

$A_y = 1000 \times 9.8 + 2400 \times 9.8 = 33320(N)$

$R_A = \sqrt{Ax^2 + Ay^2} = 112208(N)$

3. 一火車自靜止從某一車站以等加速度$1m/s^2$沿直線軌道出發，在2分鐘後：

(1)請問該車車速為何？

(2)行走距離為何？

(3)該車如在此時發現前方軌道有障礙物，而以$10m/s^2$之等減速度緊急剎車，請問需多長距離才能將火車停住？

答：(1) $V = V_0 + at = 0 + 1 \times 2 \times 60 = 120(m/s)$

(2) $S = \dfrac{(V_0 + V)}{2} \times t = \dfrac{120 \times 120}{2} = 7200(m)$

(3) $0^2 = (120)^2 - 2 \times 10S \Rightarrow S = 720(m)$

4. 一長度300mm、直徑12mm的塑膠圓桿，其彈性係數（楊氏係數）為3.1GPa。當該桿受到3kN拉力時，請問其拉應力與變形量各為何？

答：

$\sigma = \dfrac{3 \times 10^3}{\dfrac{\pi}{4} \times 12^2} = 26.526(Mpa)$

$\delta = \dfrac{PL}{EA} = \dfrac{3 \times 10^3 \times 300}{3.1 \times 10^3 \times \dfrac{\pi}{4} \times 12^2} = 2.567(mm)$

5. 下圖顯示一簡支撐梁及其受力情況，請分別算出該梁所受到的最大剪力與最大彎曲力矩。

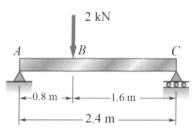

答：

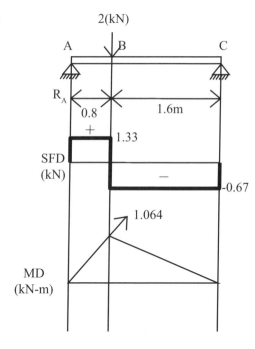

$\Sigma M_A=0$

$2\times0.8=R_C\times2.4$

$R_C=0.67(kN)$

$R_A=1.33(kN)$

$V_{max}=1.33(kN)$

$M_{max}=1.064(kN-m)$

⚙ 113年 關務四等

1. 如圖所示，有一電動馬達輸出300N・m的扭矩於鋁製的轉軸ABCD，並定轉速轉動，已知剪力模數$G=27×10^9Pa$，作用在滑輪B的扭矩為100N・m，作用在滑輪C的扭矩為200N・m，試求在滑輪B和C間軸的扭轉角度為何？

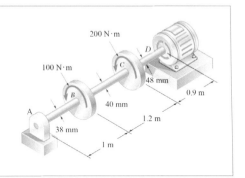

答：內力分析

$$\phi_{B/C}=\frac{TL}{GJ}-\frac{100\times10^3\times1.2\times10^3}{27\times10^3\times\frac{\pi}{32}\times40^4}=0.01768(rad)$$

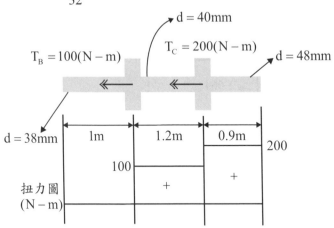

2. 如圖所示，有A、B、C三塊相同的均勻鋼材，每一塊長度皆為S，重量皆為W，將三塊鋼材相疊，但不膠黏，尾端錯開x距離，A在最下層直接放置於地上，B在中間，C在最上層。在C的尾端，站立一個人重量0.5W，欲保持平衡，則圖中的x最大值為何？（請以S表示）

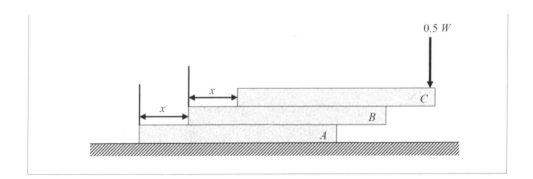

答：$W \times (x + \dfrac{S}{2}) + W \times (2x + \dfrac{S}{2}) + 0.5W \times (S+2x)$

$= (W + W + 0.5W) \times S$

$4Wx = Ws \Rightarrow x = \dfrac{S}{4}$

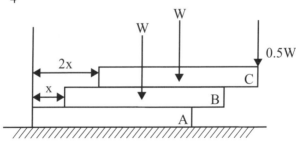

3. 如圖所示，有一圓柱桿件由同質材料不同直徑AB和BC兩部分組成，桿件兩端A和C被固定，中間施加兩個30kN載荷。已知材料楊氏係數E=3.1GPa，試求：

(1)A和C處的反作用力各為何？

(2)AB及BC個別的正向應力為何？

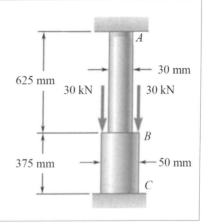

答：(1) $K_{AB}=\dfrac{E\times\dfrac{\pi}{4}\times30^{\circ}}{625}=1.13E$

$K_{BC}=\dfrac{E\times\dfrac{\pi}{4}\times50^{\circ}}{375}=5.236E$

並聯：$R_A=60\times\dfrac{K_{AB}}{K_{AB}+K_{BC}}$

$=60\times0.1775=10.65(kN)$

$R_C=60\times\dfrac{K_{BC}}{K_{AB}+K_{BC}}$

$=60\times0.8225=49.35(kN)$

(2) $\sigma_{AB}=\dfrac{10.65\times10^{3}}{\dfrac{\pi}{4}\times30^{2}}=15.07(MPa)$

$\sigma_{BC}=\dfrac{49.35\times10^{3}}{\dfrac{\pi}{4}\times50^{2}}=25.13(MPa)$（壓）

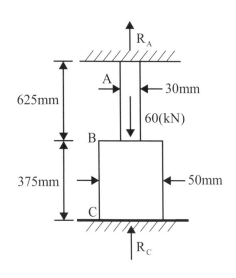

4. 如圖所示，有一光滑套環，質量3kg，彈簧的彈性係數k=200N/m，其未拉伸長度0.5m。套環由A處靜止釋放，請計算套環到達B處時的速度。（忽略套環的大小）

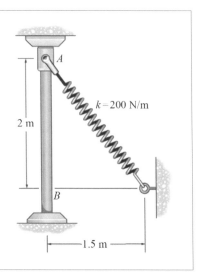

答：位置A：

$V_{\theta A}=3\times9.81\times2=58.86$

$T_A=0$

$V_{\theta A}=\dfrac{1}{2}\times200\times(2.5-0.5)^2=400$

位置B：

$V_{\theta B}=0$

$T_B=\dfrac{1}{2}\times3\times V^2$

$V_{\theta B}=\dfrac{1}{2}\times200\times(1.5-0.5)^2=100$

由功能原理機械能守恆

$58.86+400=100+1.5V^2$

$\Rightarrow V=15.47(m/s)$

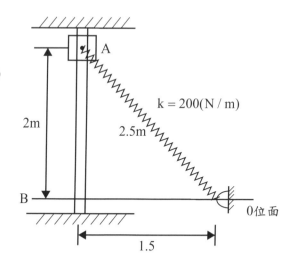

$k=200(N/m)$

2m

2.5m

B

0位面

1.5

---

5. 如圖所示，有一滑輪組，吊掛A、B兩個重物，A為8公斤，B為3公斤，原為靜止狀態。A由靜止狀態釋放移動2m後，求當時A及B的速度。（忽略繩索和滑輪的質量及其間之摩擦）

A

B

答：由牛頓第二運動定律

T

$=$ ↑ $3\times a_B$

3×9.81

$T-3\times9.81=3a_B\cdots\cdots(1)$

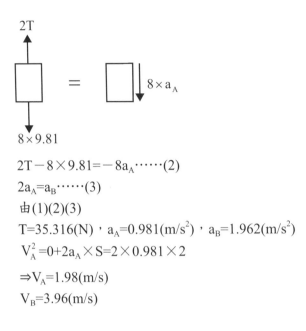

$2T-8\times9.81=-8a_A\cdots\cdots(2)$

$2a_A=a_B\cdots\cdots(3)$

由(1)(2)(3)

$T=35.316(N)$，$a_A=0.981(m/s^2)$，$a_B=1.962(m/s^2)$

$V_A^2=0+2a_A\times S=2\times0.981\times2$

$\Rightarrow V_A=1.98(m/s)$

$V_B=3.96(m/s)$

113年 普考

---

1. 河寬2km，河水以0.3km/h往右流動如圖。一泳客由河之一岸A點出發，以垂直於並相對河流的速度1km/h朝正對面的A'點游泳渡河。

(1)當泳客到達對岸時，距離A'點多遠？

(2)泳客應如何游才能在抵達對岸時，剛好在A'點？

(3)假如泳客因疲倦而無法保持等速，越游越慢，則對(2)的答案應如何調整才能使抵達對岸時，剛好在A'點？

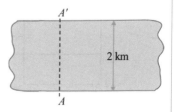

答：$\overrightarrow{V_A} = \overrightarrow{V_水} + \overrightarrow{V_{A水}} = 0.3\,\vec{i} + 1\,\vec{j}$ (km/h)

(1) 距A'點 $2 \times 0.3 = 0.6$(km)

(2) $\overrightarrow{V_A} = -0.3\,\vec{i} + 1\,\vec{j}$

$\theta = 73.3°$

沿據水平夾角 $\theta = 73.3°$游動

(3) 調整 θ 角度變小

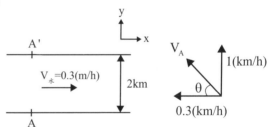

---

2. 剪力模數為80GPa之均質實心軸受扭矩作用如圖，軸在P端固定，試求：

(1)固定端的反作用扭矩Γ_P。

(2)沿長軸方向各截面扭矩分布圖。

(3)與受力前相較，R截面的扭轉角。

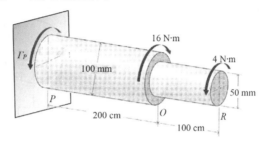

答：(1) Γ_p=12(N－m)

(2) 如圖所示

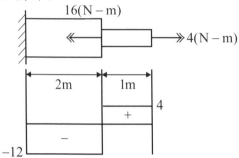

(3) $\phi_R = \dfrac{4\times10^3\times1\times10^3}{80\times10^3\times\dfrac{\pi}{2}\times25^4} - \dfrac{12\times10^3\times2\times10^3}{80\times10^3\times\dfrac{\pi}{2}\times50^4} = 5.09\times10^{-5}(rad)$

---

3. 假設下圖摩擦力及所有滑輪質量均可忽略，繩子不可伸長。方塊P與Q質量分別為7kg及5kg。在時間ts時，P以4t²m/s的速度往左移動。試求：

(1)t=3s，P的加速度。

(2)t=3s，Q的速度。

(3)t=3s，Q的加速度。

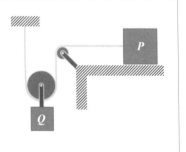

答：$2x_Q+x_P=L$

$\begin{cases} 2\dot{x}_Q + \dot{x}_P = 0 \\ 2\ddot{x}_Q + \ddot{x}_P = 0 \end{cases}$

$\dot{x}_P = -4t^2$ ， $\ddot{x}_P = -8t$

$\dot{x}_Q = 2t^2$ ， $\ddot{x}_Q = 4t^2$

(1) t=3 $\Rightarrow \ddot{x}_P = -24(m/s^2) \Rightarrow \ddot{x}_P = 24(m/s^2) \leftarrow$

(2) t=3 $\Rightarrow \dot{x}_Q = 2\times3^2 = 18(m/s^2) \downarrow$

(3) t=3 $\Rightarrow \ddot{x}_Q = 4\times3 = 12(m/s^2) \downarrow$

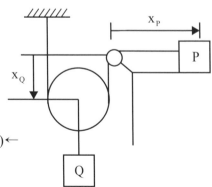

4. 螺栓與外套管鎖合如圖,設兩端墊片變形可忽略,
螺栓與外套管的截面積分別為A_1與A_2,楊氏係數
分別為E1與E2。螺栓之螺距為p。起始狀態下螺帽
剛旋至螺栓與外套管組合無間隙,兩螺帽間距離為
L,現進一步將螺帽旋緊一圈。試分別求螺栓與外
套管所受應力。

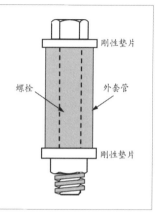

剛性墊片
螺栓
外套管
剛性墊片

答: $\delta_1 = \dfrac{N_1 L}{E_1 A_1}$, $\delta_1 = \dfrac{N_2 L}{E_2 A_2}$ $\delta_1 + \delta_2 = P$

$N_1 = N_2 \Rightarrow P = \dfrac{E_2 A_2 + E_1 A_1}{E_1 A_1 E_2 A_2}(N_1 L)$

$N_1 = \dfrac{P E_1 A_1 + E_2 A_2}{L[(E_2 A_2) + (E_1 A_1)]}$

螺栓應力 $\sigma_1 = \dfrac{\ }{\ } = \dfrac{P E_1 E_2 A_2}{L[E_2 A_2 + E_1 A_1]}$

套管應力 $\sigma_2 = \dfrac{N_2}{A_2} = \dfrac{P E_1 E_2 A_1}{L[E_2 A_2 + E_1 A_1]}$

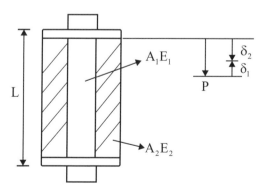

一試就中，升任各大
國民營企業機構
高分必備，推薦用書

共同科目

2B811121	國文	高朋·尚榜	590元
2B821141	英文 👑 榮登金石堂暢銷榜	劉似蓉	630元
2B331141	國文(論文寫作)	黃淑真·陳麗玲	470元

專業科目

2B031131	經濟學	王志成	620元
2B041121	大眾捷運概論（含捷運系統概論、大眾運輸規劃及管理、大眾捷運法及相關捷運法規）👑 榮登博客來、金石堂暢銷榜	白崑成	560元
2B061131	機械力學(含應用力學及材料力學)重點統整＋高分題庫	林柏超	430元
2B071111	國際貿易實務重點整理+試題演練二合一奪分寶典 👑 榮登金石堂暢銷榜	吳怡萱	560元
2B081141	絕對高分! 企業管理(含企業概論、管理學)	高芬	690元
2B111141	台電新進雇員配電線路類超強4合1	千華名師群	650元
2B121081	財務管理	周良、卓凡	390元
2B131121	機械常識	林柏超	630元
2B141141	企業管理(含企業概論、管理學)22堂觀念課	夏威	780元
2B161141	計算機概論(含網路概論) 👑 榮登博客來、金石堂暢銷榜	蔡穎、茆政吉	660元
2B171141	主題式電工原理精選題庫 👑 榮登博客來暢銷榜	陸冠奇	560元
2B181141	電腦常識(含概論) 👑 榮登金石堂暢銷榜	蔡穎	590元
2B191141	電子學	陳震	650元
2B201141	數理邏輯(邏輯推理)	千華編委會	530元

2B251121	捷運法規及常識(含捷運系統概述) 👑 榮登博客來暢銷榜	白崑成	560元
2B321141	人力資源管理(含概要) 👑 榮登博客來、金石堂暢銷榜	陳月娥、周毓敏	690元
2B351131	行銷學(適用行銷管理、行銷管理學) 👑 榮登金石堂暢銷榜	陳金城	590元
2B421121	流體力學（機械）・工程力學（材料）精要解析 👑 榮登金石堂暢銷榜	邱寬厚	650元
2B491141	基本電學致勝攻略 👑 榮登金石堂暢銷榜	陳新	750元
2B501141	工程力學(含應用力學、材料力學) 👑 榮登金石堂暢銷榜	祝裕	近期出版
2B581141	機械設計(含概要) 👑 榮登金石堂暢銷榜	祝裕	近期出版
2B661141	機械原理(含概要與大意)奪分寶典	祝裕	630元
2B671101	機械製造學(含概要、大意)	張千易、陳正棋	570元
2B691131	電工機械(電機機械)致勝攻略	鄭祥瑞	590元
2B701141	一書搞定機械力學概要	祝裕	590元
2B741091	機械原理(含概要、大意)實力養成	周家輔	570元
2B751131	會計學(包含國際會計準則IFRS) 👑 榮登金石堂暢銷榜	歐欣亞、陳智音	590元
2B831081	企業管理(適用管理概論)	陳金城	610元
2B841141	政府採購法10日速成 👑 榮登博客來、金石堂暢銷榜	王俊英	690元
2B851141	8堂政府採購法必修課：法規+實務一本go！ 👑 榮登博客來、金石堂暢銷榜	李昀	530元
2B871091	企業概論與管理學	陳金城	610元
2B881141	法學緒論大全(包括法律常識)	成宜	650元
2B911131	普通物理實力養成 👑 榮登金石堂暢銷榜	曾禹童	650元
2B921141	普通化學實力養成 👑 榮登金石堂暢銷榜	陳名	550元
2B951131	企業管理(適用管理概論)滿分必殺絕技 👑 榮登金石堂暢銷榜	楊均	630元

以上定價，以正式出版書籍封底之標價為準

歡迎至千華網路書店選購
服務電話 (02)2228-9070

千華網路書店

更多網路書店及實體書店

博客來網路書店　 PChome 24hr書店　三民網路書店

MOMO 購物網　金石堂網路書店　 誠品網路書店

查詢實體書店

[國民營事業] 一書搞定機械力學概要

編 著 者：祝 裕

發 行 人：廖 雪 鳳
登 記 證：行政院新聞局局版台業字第 3388 號
出 版 者：千華數位文化股份有限公司
地址：新北市中和區中山路三段 136 巷 10 弄 17 號
電話：(02)2228-9070　傳真：(02)2228-9076
客服信箱：chienhua@chienhua.com.tw

法律顧問：永然聯合法律事務所
編輯經理：甯開遠
主　　編：甯開遠
執行編輯：廖信凱
校　　對：千華資深編輯群
設計主任：陳春花
編排設計：蕭韻秀

千華官網
／購書

千華蝦皮

出版日期：2025 年 2 月 25 日　　第十版／第一刷

本書如有勘誤或其他補充資料，
將刊於千華官網，歡迎前往下載。